JOJO MOYES

Sous la pluie

TRADUIT DE L'ANGLAIS PAR SABINE BOULONGNE

JC LATTÈS

Titre original :

SHELTERING RAIN

Publié par Hodder & Stoughton, une filiale de Hodder Headline.

ISBN : 978-2-253-10880-1 – 1re publication LGF

Pour Charles Arthur

et Betty McKee

Prologue

L'Archevêque baisera alors la main droite de la Reine. Après quoi, le duc d'Édimbourg descendra les marches du Trône. Ayant ôté sa couronne, il s'agenouillera devant Sa Majesté, et plaçant ses mains entre celles de la Reine, il prononcera les paroles d'hommage qui suivent :

Moi, Philippe, duc d'Édimbourg
Je deviens votre homme lige à la vie à la mort,
Et votre fidèle adorateur temporel ;
Dans la foi et la vérité, je m'engage envers vous
À vivre et à mourir en vous préservant de tous les peuples adverses.
Que Dieu me vienne en aide.

Et se levant, il effleurera la couronne sur la tête de Sa Majesté et embrassera Sa joue gauche.

De la même manière, le duc de Gloucester et le duc de Kent lui rendront hommage séparément.

Tiré du Protocole de la Cérémonie
du Couronnement, 1953.

C'était sans doute assez impudent, songea Joy après coup, de faire la connaissance de son futur époux le jour dont la princesse Elizabeth était censée avoir l'apanage. Ou plutôt la reine Elizabeth II, telle qu'elle serait plus pompeusement connue dès la fin de cette mémorable journée. Quoi qu'il en soit, étant donné l'importance de l'événement, pour l'une comme pour l'autre, Joy avait eu bien de la peine à se mettre dans l'état d'excitation approprié.

La pluie s'annonçait plus sûrement qu'une nomination divine. Le ciel de Hong-Kong était embrumé, d'un gris d'acier. Tandis qu'elle contournait le Peak à pas lents, serrant contre elle une chemise remplie de partitions de chant humides, les aisselles glissantes comme si elles étaient enduites de graisse, sa blouse lui collant déjà au dos, Joy avait éprouvé tout autre chose que de la ferveur monarchique en pensant à la réception donnée par les Brougham Scott en l'honneur du couronnement.

Pour commencer, il y avait sa mère, déjà en émoi à la maison, telle une corde tendue par l'impatience et l'insatisfaction dues principalement à la présence de son père, de retour d'un de ses voyages en Chine. Ses visites semblaient coïncider systématiquement avec une brusque dégradation de ses humeurs, ravalant ses rêves d'une vie meilleure, ailleurs, à une réalité plus sombre et plus étriquée.

— Tu ne vas pas mettre ça, avait-elle dit à Joy en fronçant les sourcils, sa bouche réduite à une moue de désapprobation écarlate.

Joy lorgnait la porte. Elle bouillait d'impatience de rejoindre Stella, évitant ainsi de se rendre chez les Brougham Scott avec ses parents. Elle leur avait raconté des bobards en prétendant que leurs hôtes avaient besoin des partitions de bonne heure. Les trajets en leur compagnie, même à pied, lui donnaient la nausée.

— Tu as l'air si quelconque, ma chérie. Et tu as mis tes hauts talons. Tu vas dépasser tout le monde.

Édulcorant familier, ce « chérie » dissimulait la causticité des propos tenus par Alice.

— Je m'assoirai.

— Tu ne peux pas rester assise toute la soirée.

— Je plierai les genoux dans ce cas.

— Tu devrais mettre une ceinture plus large. Tu paraîtrais moins grande.

— Elle me rentrerait dans les côtes.

— Je ne vois pas pourquoi tu te montres si difficile. Je m'efforce juste de t'aider à être à ton avantage. On ne peut pas dire que tu fasses beaucoup d'efforts dans ce sens.

— Ça m'est égal, maman. Personne d'autre ne s'en souciera. On ne remarquera même pas ma présence. Ils seront tous occupés à écouter la princesse en train de prononcer ses vœux, ou je ne sais quoi.

Laisse-moi partir, supplia-t-elle intérieurement. Ce sera déjà assez pénible de supporter l'humeur corrosive d'Alice pendant toute la soirée.

— Eh bien, moi, ça ne m'est pas égal. Les gens vont penser que je ne t'ai pas appris à prendre soin de toi.

L'avis des gens comptait énormément pour Alice. Hong-Kong est un bocal à poissons rouges, disait-elle. À tout moment, quelqu'un vous observe, ou parle de vous. Quel petit monde ennuyeux et mesquin que le vôtre ! avait envie de riposter Joy. Mais elle n'en faisait rien, essentiellement parce que c'était vrai.

Et puis, son père boirait trop, à coup sûr, et embrasserait toutes les femmes sur la bouche au lieu des joues, de sorte qu'elles jetteraient des coups d'œil anxieux alentour en se demandant si, d'une manière ou d'une autre, elles l'avaient incité à se tenir mal. Je me détendais juste un peu, crierait-il à l'adresse d'Alice. Quelle épouse empêcherait son mari de s'amuser un peu après des semaines de travail harassant en Chine ? Tout le monde savait à quel point c'était horrible de traiter avec les Orientaux. Depuis l'invasion japonaise, il n'était plus le même. Mais il est vrai qu'on ne parlait jamais de ça.

Il y aurait les Brougham Scott. Les Marchant. Les Dickinson. Les Alleyne. Ainsi que tous les autres couples qui appartenaient à la classe particulière résidant juste en dessous du Peak, mais pas au-delà de Robinson Road – les quartiers intermédiaires étant le domaine des employés de bureau. Ils se voyaient à tous les cocktails du Club de cricket de Hong-Kong, se retrouvaient aux courses à l'hippodrome de l'Happy Valley ; ils partageaient les jonques de leur firme lors de périples copieusement arrosés de sherry autour des îles périphériques et se plaignaient en chœur de la difficulté à se procurer du lait, des moustiques, du coût de l'immobilier et de l'outrageante grossièreté des domestiques chinois. Ils évoquaient l'Angleterre, qui leur manquait tant, et les visiteurs venus du vieux continent, soulignant à quel point leur vie était terne et monotone et combien l'Angleterre paraissait morne alors que la guerre était finie depuis des siècles, ni plus ni moins. Mais surtout ils parlaient des uns des autres, les militaires recourant à un jargon à part, émaillé de blagues et de pointes d'humour propres aux casernes, les marchands dénigrant les accomplissements de leurs rivaux tandis que leurs épouses se groupaient et se regroupaient en d'interminables permutations aussi empoisonnantes que virulentes.

Pis que tout, il y aurait William, omniprésent à tous les raouts. William et son menton fuyant, sa chevelure blond filasse, aussi fade et ténue que sa voix étranglée, haut perchée, posant ses mains moites au creux de son dos pour l'entraîner dans des endroits où elle n'avait pas la moindre envie d'aller. Tout en faisant mine d'écouter poliment, elle zieutait le sommet de son crâne en se demandant où il serait le plus dégarni.

— Crois-tu qu'elle a le trac ? demanda Stella.

Ses cheveux, luisants comme du vernis humide, étaient relevés en un chignon. Pas une seule mèche rebelle ne frisottait dans l'atmosphère moite alors que les boucles de Joy lançaient une offensive chaotique pour s'échapper quelques minutes à peine après avoir été assujetties. Bei-Lin, son *amah*, rouspétait à son encontre, la mine renfrognée, alors qu'elle s'efforçait de dompter sa tignasse à grand renfort d'épingles, comme si ce désordre était dû à quelque indiscipline délibérée de la part de Joy.

— Qui ça ?

— La princesse. Moi, à sa place, je serais morte de trouille. Songe à tous les gens qui la regarderont.

Au cours des dernières semaines, Stella, resplendissante avec sa jupe rouge, son chemisier blanc et son cardigan bleu achetés spécialement pour l'occasion, avait manifesté ce que Joy considérait comme un intérêt quelque peu malsain à l'égard de la princesse Elizabeth, multipliant les hypothèses relatives à son choix de bijoux, ses tenues, le poids de sa couronne. Sans parler de la jalousie que son époux ne manquerait pas d'éprouver vis-à-vis de son titre étant donné que lui-même n'aurait pas le statut de roi. Joy commençait à la suspecter d'un sentiment d'identification loin de l'humilité du simple sujet.

— On ne sera pas tous là à la regarder. Beaucoup de gens, comme nous, devront se contenter de l'écouter à la radio.

Elles s'écartèrent l'une et l'autre pour laisser passer une voiture, non sans jeter un rapide coup d'œil à l'intérieur pour voir s'il s'agissait de quelqu'un de leur connaissance.

— Tout de même, elle risque de bafouiller. Je suis convaincue que ce serait mon cas si j'étais à sa place. Je me mettrais à bégayer à coup sûr.

Joy en doutait, Stella étant le parangon de la distinction féminine. Contrairement à Joy, elle avait la taille idéale pour une jeune fille et portait toujours d'élégantes tenues que son tailleur Tsim Sha Thui confectionnait spécifiquement pour elle suivant la dernière mode parisienne. Elle ne trébuchait jamais, ne boudait jamais en public, ne perdait jamais sa langue quand elle s'adressait à l'interminable rangée d'officiers de passage conviés aux « réceptions » destinées à leur faire temporairement oublier leur engagement imminent dans la guerre de Corée. Joy se disait souvent que l'image de Stella aurait été quelque peu ternie si son aptitude à éructer l'alphabet de A à Z avait été plus manifeste.

— Crois-tu que nous serons obligées de rester jusqu'au bout ?

— Comment ? Toute la cérémonie, tu veux dire ? soupira Joy en donnant un coup de pied dans un caillou. Ça va sûrement durer des heures, et ils vont tous trop boire et se mettre à déblatérer les uns sur les autres. Maman va commencer à flirter avec Duncan Alleyne et répéter une fois de plus que William Farquharson est allié aux Jardine et que ses perspectives d'avenir sont idéales pour une fille de mon gabarit.

— Je le trouve plutôt petit pour une fille de ton gabarit.

Stella avait aussi de l'humour.

— J'ai mis mes talons exprès.

— Allons, Joy ! C'est si excitant. Nous allons avoir une nouvelle reine !

Joy haussa les épaules.

— Pourquoi devrais-je me mettre dans tous mes états ? Nous ne vivons même pas dans le même pays.

— C'est notre souveraine tout de même. Elle a presque notre âge ! Tu te rends compte ! Et puis c'est la plus grande réception depuis des lustres ! Tout le monde sera là.

— Mais ce sont toujours les mêmes. Ce n'est pas drôle d'aller à des soirées si on y voit toujours les mêmes personnes.

— Oh, Joy, tu es déterminée à être malheureuse, ma parole ! Il y a toujours des tas de gens nouveaux si tu voulais te donner la peine de leur parler.

— Mais je n'ai rien à leur dire. Ils ne s'intéressent qu'aux emplettes, aux vêtements et aux médisances.

— Oh, pardonne-nous ! répliqua Stella d'un ton espiègle. À quoi d'autre peut-on s'intéresser ?

— Je ne parlais pas de toi. Tu vois ce que je veux dire. Il doit y avoir autre chose dans la vie. N'aurais-tu pas envie d'aller en Amérique ? Ou en Angleterre ? De sillonner le monde ?

— J'ai déjà voyagé. Dans quantité d'endroits.

Le père de Stella était commandant dans la marine.

— Honnêtement, je pense que les gens s'intéressent partout aux mêmes choses. Lorsque nous étions à Singapour, nous allions de cocktail en cocktail. Même Maman s'cnnuyait. Et puis de toute façon, ce ne sont pas toujours les mêmes. Il y a les officiers. Ils seront nombreux ce soir. Et je suis certaine que tu ne les connais pas tous.

Effectivement il y avait pléthore d'officiers. La vaste terrasse à l'italienne des Brougham Scott, qui donnait sur le port de Hong-Kong les rares moments où le brouillard au-dessus du Peak se dissipait, était une mer de costumes blancs. À l'intérieur, sous les ventilateurs qui vrombissaient pareils à d'énormes hélices, le personnel chinois, également vêtu de blanc, évoluait en silence entre les militaires dans leurs chaussures de toile, proposant des cocktails glacés sur des plateaux en argent. Les voix étouffées montaient et descendaient au gré de la musique qui paraissait elle-même assourdie par la chaleur moite et pesante. Les drapeaux de l'Union Jack, tendus en travers des plafonds, pendaient comme de la lessive mouillée, remuant à peine en dépit de la brise.

Pâle, séduisante, mais tout aussi lessivée apparemment, Elvine Brougham Scott était allongée sur une chaise longue tapissée de damas dans un coin du salon de marbre, entourée, comme à l'accoutumée, d'un corps d'officiers aux petits soins. Elle portait une robe en soie décolletée en V de couleur prune dont la longue jupe froncée retombait en plis autour de ses interminables jambes blanches. Pas trace de transpiration sous ses aisselles, remarqua Joy en serrant les bras le long de son corps. Elvine avait déjà envoyé valser un de ses souliers, bordés de fausse hermine, révélant ainsi ses orteils écarlates. Joy savait ce que dirait sa mère quand elle la verrait tout en ravalant sa frustration de ne pas avoir suffisamment le genre « Barbara Stanwyck » pour se vêtir elle-même de cette façon. Le rouge à lèvres *Scarlet Woman* était l'unique concession au style « vamp » qu'Alice s'octroyait, et ce n'était pas faute d'en avoir envie.

Joy et Stella déposèrent leurs partitions de chant à la hâte et saluèrent Mrs Brougham Scott d'un signe de tête, sachant qu'elle ne voudrait pas être dérangée.

— Comment allons-nous entendre la cérémonie ? demanda anxieusement Stella en jetant des coups d'œil autour d'elle à la recherche du poste de TSF. Comment sauront-ils quand ça commence ?

— Ne vous inquiétez pas, ma chère, répondit Duncan Alleyne en s'inclinant au passage pour regarder sa montre. Nous avons tout le temps. N'oubliez pas qu'ils ont huit heures de retard sur nous à Blighty.

Duncan Alleyne parlait toujours comme le héros de la Royal Air Force dans un film de guerre. Les filles trouvaient cela risible, mais Alice, au grand dam de Joy, avait l'air de penser que cela faisait d'elle une Celia Johnson.

— Sais-tu qu'elle doit accepter « les vivants oracles de Dieu » ? s'exclama Stella avec ravissement.

— Comment ?

— La princesse Elizabeth. Pendant la cérémonie. Elle doit accepter les « vivants oracles de Dieu ». Je n'ai pas la moindre idée de ce dont il s'agit. Oh ! Et puis elle a quatre chevaliers de l'ordre de la Jarretière pour s'occuper d'elle. Crois-tu qu'ils soient chargés de prendre soin de ses *vraies* jarretières ? Elle a bien une femme de chambre pour sa garde-robe après tout. C'est Betty Warner qui me l'a dit.

Joy scruta le regard de Stella perdu dans le vague.

Pourquoi n'arrivait-elle pas à se sentir aussi transportée par l'événement ? Pourquoi la perspective de cette soirée la remplissait-elle uniquement d'effroi ?

— Et puis tu ne devineras jamais ! On lui a enduit la poitrine d'huile sainte. La poitrine ! J'aimerais bien que nous ayons autre chose que la TSF pour qu'on puisse voir si l'Archevêque la touche vraiment.

— Bonjour, Joy. Mon Dieu, vous avez l'air, vous avez l'air, à vrai dire vous avez l'air d'avoir chaud. Vous a-t-il fallu venir à pied ?

C'était William qui approchait en s'empourprant à chaque pas, la main mollement tendue en une ébauche peu convaincue de salut.

— Désolé. Ce n'est pas ce que... D'ailleurs, je suis venu à pied moi aussi. Et je suis trempé comme une soupe. Bien plus que vous. Regardez.

Joy attrapa au vol un grand cocktail rose sur un plateau et en avala une gorgée. La princesse Elizabeth n'était pas la seule à se sacrifier pour son pays aujourd'hui.

Joy avait déjà ingurgité quelques cocktails roses quand l'heure du couronnement approcha. Elle, qui avait tendance à se déshydrater même par temps humide, s'était aperçue qu'ils descendaient assez facilement. Ils n'avaient pas vraiment un goût d'alcool, et l'attention de sa mère était retenue par autre chose – tiraillée entre le rictus à la Toby Jug de Duncan Alleyne et sa fureur face au plaisir évident de son époux. Elle fut donc assez surprise lorsque le visage de la princesse Elizabeth, affiché tout en haut du mur de la salle à manger, se multiplia tout à coup et parut sourire d'un air complice de ses vaines tentatives pour marcher droit.

Au fil des heures, le brouhaha de la réception s'était

amplifié. Les voix des convives, toujours plus nourries et tonitruantes grâce au copieux stock de boissons, emplissaient peu à peu le vaste rez-de-chaussée de la résidence. Joy s'était repliée sur elle-même au fur et à mesure, incapable de parler de tout et de rien comme de tels événements semblaient le requérir. Elle ne paraissait douée que pour perdre les gens au lieu de les captiver. Elle avait fini par se débarrasser de William en lui disant qu'elle était certaine que Mr Amery voulait s'entretenir avec lui. Stella avait disparu, engloutie par un cercle admiratif d'officiers de la marine. Rachel et Jeannie, les deux autres jeunes filles de son âge, avaient pris place dans un coin avec leurs soupirants jumeaux aux cheveux enduits de brillantine. Libérée de l'opprobre, et même de l'attention de ses pairs, Joy s'était liée d'amitié avec les grands cocktails roses.

En se rendant compte que son verre, inexplicablement, était à nouveau vide, elle jeta des coups d'œil autour d'elle à la recherche d'un *boy*. On aurait dit qu'ils s'étaient envolés, à moins qu'elle eût simplement de la peine à les distinguer du reste de l'assistance. Ils auraient dû mettre des vestes Union Jack, décida-t-elle en riant intérieurement. Des Union jaquettes ! Ou bien des petites couronnes.

Elle prit vaguement conscience d'un coup de gong retentissant et de la voix de ténor rieuse de Mr Brougham Scott tentant de rassembler tout le monde autour du poste de TSF. S'adossant un bref instant contre une colonne, Joy attendit que les gens devant elle se mettent en mouvement. Lorsqu'ils se décideraient, elle pourrait sortir sur la terrasse respirer un peu. Pour le moment, toutefois, leurs corps ne cessaient d'osciller et de fusionner, formant un mur infranchissable.

— Oh mon Dieu, murmura-t-elle. J'ai besoin d'air.

Elle croyait avoir énoncé ces mots seulement dans sa tête, mais brusquement une main lui prit le bras et quelqu'un marmonna :

— Venez donc faire un tour dehors dans ce cas.

À son grand étonnement, Joy s'aperçut qu'elle devait lever les yeux. (Cela lui arrivait rarement. Elle était plus grande que presque tous les Chinois et que la majorité des hommes présents à la réception.) Elle distingua tant bien que mal deux longs visages graves penchés sur elle, ondulant au-dessus de deux cols blancs serrés. Un officier de la marine. Ou deux. Elle ne savait pas très bien. Quoi qu'il en soit, l'un d'eux lui tenait le bras et la guidait doucement à travers la foule en direction du balcon.

— Voudriez-vous vous asseoir ? Respirez profondément. Je vais aller vous chercher un verre d'eau.

Il l'installa dans un fauteuil en osier et s'éclipsa.

Joy inspira goulûment l'air pur. Il faisait presque nuit et le brouillard s'était abattu sur le Peak, enveloppant la maison à l'écart du reste de l'île de Hong-Kong. Les seuls indices prouvant qu'elle n'était pas toute seule se résumaient aux coups de klaxon lointains et grossiers des péniches qui s'acheminaient sur les eaux en contrebas, au bruissement des banians voisins et aux vagues effluves d'ail et de gingembre flottant dans l'air immobile.

Ce fut cette odeur qui eut raison d'elle.

— Oh mon Dieu, marmonna-t-elle. Oh, non…

Elle jeta un coup d'œil derrière elle, remarquant avec soulagement que le dernier des invités disparaissait dans la pièce où se trouvait la TSF, puis se pencha par-dessus le balcon et vomit longuement, et bruyamment.

Quand elle se rassit, la poitrine secouée de hoquets, les cheveux collés aux tempes par la sueur, elle rouvrit les yeux pour trouver l'officier de marine debout devant elle, lui tendant un grand verre d'eau glacée. Elle ne put proférer un mot. Elle se borna à le dévisager en silence avec horreur, après quoi elle dissimula son visage, empourpré par la honte, derrière son verre. Peut-être sera-t-il parti quand je relèverai les yeux, pria-t-elle, soudain péniblement sobre.

— Voudriez-vous un mouchoir ?

Joy garda la tête résolument baissée, fixant tristement ses souliers trop hauts. Quelque chose d'abominable était coincé dans sa gorge, refusant de descendre en dépit de ses tentatives répétées pour déglutir.

— Tenez. Prenez ça.

— Allez-vous-en. S'il vous plaît.

— Comment ?

— Je vous demande de vous en aller, s'il vous plaît.

Oh mon Dieu, si elle ne filait pas au plus vite, sa mère allait se lancer à sa recherche et ce serait la Berezina ! Elle entendait déjà la litanie de ses récriminations : 1. Elle n'était pas digne d'être emmenée où que ce soit. 2. Son comportement était honteux, ou Pourquoi ne pouvait-elle pas ressembler davantage à Stella ? 3. Qu'allaient penser les gens ?

— Je vous en prie, je vous en prie, allez-vous-en.

Elle se rendait bien compte qu'elle était grossière, mais l'horreur d'être potentiellement découverte, outre celle de se trouver coincée là à faire poliment la conversation alors qu'il y avait peut-être Dieu sait quelle éclaboussure sur son chemisier, sur son visage, faisait que c'était un moindre mal.

Il y eut une longue pause. Le bruit d'exclamations

bruyantes en cascade lui parvenait par intermittence de la salle à manger.

— Je ne pense pas… Il me semble qu'il serait préférable que quelqu'un vous tienne compagnie un petit moment.

Ce n'était pas une voix jeune, rien à voir avec les intonations stridentes et émotives de la plupart des officiers, rien à voir non plus avec le *basso profundo* indiquant une association de longue date avec le pouvoir. Il ne semblait pas avoir dépassé le rang d'officier.

Pourquoi ne part-il pas ? pensa Joy.

Il restait tout bonnement planté là. Il y avait une petite éclaboussure de quelque chose d'orange au bas de la jambe gauche de son pantalon immaculé, remarqua-t-elle.

— Écoutez, ça va beaucoup mieux maintenant, merci. J'aimerais autant que vous me laissiez seule. Je crois que je vais rentrer chez moi.

Sa mère serait folle de rage. Mais elle pouvait toujours lui dire qu'elle ne s'était pas sentie bien. Ce ne serait pas vraiment un mensonge. Seul cet homme saurait la vérité.

— Permettez-moi de vous raccompagner, dit-il.

Il y eut une autre clameur à l'intérieur et des éclats de rire perçants, légèrement hystériques. Un morceau de jazz débuta soudainement et s'arrêta tout aussi brutalement.

— Je vous en prie, dit-il, prenez ma main. Je vais vous aider à vous lever.

— Auriez-vous l'obligeance de me laisser seule, s'il vous plaît ?

Cette fois-ci, sa voix sembla hargneuse, même à ses propres oreilles. Un bref silence suivit, puis, après une pause oppressante, interminable, elle entendit ses pas résonner sur les dalles tandis qu'il regagnait lentement l'intérieur.

Joy était trop désespérée de s'en aller pour succomber longtemps à la honte. Elle se leva, but une grande goulée d'eau glacée et se dirigea résolument, bien que d'une démarche quelque peu chancelante, vers la maison. Avec un peu de chance, elle pourrait avertir les domestiques et s'échapper pendant qu'ils écoutaient tous la TSF. Mais au moment où elle passait devant les portes du salon, les invités en sortaient déjà par petits groupes. Une Stella au bord des larmes, les commissures des lèvres abaissées en une moue déçue, faisait partie des premiers.

— Oh Joy, tu te rends compte ?

— Quoi donc ? s'exclama Joy tout en se demandant à quelle vitesse elle parviendrait à la dépasser.

— Cette fichue TSF. Il a fallu qu'elle tombe en panne aujourd'hui ! Je n'arrive pas à croire qu'ils n'en ont qu'une seule dans la maison. Tout le monde en a plusieurs, à coup sûr.

— Inutile de vous mettre dans un état pareil, ma chère Stella, lança Duncan Alleyne en tripatouillant sa moustache d'une main tandis que l'autre s'attardait un peu trop longtemps sur l'épaule de la jeune fille signifiant l'intérêt tout paternel qu'il prétendait lui porter. En un rien de temps, quelqu'un sera allé en récupérer une chez les Marchant. Vous n'aurez pour ainsi dire rien manqué.

— Mais nous allons rater le début. Et nous ne l'entendrons plus jamais. Il n'y aura probablement pas d'autre couronnement de notre vivant. Oh, je ne peux pas le croire !

Stella pleurait pour de bon maintenant, ignorant les convives autour d'elle, dont certains considéraient à l'évidence cette cérémonie comme une interruption pour le moins agaçante d'une soirée on ne peut plus agréable.

— Il faut que je rentre, Stella, chuchota Joy. Je suis vraiment désolée. Je ne me sens pas bien.

— Tu ne peux pas faire ça ! Reste au moins jusqu'à ce qu'ils aient rapporté la TSF.

— Je passerai te voir demain.

Sur ce, Joy se rua vers la porte, voyant que ses parents se trouvaient toujours dans le groupe réuni autour de la TSF muette. Après avoir adressé un bref hochement de tête au *boy* qui lui ouvrit, elle s'enfuit, seule dans l'air moite de la nuit, avec pour toute compagnie les attaques en piqué des moustiques, et de vagues appréhensions à propos de l'homme qu'elle avait laissé derrière elle.

Les expatriés de Hong-Kong avaient l'habitude de faire la java à la faveur d'un programme quasi quotidien de cocktails ou de dîners. Il n'était donc pas rare de trouver en face de soi quelques mines verdâtres de bonne heure le matin. Le lendemain du couronnement, toutefois, Joy, que l'infortuné tête-à-tête avec les cocktails roses avait laissée remarquablement lucide au réveil, se trouva dans la situation exceptionnelle d'être la seule dans ce cas.

On aurait dit que tout le quartier du Peak avait la gueule de bois. Tandis que des couples de Chinois se glissaient discrètement dans les rues en trottinant, certains chargés de lourds paniers ou tirant des remorques pleines de détritus, il n'y avait pas un Européen en vue. Devant les maisons peintes en blanc, en retrait par rapport à la route, des guirlandes de drapeaux de couleurs vives pendaient lamentablement, et les portraits de la princesse tout sourire rebiquaient aux fenêtres, comme épuisés eux aussi par les excès de la veille.

En marchant sur la pointe des pieds sur les parquets de teck de l'appartement, Bei-Lin et Joy chuchotaient, redoutant l'une et l'autre de réveiller Alice et Graham dont la dispute fiévreuse et chaotique s'était prolongée jusqu'aux premières heures du jour. Joy avait décidé que la seule chose à faire était de se rendre dans les Nouveaux Territoires pour monter à cheval. Tout le monde serait d'humeur morose et ombrageuse. La chaleur moite pesant plus lourd que jamais accentuerait les maux de tête. La journée se déroulerait dans une sinistre torpeur, chacun gisant sous les ventilateurs dans des sièges rembourrés. Mieux valait ne pas rester en ville. Cependant Joy n'avait personne pour la conduire ailleurs.

Elle était allée chez Stella vers 10 heures, mais les rideaux étaient tirés et elle avait préféré ne pas frapper. Son père, sur lequel on pouvait généralement compter pour servir de chauffeur à sa princesse, n'émergerait probablement pas avant midi. Elle ne voyait personne d'autre avec qui elle se sentît suffisamment à l'aise pour oser requérir une telle faveur. Assise dans un fauteuil en osier près de la fenêtre, Joy se demandait à présent si elle ne ferait pas bien de prendre un tram jusqu'au centre-ville, puis de sauter dans un train. Seulement elle ne s'y était jamais aventurée toute seule, et Bei-Lin refusait de l'accompagner, sachant que sa maîtresse serait d'une humeur encore plus massacrante si elle s'apercevait en se réveillant que sa domestique était partie en « balade ».

— Que Dieu sauve cette fichue Reine ! marmonna Joy en la voyant se défiler.

Pour la énième fois, Joy se rebella intérieurement contre les restrictions de son existence, tant sur le plan physique que géographique. Lorsque sa mère et elle avaient vécu en Australie, peu après l'invasion de Hong-Kong par les Japonais, quand femmes et enfants avaient dû quitter la colonie, Joy avait bénéficié de libertés sans précédent. Elles logeaient chez Marcelle, la sœur d'Alice, dont la maison au bord de la plage était ouverte en permanence, comme pour permettre à Joy et à toute une ribambelle de voisins, décontractés et enjoués comparés à ceux de Hong-Kong, d'aller et venir à leur guise.

Alice elle aussi s'était détendue là-bas. Elle s'était épanouie dans la chaleur sèche, en ce lieu où tout le monde parlait sa langue et où des hommes sveltes et hâlés flirtaient sans vergogne. Là-bas, ses manières avaient atteint le summum du raffinement et ses tenues surpassaient de loin tout ce qu'on avait pu lui voir sur le dos jusque-là. Elle avait pu se montrer telle qu'elle avait toujours voulu paraître : chic, cosmopolite, exotique. En outre, Marcelle étant plus jeune qu'elle, elle lui témoignait une heureuse déférence pour tout ce qui concernait les questions de goût et de style. Grâce à cette noble bonne volonté, Alice avait manifesté bien moins d'« agacement » vis-à-vis de Joy qu'à l'accoutumée. Elle l'expédiait à la plage ou à la galerie marchande en jetant à peine un coup d'œil pardessus son épaule, contrairement à Hong-Kong où elle se préoccupait constamment des déficiences flagrantes tant dans l'apparence de sa fille que dans ses attitudes, et des dangers potentiels qu'il y avait, dans un pays non civilisé, à la laisser sortir toute seule.

— Je déteste ma vie, dit Joy à haute voix, laissant ses pensées se déverser pour rester en suspens, tels des nuages menaçants, dans l'air devant elle.

— M'dame ?

Bei-Lin se tenait sur le seuil.

— Un monsieur demande à vous voir.

— C'est pour ma mère ?

— Non, m'dame. C'est vous qu'il a demandé.

Elle sourit d'un air plein de sous-entendus.

— Tu ferais mieux de le laisser entrer.

Joy se passa la main dans les cheveux en fronçant les sourcils et se leva. De la compagnie, voilà bien la dernière chose dont elle avait envie !

La porte s'ouvrit et un homme qu'elle n'avait jamais vu de sa vie fit son entrée, vêtu d'une chemise blanche à manches courtes et d'un pantalon crème. Il avait les cheveux roux soigneusement coupés, un visage patricien, assez long, et des yeux bleu pâle. Il était aussi très grand et s'inclina, inutilement, sans doute par habitude, lorsqu'il franchit le seuil. Un officier de la marine, pensa-t-elle distraitement. Ils se penchaient toujours en passant les portes.

— Mademoiselle Leonard.

Il tenait un chapeau de paille devant lui, s'y cramponnant à deux mains.

Joy le dévisagea d'un air interdit. Comment pouvait-il connaître son nom ?

— Edward Ballantyne. Je suis navré de m'imposer de la sorte. Je voulais simplement… m'assurer que vous alliez bien.

Joy étudia son visage et rougit brusquement en le reconnaissant avec horreur. Elle ne l'avait vu qu'en double auparavant. Inconsciemment, elle porta sa main à sa bouche.

— J'ai pris la liberté de demander votre nom et votre adresse à votre amie. Je voulais être sûr que vous étiez rentrée saine et sauve. Je me suis senti coupable de vous avoir laissée partir toute seule.

— Oh non ! fit Joy en regardant résolument ses pieds. Ça allait parfaitement bien. C'est très gentil à vous, ajouta-t-elle au bout d'un moment, consciente de son impolitesse.

Ils restèrent plantés là quelques minutes jusqu'à ce que Joy se rende compte qu'il n'avait pas la moindre intention de se retirer. Elle se sentait tellement mal à l'aise qu'elle en avait la chair de poule. Elle n'avait jamais été aussi embarrassée que la veille au soir, et voilà que cela se répétait, comme un arrière-goût trop prononcé. Pourquoi ne pouvait-il pas lui ficher la paix ? La laisser mariner dans son humiliation ? Bei-Lin rôdait anxieusement près de la porte, mais Joy l'ignorait délibérément. Pas question qu'elle propose un verre à son visiteur !

— En fait, dit-il, je me demandais si vous auriez envie d'aller faire une promenade. Ou une partie de tennis. Notre commandant a obtenu que l'on mette à notre disposition quelques courts du côté de Causeway Bay.

— Non merci.

— Peut-être pourrais-je vous convaincre de me montrer certains sites dans la région ? C'est la première fois que je viens à Hong-Kong.

— Je suis vraiment navrée, mais je m'apprêtais à sortir, répondit Joy tout en se rendant compte qu'elle n'arrivait toujours pas à le regarder en face.

Un long silence suivit. De toute évidence, il était en train de la dévisager. Elle sentait son regard posé sur elle.

— Une sortie agréable au moins ?

— Pardon ?

Joy sentait son cœur tambouriner dans sa poitrine. Pourquoi ne voulait-il pas s'en aller ?

— Vous disiez que vous vous apprêtiez à sortir. Je me demandais juste… eh bien, où vous comptiez aller.

— Je vais monter à cheval.

— À cheval ?

Elle ne put s'empêcher de lever les yeux en percevant l'enthousiasme dans sa voix.

— Y a-t-il des chevaux par ici ?

— Pas ici, répondit-elle, enfin pas sur l'île. Dans les Nouveaux Territoires. Un ami de mon père dirige un centre équestre là-bas.

— Cela vous ennuierait-il que je me joigne à vous ? Je monte un peu chez moi. Ça me manque terriblement. Pour tout vous avouer, je n'ai pas vu de cheval depuis neuf mois.

Il avait dit cela de ce ton nostalgique qu'avaient la plupart des militaires lorsqu'ils évoquaient leur famille. Son visage s'était comme épanoui, remarqua-t-elle, ses traits relativement sévères s'adoucissant et s'égayant peu à peu. Force était de reconnaître qu'il était terriblement séduisant même si c'était un homme mûr.

Seulement il l'avait vue se couvrir de honte sur le balcon.

— J'ai une voiture. Je pourrais vous y conduire. Ou vous suivre simplement, si cela vous paraît plus, euh, convenable.

Joy savait que sa mère serait horrifiée quand Bei-Lin lui dirait que Miss Joy avait disparu dans une voiture avec un illustre inconnu, mais les retombées ne seraient probablement pas pires que si elle restait toute la journée dans ses pattes à lui servir de souffre-douleur en attendant que sa gueule de bois passe. Et puis il y avait quelque chose de délicieux dans la perspective de parcourir des routes paisibles en compagnie de cet étranger de grande taille, criblé de taches de rousseur, qui, plutôt que de lui faire sentir à quel point elle était gauche et peu diserte, comme c'était le cas de la majorité de ses homologues, se satisfaisait de parler lui-même. De ses chevaux en Irlande – bizarrement, il n'avait pas d'accent –, des contrées sauvages où l'on chassait dans son pays, mais aussi de l'ennui et de la sensation de claustrophobie qu'il éprouvait à rester confiné sur un bateau, coincé dans ce minuscule univers, avec les mêmes gens, pendant des mois et des mois.

Elle n'avait jamais entendu un homme parler comme lui, sans s'embarrasser des sempiternelles remarques à l'emporte-pièce qui caractérisaient la majorité des officiers avec lesquels elle s'était entretenue. Le discours d'Edward était franc, dépouillé. Il s'exprimait comme quelqu'un qui aurait été privé de la parole pendant une longue période, des phrases entières sortant en un souffle, tel un homme sur le point de se noyer avalant des goulées d'air, le tout ponctué d'éclats de rire gutturaux. De temps à autre, il s'interrompait, lui jetant un coup d'œil comme gêné par son manque de retenue, et gardait le silence jusqu'à ce qu'une nouvelle pensée fasse irruption.

Joy s'aperçut qu'elle riait aussi, timidement d'abord, sa personnalité profonde peu à peu libérée par cet homme étrange, de sorte que lorsqu'ils arrivèrent au centre équestre, elle rayonnait et ricanait d'une manière qui ne lui ressemblait pas le moins du monde. Après une absence de quarante minutes, Alice n'aurait pas reconnu sa propre fille. De fait, Joy se reconnaissait à peine tandis qu'elle jetait des œillades à l'homme à côté d'elle, détournant coquettement les yeux quand son regard croisait le sien, et se comportait de manière générale, eh bien, à peu près comme Stella !

Mr Foghill accepta de le laisser monter. Joy avait secrètement espéré qu'il en serait ainsi. Une fois Edward dans la cour en compagnie du petit veuf, évoquant en termes respectueux les grands chasseurs qu'il avait connus et reconnaissant l'évidente supériorité des bêtes de race irlandaises sur les anglaises, ce dernier s'était vite départi de sa raideur initiale. Il était même allé jusqu'à lui recommander son propre cheval, un jeune marron d'Inde imposant aux ruades habiles. Il exigea qu'Edward lui fît faire plusieurs tours de manège, histoire de vérifier sa posture et ses mains, mais ce qu'il vit à l'évidence le satisfit, puisque quelques instants plus tard, ils franchissaient au pas le portail et remontèrent la route en direction des champs.

À ce stade, Joy en était à se demander quelle mouche l'avait piquée. Elle n'arrêtait pas de sourire et de hocher la tête tout en se démenant pour entendre ce qu'il disait au-delà du battement insolite qui vibrait dans ses oreilles. Elle se félicitait d'être capable de tenir fermement les rênes et fixait judicieusement le long cou gris devant elle qui plongeait et se redressait en cadence avec les claquements de sabot pour la bonne raison qu'elle ne parvenait pas à se concentrer sur quoi que ce soit d'autre. Elle se sentait à la fois distante de tout ce qui l'entourait et extrêmement consciente du moindre détail. Comme ses mains. Ses taches de rousseur. Et les deux petites lignes qui se creusaient de part et d'autre de sa bouche quand il souriait. Elle ne remarquait même pas lorsque les moustiques descendaient en flèche sur son cou, se prenant au piège sous ses cheveux noués sur sa nuque et se délectant de sa peau claire et tendre.

Mais surtout il savait monter, vraiment monter. Il se tenait bien droit et parfaitement décontracté sur la selle, ses mains se mouvant doucement d'avant en arrière pour éviter que les rênes ne tirent sur la bouche du cheval, l'une d'elles se tendant de temps à autre pour flatter le cou de la bête ou chasser une mouche prise au dépourvu. Un jour, Joy était allée au centre d'équitation avec un autre homme qu'elle trouvait sympathique, un banquier timide, ami de son père, et son entichement fragile s'était dissipé comme de la fumée dans le vent lorsqu'elle l'avait vu bringuebalant sur sa monture, incapable de dissimuler sa terreur dès que le cheval s'élançait au petit trot. Quant à William, elle ne voulait même pas qu'il l'accompagne. Rien de tel pour vous dégoûter d'un homme que de le voir à cheval. À cet instant, toutefois, Joy se rendait compte de l'attrait puissant d'un homme capable de bien monter.

— Êtes-vous déjà allée en Écosse ? demanda Edward.

— Comment ?

— Ces moustiques. Ils me font penser à nos moucherons, ajouta-t-il en s'administrant une tape sur la nuque. Ils piquent partout.

Joy rougit et baissa les yeux. Ils continuèrent leur promenade.

Le ciel s'assombrit peu à peu. Joy se demanda si c'était à cause de l'humidité ou de la sueur que ses vêtements étaient tout mouillés et que des brins d'herbe et des parcelles de graines lui collaient à la peau. L'atmosphère étouffée les enveloppait dans une couverture chaude et moite. On aurait dit que les sabots des chevaux étaient garnis de flanelle. Au-dessus d'eux, même les buses qui se détachaient sur la Montagne du Lion paraissaient suspendues dans l'air, pareilles à des gouttes noires d'humidité, comme si le moindre mouvement leur demandait trop d'effort. Les feuilles qui frôlaient ses bottes au passage y déposaient des traînées d'eau malgré l'absence de pluie.

S'il remarqua le cheminement chaotique de ses pensées, ses rougissements répétés, sa difficulté à s'exprimer ou encore le fait que son cheval ne cessait de profiter de sa distraction pour arracher du feuillage au vol, Edward s'abstint de tout commentaire. Elle se ressaisit un peu lorsqu'ils s'engagèrent au petit galop sur une piste cavalière le long d'une rizière, et de nouveau quand il fit halte près d'un étal au bord de la route pour lui acheter un quartier de pastèque. Elle fut au moins en mesure de croiser son regard sans embarras. Elle s'aperçut alors que son ruban avait glissé et que ses cheveux lui retombaient en mèches désordonnées et trempées de sueur sur les épaules. S'il s'en était rendu compte, il ne fit aucune remarque et se borna à tendre la main pour écarter une boucle de son visage tout en lui proposant son mouchoir. Le choc électrique de son contact sur sa peau se prolongea pendant plusieurs minutes.

— Vous savez, Joy, j'ai passé un moment merveilleux, dit-il d'un air songeur tandis qu'ils reprenaient le chemin de l'écurie. Vous n'avez pas idée de ce que cela représente pour moi de pouvoir faire un peu de cheval.

Joy était consciente qu'à un moment ou à un autre, elle allait devoir dire quelque chose, mais si elle ouvrait la bouche, elle redoutait de bredouiller des propos maladroits et inappropriés ou, pire, de trahir involontairement cet étrange sentiment de regret douloureux surgi de nulle part. Si elle se taisait, quelle impression pourrait-il avoir d'elle, au pire ?

— En plus, je ne connais pas beaucoup de jeunes filles capables de monter. Chez nous, elles sont, disons, plutôt lourdaudes. Des paysannes. Pas le genre de filles avec lesquelles je me promènerais normalement à cheval. Et puis partout où nous jetons l'ancre, les rares jeunes personnes que je rencontre veulent aller dans des cocktails faire de l'esprit, et je ne tiens guère à ces choses-là. J'ai eu une amie jadis, elle vous ressemblait un peu, mais elle... enfin, bref, c'est du passé. Il y a des siècles que je n'ai pas rencontré quelqu'un avec qui je peux me détendre.

Joy lui aurait sauté au cou ! Je sais, je sais, aurait-elle voulu crier. Je ressens la même chose. J'éprouve exactement les mêmes sentiments que vous. Mais elle se borna à sourire et à hocher la tête en lui jetant des coups d'œil discrets tout en se reprochant intérieurement de s'être transformée tout à coup en ce type de fille qui ne lui avait jamais inspiré que du mépris. Elle n'avait pas la moindre idée de ce qu'elle voulait chez un homme ; il ne lui était jamais venu à l'esprit qu'elle pût avoir son mot à dire en la matière. Voilà qu'à présent, elle se sentait attirée par Edward, non pas pour ses qualités, mais à cause de toute une liste de propositions négatives : son aptitude à ne pas lui donner l'impression d'être gauche, le fait qu'il n'avait pas l'air d'un sac de riz à cheval et qu'il s'abstenait de la regarder comme s'il souhaitait qu'elle fût quelqu'un d'autre. Quelque chose grandissait inexorablement en elle ; c'était plus fort que la nausée, mais tout aussi débilitant.

— Merci. Je me suis beaucoup amusé. Vraiment.

Il se frotta le crâne de sorte que ses cheveux se hérissèrent sur le devant, puis il détourna le regard.

— Et je sais très bien que vous n'aviez pas vraiment envie que je vienne.

Joy le dévisagea d'un air horrifié en entendant cette remarque, mais cette fois-ci, c'était lui qui regardait dans le vague droit devant lui. Elle ne savait pas comment s'y prendre pour lui faire comprendre qu'il se méprenait, que c'était l'abominable scène de la veille qu'elle avait voulu fuir, et non lui, sans remettre tout ça sur le tapis, d'autant plus qu'elle redoutait qu'il garde d'elle ce souvenir-là. Où était donc Stella quand on avait besoin d'elle ? Elle avait toujours su parler aux hommes. Lorsqu'elle eut décidé qu'un déni de courte durée constituait la meilleure réponse, il était déjà trop tard. Ils se dirigeaient vers l'écurie, leurs montures inclinant le cou démesurément devant eux tout en s'ébrouant avec lassitude à l'approche des box.

Edward proposa à Mr Foghill de l'aider à rentrer les chevaux, et ce dernier suggéra à Joy d'aller se rafraîchir un peu dans les toilettes. En apercevant son reflet dans la glace, elle se rendit compte qu'il avait fait preuve d'une grande sollicitude. Elle faisait peur à voir ! Sa chevelure n'était qu'un enchevêtrement de frisottis trempés qui lui fit songer à une boule de cheveux dans le trou d'écoulement de la baignoire. Lorsqu'elle essaya d'y glisser les doigts, ils furent bloqués à quelques centimètres de son crâne. Son visage était moite et maculé de poussière, des traînées de salive verdâtre tachaient son chemisier blanc à l'endroit où son cheval avait tenté de frotter son museau, après qu'elle eut mis pied à terre. Elle s'essuya frénétiquement la figure avec une serviette humide, au bord des larmes en songeant qu'elle n'avait même pas été capable de penser à emporter quelque chose d'aussi rudimentaire qu'un peigne, ou un ruban de rechange. Stella, elle, n'aurait jamais oublié. Lorsqu'elle réapparut toutefois, Edward l'accueillit avec un grand sourire, comme si rien ne laissait à désirer dans sa mise. Ce fut alors qu'elle s'aperçut que son pantalon à lui aussi était couvert de sueur et de terre rouge, même s'il était immaculé à partir du haut du tibia, Mr Foghill lui ayant prêté une paire de bottes propres.

— Votre carrosse vous attend, dit-il en riant de sa propre apparence. Il va falloir que vous m'indiquiez le chemin pour rentrer. Je n'ai pas la moindre idée de l'endroit où nous sommes.

Il fut un peu moins loquace pendant le trajet du retour, et Joy fut davantage consciente de son propre silence. Elle lui donna sans peine des indications pour le trajet mais, en dépit de l'aisance qu'elle éprouvait en sa compagnie, elle ne put trouver quoi que ce soit d'intéressant à dire. Tout ce qui lui venait à l'esprit lui semblait superficiel alors qu'elle mourait d'envie de lui faire comprendre qu'en l'espace de quatre petites heures, il avait fait chavirer son univers. Dans ses yeux, elle entrevoyait d'autres contrées, des champs vert vif, des chiens de chasse, des villageois excentriques, un monde dépourvu de cocktails. Dans sa voix, elle entendait un discours dénué de tout artifice et de mots d'esprit, à des lieues du langage ampoulé et affecté des expatriés de Hong-Kong. Ses grandes mains couvertes de taches de rousseur évoquaient des chevaux, des caresses et quelque chose d'autre encore qui faisait que son estomac se crispait de désir.

— Je regrette de ne pas vous avoir rencontrée plus tôt, dit-il, et le vent emporta le son de sa voix loin d'elle.

— Comment ? Que dites-vous ? demanda-t-elle en portant la main à son oreille.

— Je disais que je regrette de ne pas vous avoir rencontrée plus tôt.

Il ralentit afin qu'elle puisse mieux l'entendre. Un véhicule rempli d'officiers de la marine les dépassa à toute allure en multipliant les coups de klaxon, comme autant d'allusions grivoises.

— Je... je... Oh, je ne sais pas. C'est juste navrant qu'il me faille repartir après-demain.

Le cœur de Joy se glaça. Elle sentit chacune de ses veines se figer.

— Comment ? Que voulez-vous dire ?

— Nous embarquons dans quarante-huit heures. Il me reste un jour de permission à terre, après quoi nous devons mettre le cap sur les eaux coréennes.

Joy ne put dissimuler sa consternation. C'était trop cruel. Avoir trouvé quelqu'un – l'avoir trouvé, lui, et voilà qu'il s'en allait déjà.

— Pour combien de temps ?

Elle ne reconnut pas ce filet de voix chevrotante. Edward se tourna vers elle, surprit quelque chose dans son expression et reporta son attention sur la route en mettant son clignotant pour indiquer qu'il était sur le point de se ranger sur le bas-côté.

— Je ne pense pas que nous reviendrons ici, dit-il en la dévisageant. Nous devons aller donner un coup de main aux Yankees dans les eaux coréennes, après quoi nous nous dirigerons vers New York. Nous serons en mer pendant des mois.

Il la regarda dans le blanc des yeux comme s'il cherchait à lui faire comprendre l'impossibilité de nouer des liens lorsqu'on changeait constamment d'horizon.

Joy avait l'impression que sa tête était sur le point d'exploser. Ses mains s'étaient mises à trembler. On aurait dit qu'on lui avait donné la clé d'une cellule de prison et qu'elle venait de s'apercevoir qu'elle était en caoutchouc. Elle se rendit compte avec effroi qu'elle était au bord des larmes.

— Je ne peux pas, chuchota-t-elle en se mordant la lèvre.

— Quoi donc ?

Edward s'était penché vers elle de sorte que sa main reposait tout près de la sienne.

— Je ne peux pas vous laisser partir comme ça. Je ne peux pas vous laisser partir.

Elle le dit à voix haute cette fois-ci en plongeant son regard dans le sien. Alors même qu'elle parlait, elle n'arrivait pas à croire qu'elle pût s'exprimer ainsi. Un discours aussi inconvenant de la part d'une jeune femme de son milieu. Mais les mots sortaient tout seuls de sa bouche sans qu'elle pût les arrêter, pareils à des galets solides tombant aux pieds d'Edward telles des offrandes.

Il y eut un long silence électrisant au cours duquel elle crut rendre l'âme. Puis Edward lui prit la main. La sienne était chaude et sèche.

— Je ne pensais pas que vous m'appréciiez, avoua-t-il.

— Je n'ai jamais apprécié personne. Je veux dire, jamais auparavant. Je ne me suis jamais sentie à l'aise avec qui que ce soit.

Elle bredouillait à présent, les mots se déversant à son insu, sans qu'il écartât sa main pour autant.

— J'ai tellement de mal à parler avec les autres. Et puis il n'y a personne ici avec qui j'aie vraiment envie de m'entretenir. À part Stella. C'est mon amie. Lorsque vous êtes venu ce matin, j'avais tellement honte de ce qui était arrivé hier que c'était plus facile de vous envoyer promener que d'être aimable avec vous. Pourtant lorsque vous êtes resté et que nous sommes montés dans la voiture, eh bien… je n'avais jamais ressenti ça. Je n'ai jamais eu le sentiment de ne pas être jugée. Que je pouvais simplement être telle que je suis et que la personne en face de moi comprendrait.

— Je pensais que vous aviez la gueule de bois, commenta-t-il en riant.

Mais elle était trop émue, trop vibrante d'émotion pour rire avec lui.

— Tout ce que vous avez dit aujourd'hui… j'étais d'accord avec vous. Je partage votre point de vue sur tout. Enfin, pas pour la chasse, bien évidemment, puisque je n'y suis jamais allée. Mais tout ce que vous m'avez expliqué au sujet des cocktails, des gens, de l'affection plus grande que vous inspirent parfois les chevaux et de votre indifférence face à l'impression que vous produisez sur les autres, même s'ils vous trouvent un peu bizarre, eh bien, je suis comme ça moi aussi. C'est tout à fait moi ! J'ai eu l'impression de m'écouter penser. Alors je ne peux pas, je ne peux pas vous laisser partir. Et si vous êtes épouvanté par ce que j'ai dit et si vous pensez que je suis la créature la plus effrontée et la plus embarrassante que vous ayez jamais rencontrée, même dans ce cas-là, ça m'est égal car pour la première fois de ma vie, j'ai eu la sensation d'être vraiment fidèle à moi-même.

Deux grosses larmes salées s'étaient mises à glisser le long de ses joues empourprées, alourdies par l'émotion qu'avait suscitée cette tirade, sans doute la plus longue qu'elle eût énoncée de toute sa vie d'adulte. Elle déglutit dans l'espoir de les refouler, tout à la fois effarée et excitée par ce qu'elle venait de faire. Elle s'était prosternée devant cet homme qu'elle ne connaissait pas, d'une manière que sa mère aurait jugée ignominieuse. Stella aussi d'ailleurs. Et elle lui avait dit que cela lui était égal alors que ce n'était pas vrai. S'il se détournait d'elle à présent en bredouillant quelque platitude courtoise au sujet de l'agréable journée qu'il avait passée en ajoutant qu'elle devait se sentir fatiguée, elle se contiendrait jusqu'à ce qu'elle soit de retour à la maison et trouverait alors le moyen… de se supprimer. Car elle ne supporterait plus jamais d'évoluer banalement à la surface de son existence alors qu'elle avait plongé en profondeur et découvert ainsi quelque chose d'infiniment rassurant et rafraîchissant. Dites au moins que vous comprenez ce que je raconte, le supplia-t-elle intérieurement. Même si vous ne le pensez pas vraiment, cela me suffira.

Un autre long silence pesant suivit. Une voiture passa en accélérant à leur hauteur.

— Je suppose que nous ferions mieux de rentrer, dit-il en reposant sa main sur le volant tout en actionnant le levier de changement de vitesse de l'autre.

Le visage de Joy se figea et lentement, imperceptiblement, elle se recroquevilla sur le siège du passager, sentant son échine si fragile qu'elle allait sûrement se briser. Elle s'était fourvoyée. Bien évidemment. Qu'est-ce qui avait bien pu lui faire croire qu'un tel emportement lui vaudrait de gagner le respect d'un homme, sans parler de son cœur ?

— Je suis désolée, chuchota-t-elle en rentrant le menton. Vraiment désolée.

Oh, mon Dieu ! Elle était tellement ridicule.

— Pourquoi donc ? demanda Edward en tendant le bras pour écarter le rideau trempé de ses cheveux. Je souhaiterais m'entretenir avec votre père, ajouta-t-il.

Joy le regarda d'un air ahuri. Allait-il lui dire que sa fille était ridicule ?

— Écoutez, dit-il en prenant son visage entre ses mains.

Il sentait la sueur. Le cheval.

— Vous allez probablement penser que c'est un peu brutal. Mais Joy, si vous vouliez de moi, j'aimerais lui demander votre main.

— Vous ne vous imaginez tout de même pas que nous allons vous donner notre accord ? s'exclama sa mère, le visage illuminé par l'horreur et l'étonnement à l'idée que sa fille eût réussi à susciter une telle force de sentiment de la part d'un homme, quel qu'il fût. – Sa mauvaise humeur avait été exacerbée par le fait qu'ils étaient revenus avant qu'elle ait eu le temps de se farder. – Nous ne le connaissons même pas.

Elle parlait comme s'il n'était pas là.

— Je suis disposé à vous fournir tous les renseignements que vous souhaitez, Mrs Leonard, intervint Edward en tendant devant lui ses longues jambes gainées d'un tissu maculé de boue.

Joy les considéra avec l'allégresse mêlée de stupéfaction qu'inspirent les nouvelles possessions. Elle avait passé le reste de la journée en état de choc, riant presque hystériquement de leur folie. Elle ne le connaissait pas. Il ne la connaissait pas davantage. Ils s'étaient néanmoins souri avec une sorte de complicité insensée en se tenant maladroitement les mains, et elle avait accepté sans la moindre hésitation de lui confier son sort. Elle ne s'était pas attendue à dénicher qui que ce fût. L'idée ne lui était même pas venue à l'esprit de chercher. Pourtant, il avait l'air de savoir ce qu'il faisait et paraissait bien plus à même qu'elle de déterminer ce qu'il convenait de faire. Sans compter qu'il ne s'était pas senti gêné le moins du monde à la perspective d'exposer cette démence à ses parents.

À cet instant, Edward prit une profonde inspiration et entreprit de décliner les faits.

— Mon père est juge à la retraite. Ma mère et lui se sont installés en Irlande où ils élèvent des chevaux. J'ai un frère et une sœur, mariés l'un et l'autre, et plus âgés que moi. J'ai vingt-neuf ans, j'ai intégré la marine il y a près de huit ans, au sortir de l'université, et je dispose d'un fonds privé en fidéicommis en plus de mes appointements d'officier.

Le léger plissement de nez de sa mère suite à l'allusion sur l'Irlande avait été rapidement neutralisé par les mots « fonds en fidéicommis ». Mais c'était le visage de son père que Joy observait, y cherchant désespérément un signe quelconque d'approbation.

— C'est terriblement soudain. Je ne vois pas pourquoi vous ne pourriez pas attendre, fit Alice.

— Pensez-vous que vous l'aimez ?

En s'adossant dans son fauteuil, un gin-tonic à la main, son père dévisagea Edward. Joy rougit. Cela lui semblait presque obscène de l'entendre exprimer de tels sentiments ainsi à voix haute.

Edward la considéra un long moment, puis lui prit la main si bien qu'elle piqua de nouveau un fard. Aucun homme ne l'avait jamais touchée en présence de ses parents.

— Je ne sais si nous pouvons appeler cela de l'amour à ce stade, répondit-il en détachant ses mots, s'adressant presque à Joy, mais je ne suis pas un jeune homme écervelé. J'ai rencontré de nombreuses jeunes filles et je suis intimement convaincu que Joy ne ressemble à aucune d'entre elles.

— Je ne vous le fais pas dire ! lança sa mère.

— Tout ce que je peux affirmer, c'est que je pense pouvoir la rendre heureuse. Si je disposais de davantage de temps, je ferais en sorte que vous ayez l'esprit tranquille. Le problème c'est que je dois m'embarquer presque immédiatement.

Il ne vint pas à l'idée de Joy de s'interroger sur la soudaineté de ses sentiments. Elle était juste reconnaissante qu'ils semblent avoir la même intensité que les siens. Encore tout étourdie que quelqu'un ait pu la qualifier d'unique dans un sens positif, elle mit plusieurs minutes à se rendre compte qu'il avait la main moite.

— C'est trop tôt, Graham. Dis-le-leur. Ils ne se connaissent même pas.

Joy surprit l'étrange lueur dans le regard de sa mère, la fébrilité qui s'y dissimulait. Elle est jalouse, songea-t-elle tout à coup. Elle m'envie parce qu'elle est déçue par sa propre existence et ne supporte pas l'idée que quelqu'un puisse être sur le point de me libérer des entraves de la mienne.

Son père dévisagea Edward encore un moment, comme s'il s'efforçait de parvenir à une conclusion. Edward soutint son regard.

— Eh bien, de nos jours, les jeunes vont plus vite en besogne, dit-il enfin en faisant signe à Bei-Lin d'aller chercher d'autres cocktails. Souviens-toi comme c'était pendant la guerre, Alice.

Joy réprima à grand-peine un petit frisson d'excitation. Elle serra la main d'Edward dans la sienne et sentit une vague pression en retour.

Son père acheva son verre d'une traite. Il parut momentanément absorbé par quelque chose au-dehors.

— Bon, disons que je vous donne mon aval, jeune homme. Que compteriez-vous entreprendre dans les trente-six heures à venir ?

— Nous voulons nous marier, répliqua Joy, le souffle court.

Elle se sentait capable de parler maintenant qu'ils en étaient apparemment à discuter uniquement des modalités.

Son père ne l'avait pas entendue. Il parlait à Edward.

— Je respecterai vos souhaits, monsieur.

— Dans ce cas, vous avez ma bénédiction. Pour vous fiancer.

Le cœur de Joy fit un bond dans sa poitrine. Puis chavira.

— Vous vous marierez la prochaine fois que vous aurez une permission à terre.

Un silence abasourdi s'abattit sur la pièce. Luttant contre le désappointement, Joy était vaguement consciente des bruits de pas étouffés de Bei-Lin s'éloignant dans le couloir pour aller prévenir la cuisinière. Sa mère la dévisagea avant de reporter son attention sur son mari. Qu'allaient penser les gens ?

— Si vous tenez vraiment l'un à l'autre, cela ne peut pas vous faire du mal d'attendre. Vous pouvez acheter la bague de fiançailles, envoyer les faire-part et vous marier plus tard.

Son père reposa son verre lourdement sur la table laquée, comme pour signifier que le verdict était tombé.

Joy se tourna vers Edward qui poussait un long soupir. Dites que vous n'êtes pas d'accord, l'implora-t-elle en son for intérieur. Dites-lui qu'il faut absolument que vous m'épousiez maintenant. Emmenez-moi sur votre grand bateau gris.

Mais Edward ne dit rien.

Tout en scrutant son visage, Joy connut un frisson de déception face à son nouveau partenaire. La première prise de conscience fugace mais amère que l'homme en qui elle avait mis ses plus grands espoirs, toute sa confiance, n'était peut-être pas tout à fait à la hauteur de ses espérances.

— Quand cela sera-t-il ? demanda-t-elle en s'efforçant de contenir le tremblement dans sa voix. Quand pensez-vous débarquer à nouveau ?

— New York sera notre prochaine escale, répondit-il d'un air contrit, mais pas avant neuf mois environ. Voire une année.

Joy se raidit et jeta un coup d'œil à sa mère qui s'était détendue. Elle souriait presque, d'un sourire condescendant qui voulait dire : « Oh, les jeunes ! Ils s'imaginent peut-être qu'ils sont amoureux, mais voyons où ils en seront dans six mois. »

Alice était déterminée à prouver qu'elle avait raison, songea Joy, se sentant glacée tout à coup. Elle voulait la confirmation que le véritable amour n'existait pas, qu'au bout du compte, tous les couples étaient aussi misérables que le sien. Eh bien, s'ils croyaient que cela allait la faire changer d'avis, ils se trompaient.

— Dans ce cas, nous nous reverrons dans neuf mois, dit-elle aux yeux bleus de son nouveau fiancé en s'efforçant de lui communiquer par son regard toute la certitude qui l'animait. Je vous demande juste… juste de m'écrire.

La porte s'ouvrit à cet instant-là.

— *God save the Queen !* s'exclama Bei-Lin en entrant, les bras chargés d'un plateau de cocktails.

1

Octobre 1997

Les essuie-glaces de Kate finirent par rendre l'âme juste à l'entrée de Fishguard en collant d'abord à la vitre avant de décliner avec résignation vers le capot au moment précis où la pluie, qui s'était contentée jusque-là de tomber dru, choisit de devenir torrentielle.

— Vacherie ! bougonna-t-elle en faisant une embardée pour tâcher d'actionner la commande manuelle sur le tableau de bord. Je n'y vois rien du tout. Chérie, si je me range à la prochaine aire de stationnement, pourrais-tu tendre le bras pour donner un petit coup au pare-brise ?

Sabine cala ses genoux contre sa poitrine et décocha un regard furibard à sa mère.

— Ça ne changera strictement rien. On ferait mieux de s'arrêter.

Kate immobilisa la voiture, descendit sa vitre et essaya d'essuyer la moitié du pare-brise de son côté avec l'extrémité de son écharpe en velours.

— On ne peut pas s'arrêter. On est déjà en retard. Il n'est pas question que tu rates le ferry.

Sa mère était plutôt douce en général, mais Sabine connaissait cette note d'acier qu'elle venait de déceler dans sa voix. Il faudrait au bas mot un tsunami pour l'empêcher de la faire monter à bord de ce ferry. Ce n'était pas vraiment une surprise : cette note-là, Sabine y avait été confrontée maintes fois ces dernières semaines, mais entendre sa mère réaffirmer une fois de plus son impuissance absolue l'incita inconsciemment à faire la moue et à lui tourner le dos en un geste de protestation.

Toujours à l'affût des remontrances de sa fille, Kate s'en aperçut et détourna le regard.

— Tu sais, si tu ne t'étais pas mis en tête que ce voyage ne pouvait être que désastreux, tu trouverais peut-être l'occasion de t'amuser.

— Comment veux-tu que je m'amuse ? Tu m'expédies au diable vauvert, dans un endroit où je suis peut-être allée deux fois dans ma vie auprès de ma grand-mère, que tu aimes tellement que ça fait des années que tu ne l'as pas vue, pour faire office de boniche en attendant que mon grand-père casse sa pipe. Super, les vacances ! Je suis folle d'excitation.

— Oh regarde ! Ça remarche. On va voir s'ils tiennent le coup jusqu'au port.

Kate tourna brusquement le volant, et la vieille Volkswagen fit un bond en avant sur la chaussée mouillée en expédiant des giclées d'eau en éventail sur les deux vitres latérales.

— Écoute. Reste à savoir si ton grand-père est si malade que ça. Il est juste un peu fragile apparemment. Et puis ça te fera du bien de sortir de Londres quelque temps. Tu connais à peine ta Mamie et c'est bien de vous voir avant qu'elle prenne trop d'années, et que tu te mettes à voyager ou Dieu sait quoi.

Sabine regardait résolument dehors par la vitre.

— Mamie ! À t'entendre, on croirait qu'on forme une joyeuse petite famille.

— Et je sais qu'elle t'est extrêmement reconnaissante de ton aide.

Sabine refusait toujours de faire face à sa mère. Elle savait pertinemment pourquoi on l'expédiait en Irlande. Kate aussi le savait. Et si elle était hypocrite au point de ne pas l'admettre, elle ne pouvait pas attendre de Sabine qu'elle soit franche avec elle.

— La file de gauche, dit-elle, le dos toujours tourné.

— Comment ?

— La file de gauche. Tu dois prendre la file de gauche pour le terminal du ferry. Pour l'amour du ciel, maman, pourquoi ne mets-tu pas tes fichues lunettes ?

Kate engagea brutalement la petite voiture sur la file en question, ignorant les coups de klaxon acharnés derrière elle, et, suivant les indications peu aimables de sa fille, s'achemina vers la pancarte secouée par le vent indiquant « passagers à pied ». Elle continua à rouler jusqu'à ce qu'elle trouve une place dans le parking, un désert de macadam gris, venté, à l'ombre d'une Loubianka quelconque tout aussi grise. Pourquoi les bureaux avaient-ils toujours un aspect si déprimant ? se demanda-t-elle distraitement. Comme si les gens n'étaient pas assez malheureux comme ça quand ils s'y rendaient. Une fois que la voiture et les essuie-glaces furent de nouveau arrêtés, la pluie fit obligeamment en sorte que le bâtiment s'efface rapidement, changeant le paysage environnant en un flou impressionniste.

Kate, pour laquelle tout était brumeux sans ses lunettes, considéra sa fille en plissant les yeux et se mit soudain à déplorer qu'elles ne puissent pas se dire adieu tendrement, comme les autres mères et filles le faisaient sûrement. Elle avait envie de lui confier qu'elle regrettait amèrement que Geoff eût résolu de s'en aller et que, pour la troisième fois dans sa jeune vie, leur situation domestique fût à nouveau sur le point d'être bouleversée. Elle aurait voulu ajouter aussi qu'elle l'envoyait en Irlande pour la protéger, pour lui épargner les scènes pénibles que Geoff et elle avaient tout juste réussi à réprimer alors qu'ils s'apprêtaient à mettre un terme à leur relation au bout de six ans. Même si elles ne parvenaient plus à communiquer vraiment, Kate tenait à ce que sa fille ait le sentiment d'avoir une grand-mère, quelqu'un d'autre qu'elle dans sa vie.

Seulement le comportement de Sabine était tel qu'elle n'arrivait jamais à exprimer ce qu'elle avait sur le cœur. Elle s'enveloppait d'un manteau de piquants toujours plus dense, tel un petit porc-épic boudeur et sophistiqué. Si Kate s'avisait de lui laisser entendre qu'elle l'aimait, elle l'envoyait promener sous prétexte qu'elle donnait un peu trop dans le genre *Petite maison dans la prairie.* Si elle faisait mine de l'étreindre, elle la sentait se raidir dans ses bras. Comment cela était-il arrivé ? se demandait-elle encore et encore. J'étais tellement déterminée à faire en sorte que notre relation soit différente, que tu jouisses de toutes les libertés qui m'ont fait défaut. J'espérais tant que nous serions amies. Comment en es-tu venue à me mépriser ?

Kate était passée maître dans l'art de dissimuler ses sentiments à sa fille. Sabine la supportait encore plus mal quand elle devenait émotive et manifestait son désir d'affection. Cela la rendait plus irritable que jamais. Finalement, Kate plongea la main dans son cabas plein à craquer et lui tendit ses billets, ainsi qu'une somme d'argent de poche qu'elle estimait généreuse. Sabine ne réagit même pas.

— Bon, la traversée devrait prendre environ trois heures. J'ai l'impression que vous allez être un peu secoués et j'ai bien peur de ne rien avoir apporté contre le mal de mer. Tu devrais arriver à Rosslare vers 16 h 30. Tu as rendez-vous avec Mamie au bureau d'informations. Voudrais-tu que je note tout ça sur un papier ?

— Je pense être capable de me rappeler « bureau d'informations », répliqua sèchement Sabine.

— Écoute, si vous vous ratez pour une raison ou pour une autre, j'ai noté les numéros de téléphone de la maison sur la pochette de tes billets. Appelle-moi une fois là-bas pour que je sache que tu es bien arrivée.

Tu t'assures que la voie est libre, pensa amèrement Sabine. Sa mère la prenait vraiment pour une demeurée. Elle devait penser qu'elle n'avait pas compris ce qui se passait. Tant de fois au cours des dernières semaines, elle avait eu envie de lui crier : « Je sais. Je sais tout. Je sais parfaitement pourquoi Geoff et toi vous vous séparez. Je suis au courant pour toi et ce foutu Justin Stewartson. C'est pour cette raison que tu te débarrasses de moi quelques semaines, pour pouvoir vivre tranquillement ton ignoble petite liaison sans Geoff et moi dans tes pattes. »

Curieusement, en dépit de sa rage, elle n'avait jamais vraiment eu envie d'aller jusque-là. Sa mère lui avait paru trop triste, trop anéantie par toute cette histoire. Quoi qu'il en soit, si elle s'imaginait qu'elle allait tourner les talons sans rien dire, elle se trompait.

Elles restèrent quelques minutes assises dans la voiture. De temps à autre, la pluie se calmait un peu et elles entrevoyaient le sinistre terminal, droit devant elles, et puis le déluge reprenait de plus belle, transformant le paysage en une aquatinte.

— Geoff sera-t-il parti à mon retour ? demanda Sabine en relevant le menton pour que sa question s'apparentât plus à un défi qu'à une interrogation pure et simple.

Kate la dévisagea.

— Probablement, répondit-elle lentement. Mais cela ne t'empêchera pas de le voir autant que tu en auras envie.

— Tout comme je pouvais voir Jim quand je le souhaitais.

— Tu étais nettement plus jeune à l'époque, ma chérie. Et les choses se sont compliquées quand Jim s'est remarié.

— Elles se sont compliquées parce que j'ai eu un beau-père après l'autre.

Kate tendit la main vers le bras de sa fille. Pourquoi ne lui avait-on jamais dit que l'accouchement était la moins pire des douleurs ?

— Je ferais mieux d'y aller, marmonna Sabine en ouvrant la porte de la voiture. Il ne faudrait pas que je rate mon ferry.

— Laisse-moi t'accompagner jusqu'au terminal, répondit Kate, les yeux brûlants de larmes.

— Pas la peine, riposta sa fille, et après un claquement de portière, Kate se retrouva toute seule.

La traversée fut pénible. Une marmaille braillarde filait à toute allure sur des plateaux dérobés à la cafétéria dans le couloir moquetté tandis que leurs parents très à l'aise glissaient d'avant en arrière sur les bancs en plastique, buvant des canettes de Red Stripe, explosant de temps à autre en des éclats de rire tonitruants. D'autres faisaient la queue pour se procurer des frites trop chères au self-service, ignorant les salades qui fanaient sous leur film alimentaire, ou s'escrimaient sur les machines à sous qui diffusaient leurs sirènes et leurs bruits de casserole de part et d'autre des escaliers. À en juger d'après le nombre de familles, et les gueules de bois sciemment en perspective, la traversée du dimanche après-midi était très appréciée des excursionnistes du week-end.

Sabine avait pris place près d'une fenêtre, son baladeur la protégeant de cette foule horripilante. Ils semblaient tous issus de la même espèce que les gens qu'on croisait dans les stations-service et les supermarchés. Ils ne se souciaient pas le moins du monde de ce qu'ils avaient sur le dos. Peu importe si leur coiffure était à la mode l'année dernière et si la manière dont ils se tenaient ou s'exprimaient risquait d'être embarrassante pour autrui. Voilà à quoi allait ressembler l'Irlande, se dit-elle tristement tout en écoutant les vibrations de basse assourdissantes de son CD. Arriérée. Inculte. Franchement pas cool !

Pour la millionième fois, elle maudit sa mère de l'exiler ainsi, de l'éloigner de ses amis, de son univers, de sa vie normale. Ça allait être un vrai cauchemar ! Elle n'avait rien en commun avec ces gens-là, ses grands-parents étaient pour ainsi dire des inconnus. De surcroît, elle laissait Dean Baxter entre les griffes scélérates d'Amanda Gallagher juste au moment où elle avait l'impression qu'elle allait aboutir à quelque chose avec lui, et pour couronner le tout, elle n'aurait même pas son portable ou son e-mail pour rester en contact. (Elle avait été forcée d'admettre que son ordinateur ne tiendrait pas dans ses bagages. Et sa mère lui avait clairement signifié que si elle s'imaginait qu'elle allait lui payer une liaison internationale sur son portable qui coûtait déjà bien assez cher, elle se mettait le doigt dans l'œil.) Pourquoi disaient-ils ça ? Si elle avait déclaré à sa mère qu'elle se mettait le doigt dans l'œil, celle-ci aurait recommencé à rabâcher qu'elle aurait décidément mieux fait de l'envoyer dans une école privée.

Elle se retrouverait bientôt non seulement exilée, mais privée des piètres consolations d'un téléphone ou d'un e-mail. Tout en contemplant d'un air sinistre les eaux turbulentes de la mer d'Irlande, Sabine n'en éprouva pas moins un vague soulagement à l'idée de ne pas avoir à être mêlée aux interminables tensions entre sa mère et Geoff démêlant lentement, péniblement, le fil de leur histoire.

Elle avait compris, avant même que Geoff ne s'en rendît compte, ce qui allait se passer. Elle l'avait su un après-midi où, en descendant de sa chambre, elle avait entendu sa mère susurrer au téléphone : « Je sais. Moi aussi j'ai envie de te voir, mais je t'ai dit que c'était impossible pour le moment. Et je ne veux pas aggraver les choses. »

Elle était restée plantée là, pétrifiée, dans l'escalier, puis elle avait toussé bruyamment. Sa mère avait raccroché brusquement, l'air coupable, avant de s'exclamer d'un ton trop enjoué lorsqu'elle était entrée dans le salon :

— Oh, c'est toi, ma chérie. Je ne t'avais pas entendue. J'étais en train de me demander ce que nous allons manger pour le dîner.

Sa mère ne préparait jamais le repas. Elle était nulle en cuisine. C'était le boulot de Geoff.

Et puis elle avait fait connaissance du gars en question. Justin Stewartson. Photographe pour un journal national de gauche. Un type tellement imbu de lui-même qu'il avait préféré venir en métro plutôt que de faire le trajet dans la voiture défoncée de sa mère. Qui se croyait branché parce qu'il portait une veste en cuir qui aurait peut-être été cool cinq ans plus tôt et un pantalon kaki avec des chaussures en daim à lacets. Il avait fait tout un cinéma en parlant avec elle, truffant son discours d'allusions à des groupes *underground*, que selon lui elle devrait connaître, s'efforçant de paraître tout à la fois au fait et cynique au sujet de l'univers de la musique contemporaine. Elle l'avait gratifié d'un regard qu'elle espérait profondément méprisant. Elle savait pertinemment pourquoi il essayait de faire copain-copain, et il n'en était pas question. Les hommes de plus de trente-cinq ans ne pouvaient en aucun cas être cools, pas même s'ils pensaient s'y connaître en musique.

Ce pauvre Geoff. Pauvre Geoff si vieux jeu ! Il avait passé des soirées à la maison, la mine renfrognée, à s'inquiéter de patients qu'il ne parvenait pas à faire interner, téléphonant à tous les services psychiatriques du centre de Londres dans l'espoir d'empêcher encore un autre zinzin de se retrouver sur le pavé. Il ne s'était rendu compte de rien, le malheureux ! Sa mère allait et venait, feignant d'être intéressée, jusqu'au jour où en descendant de sa chambre, Sabine s'était aperçue qu'à l'évidence il savait parce qu'il lui avait décoché un de ces longs regards inquisiteurs du style : « Et toi, tu étais au courant ? Hein, Brutus ? » Il n'était pas facile d'abuser Geoff à cause de sa formation de psychiatre, aussi lui avait-elle rendu ce regard appuyé en s'efforçant de lui communiquer sa sympathie et le sentiment de désapprobation que lui inspirait le comportement pathétique de sa mère.

Ni l'un ni l'autre n'avaient su combien elle avait pleuré. Elle trouvait Geoff agaçant, un peu trop empressé, et elle ne lui avait jamais laissé croire qu'il pût être un père d'aucune sorte. Mais il était gentil, il faisait la cuisine et avait préservé la santé mentale de sa mère, et puis il avait toujours été là depuis qu'elle était petite. Plus longtemps que tous les autres. En outre, la pensée de sa mère et de Justin Stewartson au lit lui donnait envie de gerber.

Peu après 16 h 30, on annonça que Rosslare n'était plus qu'à quelques minutes. Sabine quitta son siège et s'achemina vers le point de débarquement en tâchant d'ignorer les petites crispations de nervosité qui lui contractaient l'estomac. Elle n'avait voyagé seule qu'une seule fois auparavant, à l'occasion d'un « vol de vacances » désastreux pour rejoindre Jim, l'ex de sa mère, en Espagne. Il avait voulu la rassurer en lui montrant qu'elle faisait toujours partie de la famille. Sa mère avait voulu la rassurer en lui laissant entendre qu'elle avait encore une sorte de père. L'hôtesse de la British Airways avait tenté de la rassurer en lui disant qu'elle était « une grande fille » puisqu'elle voyageait toute seule. Mais dès l'instant où Jim l'avait retrouvée à l'aéroport, avec sa nouvelle petite amie, enceinte jusqu'aux dents, le regard las, elle avait su qu'elle courait à la catastrophe. Elle ne l'avait revu qu'une seule fois, lorsqu'il avait essayé de l'inciter à « s'investir » vis-à-vis du nouveau-né. La petite copine l'avait regardée comme si elle espérait que Sabine s'investirait le moins possible. Elle ne pouvait pas vraiment lui en vouloir. Le bébé n'était pas du même sang qu'elle, après tout, et puis pour rien au monde elle n'aurait voulu d'un gosse issu d'une relation antérieure rôdant autour d'elle comme quelque âme égarée.

Les portes s'ouvrirent, et Sabine se trouva transportée le long de la passerelle, coincée de toutes parts par une foule bavarde. Elle avait envie de remettre ses écouteurs, mais redoutait de rater une annonce vitale. Elle ne voulait surtout pas avoir à téléphoner à sa mère pour lui dire qu'elle avait mal compris ses instructions.

Elle jeta des coups d'œil alentour en se demandant à quoi ressemblerait sa grand-mère. La plus récente photo qu'elle possédait d'elle remontait à plus de dix ans, lorsqu'elle était allée en Irlande pour la dernière fois. Elle n'en gardait que de vagues souvenirs, mais le cliché montrait une femme d'un certain âge, brune et jolie, aux pommettes saillantes, lui souriant avec réserve tout en caressant un petit poney gris.

Et si je ne la reconnais pas ? pensa-t-elle anxieusement. Sera-t-elle offensée ? Les cartes qu'elle lui envoyait à Noël et pour son anniversaire étaient toujours brèves, solennelles, ne dénotant pas le moindre sens de l'humour. D'après le peu que sa mère lui avait dit à son sujet, il était facile avec elle d'être prise en défaut.

Soudain elle le vit, adossé au comptoir d'un bureau qui pouvait aussi bien être que ne pas être celui des informations. Il tenait une pancarte en carton sur laquelle était écrit « Sabine ». De taille moyenne, il était svelte avec d'épais cheveux noirs coupés court. Il devait avoir à peu près le même âge que sa mère. En s'approchant de lui à pas lents, elle remarqua qu'il n'avait qu'un bras. L'autre se terminait par une main en plastique qui ressemblait à une griffe, dans cette position rigide que l'on associait plus fréquemment aux mannequins dans les vitrines.

Elle porta inconsciemment sa main à ses cheveux pour s'assurer qu'ils ne s'étaient pas trop aplatis pendant le voyage, puis continua son chemin en s'efforçant de paraître aussi décontractée que possible.

— Vous avez changé, Mamie.

Il l'avait regardée d'un air perplexe pendant qu'elle avançait, comme s'il voulait s'assurer qu'elle était bien la jeune fille qu'il attendait. Il souriait à présent et lui tendit sa bonne main, ce pour quoi il lui fallut d'abord poser le carton sur le bureau.

— Bonjour Sabine. Je m'appelle Thom. Vous êtes plus âgée que je ne le pensais. Votre grand-mère m'avait dit que vous seriez… – Il secoua la tête. – Peu importe. Elle n'a pas pu venir parce qu'on a dû faire venir le véto pour le Duc. Je suis votre chauffeur.

— Le Duc ? s'enquit-elle.

Il avait cet accent irlandais chantant qu'on ne croit pouvoir entendre que dans les feuilletons télévisés, pensa-t-elle. Sa grand-mère, elle, n'avait pas une pointe d'accent. Sabine s'efforça de ne pas regarder la main en plastique à l'aspect cireux comme quelque chose de mort.

— Le vieux cheval. Le sien. Il a un problème à la jambe. Elle ne veut pas que qui que ce soit d'autre le soigne. Elle a dit qu'elle vous retrouverait à la maison.

Ainsi, sa grand-mère, qu'elle n'avait pas vue depuis près de dix ans, avait préféré s'occuper d'un canasson plutôt que de venir la chercher. Contre toute attente, Sabine sentit ses yeux s'emplir de larmes. Eh bien, elle savait à présent l'effet que sa visite lui faisait.

— Elle est un peu bizarre dès qu'il s'agit de lui, ajouta

Thom d'un ton prudent en lui prenant son sac. Je n'en tirerais aucune conclusion, si j'étais vous. Je sais qu'elle est impatiente de vous voir.

— On dirait pas, riposta Sabine, après quoi elle jeta un rapide coup d'œil à Thom pour voir s'il la trouvait boudeuse.

Elle s'égaya un bref instant quand ils sortirent du bâtiment. Pas tant à cause de la voiture – une énorme Land Rover cabossée, bien qu'elle fût certainement plus *cool* que celle de sa mère – que de sa cargaison : deux gros Labrador chocolat aussi soyeux et gracieux que des phoques se tortillant en se frottant l'un contre l'autre en une fébrile tentative d'accueil.

— Bella et Bertie. La mère et le fils. Allez, pousse-toi, idiot !

— Bertie ?

Sabine ne put retenir une grimace en caressant leurs deux têtes tout en s'efforçant d'écarter de son visage leurs truffes humides.

— Ils ont tous un nom qui commence par un B. Toute la lignée. Comme les chiens de meute. Sauf que leurs noms commencent par un H.

Sabine préféra ne pas s'enquérir de ce dont il parlait. Elle se hissa sur le siège du passager et attacha sa ceinture en se demandant, non sans inquiétude, comment Thom allait conduire avec une seule main.

De façon fantaisiste, comme elle ne tarda pas à s'en rendre compte. Mais tandis qu'ils filaient à travers le dédale des rues grises de Rosslare, puis sur la grande route en direction de Kennedy Park, elle n'était plus sûre de pouvoir attribuer tous ces à-coups à sa prise incertaine sur le levier de vitesse. Sa main le coiffait comme un casque mal ajusté, cliquetant discrètement contre l'extrémité en plastique chaque fois que la voiture rebondissait sur la chaussée truffée d'ornières.

Quant au trajet, se dit-elle, il était moins que prometteur. Les rues étroites et bruineuses du port ne contenaient pas une seule boutique susceptible de lui donner envie de flâner. D'après ce qu'elle distinguait, elles abondaient en sous-vêtements pour vieilles dames à armatures rigides et en pièces détachées. En dehors de la ville, il semblait qu'il n'y eût que des haies à perte de vue, avec ici et là des bicoques modernes arborant un assortiment de paraboles, pareils à des champignons bizarres surgis de la brique. On n'avait même pas vraiment l'impression d'être à la campagne. Ils dépassèrent le parc dédié au président assassiné, mais elle s'imaginait mal avide de verdure au point de s'y rendre.

— Y a-t-il quoi que ce soit à faire à Wexford ? demanda-t-elle à Thom.

Il se tourna un bref instant vers elle et éclata de rire, la bouche crispée comme si cela ne lui arrivait pas souvent.

— Notre petite citadine s'ennuie-t-elle déjà ? s'exclama-t-il, mais d'un ton gentil si bien qu'elle ne se froissa pas. Ne vous inquiétez pas. Le jour où vous partirez d'ici, vous vous demanderez ce qu'il y a à faire en ville.

Elle en doutait fort.

Pour tâcher de se calmer les nerfs, elle se mit à penser au bras de Thom qui reposait à présent sur le frein à main près d'elle. C'était la première fois de sa vie qu'elle rencontrait quelqu'un doté d'un faux membre. Était-il attaché à son corps avec une sorte de colle ? Le retirait-il la nuit ? Le mettait-il à tremper dans un verre d'eau comme le dentier de sa voisine Margaret ? Et puis il y avait toutes les questions pratiques. Comment faisait-il pour mettre un pantalon ? Elle s'était cassé un bras autrefois et elle se souvenait qu'elle n'arrivait jamais à remonter sa fermeture Éclair avec une seule main. Il fallait qu'elle demande à sa mère de l'aider. Elle se surprit en train de loucher sur sa braguette pour voir si elle ne tenait pas fermée grâce à une bande Velcro quelconque et s'empressa de détourner les yeux. Il risquait de penser qu'elle lui faisait du gringue, et même si elle le trouvait sympathique, elle n'avait pas la moindre intention de frayer avec un bandit manchot pendant son séjour.

Quoi qu'il en soit, Thom ne lui adressa la parole à nouveau que pour lui demander des nouvelles de sa mère.

Sabine le dévisagea d'un air surpris.

— Comment se fait-il que vous la connaissiez ? Vous devez être ici depuis toujours.

— Pas tout à fait. Mais j'étais déjà dans les parages jeune homme. Je suis parti travailler en Angleterre quelques années après elle.

— Elle ne m'a jamais parlé de vous.

À peine sa phrase prononcée, elle se rendit compte de sa grossièreté, mais il ne parut pas en prendre ombrage. Elle avait remarqué qu'à chaque fois qu'il s'apprêtait à dire quelque chose, il laissait passer un petit laps de temps comme s'il pesait ses mots avant de s'exprimer.

— Je doute qu'elle se souvienne vraiment de moi. Je travaillais à l'écurie et elle n'a jamais beaucoup apprécié les chevaux.

Sabine scruta son visage, avide de lui poser d'autres questions. Cela lui faisait un drôle d'effet de se représenter sa mère ici, peut-être amie avec un cavalier manchot. Elle ne pouvait pas l'imaginer autrement que dans un environnement urbain : dans leur maison à Hackney, avec ses parquets, ses chlorophytums et ses affiches d'exposition clamant leur appartenance à la classe moyenne libérale. Ou bien en train de déjeuner dans un des cafés branchés de Kingsland Road bavardant à bâtons rompus avec ses copines enragées aux interminables boucles d'oreilles tout en s'efforçant de retarder le terrible moment où elle devrait retourner écrire son article. Ou rentrant à la maison en s'extasiant sur un film d'auteur qu'elle venait de voir tandis que Geoff, réaliste jusqu'au bout des ongles, se plaignait qu'il divergeât de l'imagerie traditionnelle de l'école allemande. Ou quelque chose d'approchant.

À la pensée de Geoff, son estomac se serra et elle eut de nouveau les nerfs à vif, ce qui l'agaça. Elle se demanda un instant s'il essayerait de lui écrire. Le fait que sa mère et lui allaient se quitter rendait la situation délicate. Elle ne savait plus comment se comporter avec lui. D'ici quelques mois, il trouverait probablement quelqu'un d'autre, tout comme Jim, et puis sa mère se ferait larguer par Justin Stewartson, déprimerait et deviendrait amère en se demandant pourquoi les hommes étaient tous des « extra-terrestres ». Eh bien, elle n'allait certainement pas la plaindre. Et elle n'irait jamais en vacances avec Geoff s'il se mettait en ménage avec quelqu'un d'autre. Ils pouvaient en être certains.

— Nous y voilà, fit Thom.

Elle ne se rappelait pas de l'extérieur de la maison, mis à part sa grandeur. En revanche, elle avait conservé certains souvenirs de l'intérieur : des escaliers et des couloirs en bois sombre qui tournaient brusquement, l'odeur des feux de bois, de la cire et les trophées. Elle se souvenait des têtes des renards, alignés selon la date de leur mort, faisant saillie de leur petite niche en retroussant vainement leurs babines. À six ans, elle les trouvait terrifiants et passait de longues minutes tapie sur les marches en attendant que quelqu'un vienne et lui donne le courage de se glisser dessous. Du dehors, elle se rappelait juste d'un âne pitoyable qui n'arrêtait pas de braire dès qu'elle s'éloignait du champ si bien qu'elle avait l'impression qu'il lui faisait du chantage pour qu'elle reste. Jim et sa mère s'étaient imaginé qu'elle était amoureuse de lui et racontaient à tout le monde qu'ils trouvaient cela charmant. Elle ne pouvait pas leur expliquer qu'elle se sentait persécutée par lui et c'était toujours un soulagement lorsqu'on lui disait de rentrer à la maison.

Sabine remarqua la façade délabrée de la vieille demeure : les hautes croisées géorgiennes à la peinture écaillée, les rebords de fenêtre écornés s'affaissant telle la bouche d'une vieille tante. Cela avait dû être une noble résidence jadis, bien plus noble que tous les gens qu'elle connaissait. Mais elle avait un air fatigué, avachi comme quelqu'un qui aurait cessé de se soucier de son apparence et n'attendait plus qu'un prétexte pour s'en aller. C'est exactement comme ça que je me sens, pensa Sabine en éprouvant du même coup un sentiment d'empathie inattendu.

— J'espère que vous avez apporté une réserve de pulls, marmonna Thom du coin de la bouche tout en montant son sac en haut du perron. C'est terriblement humide là-dedans.

Ils attendirent plusieurs minutes après qu'il eut sonné à la porte. Pour finir, elle s'ouvrit et une femme de grande taille, vêtue d'un pantalon en tweed et de bottes en caoutchouc, surgit devant elle. Elle était en train d'ôter des brins de foin de son cardigan. Elle était vieille, son front, son nez et son menton manifestant indignement cette démesure propre au grand âge. Elle était mince cependant et se tenait très droite. Lorsqu'elle tendit la main, Sabine s'étonna de lui voir des doigts aussi larges et proches les uns des autres, pareils à des saucisses rugueuses.

— Sabine, dit-elle en souriant.

Comme si l'idée lui était venue après coup, elle tendit l'autre main, espérant apparemment une étreinte.

— Je suis navrée de ne pas être venue te chercher au bateau. Ça n'a pas arrêté cet après-midi.

Sabine ne savait pas si elle devait entrer ou non.

— Bonjour, répondit-elle, incapable de prononcer le mot « mamie ».

Elle se frotta maladroitement les cheveux, ne sachant pas trop quoi faire de ses mains.

— Je suis contente… contente de te voir.

Sa grand-mère baissa les bras et resta plantée là. Son sourire s'était un peu crispé.

— Oui, oui… As-tu fait bon voyage ? La traversée en ferry peut être épouvantable. J'en ai horreur pour ma part.

— Ça s'est bien passé, répondit Sabine, et elle entendit sa voix se réduire à un murmure.

Elle sentait la présence de Thom qui attendait derrière elle en écoutant cet échange ridicule.

— La mer était un peu agitée, mais pas trop.

Il y eut un long silence.

— Ton cheval va-t-il mieux ?

— Non. Pas vraiment. Le pauvre ! Mais nous lui avons donné un peu de Bute. Il devrait passer une moins mauvaise nuit. Bonjour, Bella, ma fille, bonjour, bonjour. Oui, je sais, oui, Bella. Tu es une brave petite. Ah non, Bertie, ne t'avise pas de monter à l'étage.

Après s'être penchée pour flatter le pelage étincelant de ses chiens, la vieille dame fit volte-face et gagna le hall d'entrée d'une démarche raide. Sabine resta plantée là en dévisageant Thom. Il lui fit signe de suivre, puis, après avoir déposé son sac au pied de l'escalier, il les salua et redescendit les marches du perron d'un pas léger.

Soudain prise du désir puéril de lui demander de rester, Sabine hésita. Sa grand-mère ne l'avait même pas remercié d'être allé la chercher, se rendit-elle compte avec indignation. Elle avait fait comme s'il n'était pas là. Sabine sentit la pointe de rancœur, terrée sourdement en elle depuis qu'elle avait quitté Londres le matin même, prendre nettement plus d'ampleur. Elle pénétra dans la maison à pas lents et referma la lourde porte derrière elle.

Les odeurs et les bruits de l'entrée ravivèrent brutalement ses souvenirs avec la violence d'une massue. La cire. Les vieilles tentures. Le cliquetis des griffes des chiens sur les dalles. Derrière sa grand-mère qui s'éloignait rapidement dans le couloir, elle perçut le tic-tac pesant de la vieille pendule égrenant les secondes au même rythme distant que lors de sa précédente visite dix ans plus tôt. Visuellement, toutefois, les choses avaient changé : sa taille lui permettait à présent de voir au-dessus des tables où des chevaux d'airain étaient au repos ou suspendus en plein saut au-dessus de haies du même alliage. Des peintures à huile représentant d'autres destriers ornaient les murs, la plupart des légendes indiquant simplement leurs noms, *Sailor*, *Rêve de sorcière, Grande Ourse,* tels des portraits de membres de la famille à moitié oubliés. Curieusement, elle les trouva réconfortants. Je n'avais pas peur la dernière fois, se dit-elle. Et puis ce n'est que ma grand-mère, pour l'amour du ciel ! Elle est probablement aussi nerveuse que moi à l'idée que je séjourne ici et cherche désespérément à deviner ce qui me mettra à l'aise.

Cela dit, si tel était le cas, elle cachait bien son jeu.

— Nous t'avons installée dans la chambre bleue, lui dit-elle lorsqu'elles furent au premier en ouvrant une porte au bout du palier. Le chauffage n'est pas très efficace, mais j'ai prié Mrs H de faire un feu. Ah, et puis il faudra que tu utilises la salle de bains d'en bas parce que le chauffe-eau d'ici a rendu l'âme. Je n'ai pas pu te donner la meilleure chambre ; elle est occupée par ton grand-père. Et il y a de la moisissure sur les murs dans celle du rez-de-chaussée.

Sabine réprima un frisson face à tant de négligence et jeta un regard circulaire dans la pièce, curieux hybride des années 50 et 70. Le papier peint bleu à motifs chinois avait été marié à un moment donné, non sans optimisme, avec une moquette turquoise à poils longs plus moderne. Les rideaux rehaussés de brocarts dorés traînaient au sol, comme s'ils provenaient d'une fenêtre plus grande. Un vieux lavabo se dressait dans un coin sur des pattes raides en fer forgé ; une mince serviette de bain vert pâle pendait près de la cheminée. Une aquarelle représentant un cheval attelé à une charrette trônait sur le manteau de la cheminée tandis qu'un portrait plus grand, mal exécuté, d'une jeune femme qui aurait pu être Kate ornait le mur voisin du lit. Sabine n'arrêtait pas de jeter des coups d'œil en direction de la porte, consciente de la présence silencieuse de son grand-père un peu plus loin dans le corridor.

— Il y a passablement de choses dans l'armoire, mais il devrait y avoir assez de place pour tes affaires. C'est tout ce que tu as apporté ?

Sa grand-mère considéra son sac, puis regarda autour d'elle comme si elle s'attendait à trouver d'autres bagages.

Sabine marqua un temps d'arrêt.

— Avez-vous un ordinateur ?

— Un quoi ?

— Avez-vous un ordinateur ? répéta Sabine, se rendant compte en même temps qu'elle connaissait la réponse.

Elle aurait dû s'en douter rien qu'en voyant cette chambre.

— Un ordinateur ? Non, pas d'ordinateur ici. Que veux-tu faire d'un ordinateur ?

Son ton était brusque, ahuri.

— C'est pour l'e-mail. Histoire de rester en contact avec mes copains.

Sa grand-mère n'avait apparemment pas entendu.

— Non, répéta-t-elle. Nous n'avons pas d'ordinateur ici. Bon, à présent, si tu veux déballer tes affaires… Ensuite nous prendrons le thé et puis tu pourras aller voir ton grand-père.

— Y a-t-il une télévision ?

Cela lui valut un regard inquisiteur.

— Oui, il y a une télévision. Elle est dans la chambre de ton grand-père pour le moment. Il aime bien regarder les dernières nouvelles du soir. Je suis sûre que tu pourras l'emprunter de temps en temps.

Lorsqu'elles pénétrèrent dans le salon, Sabine avait sombré sous un nuage noir de dépression. Même l'arrivée de Mrs H – petite, rondouillarde et fleurant aussi bon que son pain et ses scones faits maison – ne put alléger son humeur en dépit de ses questions aimables à propos de la traversée, de la santé de sa mère et de sa satisfaction eu égard à sa chambre. Il n'y avait pas à tortiller ! Thom était bel et bien le plus jeune individu dans les parages, et il devait avoir le même âge que sa mère ! Il n'y avait ni chaînes câblées, ni ordinateur, et elle n'avait pas encore réussi à déterminer où se cachait le téléphone. Et puis Amanda Gallagher allait lui piquer Dean Baxter avant qu'elle puisse rentrer chez elle. C'était ni plus ni moins l'enfer !

Lorsqu'elle revint dans le salon après une brève absence, sa grand-mère n'avait pas l'air tellement plus sereine. Elle jetait sans arrêt des coups d'œil autour d'elle sans rien voir tout en mangeant comme si elle s'efforçait de résoudre quelque problème. De temps à autre, elle se levait de son fauteuil avec raideur, gagnait la porte d'un pas vif et criait un ordre à Mrs H ou à quelque autre personne non identifiée, si bien qu'au bout de la quatrième fois, Sabine en conclut qu'elle n'avait pas l'habitude de prendre le thé et que cela lui coûtait de devoir rester assise si longtemps en compagnie de sa petite-fille. Elle ne s'enquit même pas de la santé de sa fille. Pas une seule fois.

— Ne devrais-tu pas aller voir comment va ton cheval ? demanda finalement Sabine en songeant que cela leur donnerait à l'une et à l'autre un moyen facile d'échapper à la situation.

Sa grand-mère la regarda d'un air soulagé.

— Oui, oui, tu as raison. Je ferais mieux d'aller voir comment se porte cette brave bête. Très bien.

Elle se leva en enlevant les miettes éparpillées sur son pantalon. Les chiens bondirent aussitôt pour passer en revue le tapis. Elle se dirigea vers la porte à grandes enjambées, puis fit brusquement volte-face.

— Voudrais-tu venir jeter un coup d'œil ? Pour voir l'écurie ?

Sabine mourait d'envie de s'éclipser afin de donner libre cours en privé à sa misère bourgeonnante, mais elle se rendit compte qu'un tel comportement serait considéré comme grossier.

— D'accord, fit-elle à contrecœur.

Sa dépression « baxtérienne » pouvait bien attendre une demi-heure.

L'âne avait disparu depuis belle lurette – « Laminite ? Le pauvre diable ! » commenta sa grand-mère, comme si elle était censée comprendre –, mais le reste de l'écurie avait un air familier. C'était certainement plus vivant qu'à l'intérieur de la maison. Entre les rangées de stalles, deux hommes frêles et voûtés s'activaient avec des balais de paille et des seaux cliquetants, répartissant une balle de foin en portions carrées, tandis que derrière eux, les chevaux raclaient le sol en ciment de leurs sabots ou donnaient des coups contre les planches en bois. Un mini-transistor tout mince en équilibre sur un seau retourné crachait des bruits confus en fond sonore. Considérant cette scène d'un œil fixe, Sabine se souvint vaguement d'avoir été hissée au-dessus d'une des portes de box et d'avoir poussé des cris d'horreur mêlée de ravissement lorsqu'une énorme longue tête avait surgi de l'obscurité pour la regarder.

— Je suppose que tu es trop fatiguée pour monter aujourd'hui, mais j'ai loué un petit hongre bien docile à New Ross. Il devrait faire l'affaire le temps de ton séjour.

Sabine en resta bouche bée.

— Comment ? Monter. Il y a des siècles que je n'ai pas fait de cheval, bredouilla-t-elle. Pas depuis que j'étais gamine. Maman ne m'a pas dit…

— Nous irons faire un tour dans la remise à bottes plus tard. Quelle pointure fais-tu ? Du 37 ? Du 38 ? La vieille paire de ta mère devrait t'aller.

— Ça fait au moins cinq ans… J'ai laissé tomber.

— Je sais, c'est la croix et la bannière pour monter à Londres, n'est-ce pas ? Je suis allée aux écuries de Hyde Park une fois. Il a fallu que je traverse une rue encombrée rien que pour trouver un peu d'herbe.

Sa grand-mère franchit la cour à grands pas en réprimandant au passage un des palefreniers qui avait gaspillé une litière.

— Je ne pense pas avoir vraiment envie, lança Sabine.

Elle n'avait pas entendu. Elle avait pris un balai des mains d'un des employés pour lui montrer comment balayer par petits coups rageurs.

— Écoute, je n'aime plus trop monter à cheval.

La voix de Sabine, frêle et haut perchée, couvrit le bruit du balai de sorte que tout le monde se tourna vers elle en l'entendant.

Sa grand-mère s'arrêta net, puis elle se retourna lentement vers elle.

— Comment ?

— Je n'aime plus ça. Monter à cheval. Ça m'a passé.

Les deux palefreniers échangèrent un regard et l'un d'eux ébaucha un petit sourire suffisant. À l'évidence, à Wexford, ce qu'elle venait de dire signifiait, en termes codés, quelque chose comme « Je tue des bébés » ou encore « Je mets mes culottes à l'envers pour éviter d'avoir à les laver trop souvent ». Sabine se sentit rougir et s'en voulut à mort.

Sa grand-mère la dévisagea une minute d'un air interdit, puis tourna les talons et se dirigea vers l'écurie.

— Ne sois pas ridicule, marmonna-t-elle. Nous dînons à 20 heures précises. Ton grand-père se joindra à nous, alors sois bien à l'heure.

Sabine pleura pendant près d'une heure à l'insu de tous dans sa chambre lointaine et humide. Elle maudit sa fichue mère de l'avoir envoyée dans cet endroit, maudit sa grand-mère raide comme un piquet et froide comme un glaçon ainsi que ses fichus chevaux, maudit Thom de lui avoir laissé croire un bref instant que ce ne serait peut-être pas si invivable. Après quoi, elle maudit Amanda Gallagher qui devait jeter son dévolu sur Dean Baxter à l'instant même, elle en était certaine, maudit la compagnie de ferries irlandaise pour ne pas interrompre ses liaisons quand le temps était minable, maudit la moquette turquoise à longs poils tellement laide que si quelqu'un apprenait un jour qu'elle avait dormi dans une chambre pareille, elle serait forcée d'émigrer. Pour toujours ! Puis elle se mit sur son séant et se maudit d'avoir la goutte au nez, le visage aubergine et tout boursouflé quand elle pleurait au lieu d'avoir cet air mélancolique, ces grands yeux tristes et ce teint clair que les hommes trouvaient irrésistible.

— Ma vie est un désastre, geignit-elle, après quoi elle pleura de plus belle parce que son chagrin paraissait tellement plus réel lorsqu'il était audible.

Son grand-père était déjà installé à la salle à manger

quand elle descendit l'escalier à pas comptés. Elle aperçut sa canne qui faisait saillie entre ses jambes sous la table avant de le découvrir lui. Puis en contournant l'angle de la pièce, elle vit son dos, incurvé comme un point d'interrogation, calé inconfortablement contre le haut dossier de sa chaise sous une couverture écossaise. Le couvert avait été mis pour trois, l'ample plateau d'acajou étincelant entre les assiettes, mais il était assis là sans rien faire à la lueur des bougies et regardait dans le vide.

— Ah, fit-il en détachant ses mots lorsqu'elle apparut dans son champ de vision. Tu es en retard. Nous dînons à 20 heures. 20 heures précises.

Un doigt osseux désigna la pendule qui informa Sabine qu'elle avait environ sept minutes de retard. Elle reporta son attention sur lui en se demandant si elle devait s'excuser.

— Eh bien, assieds-toi, assieds-toi, fit-il en reposant doucement sa main sur ses genoux.

Sabine regarda autour d'elle, après quoi elle prit place en face de lui. Elle n'avait jamais vu un homme aussi vieux de sa vie. Sa peau, à travers laquelle on pouvait presque voir la forme de son crâne, était plus que ridée ; elle s'était divisée en des centaines de minuscules crevasses, tel un marécage asséché depuis des décennies. Une fine veine palpitait au-dessus de sa tempe, faisant saillie sous sa peau comme un ver de terre moulé. Sabine avait carrément du mal à le regarder ; c'était presque trop pénible.

— Alors... dit-il, sa voix déclinant à la fin, comme fatiguée par son propre envol... Tu es la jeune Sabine.

Sabine estima que cela ne méritait pas de réponse. Elle se borna à prendre un air résigné.

— Et quel âge as-tu ?

Même ses questions plongeaient en fin de parcours.

— J'ai seize ans, répondit-elle.

— Comment ?

— Seize ans. Seize, cria-t-elle.

Oh mon Dieu, il était sourd en plus !

— Ah ! Seize ans. – Il marqua une pause. – Très bien.

Sa grand-mère apparut dans l'embrasure d'une porte latérale.

— Ah, tu es là. Bon. J'apporte la soupe.

Par ce « tu es là », elle parvint à lui faire comprendre dans la foulée qu'elle était très en retard. Qu'est-ce qui n'allait pas chez ces gens-là à la fin ? se demanda Sabine, la mort dans l'âme. Ce n'était pas comme si on les chronométrait.

— Les chiens ont dévoré une de tes pantoufles, cria sa grand-mère de la pièce voisine, mais son grand-père ne parut pas entendre.

Après en avoir débattu en son for intérieur, Sabine résolut de ne pas faire passer le message. Elle ne voulait pas être responsable du résultat.

C'était une soupe aux légumes. Une vraie, pas en boîte, avec des tas de petits morceaux de pomme de terre et de chou. Elle la mangea, même si à la maison, elle aurait fait la fine bouche, parce que le froid qui régnait ici lui avait donné de l'appétit. C'était plutôt bon, fut-elle forcée d'admettre.

Éprouvant le besoin d'entamer la conversation alors qu'ils mangeaient tous les trois en silence, elle redressa légèrement les épaules et déclara :

— La soupe est délicieuse.

Son grand-père releva lentement la tête en aspirant

bruyamment sa cuillerée. Le blanc de ses yeux était presque complètement opaque, remarqua-t-elle.

— Comment ?

— La soupe, répéta-t-elle en haussant le ton. Elle est très bonne.

Quelque neuf minutes plus tard, l'horloge de l'entrée annonça qu'il était 20 heures. Un chien invisible poussa un soupir vacillant.

Le vieil homme se tourna vers sa femme.

— Est-ce de la soupe qu'elle parle ?

— Elle dit qu'elle est bonne, affirma sa grand-mère d'une voix forte sans daigner lever les yeux.

— Oh ! Qu'est-ce que c'est comme soupe ? dit-il. Je ne sens pas le goût.

— Une soupe aux légumes.

Sabine s'aperçut qu'elle écoutait le tic-tac de l'horloge dans l'entrée. Il lui semblait de plus en plus bruyant.

— Légumes ? Tu as bien dit légumes ?

— Absolument.

Un long silence.

— Il n'y a pas de maïs dedans au moins ?

Sa grand-mère se tamponna la bouche avec sa serviette en lin.

— Non, mon cher. Pas de maïs. Mrs H sait que tu n'aimes pas le maïs.

Il reporta son attention sur son assiette à soupe, comme pour en examiner le contenu.

— Je n'aime pas le maïs, dit-il à l'adresse de Sabine. Ça a très mauvais goût.

À ce stade, Sabine luttait contre le besoin quasi hystérique de rire et de pleurer en même temps. Elle avait l'impression d'être prise au piège dans une série télévisée nulle-de-chez-nulle où le temps s'arrêtait et d'où personne ne pouvait s'échapper. Il faut que je rentre à la maison, se dit-elle. Il est hors de question que je me coltine ça soir après soir. Je vais me dessécher et mourir. On me retrouvera momifiée dans une chambre moquettée de turquoise et personne ne pourra déterminer si je suis morte de froid ou d'ennui. Et je vais louper toutes les bonnes émissions de télé.

— Est-ce que tu chasses à courre ?

Sabine jeta un coup d'œil à son grand-père qui avait finalement éclusé sa soupe. Une fine traînée opaque en témoignait au coin de sa bouche.

— Non, répondit-elle à voix basse.

— Comment ?

— Non, je ne chasse pas.

— Elle marmonne, dit-il d'une voix forte à l'adresse de sa femme. Il faudrait qu'elle hausse un peu le ton.

Sa grand-mère qui avait rassemblé les assiettes vides sortit diplomatiquement de la pièce.

— Tu marmonnes, reprit-il. Tu devrais parler plus fort. C'est très mal élevé.

— Je suis désolée, répondit Sabine en s'égosillant, non sans impertinence.

Vieux gaga !

— Alors avec qui chasses-tu à courre ?

Sabine regarda autour d'elle, se prenant tout à coup à regretter l'absence de sa grand-mère.

— Je ne chasse pas, cria-t-elle presque. J'habite à Hackney. C'est un quartier de Londres. Il n'y a pas de chasse à courre là-bas.

— Pas de chasse à courre ?

— Non.

— Oh !

Il avait l'air passablement choqué, comme si l'inexistence de la chasse était un concept tout à fait nouveau.

— Alors, où montes-tu à cheval ?

Oh mon Dieu ! Mais c'était insupportable !

— Je ne fais pas de cheval. Il n'y a pas d'endroit pour monter.

— Dans ce cas, où gardes-tu ton cheval ?

— Elle n'a pas de cheval, mon cher, répondit sa grand-mère en entrant dans la pièce avec un grand plateau en argent surmonté d'une sorte de dôme argenté que Sabine croyait réservé aux maîtres d'hôtel de comédie.

— Katherine et elle vivent à Londres.

— Oh. Oui. À Londres, n'est-ce pas ?

Oh maman, je t'en supplie, viens me chercher, pensa Sabine. Je suis désolée d'avoir été aussi méchante à propos de Geoff et toi, et de Justin. Viens me chercher. Je promets de ne plus jamais me plaindre de quoi que ce soit. Tu peux avoir autant de petits amis minables que tu veux. Je ne dirai plus jamais rien. Je veux bien continuer mes études jusqu'au bout. Et je jure d'arrêter de te voler ton parfum.

— Dis-moi, Sabine, tu préfères la viande saignante ou cuite à point ?

Sa grand-mère souleva le dôme argenté de sorte que le monticule de bœuf rôti, fumant, libéra son arôme dans l'air immobile. Il était entouré d'une couronne de pommes de terre sautées et baignait dans un lac de jus brun onctueux.

— C'est comme tu veux, ma chère. Je vais découper. Allez, décide-toi. Je ne veux pas que ça refroidisse.

Sabine la dévisagea d'un air horrifié.

— Maman ne t'a rien dit ? chuchota-t-elle.

— Quoi donc ?

— Quoi donc ? répéta son grand-père d'un ton agacé. Que dis-tu ? Parle plus fort, veux-tu !

Sabine secoua la tête lentement en regrettant d'avoir à considérer la mine tendue, exaspérée de sa grand-mère.

— Je suis végétarienne, bredouilla-t-elle.

2

C'était somme toute assez simple. En apparence. Si l'on prenait un bain dans la salle de bains d'en bas – et non dans celle du haut qui avait manifestement été aménagée à l'époque de la construction de la maison et où il n'y avait sans doute jamais eu d'eau chaude depuis lors –, il convenait d'éliminer toute preuve de son passage dans les cinq minutes après avoir achevé ses ablutions. À savoir : serviettes humides, flacons de shampoing, gants de toilette, et même sa brosse à dents et son dentifrice. Faute de quoi, il fallait s'attendre à trouver le tout par terre devant la porte de sa chambre moins d'une demi-heure plus tard.

Si l'on voulait déjeuner, il fallait à tout prix être dans la pièce réservée à cet effet avant 8 h 30. Pas dans la salle à manger. Bien évidemment. Et pas à 8 h 45, car à ce stade, la moitié de la journée était passée et Mrs H avait mieux à faire que d'attendre que tout le monde ait pris son petit déjeuner même si elle était trop gentille pour le dire elle-même. On devait manger du porridge, suivi de toasts. Avec du miel ou de la marmelade. Présentés l'un et l'autre dans des petits pots en argent. Et non, il n'y avait pas de céréales ! Ni Corn Flakes. Ni Pop Tarts.

On ne devait pas se plaindre du froid. Il fallait s'habiller convenablement et ne pas se promener sans rien sur le dos en ronchonnant à cause des courants d'air. Cela signifiait qu'on devait porter de gros chandails. Et des pantalons. Et si l'on n'en avait pas apporté suffisamment, il fallait le dire parce qu'il y en avait tout un stock en réserve en bas de la grosse commode. Et seule une personne mal élevée se hasarderait à faire le moindre commentaire sur leur odeur de moisi, ou sur le fait qu'ils donnaient l'impression d'avoir été portés pour la dernière fois par des orphelins albanais bien avant qu'on ait vu le jour soi-même. Il ne fallait pas compter porter des baskets coûteuses dans les parages et les conserver en bon état. Mieux valait aller dans la remise à bottes et s'en trouver une bonne paire en caoutchouc. Et si l'on avait une peur bleue des araignées, il était préférable de commencer par les secouer un bon coup avant de les enfiler.

C'était tout, en dehors des règles qu'on n'était pas censé vous rappeler. Ne pas laisser les chiens monter à l'étage par exemple. Enlever ses bottes avant d'entrer dans le salon. Ne pas changer la chaîne de la télévision, elle devait être branchée sur la chaîne préférée de grand-père pour les nouvelles. Ne pas commencer à manger avant que les autres soient servis. Ne pas téléphoner sans demander la permission. Ne pas s'asseoir sur le poêle pour se réchauffer. Ne pas prendre un bain le soir, ni remplir la baignoire au-delà de douze centimètres.

Une semaine après son arrivée, Sabine s'aperçut qu'il y avait tellement de règles à respecter qu'on aurait dit que la maison elle-même était une personne, aussi tatillonne et bourrée de petites manies que ses grands-parents. Elle avait grandi pour ainsi dire sans discipline :

sa mère éprouvait une satisfaction quasi perverse à la laisser structurer sa vie, une existence à la Montessori, de sorte que, confrontée à ces contraintes apparemment sans fin et incompréhensibles, elle se sentait de plus en plus hostile et déprimée.

Tout au moins jusqu'à ce que Thom lui enseigne la loi la plus importante de toutes qui lui restitua une certaine mesure de liberté : ne jamais, jamais essayer de franchir une distance quelle qu'elle soit, dans la maison ou sur ses terres, à une allure inférieure à celle qui caractérisait le pas « Kilcarrion ». À savoir une démarche vive, déterminée, exécutée menton levé, regard fixé sur l'horizon qui, dès lors qu'elle était accomplie à la bonne cadence, permettait d'éluder toutes les questions telles que « Où vas-tu ? », « Que fais-tu ? » ou plus couramment « Viens m'aider à nettoyer l'écurie/rentrer les chevaux/détacher la remorque/donner un coup d'eau dans l'enclos des chiens ».

— Ce n'est pas seulement vous, lui expliqua Thom. Elle ne tolère pas de voir qui que ce soit se tourner les pouces. Ça la rend nerveuse. C'est la raison pour laquelle nous marchons tous ainsi.

Maintenant qu'elle y réfléchissait, Sabine se rendait compte qu'il avait raison. Elle n'avait jamais vu qui que ce soit dans la maison, à l'exception de son grand-père, se mouvoir à une vitesse inférieure à plusieurs nœuds. Et comme elle n'avait vu le vieil homme qu'assis, elle ne pouvait même pas être sûre de son fait en ce qui le concernait.

Seulement son problème ne se limitait pas à la maison et à ses règlements labyrinthiques. Coupée de ses amis, après un coup de fil bref et insatisfaisant à sa mère, Sabine se sentait isolée et à l'écart de tout ce qu'elle avait connu dans sa vie. Elle était une étrangère dans cet environnement, aussi déroutée par ses grands-parents qu'ils l'étaient eux-mêmes par elle. Elle n'était sortie de la propriété qu'une seule fois pour accompagner sa grand-mère à une sorte d'hypermarché situé dans la ville la plus proche où elle aurait pu se procurer aussi bien du fromage à tartiner que des meubles de jardin en plastique blanc, si le cœur lui en disait. En dehors du magasin, il y avait une poste et une sellerie qui vendait des trucs pour les chevaux. Pas de McDo, ni cinéma, ni salle de jeux électroniques. Pas de magazines. Personne de moins de trente ans en vue. Avec le *Daily Telegraph* et l'*Irish Times* pour tout contact avec le monde extérieur, elle ne savait même pas qui occupait la première place au hit-parade !

Si tant est qu'elle eût remarqué son plongeon irrésistible dans la déprime, sa grand-mère avait manifestement résolu de l'ignorer ou d'y voir quelque faiblesse propre à l'adolescence. Elle « organisait » Sabine chaque matin, lui assignant un certain nombre de tâches à accomplir, porter de vieux journaux aux chenils, aller chercher des légumes au potager pour Mrs H, et la traitait avec le même détachement brusque que le reste de son entourage. À l'exception des chiens. Et surtout du Duc.

Il avait été la cause de leur pire prise de bec, pire encore que la fois où sa grand-mère avait soutenu que le végétarisme ne pouvait tout de même pas exclure *aussi* le poulet. La chose s'était produite deux jours plus tard lorsque, après s'être balancée sur la porte du box alors que l'on ramenait un Duc tout raide dans son écurie, elle avait omis, bien qu'on le lui eût expressément demandé, de refermer le verrou du bas d'un coup de pied. Après quoi elle était restée bouche bée tandis qu'avec une espièglerie digne d'un animal bien plus jeune et moins boiteux, le vieux cheval bai avait écarté le verrou du haut avec les dents avant de faire son élégante tentative d'évasion à travers la cour jusqu'à la grande prairie.

Il avait fallu à sa grand-mère et aux deux palefreniers, avec six pommes et un seau de son mouillé, plus de deux heures pour le rattraper, à piétiner résolument dans les champs du haut tandis que la bête s'approchait de temps en temps d'eux comme pour les taquiner avant de tourner bride, la queue dressée avec arrogance, tel un fanion. Lorsqu'il était finalement revenu sans se presser à la tombée de la nuit, la tête pendante sous l'effet de la fatigue, arborant un air vaguement gêné, il boitait terriblement. Sa grand-mère, furieuse, avait commencé par lui crier qu'elle était « stupide, vraiment stupide », puis, presque en larmes, elle avait concentré toute son attention sur sa bête, lui frictionnant le cou et la grondant d'une voix douce tandis qu'ils regagnaient l'écurie d'une démarche raide. Et moi alors ? avait eu envie de hurler Sabine, elle aussi au bord des larmes, à l'adresse du dos tourné de sa grand-mère. Je suis ta petite-fille tout de même, et tu ne m'as jamais dit un mot gentil de ta vie !

C'est à ce moment-là qu'elle avait entrepris de planifier son évasion. Et d'éviter sa grand-mère qui, sans une allusion à l'incident, était néanmoins parvenue à lui faire sentir tout le poids de sa désapprobation. Elle n'avait pas même essayé de l'étreindre après coup. De fait, elle avait eu du mal à lui adresser la parole pendant un ou deux jours. Sa mauvaise humeur se dissipa seulement lorsque le vétérinaire lui annonça que l'inflammation dont le Duc souffrait à la jambe commençait à se résorber.

Dès lors, Sabine passa l'essentiel de son temps en compagnie de Thom et des deux palefreniers, Liam et John-John, qui étaient en quelque sorte des parents éloignés, tout comme Mrs H. Ancien jockey à l'esprit grivois, Liam était à peu près incapable de dire quoi que ce soit qui ne fût pas à double sens. Quant à John-John, son protégé âgé de dix-huit ans, il était quasi muet, son envie dévorante de se faire admettre dans l'écurie de courses voisine étant gravée sur son visage prématurément buriné. Thom, bien que taciturne, paraissait comprendre la frustration et la rancœur de Sabine et la taquinait de temps en temps comme pour dédramatiser. Elle ne remarquait déjà plus son bras, dissimulé jusqu'au poignet sous les couches de chandails et de vestes. Au moins elle pouvait lui parler.

— Alors j'ai poireauté jusqu'à 10 h 30 pour être sûr que grand-père avait fini de se laver, et comme par hasard, il ne restait plus une goutte d'eau chaude. J'étais tellement frigorifiée en sortant du bain que j'avais les pieds tout bleus. Je vous jure. Et je claquais des dents.

Juchée sur la porte de l'écurie, elle donna un coup de pied dans un seau ; une petite vague valsa par-dessus le bord tout cabossé. Thom, qui éparpillait au râteau le tas de paille propre amoncelé au pied d'un mur, s'interrompit en levant un sourcil. Elle descendit aussitôt de son perchoir en jetant inconsciemment un coup d'œil au Duc.

— Il n'y a pas de séchoir. J'ai les cheveux tout plats. Mes draps sont humides. À tel point que quand je me couche, je dois décoller celui du dessus de celui du dessous. Et puis ils sentent le moisi.

— Comment le savez-vous ?

— Comment je sais quoi ?

— Qu'ils sentent le moisi. Hier, vous m'avez dit que ça sentait le moisi dans toute la maison. Si ça se trouve, vos draps sentent bon en fait.

— Ça se voit. Il y a des taches vertes.

Thom ricana tout en continuant à ratisser.

— C'est probablement un motif sur le tissu. Je parie que vous avez aussi mauvaise vue que votre mère.

Sabine le dévisagea et lâcha du même coup la porte.

— Comment savez-vous que ma mère est myope ?

Thom posa son râteau contre le mur. Il se pencha pour prendre le seau de dessous le pied de Sabine, attendant qu'elle s'écarte de son chemin pour expédier l'eau dans la cour.

— Vous êtes tous miros. La famille entière. Tout le monde le sait. Je m'étonne que vous ne portiez pas de lunettes.

C'était du Thom tout craché ! Elle pensait l'avoir jaugé, elle croyait pouvoir lui parler en ami, et puis de temps à autre, il lançait à brûle-pourpoint une information, à propos de sa mère ou de son propre passé, et elle se retrouvait réduite au silence tout en s'efforçant de faire cadrer cette nouvelle donnée dans un ensemble cohérent.

Elle savait un certain nombre de choses à son sujet. Certaines fournies par lui, d'autres glanées auprès de Mrs H, qui se changeait en une véritable agence de renseignements quand sa grand-mère n'était pas dans les parages. Il avait trente-cinq ans, il avait passé quelques années en Angleterre où il travaillait dans une écurie de courses, il était revenu au pays à la suite d'une sombre affaire et il avait perdu son bras lors d'un accident de cheval. Cette ultime précision, elle ne la tenait pas de lui. Aussi décontracté fût-il, elle n'avait pas encore trouvé le courage de le questionner à propos de son amputation, mais Mrs H lui avait déclaré qu'elle avait toujours pensé que « les chevaux finiraient par lui coûter la vie. Il ne connaît pas la peur, voyez-vous. Il ne connaît pas la peur. Son père était comme lui ». Elle n'était pas au courant de toute l'histoire pour la bonne raison qu'elle répugnait à tracasser sa sœur – la pauvre mère de Thom ! – mais c'était à l'époque où il sautait des pieux.

— Des pieux ? s'était exclamé Sabine, imaginant une palissade.

S'était-il empalé ?

— Enfin des obstacles. Il faisait de la course d'obstacles. C'est drôlement plus dangereux que le plat, je vous le garantis.

Tout était axé sur les chevaux ici, pensa lugubrement Sabine. Ils étaient tous obsédés au point que cela leur faisait ni chaud ni froid de perdre une partie de leur corps. Elle était parvenue à retarder le moment où elle monterait le cheval gris qu'elle avait vu dans le champ derrière la maison en prétextant un mal de dos. Mais elle savait bien que ce n'était qu'un sursis, vu la mine impatiente de sa grand-mère qui avait déjà exhumé une vieille paire de bottes d'équitation et une bombe déposées ostensiblement devant la porte de sa chambre.

Sabine n'avait aucune envie de faire du cheval. Rien que l'idée lui donnait la nausée. Des années plus tôt, elle avait réussi à convaincre sa mère qu'il fallait y renoncer, le trajet hebdomadaire jusqu'au centre équestre la rendant de plus en plus hystérique. Elle était persuadée, au point de s'en rendre malade et le plus souvent à juste titre, que c'était cette semaine-là qu'on l'obligerait à enfourcher l'un des chevaux « diaboliques » de l'écurie, ceux qui ruaient et s'emballaient, filant le train à toute allure aux autres cavaliers, les oreilles collées à plat en arrière, les babines retroussées, que ce serait cette semaine-là qu'un cheval l'emporterait, à bride abattue, sans qu'elle pût le contrôler, ses jambes gigotant sur la selle tandis qu'elle tirerait en vain de toutes ses forces sur les rênes. Cela n'avait rien d'un défi, contrairement à ce qu'avaient l'air de croire les autres filles. Ce n'était même pas amusant. Kate ne lui avait pas vraiment opposé de résistance quand elle lui avait déclaré qu'elle ne voulait plus faire du cheval. À croire qu'elle l'y avait contrainte sous l'influence de quelque vague notion de tradition familiale.

— Je ne veux pas monter, confia-t-elle à Thom alors qu'il reconduisait une des bêtes dans son box en la tenant par la longe.

— Tout ira bien. Ce hongre est on ne peut plus docile.

Sabine jeta un coup d'œil en direction du petit cheval gris au loin.

— Peu m'importe qu'il soit docile. Je ne veux pas faire de cheval. Croyez-vous qu'elle m'y forcera ?

— Il est superbe. Montez-le une ou deux fois et tout ira bien.

— Allez-vous me prendre au sérieux, bon sang ! cria-t-elle, si bien que John-John dans la stalle voisine passa la tête par l'embrasure de la porte. Je ne veux pas le monter, ni lui ni un autre cheval. Je n'aime pas ça.

Thom décrocha calmement la bride du cheval et administra de sa bonne main une tape élogieuse sur l'arrière-train. Puis il s'approcha de Sabine, referma la porte derrière lui et tira le verrou.

— Vous avez peur, hein ?

— Je n'aime pas ça, c'est tout.

— Il n'y a pas de honte à avoir peur. Ça nous arrive à tous un jour ou l'autre.

— Vous êtes sourd ou quoi ? Qu'est-ce que vous avez tous à la fin ? Je vous dis que je n'aime pas monter à cheval.

Thom posa sa fausse main sur son épaule. Elle s'attarda là, raide, inflexible, bizarrement en contradiction avec le sentiment que ce geste cherchait à communiquer.

— Elle ne sera pas satisfaite tant que vous n'aurez pas au moins essayé. Ça arrangerait drôlement les choses, vous savez. Pourquoi ne venez-vous pas faire une petite promenade avec moi demain matin ? Tout se passera bien, je vous assure.

Sabine avait envie de pleurer.

— Ça ne me dit vraiment rien. Oh, mon Dieu, je n'arrive pas à croire que je suis coincée ici. Ma vie est une véritable catastrophe.

— Demain matin. Rien que vous et moi. Écoutez, il vaut mieux que vous montiez avec moi plutôt qu'avec elle la première fois, vous ne croyez pas ?

Elle leva les yeux vers lui. Il souriait.

— Elle serait capable de vous manger tout cru pour le petit déjeuner ! Il n'y a pas de cavalière plus intrépide dans tout le sud de l'Irlande. Elle chassait à courre jusqu'à ce que le Duc se soit mis à boiter.

— Je vais me casser le cou. Et vous regretterez tous de m'avoir forcée.

— En ce qui me concerne, c'est certain. Je serais bien incapable de vous porter tout le long du chemin du retour avec un seul bras.

Le lendemain matin, toutefois, elle réussit à retarder l'échéance une fois de plus. Elle avait d'ailleurs une excuse valable.

— Écoute, petite. Je vais être sortie une bonne partie de la journée et Mrs H a des tas de choses à faire. Je voudrais que tu prennes soin de ton grand-père.

Sa grand-mère avait revêtu sa tenue de « ville ». C'était tout du moins ce qu'avait supposé Sabine. C'était la première fois qu'elle la voyait avec autre chose sur le dos qu'un vieux pantalon en tweed et des bottes en caoutchouc. Elle portait une jupe en laine bleu marine d'origine incertaine, mais qui ne datait sûrement pas d'hier, et un cardigan vert bouteille assorti à un pull ras du cou sous sa sempiternelle veste verte matelassée. Elle avait mis un collier de perles et elle s'était brossé les cheveux en arrière de sorte qu'ils étaient figés, comme cela semblait toujours être le cas chez les personnes âgées, en vagues et non plus en une explosion électrique.

Sabine se mordit la langue pour ne pas lui demander si elle allait faire la bringue. Elle sentait instinctivement que sa grand-mère ne trouverait pas ça drôle.

— Où vas-tu ? s'enquit-elle d'un ton indifférent.

— À Enniscorthy. Voir un entraîneur censé acheter un de nos yearlings.

Sabine poussa un soupir d'ennui mal déguisé, l'information lui étant entrée par une oreille pour ressortir par l'autre.

— Écoute-moi bien. Ton grand-père voudra déjeuner à 13 heures tapantes. Il dort dans son fauteuil en haut. Veille à le réveiller une bonne heure à l'avance parce qu'il aura probablement envie de se rafraîchir un peu. Mrs H aura tout préparé. Elle laissera son déjeuner dans la petite cuisine à côté de la salle à manger, ainsi que le tien, pour qu'il ne soit pas obligé de manger tout seul. Il faudra que tu mettes le couvert toi-même parce qu'elle est très occupée ce matin. Elle doit porter les fruits tombés aux voisins. Ne va pas embêter Thom à l'écurie. Ils ont du pain sur la planche. Et ne laisse surtout pas monter les chiens. Bertie s'est à nouveau glissé dans la chambre de ton grand-père hier et il a mangé sa brosse à cheveux.

Ce n'est pas une grosse perte, pensa Sabine. Il lui reste à peine trois poils sur le caillou.

— Je serai de retour après le déjeuner. Tout est bien clair ?

— Déjeuner à une heure. Précise. Ne pas embêter Mrs H. Ne pas embêter Thom. Ne pas laisser monter les chiens.

Sa grand-mère la dévisagea une minute de son air bizarrement morne. Sabine n'aurait pas su dire si elle avait remarqué la nuance d'insurrection dans sa voix ou si, comme dans son propre cas lorsqu'il était question de chevaux, elle n'avait rien enregistré. Puis elle mit son foulard sur sa tête, le noua énergiquement sous son menton et après un mot d'adieu rapide et tendre à l'adresse de Bella qui attendait anxieusement à ses pieds, elle se dirigea à grands pas vers la porte.

Sabine resta quelques minutes dans l'entrée jusqu'à ce que les échos du claquement de porte se soient tus, après quoi elle regarda autour d'elle en se demandant ce qu'elle allait faire. Il semblait qu'elle passait de longs moments chaque jour à se poser précisément cette question. Tous les petits riens qui occupaient facilement ses journées à la maison – MTV, Internet, les coups de fil à ses copines, traîner dans la résidence de Keir Hardie pour voir qui était dans le coin, ce qui se passait – lui avaient été brutalement retirés, lui laissant un vaste espace à remplir. Ranger sa chambre ne lui prenait pas des heures – sans compter que les longs poils bleu turquoise de la moquette la rendaient malade, physiquement –, et quand on ne s'intéressait pas aux chevaux, qu'y avait-il à faire dans ce bled, pour l'amour du ciel ?

Elle ne voulait pas aller à l'écurie ; elle était sûre que Thom ne manquerait pas de l'entreprendre à propos de cet imbécile de poney. Elle ne pouvait pas regarder la télévision parce que dans la journée, toutes les émissions lui donnaient le bourdon. Et puis la dernière fois qu'elle avait essayé de l'allumer subrepticement l'après-midi, elle avait failli se crever les tympans. « C'est pour que votre grand-père puisse entendre les nouvelles, avait hurlé Mrs H qui s'était précipitée en haut pour voir d'où provenait ce vacarme. Vous feriez mieux de ne pas toucher au poste. » Chaque soir, à 21 heures, quand elle était dans la maison, elle entendait le grondement tonitruant du générique des nouvelles. Son grand-père s'asseyait devant l'écran en plissant les yeux. À croire qu'il avait encore du mal à entendre pendant que ceux qui l'entouraient lisaient le journal poliment, comme si ce raffut ne leur cassait pas les oreilles.

N'empêche que l'absence de sa grand-mère lui procurait une sensation de soulagement, songea-t-elle en montant lentement l'escalier, Bella sur ses talons. Elle ne s'était pas rendu compte à quel point la présence de la vieille dame la mettait à cran jusqu'à ce que son départ fît naître cette impression de calme jusque-là inconnue. Une demi-journée de liberté. Une demi-journée d'ennui. Quel était le pire de ces deux maux ?

Elle passa presque une heure allongée sur son lit, ses écouteurs sur les oreilles, le son à fond, à lire un roman à l'eau de rose datant des années 70 que Mrs H lui avait apporté. Mrs H avait décidé qu'elle comprenait ce qu'il fallait aux jeunes filles – des histoires d'amour et des gâteaux, et de l'avis de Sabine, elle n'était pas loin du compte. Ce n'était pas précisément de la littérature. Cependant, il y avait quantité de halètements. Les femmes étaient soit des traînées qui convoitaient passionnément, et à tort, des héros occupés ailleurs et déterminés à sauver le monde, soit des vierges qui pantelaient avec discrétion tandis que ces mêmes héros les séduisaient avec habileté. Ces femmes finissaient soit trucidées (les traînées), soit casées (les vierges). En dépit de tous ces soupirs, il n'y avait pas vraiment de scènes torrides – Sabine s'était empressée de vérifier en feuilletant rapidement le livre. Peut-être les choses se déroulaient-elles ainsi dans les pays catholiques ? Plein de halètements sans qu'il se passe vraiment quoi que ce soit. « Comme toi, Bella », dit-elle, en caressant le chien couché sur son lit.

Tous ces désirs inassouvis lui firent penser à Dean Baxter. Elle avait failli l'embrasser une fois. Non qu'elle en fût à son premier baiser ; elle avait déjà roulé des patins à des tas de garçons et elle avait même été plus loin avec quelques-uns, pas aussi loin toutefois que la plupart des filles qu'elle connaissait. Elle savait pertinemment qu'il la draguait. Ils étaient assis sur le mur de la résidence, après la tombée de la nuit. Il était tout près d'elle et la taquinait ; elle l'avait poussé, il en avait fait de même, juste comme prétexte pour se toucher en fait. Ils étaient sur le point de s'embrasser et elle avait trouvé cela tout naturel puisque ça faisait longtemps qu'elle l'aimait bien. S'il était blagueur de nature, il n'était pas trop entreprenant, ni du genre à aller se vanter auprès de ses copains après coup. En outre, lui au moins ne trouvait pas qu'elle était bizarre parce que sa maison était remplie de bouquins et que sa mère ne portait que des habits achetés d'occasion. Il avait même envoyé promener certaines filles quand elles l'avaient appelée « l'intello » ou « la surdouée » sous prétexte qu'elle était en avance pour son âge et qu'elle ne fumait pas. Après cela, toutefois, il s'était emballé, et au lieu de la repousser, il l'avait hissée sur son épaule, la tête en bas, comme s'il comptait l'emmener quelque part. Alors elle avait paniqué, lui avait ordonné de la poser par terre, et comme il s'esclaffait, elle l'avait frappé à plusieurs reprises, trop fort, sur la tête. Il l'avait libérée aussitôt, avait reculé et l'avait regardée d'un air abasourdi en tenant son oreille toute rouge tout en lui demandant quelle mouche l'avait piquée. Incapable de lui fournir une explication, elle s'était contentée de ricaner, alors qu'en réalité, elle avait envie de pleurer. Elle avait essayé de tourner la chose à la plaisanterie. Mais Dean n'avait pas trouvé ça drôle, et ça n'avait plus jamais été pareil entre eux depuis. Une semaine plus tard, elle avait appris qu'il traînait avec Amanda Gallagher. Cette satanée Amanda avec ses longs cheveux de petite fille, ses habits fleurant l'assouplissant et son parfum bon marché. Elle serait probablement Amanda Baxter, nom de Dieu ! d'ici à ce qu'elle soit de retour. Il était sans doute temps qu'elle fasse une croix sur Dean. De toute façon, il avait des boutons dans le dos. Sa sœur le lui avait dit.

Sabine secoua la tête pour tâcher de chasser ces idées noires et se mit à penser à Thom à la place. Elle trouvait toujours que c'était plus facile si on pensait à quelqu'un d'autre. Thom était le seul homme dans les parages qui fût vaguement séduisant. Pour ne pas dire franchement craquant ! Elle n'était jamais sortie avec un homme plus âgé, alors que son amie Ali, elle, si, et elle lui avait assuré qu'ils « savaient vraiment comment s'y prendre ». Cependant elle n'arrivait pas à se faire à l'idée de son bras. Elle se demandait avec inquiétude, au cas où ils en arrivaient un jour à s'embrasser et à se déshabiller – à moins qu'ils ne se bornent à panteler, étant donné qu'il était irlandais –, si elle ne prendrait pas la fuite, terrorisée, en voyant son moignon. Elle l'estimait trop pour lui faire du mal.

Du reste, elle ne savait pas s'il la trouvait à son goût. Il avait toujours l'air content de la voir et semblait apprécier lorsqu'elle traînait autour de lui. Elle pouvait tout lui dire, mais elle avait de la peine à l'imaginer consumé par la passion ou en train de la dévorer des yeux. Il était trop réservé. Trop en retenue. Peut-être avait-il juste besoin de temps. À moins que les histoires d'amour fonctionnent différemment chez les adultes.

Cette idée lui fit songer à sa mère, et elle se glissa au pied du lit, avide de se distraire.

Bella trottinant sur ses talons, elle ouvrit les armoires, scrutant leurs profondeurs obscures, flairant l'odeur de renfermé de choses oubliées depuis longtemps. Le bric-à-brac de ses grands-parents était sans intérêt. Chez les autres, les armoires étaient remplies de robes de soirée, de vieux échiquiers, de cartons pleins de lettres, de gadgets électroniques déglingués. Ici il n'y avait guère que des piles de draps blancs brodés, mangés par l'humidité, des nappes, ce genre de choses, un abat-jour cassé et quelques livres avec des titres du style *Guide de l'équitation pour jeunes filles* ou *Almanach Bunty 1967*.

Enhardie par l'atmosphère silencieuse et complice de

la maison, Sabine entreprit d'explorer les autres chambres. La porte de son grand-père était fermée, mais entre cette pièce et la salle de bains, il y avait une autre chambre où elle ne s'était pas encore aventurée. Après avoir baissé lentement la poignée pour éviter de faire du bruit, elle ouvrit la porte et se faufila à l'intérieur.

C'était une pièce masculine, une sorte de bureau, néanmoins dépourvue de cette atmosphère propre à une activité récente qui caractérisait la pièce voisine de l'écurie, où les tables étaient jonchées de lettres, de registres et de catalogues en couleurs remplis de photos d'étalons. Des étalons affublés de noms tels que Filigree Jumping Jake III, produit de Filigree Flancake et Jumping Jemimah, qui, à ses yeux, se ressemblaient tous, bien que Thom lui eût précisé que leurs différences se chiffraient en centaines de milliers de livres. Ce bureau-là fleurait la poussière et la négligence ; les rideaux à demi ouverts pendaient, parfaitement immobiles, comme s'ils avaient été sculptés sur place. Il exhalait une odeur de papier moisi, de tapis jamais battus ; de minuscules particules de poussière suspendues dans l'air étincelaient à chacun de ses mouvements. Sabine referma la porte discrètement derrière elle et gagna le milieu de la pièce. Bella leva les yeux vers elle d'un air plein d'espoir, puis se laissa tomber en grognant sur le tapis.

Il n'y avait pas de tableaux de chevaux sur les murs, rien qu'une gravure encadrée représentant un chasseur s'égosillant, une carte de l'Extrême-Orient, elle aussi encadrée et jaunie, et quelques photos noir et blanc de gens en tenue des années 50 pour décorer l'ample étendue de papier peint de style William Morris. Des boîtes de tailles diverses s'entassaient sur les rayonnages encastrés près de la fenêtre, dont certaines recouvertes de manuscrits roulés, tandis que sur le bureau trônait une grande maquette d'un navire de guerre gris. Quantité de livres cartonnés s'empilaient sur une étagère en bois foncé à sa droite, la plupart concernant la guerre et l'Asie du Sud-Est, auxquels se mêlaient quelques compilations de bandes dessinées et un livre de poche sur les conversations d'après-dîner. Sur la tablette du haut, elle remarqua une série d'ouvrages reliés en cuir décrépits, dont la dorure avait été presque entièrement effacée sur la tranche.

L'autre côté de la pièce attira son attention. Plus précisément, deux albums de photos en cuir, posés sur une grosse boîte. À en juger d'après la généreuse couche de poussière qui les recouvrait, il y avait des années que personne n'y avait touché.

Sabine s'accroupit et tira délicatement sur un des albums. L'étiquette indiquait 1955. Elle s'assit en tailleur, le posa sur ses genoux et l'ouvrit en tournant la première pellicule fine qui séparait les pages plus épaisses.

Il n'y avait qu'une seule photo par page. La première représentait sa grand-mère. C'était tout au moins ce qui lui semblait. Il s'agissait d'un portrait pris en studio d'une jeune femme assise sur un rebord de fenêtre, vêtue d'une veste sombre un peu austère au col étriqué, d'une robe assortie rehaussée d'un collier de perles. Ses cheveux, brun foncé et non gris, étaient permanentés, et elle était maquillée à la mode de l'époque : sourcils et cils fortement soulignés et lèvres foncées, soigneusement ourlées. En dépit de sa pose artistique, elle paraissait légèrement mal à l'aise, comme si on l'avait prise en flagrant délit. Sur le cliché suivant, elle était en compagnie d'un homme de grande taille. Ils se tenaient près d'un piédestal où trônait une plante verte. Il rayonnait d'orgueil ; elle avait glissé son bras négligemment sous le sien, comme si elle était à peine consciente de sa présence. Elle avait l'air moins gauche, plus sûre d'elle, étrangement digne. Cela tenait à son port de tête, ou bien à sa silhouette élancée. Elle ne piquait pas du nez d'un air vaguement contrit comme Kate quand on la prenait en photo.

Totalement absorbée, Sabine feuilleta l'album jusqu'au bout. Vers la fin, en plus des photos de sa grand-mère, particulièrement détendue sur l'une d'entre elles en compagnie d'une jeune femme incroyablement « glamour », il y avait des images d'un bébé vêtu d'une sorte de robe de baptême sophistiquée comme on n'en voyait plus de nos jours, tout au crochet avec de minuscules boutons recouverts de soie. Il n'y avait pas de légende. Sabine s'aperçut qu'elle scrutait l'image pour tâcher de déterminer si ce bébé souriant tout emmailloté était sa mère ou son oncle Christophe. Impossible de savoir si c'était un garçon ou une fille. En ce temps-là, on habillait les bébés de la même façon.

Quoi qu'il en soit, c'était dans la boîte que les choses commençaient à devenir vraiment intéressantes : elle tomba d'abord sur une photo-carte postale de sa grand-mère – elle avait décidé qu'il s'agissait bien d'elle –, bras dessus bras dessous avec la fille « glamour », moins grande qu'elle, brandissant l'une et l'autre des petits drapeaux de l'Union Jack et riant sans contrainte. Ça faisait bizarre de penser que sa grand-mère avait pu rire comme ça jadis. En arrière-plan, une fête, ou une réception quelconque, battait son plein. La plupart des hommes étaient vêtus de blanc, comme Richard Gere dans *Officier et gentleman*.

Près des deux jeunes filles, on distinguait un plateau rempli de verres hauts, ce qui incita Sabine à se demander si elles étaient soûles. En lettres d'or, au bas de la photo, il était indiqué que la réception avait été donnée en l'honneur du couronnement de Sa Majesté la Reine Elizabeth II, en 1953. Un événement historique ! Il fallut un moment à Sabine pour digérer ça : et sa grand-mère y avait pris part !

Ensuite, il y avait une autre photographie plus petite, parmi les clichés de chevaux et de visages souriants de gens non identifiables à bord de longues embarcations toutes minces, celle d'une petite fille d'environ six ans qu'elle reconnut sans l'ombre d'un doute comme étant sa mère. Elle avait les cheveux bouclés et rouquins de Kate, et même à cet âge cette manière particulière de se tenir debout, les genoux légèrement en dedans. Elle tenait la main d'un petit garçon qui aurait pu être chinois, et arborait un sourire jusqu'aux oreilles sous son chapeau de paille. Lui paraissait un peu plus embarrassé, n'osant pas regarder directement l'objectif, légèrement penché vers sa compagne, comme en quête de réconfort.

Sa mère avait donc grandi ainsi, pensa Sabine en effleurant du bout du doigt l'épreuve sépia. Au milieu de petits Chinois. Elle avait toujours su que Kate avait vécu son enfance à l'étranger, mais jusqu'à l'instant où elle l'avait vue avec sa robe en coton claire et son chapeau, elle ne l'avait jamais imaginée aussi exotique. Mue par la curiosité, elle entreprit de passer en revue le reste des photographies à la recherche d'autres images de sa mère.

Elle fut tirée brusquement de sa rêverie par un claquement de porte au rez-de-chaussée et un cri étouffé – peut-être quelqu'un qui l'appelait. Paniquée, elle bondit vers la porte, suivie par Bella, l'ouvrit et la referma rapidement derrière elle. Elle jeta un coup d'œil à sa montre. Il était midi et demi.

Elle marqua une brève pause, chuchota au chien de ne rien dire – Oh, mon Dieu, gémit-elle quand elle se rendit compte à qui elle s'adressait, voilà que ça me prend moi aussi ! –, puis elle descendit l'escalier lentement en s'époussetant les mains.

Mrs H était dans la cuisine ; elle avait déjà mis son tablier.

— Ah vous voilà ! Je ne suis pas en avance, Sabine, lui dit-elle en souriant. J'ai été retardée chez Annie. Votre grand-père vous a-t-il dit ce qu'il voulait pour le déjeuner ?

— Euh, en fait, il ne m'a pas dit grand-chose.

— Bon, et bien, je vais lui faire des œufs pochés et des toasts. Il a bien mangé au petit déjeuner. Il préférera quelque chose de léger. Et vous, qu'est-ce qui vous ferait plaisir ? La même chose ?

— Oui. Ça me semble parfait.

Le cœur de Sabine fit un bond dans sa poitrine quand elle réalisa qu'elle n'avait pas réveillé son grand-père une heure à l'avance, comme on le lui avait recommandé. Elle remonta les marches en écartant Bella qui voulut de nouveau l'accompagner en se demandant si elle allait devoir l'aider à s'habiller pour gagner du temps. S'il vous plaît, mon Dieu, faites que je n'aie pas à le toucher, pria-t-elle devant sa porte. Je vous en supplie, qu'il ne me parle pas de débarbouillage au lit ou de pot de chambre, ou de je ne sais quoi d'autre nécessaire aux personnes âgées pour se préparer. Et puis faites qu'il ait déjà mis son dentier pour que je ne perde pas tous mes moyens.

— Euh, bonjour, appela-t-elle à travers la porte.

Pas de réponse.

— Bonjour ? cria-t-elle plus fort, se souvenant qu'il était sourd. Grand… grand-père ?

Seigneur ! Il dormait. Il allait falloir qu'elle le touche pour le réveiller. Plantée devant la porte, elle prit une grande inspiration. Elle ne voulait pas sentir cette peau comme du crêpe translucide sous ses doigts. Les vieux lui faisaient toujours un drôle d'effet, même à Londres. Ils avaient l'air tellement vulnérables, si prédisposés aux fractures et aux meurtrissures. Quand elle les regardait de près, ses orteils se recourbaient.

Elle songea à la réaction de sa grand-mère si elle ne se décidait pas à le faire.

Elle frappa fort, attendit un peu, entra.

Le lit qui trônait au fond de la pièce, était magnifique : gothique, à baldaquin, drapé de tapisseries anciennes rouge sang rehaussées de brocarts chinois en or suspendues entre les piliers sculptés en bois foncé, brillant. Sur le lit lui-même s'amoncelaient plusieurs épaisseurs de jetés-de-lit antiques en soie sous lesquels on apercevait les draps en lin blanc, pareils à des dents dans une bouche rouge étincelante. C'était le genre de lit que l'on voyait dans les films américains lorsque les décorateurs s'efforçaient de recréer l'atmosphère des demeures anglaises d'antan. Il avait une allure exotique évocatrice de l'Extrême-Orient, d'empereurs et de fumeries d'opium. Rien à voir avec son lit à elle en fer grinçant.

Seulement son grand-père n'y était pas.

Il fallut moins de dix secondes à Sabine pour réaliser que non seulement il n'y était pas, mais qu'il n'y avait aucun endroit dans la pièce où il aurait pu se trouver. À moins qu'il n'eût grimpé dans l'armoire, ce dont elle doutait fort – elle vérifia tout de même pour s'en assurer.

Il devait être à la salle de bains. Elle ressortit de la chambre et longea le couloir. La porte était entrouverte, aussi commença-t-elle par l'appeler. Faute de réponse, elle poussa le battant pour s'apercevoir qu'il n'y avait pas trace du vieil homme dans la pièce.

Elle se mit à réfléchir à toute vitesse. Sa grand-mère ne lui avait pas précisé qu'il devait sortir. Elle lui avait dit qu'il dormait. Où était-il passé, bon sang ? Elle jeta un coup d'œil dans la chambre vide de sa grand-mère – nettement plus austère, remarqua-t-elle –, dans la salle de bains d'en bas, puis, sentant la panique la gagner, elle passa en revue toutes les pièces de la maison, de la salle à manger à la remise à bottes. Il n'était nulle part.

Il était presque 12 h 45.

Il fallait qu'elle prévienne quelqu'un. Elle courut dans la cuisine du rez-de-chaussée et avoua à Mrs H qu'inexplicablement elle ne trouvait plus son grand-père.

— Il n'est pas dans sa chambre ?

— Non. C'est là que j'ai vérifié en premier.

— Oh mon Dieu ! Où est Bertie ?

Sabine la dévisagea, puis fixa Bella derrière elle.

— Je ne l'ai pas vu, dit-elle.

— Il est sorti avec le chien. Il n'est plus censé sortir seul, surtout avec Bertie parce que c'est une jeune bête et qui fait tomber sa canne.

Elle contourna la table tout en enlevant son tablier.

— Nous ferions mieux d'aller à sa recherche avant le retour de Mrs Ballantyne.

— Non, non. Restez là. Surveillez la maison. Je vais demander à Thom de m'aider.

La poitrine oppressée par la peur, Sabine courut à

l'écurie et jeta des regards affolés par-dessus les box en l'appelant à tue-tête.

Un sandwich entre les dents, Thom passa la tête dans l'entrebâillement de la porte de la sellerie. Elle entendait la radio derrière lui et distinguait les silhouettes assises de Liam et de John-John en train de lire le *Racing Post*.

— Que se passe-t-il ?

— C'est mon grand-père. Je n'arrive pas à le trouver.

— Comment ça, vous n'arrivez pas à le trouver ?

— Il était censé être dans sa chambre en train de dormir. Mrs H pense qu'il est peut-être sorti avec Bertie et il paraît que Bertie le fait tomber en bousculant sa canne. Vous voulez bien venir m'aider à le chercher ?

Thom jura entre ses dents, son regard fouillant déjà l'horizon.

— Ne touchez pas à mon déjeuner, vous m'entendez, marmonna-t-il, après quoi il saisit sa veste au vol et gagna la cour à grands pas.

— Je suis vraiment désolée. Je ne sais pas quoi faire. Il était censé être à la maison.

— Bon, dit-il tout en réfléchissant. Allez voir sur la route. S'il n'y est pas, vérifiez dans les champs du haut. Je m'occupe des champs du bas et du verger. J'irai jeter un coup d'œil dans les granges aussi. Vous êtes certaine d'avoir fouillé la maison de fond en comble ? Il ne serait pas tout bonnement en train de regarder la télé ?

Terrifiée par l'expression de Thom, Sabine sentit les larmes lui picoter le coin des yeux.

— J'ai regardé partout. Et Bertie n'est plus là. Il a dû l'emmener avec lui.

— Seigneur ! Pourquoi ce vieux nigaud est-il sorti ?

Bon, prenez Bella avec vous. Et appelez Bertie régulièrement. S'il est tombé, il faut espérer que le chien nous conduira jusqu'à lui. Je vous retrouve ici dans vingt minutes. Tenez, prenez ce cor de chasse. Si vous le trouvez, soufflez dedans un bon coup.

Il lui tendit l'instrument, fit volte-face, sauta par-dessus la clôture et fila en direction des champs entourés de hautes haies en contrebas.

Sabine franchit le portail en courant, Bella bondissant joyeusement dans son sillage, et remonta l'allée en lançant des appels une respiration sur deux. Sans trop savoir à quel moment rebrousser chemin, elle poursuivit au-delà de la grosse ferme à l'angle, de la petite église et de la rangée de maisonnettes jusqu'à ce que sa poitrine lui fasse mal. Il tombait une petite pluie fine, et les nuages, gris ardoise, s'amoncelaient au-dessus de sa tête, comme pour présager une catastrophe imminente. Sa tête se remplissait d'images sinistres du vieil homme affalé au bord de la route, recroquevillé sur lui-même. Elle courut encore plus vite dans le sens inverse jusqu'à ce que, faute de savoir l'heure, elle résolut d'aller jeter un coup d'œil dans les champs du haut.

— Où es-tu passé, saligaud ? chuchota-t-elle. Où es-tu ?

Soudain elle sursauta, épouvantée, lorsqu'une énorme bâche verte à demi coincée dans le taillis s'avança dans sa direction.

Bella s'était figée, les pattes raides, quelques mètres devant elle, le poil hérissé. Elle aboya une fois en guise d'avertissement. Le cœur battant, les yeux écarquillés, Sabine resta immobile au milieu de la chaussée, puis après avoir inspiré plusieurs fois profondément, elle s'approcha à pas feutrés et souleva un coin de la bâche.

Elle aurait ri si elle n'avait pas été aussi anxieuse. Sous l'immense plastique se cachait un âne gris attelé à une petite charrette. Il ouvrit les yeux un bref instant, comme pour s'assurer de sa présence, puis retourna avec résignation sous l'abri relatif que formait la haie.

Sabine laissa retomber la bâche doucement et reprit sa course en jetant constamment des coups d'œil à gauche et à droite. Rien. Aucun signe de lui. Au-delà des battements de son cœur et de ses semelles, et du faible sifflement de la pluie dans ses oreilles, elle n'entendait ni aboiement joyeux, ni réprimande agacée lancée d'une voix rauque et snob, ni cor de chasse. Proprement terrifiée à présent, elle se mit à pleurer.

Il était sûrement mort. Tout le monde l'accuserait, se dit-elle, en dévalant la colline tapissée d'herbes. On allait le retrouver frigorifié, trempé jusqu'à la moelle, ses os si friables brisés quand Bertie l'avait fait tomber sur le macadam. Il allait attraper une pneumonie et il aurait une crise cardiaque. Et tout cela serait de sa faute parce qu'elle était trop occupée à lire des cochonneries et à fouiner partout pour se soucier de lui. Sa grand-mère serait encore plus furax que lorsqu'elle avait laissé sortir le Duc. Thom ne lui adresserait plus jamais la parole. Sa mère refuserait de la reprendre, sous prétexte qu'elle avait assassiné son grand-père. Elle serait coincée ici au milieu de péquenauds qui la dévisageraient en silence et la désigneraient du doigt un peu comme dans *Délivrance*, et on la connaîtrait désormais sous le nom de la Fille-qui-a-tué-son-grand-père.

Elle n'avait pas pensé à mettre des bottes en caoutchouc. Dans les champs marécageux, elle s'enfonçait dans la boue. Visqueuse, brunâtre, elle s'insinuait dans ses tennis, les aspirant et les relâchant tour à tour à chaque pas, imprégnant ses pieds de son humidité glacée. Une semaine plus tôt, l'état de ses Reeboks neuves l'aurait rendue hystérique, mais elle était tellement malheureuse à cet instant qu'elle s'en rendait à peine compte. Consciente tout à coup qu'il devait bien y avoir une demi-heure qu'elle s'était mise en route, elle sanglota de plus belle en s'essuyant le nez du revers de la main.

Ce fut alors que Bella, trempée, misérable, décida de prendre le chemin de la maison. « Tu ne vas pas me laisser tomber, toi aussi », protesta Sabine, mais l'animal l'ignora royalement, apparemment déterminé à se mettre à l'abri et à retrouver le confort d'un bon poêle bien chaud. Sabine ne savait plus où chercher. Mieux valait rejoindre Thom. Elle remonta la colline tant bien que mal derrière le chien en se demandant ce qu'elle allait bien pouvoir dire à Mrs H, mais certaine qu'on la blâmerait.

Lorsqu'elle atteignit la maison, Bella avait disparu. En écartant les cheveux trempés de son visage, Sabine s'efforça de réprimer ses sanglots. Quand elle souleva le loquet de la porte de derrière et la poussa, elle entendit des pas résonner sur le gravier derrière elle.

C'était Thom, les cheveux collés sur le crâne, son faux bras, portant un autre cor de chasse, calé maladroitement contre sa poitrine. Elle était sur le point de lui présenter ses excuses quand elle s'aperçut qu'il regardait fixement par-dessus son épaule.

— Tu es en retard, lança une voix au fond du couloir.

Après s'être accordé une seconde pour s'accoutumer à l'obscurité, Sabine scruta le corridor dallé jusqu'à l'endroit où elle distinguait vaguement un dos voûté, une canne en guise de troisième jambe et deux chiens couleur chocolat grognant joyeusement en se frottant l'un contre l'autre.

— Le déjeuner est à 13 heures. 13 heures. Il refroidit. Je ne vois pas pourquoi je suis obligé de te le répéter.

Sabine resta plantée là, bouche bée, sur le seuil, en proie à une foule d'émotions contradictoires.

— Il est rentré il y a cinq minutes, marmonna Thom derrière elle. On a dû le croiser.

— Allons, viens, dépêche-toi. Tu ne vas tout de même pas t'asseoir à table dans cette tenue, rouspéta son grand-père. Il faut que tu changes de chaussures.

— Sale teigne, chuchota-t-elle, les larmes aux yeux, et elle sentit la bonne main de Thom presser son épaule en réponse.

En se penchant par l'entrebâillement de la porte de la cuisine, Mrs H articula une excuse et haussa les épaules en signe d'impuissance.

— Voudriez-vous que j'aille vous chercher un chandail sec, Mr Ballantyne ? demanda-t-elle.

Il écarta sa proposition d'un geste impatient. Elle repartit dans la cuisine, tête basse.

Le vieil homme se tourna vers l'escalier avec raideur tout en secouant son chapeau dégoulinant de sa main libre. Les chiens se frayèrent un chemin à côté de lui de sorte que momentanément déséquilibré, il tendit brusquement un bras maigre pour s'emparer de la rampe.

— Je ne te le répéterai pas.

Il marmonna quelque chose d'autre pour lui-même et secoua la tête. Elle était à peine visible au-dessus de la courbe exagérée de ses épaules.

— Mrs H, si vous pouviez avoir la bonté de m'apporter mon déjeuner. Il semblerait que ma petite-fille préfère se restaurer dans le couloir.

Peu après le thé, Sabine avait compté l'argent que sa mère lui avait donné pour voir si elle avait suffisamment pour rentrer en Angleterre. Sa mère n'allait pas être contente, mais elle ne voyait pas comment le quotidien avec elle et cet odieux Justin pourrait être pire que ce qu'elle endurait ici. Ce n'était plus supportable. Même lorsqu'elle s'ingéniait à faire les choses convenablement, ils réagissaient comme si elle s'était délibérément mal conduite. Ils n'en avaient que faire d'elle. Ils ne s'intéressaient qu'à leurs foutus chevaux et à ces ridicules règlements draconiens. S'ils la trouvaient par terre sur le carrelage de la cuisine, une hache plantée dans le crâne, ils lui reprocheraient d'avoir apporté un outil dans la maison.

Elle était en train d'examiner son billet de ferry à la recherche d'un numéro de téléphone pour les réservations quand on frappa discrètement à sa porte. C'était Mrs H.

— Pourquoi ne viendriez-vous pas avec moi chez Annie ce soir ? Votre grand-mère est d'accord et cela vous fera du bien de côtoyer un peu de jeunesse.

En d'autres termes, il serait probablement préférable que vos grands-parents et vous vous évitiez quelque temps. Sabine n'y voyait pas d'inconvénient. N'importe quoi, plutôt que de passer encore une soirée avec ces deux-là !

Annie était la fille unique de Mrs H. Elle habitait une grande ferme un peu plus haut dans le village dont elle avait fait un Bed & Breakfast avec Patrick, son mari. Il était nettement plus âgé qu'elle et écrivait des livres. (« Je n'en ai jamais lu un seul, avait avoué Mrs H. Ce n'est pas ma tasse de thé. Mais il paraît qu'ils sont très bons. Pour les intellectuels, vous savez. ») Les talents d'hôtesse d'Annie laissaient plutôt à désirer. À en croire Thom, le B & B était réputé pour son inaptitude à conserver ses clients plus d'une nuit. Elle oubliait les choses, apparemment. Comme le petit déjeuner. Et même qu'il y eût des gens chez elle. Certains se plaignaient aussi de cette habitude qu'elle avait de rôder dans la maison dès les premières lueurs du jour. Mais ni Mrs H, ni Thom n'avait fourni davantage de détails à Sabine à ce sujet.

— Elle n'est pas tellement plus âgée que vous. Elle a vingt-sept ans. Quel âge avez-vous déjà ? Oh ! Ça fait un peu plus. Mais elle vous plaira. Tout le monde l'aime bien. Seulement ne lui en voulez pas si elle est un peu… enfin, un peu distraite.

En descendant à pas lents la rue sombre et humide à côté de Mrs H, blottie près d'elle sous un parapluie plutôt fatigué, Sabine continuait à être intriguée par ces propos. Elle imaginait une sorte de Maud Gonne avec une impressionnante chevelure rousse en bataille, d'amples jupes, écartant les corvées domestiques d'un geste artistique et gracieux du poignet. Les manies farfelues d'Annie lui paraissaient à des millions de kilomètres de celles qui sévissaient à Kilcarrion House. Il y avait peu de chances pour qu'une femme qui oublie le petit déjeuner fît tout un cérémonial du dîner. Et puis un mari écrivain ne devait pas être du genre à ne vous entretenir que de chevaux. Elle allait peut-être pouvoir se détendre un peu ce soir, briller et faire de l'esprit en compagnie de gens admiratifs. Voire regarder quelque chose de convenable à la télévision. Annie était peut-être câblée, comme de nombreux foyers en Irlande. Et puis Mrs H avait mentionné que Thom passerait plus tard dans la soirée. Cela lui arrivait paraît-il souvent, juste pour voir comment allait Annie !

L'Annie qui leur ouvrit la porte n'avait pas grand-chose à voir avec l'image excentrique et éblouissante que Sabine s'était forgée d'elle. C'était une femme de petite taille qui disparaissait sous un chandail démesuré ; elle avait des cheveux bruns, raides, qui lui arrivaient aux épaules, une bouche pleine et de grands yeux tristes. Ils se plissèrent gentiment quand elle tendit la main, non pas pour serrer celle de sa visiteuse, mais pour l'attirer à l'intérieur. Elle portait aussi un jean bon marché, comme le remarqua un peu tristement Sabine.

— Sabine. Comment allez-vous ? C'est gentil à vous de venir. Bonjour, maman. M'as-tu apporté du bacon ?

— Oui. Je vais le mettre dans le réfrigérateur.

Il n'y avait pas de couloir. On entrait directement dans le salon, dont presque tout un côté était occupé par une cheminée en pierre à l'ancienne où brûlait un feu de tous les diables. Deux longs canapés bleus un peu défraîchis l'encadraient, séparés par une table basse encombrée d'énormes piles de livres et de revues en équilibre instable. Maintenant qu'elle prenait la mesure des lieux, Sabine se rendit compte qu'il y avait des livres absolument partout. Ils couvraient tous les murs sur des rayonnages affaissés, s'entassaient pêle-mêle sous les tabourets et sous les tables.

— Ils sont à Patrick, cria Annie du coin cuisine, à l'autre bout de la pièce. Il adore la lecture.

— Qu'as-tu préparé pour le dîner, Annie ?

Mrs H releva le nez du réfrigérateur et regarda autour d'elle, comme si elle s'attendait à trouver un ragoût mijotant sur la cuisinière.

Annie se frotta le front en fronçant les sourcils.

— Oh, maman, je suis désolée. J'ai complètement

oublié. On peut toujours faire cuire quelque chose au micro-ondes.

— C'est hors de question, répliqua Mrs H. Je ne veux pas que Sabine retourne dans la grande maison en disant que nous ne lui avons pas donné à manger convenablement.

— Je ne dirai jamais ça, intervint Sabine qui ne se souciait guère du repas à vrai dire. Je n'ai pas tellement faim.

— Une gamine toute maigrichonne comme vous. Je pourrais en dire autant de toi, Annie. La peau sur les os, l'une comme l'autre. Viens t'asseoir, Annie, et cause avec Sabine. Je vais nous préparer des côtelettes. J'en ai mis dans ton congélateur il y a quinze jours.

— Je ne… n'aime pas beaucoup la viande, lança Sabine d'un ton incertain.

— Ah oui, bien sûr. Eh bien, vous mangerez des légumes. Et nous vous ferons un sandwich au fromage en plus. Ça vous ira ?

Annie sourit à Sabine en prenant un air conspirateur et lui fit signe de s'asseoir. Elle ne parlait pas beaucoup, mais d'une manière qui incitait aux confidences, et Sabine se trouva bientôt en train de se délester des innombrables malheurs et injustices auxquels elle était sujette à Kilcarrion House. Elle lui fit part de l'interminable liste de règles et de contraintes en vigueur en soutenant qu'il était absolument impossible de se souvenir de toutes. Elle lui expliqua que communiquer avec ses grands-parents était d'une difficulté sans nom et qu'ils étaient incroyablement vieux jeu. Elle lui raconta qu'elle se sentait complètement étrangère parmi tous ces obsédés de l'équitation, que ses copains lui manquaient terriblement, ainsi que la télé, sa maison, toutes ses affaires, son ordinateur et ses CD. Annie se borna à l'écouter en hochant la tête d'un air entendu. Au bout d'un moment, Sabine en vint à se douter qu'elle avait déjà dû entendre l'essentiel de ce qu'elle venait de lui raconter de la bouche de Mrs H. Du coup, son sentiment d'être une victime ne fit que s'accroître. Elle était forcément une victime si l'on parlait d'elle en des termes compatissants.

— Comment se fait-il que votre mère ne soit pas là, Sabine ? À cause de son travail ?

Sabine marqua un temps d'arrêt en se demandant ce qu'il convenait de révéler. Mrs H et sa fille étaient gentilles, mais elle les connaissait à peine. Et puis elle sentait qu'elle devait une certaine loyauté à sa mère.

— Oui, mentit-elle. Elle aurait bien voulu venir, mais elle était trop occupée.

— Que fait-elle maintenant ? demanda Mrs H. Il y a si longtemps que je ne l'ai pas vue.

— Elle écrit.

Après une pause, elle précisa :

— Enfin, pas des livres. Juste des articles pour les journaux. À propos de la famille.

— N'importe quelle famille ?

Mrs H fit glisser une plaque chargée dans le four.

— La famille en général. Les problèmes, ce genre de trucs.

— C'est une bonne idée.

— Elle doit vous manquer, souligna Annie.

— Comment ?

— Votre maman. Elle doit vous manquer. Le fait d'être si loin…

— Un peu.

Elle hésita avant de déclarer hardiment :

— On n'est pas très proches en fait.

— Mais c'est votre maman. Vous devez être proches. Forcément.

Et tout à coup, inexplicablement, les yeux d'Annie se remplirent de larmes.

Sabine la dévisagea, horrifiée, en s'efforçant de déterminer ce qu'elle avait bien pu dire pour provoquer une telle réaction.

En jetant un bref coup d'œil à sa fille, Mrs H s'exclama :

— Sabine, j'ai trouvé un peu de poisson dans le congélateur. Ça vous dirait si je fais une petite sauce au beurre pour aller avec ? Vous pourriez peut-être m'aider en le décongelant dans le micro-ondes. Annie, ma chérie, pourquoi ne vas-tu pas dire à Patrick que nous passerons à table dans une vingtaine de minutes ?

Sabine se leva lentement en essayant de ne pas regarder Annie trop ostensiblement et se dirigea vers la cuisine.

Annie garda le silence durant la demi-heure qui suivit. Pendant le dîner, elle ouvrit à peine la bouche pour parler, et son mari ne fut guère plus loquace tant et si bien qu'il incomba à Mrs H et à Sabine, d'humeur plutôt agitée, de faire la conversation. Patrick ne correspondait pas du tout au type d'écrivain qu'elle s'était imaginé, maigre et torturé. C'était un homme robuste au poitrail imposant et aux traits assez grossiers, avec des rides pareilles à des sillons labourés sur le front et de part et d'autre de la bouche. Il était doux, cependant, plein de sollicitude, et il avait cet air d'intelligence sereine qui tendait à clouer le bec à Sabine et à lui donner l'impression que tout ce qu'elle disait était banal ou franchement imbécile.

— Le dîner vous convient-il, Patrick ? J'ai bien peur d'avoir fait les choses à la va-vite.

— C'est délicieux, mère, répondit-il. L'agneau est succulent.

Sabine, qui s'aperçut qu'elle fixait involontairement Annie, avait toutes les peines du monde à les imaginer ensemble. Il était si costaud, si rustre, et elle si menue, si fragile comme si quelque brise chagrine pourrait suffire à la faire s'envoler. Pourtant, de toute évidence, il l'adorait. Bien qu'il n'eût pas aligné deux mots, Sabine avait remarqué qu'il lui avait effleuré le bras à deux reprises et elle l'avait vu lui caresser le dos avec des gestes lents, pleins de tendresse.

— Avez-vous des visiteurs ce week-end ? demanda Mrs H en prenant une de ses côtelettes avec son couteau et sa fourchette pour la transférer sur l'assiette déjà débordante de son beau-fils.

Patrick se tourna vers Annie, puis reporta son attention sur Mrs H.

— Je ne crois pas que nous ayons des réservations. J'ai pensé qu'Annie et moi pourrions peut-être aller faire un tour à Galway pour changer un peu.

— Galway ! s'exclama Mrs H. Lough Inagh, ça, c'est un bel endroit ! Ton père et moi y passions nos vacances chaque année quand tu étais petite, Annie. Il faisait toujours un temps épouvantable, pour Dieu sait quelle raison, mais nous adorions y aller. Nous t'avions acheté des bottes en caoutchouc avec des paillettes, vois-tu, et tu courais au bord de l'eau du matin jusqu'au soir.

Annie ne leva même pas les yeux.

Temporairement égarée dans un bonheur passé, Mrs H continua sur sa lancée :

— Un soir, tu as même tenu à dormir avec, tellement

tu adorais ces bottes. Au matin, il y avait tellement de sable dans ton lit que j'ai dû secouer les draps par la fenêtre ! Doux Jésus ! Tu n'avais que trois ans.

Annie décocha un regard sévère à sa mère qui se tut aussitôt. Pendant quelques minutes, on n'entendit plus que les crépitements du feu et les tambourinements lointains de la pluie sur le rebord de la fenêtre. Sabine, sur le qui-vive, jeta un nouveau coup d'œil à Annie en se demandant ce que sa mère avait bien pu dire de mal. Mais elle se contenta de baisser les yeux en repoussant son assiette à moitié pleine vers le milieu de la table. Bizarrement, Mrs H ne parut pas s'en offusquer. Elle attendit juste que tout le monde ait fini avant de rassembler les assiettes. Sans cette brusquerie que manifestait sa propre mère « pour montrer que ça ne se passera pas comme ça » lorsque Sabine avait été grossière à son égard. Elle paraissait franchement indifférente à sa réaction, comme si elle ne pensait qu'à la destination des assiettes.

— On n'est pas obligés d'aller à Galway, chuchota Patrick dans l'oreille de sa femme. Nous pourrions aller en ville, à Dublin. Il paraît qu'il s'y déroule un excellent *craic* en ce moment.

Un bref silence suivit.

— Une autre fois peut-être, d'accord ? fit Annie en tapotant le bras de son mari.

Sur ce, elle se leva et sortit de la pièce sans explication.

Mrs H repoussa sa chaise et se dirigea vers la cuisine.

— Bon, Sabine, vous prendrez bien un dessert, n'est-ce pas ? Il y a de la tarte aux pommes que je peux réchauffer au micro-ondes ou bien un reste de glace au chocolat. Je parie que vous ne refuserez pas un peu de glace. Pas vrai ?

Sabine n'eut même pas le temps de se demander ce qui se passait. Après avoir déposé un baiser affectueux sur la joue de sa belle-mère, Patrick s'éclipsa à son tour, non sans avoir hoché la tête quand Mrs H proposa du dessert, ce qui laissait supposer qu'il comptait revenir d'ici peu. Ce fut à ce moment délicat que la porte s'ouvrit, livrant passage à Thom, le vent s'engouffrant dans son ciré luisant de pluie. Sabine faillit courir à sa rencontre ; elle commençait à se sentir franchement mal à l'aise.

— Ai-je raté le dîner ? dit-il. Le toit d'un des box s'est mis à fuir. J'ai pensé qu'il valait mieux que j'essaie de flanquer une bâche dessus avant de partir. Il fait un temps de chien.

— Assieds-toi, mon cœur, assieds-toi. Pose ton manteau sur cette chaise. J'ai gardé ton repas au chaud. Des côtelettes d'agneau, ça te va ?

L'atmosphère se détendit aussitôt. Sabine s'adossa à sa chaise. Thom semblait avoir un don pour dissiper les tensions. Elle lui sourit ; il lui rendit son sourire.

— Avez-vous réussi à voir quelque chose de bien à la télévision, Sabine ?

Elle leva les yeux vers Mrs H.

— Je ne suis pas venue ici pour regarder la télévision. Je voulais rencontrer… tout le monde.

— Y avait-il une émission particulière que vous souhaitiez voir, ma jolie ? Pour être honnête, avec le dîner et tout ça, je n'y ai pas pensé. Eh bien, nous n'aurons qu'à la mettre en mangeant le dessert. Il y a des chances pour qu'il y ait un film à cette heure-ci, non ?

Ils zappèrent en chœur pendant que Thom engouffrait son dîner. Il mangeait voracement, tête baissée, son couteau et sa fourchette fonctionnant en tandem. On se comportait ainsi dans les familles nombreuses, de peur de ne pas pouvoir en reprendre une deuxième fois. Mrs H hochait la tête en silence, souriant d'un air satisfait. À l'évidence, elle aimait beaucoup son neveu. Elle le regardait comme on regarde son fils préféré. En contemplant cette scène dans la pièce bien chauffée, se sentant repue, tandis que le vent et la pluie grondaient dehors, Sabine se prit à regretter que la maison de sa grand-mère ne soit pas aussi douillette et chaleureuse que celle-ci. Elle ne connaissait même pas ces gens et déjà, elle répugnait à retourner à Kilcarrion House.

Elle leva les yeux quand Annie réapparut, tout sourire. Patrick se tenait derrière elle, l'air un peu anxieux.

— Salut, matou, fit-elle en ébouriffant les cheveux de Thom. Comment va mon cousin préféré ? Tu as tout du rat noyé.

— Tu devrais aller faire un tour dehors, répondit Thom en levant la main pour presser la sienne. Il fait un sale temps.

Toujours souriante, Annie s'assit à la table. Patrick s'installa à côté, les yeux rivés sur sa femme. Il ne toucha pas son dessert.

— Où étais-tu passé ? demanda Annie à Thom. Ça fait une semaine que tu n'as pas donné signe de vie.

— J'étais dans le coin, répondit-il. Y'a du pain sur la planche à cette époque de l'année. Tout va bien, Patrick ?

— Toi et tes chevaux ! Tu ferais bien de te trouver une petite amie, de t'intéresser un peu à ce qui importe dans l'existence. Qu'est-il advenu de la fille du restaurant ? Elle était pas mal.

Thom ne leva pas le nez de son assiette.

— Pas mon genre.

— Et c'est quoi, ton genre ?

— Pas elle en tout cas.

Mrs H, occupée à nettoyer les plans de travail de la cuisine, éclata de rire.

— Tu devrais le savoir depuis le temps, Annie. Tu n'obtiendras jamais rien de Thom. Il se pourrait qu'il ait une femme et six enfants à la maison, et sa propre famille n'en saurait rien. Avez-vous jamais rencontré un énergumène pareil, Sabine ?

Sabine s'aperçut qu'elle rougissait. À son grand soulagement, personne ne s'en rendit compte.

— Le problème avec toi, c'est que tu es trop exigeant, reprit Annie en faisant tournoyer sa glace fondue dans son bol.

— Peut-être bien.

Mrs H jeta plusieurs coups d'œil à sa fille sans faire le moindre commentaire sur sa brève absence. Absorbée par la vaisselle, elle refusa tout net quand Sabine lui proposa de l'aider d'un ton à moitié convaincu.

— Restez assise. Vous êtes notre invitée.

— Ne dis pas ça, maman. Elle va se prendre pour un de nos 2B.

Sabine jeta un regard perplexe à Thom en attente d'une explication.

— B & B. Bed & Breakfast, intervint Patrick. Les gens que nous logeons.

— Je pensais que c'était des détenus, commenta Thom. Vous n'allez pas me dire que vous les faites payer en plus !

— Vous n'êtes pas une cliente, intervint Annie, l'ignorant, en posant sa main sur le bras de Sabine. Vous êtes une Ballantyne, ce qui signifie que vous faites pratiquement partie de la famille. Et vous êtes la bienvenue, quand vous voulez. J'aime bien avoir de la compagnie.

Son sourire chaleureux était sincère.

Mrs H hocha la tête, comme pour confirmer ses dires.

— Voudriez-vous une tasse de thé, Patrick ? Je peux vous la monter si vous voulez aller travailler.

— Merci. Je finis mon verre de vin. Ça ira très bien. Thom, t'a-t-on donné quelque chose à boire ?

Sabine s'apprêtait à lui passer la bouteille de vin, mais presque avant qu'elle eût esquissé un geste, Mrs H lui avait tendu un verre de jus d'orange qu'il prit et engloutit goulûment.

— Je boirais bien encore quelque chose, dit Annie en regardant autour d'elle. Où est passé mon verre ?

— Je l'ai lavé, dit sa mère.

— Eh bien, dans ce cas, donne-m'en un autre, veux-tu ? Je n'avais pas fini.

— Comment va ton livre ? demanda Thom.

Patrick secoua la tête.

— J'ai un peu de mal en ce moment, pour ne rien te cacher.

— Je ne sais pas comment vous faites pour rester assis des heures tout seul jour après jour, commenta Mrs H. Je m'ennuierais à mourir. Personne à qui parler toute la sainte journée. Rien que ces personnages dans votre tête. Je m'étonne que vous ne deveniez pas zinzin... Bon, j'ai fini. Je m'en vais dans une minute. Ton père est allé à son club ce soir et je tiens à être de retour avant lui.

— Vous avez un rendez-vous galant, mère ? lança Patrick en se levant et en lui tendant son manteau. Ne vous inquiétez pas. Nous ne dirons rien à personne.

— Elle aime bien l'accueillir quand il rentre, commenta Thom en secouant la tête, incrédule.

— Si ça me plaît de l'accueillir, c'est notre affaire. Ça ne regarde personne d'autre, protesta-t-elle en rosissant.

— Et les voisins, ajouta Patrick en souriant à l'adresse de Thom. Je les plains, les pauvres !

— Vous êtes un filou, Patrick Connolly, riposta Mrs H rose bonbon à présent. L'un de vous raccompagnera Sabine, d'accord ? Je ne veux pas qu'elle s'aventure toute seule sur cette route sombre.

— C'est à cent mètres. Je peux rentrer seule. Pas de problème, protesta Sabine, agacée par ce rappel de sa jeunesse.

— Ne t'inquiète pas, répondit Thom. Nous la jetterons dehors avant l'heure de la fermeture.

— Merci pour le repas, maman, dit Annie en l'accompagnant jusqu'à la porte avant de l'embrasser.

Elle souriait continuellement à présent, un doux sourire chaleureux, même si son regard restait triste. Patrick, juste derrière elle, l'embrassa tendrement avant de regagner l'escalier à pas lents. Elle lui tapota vaguement le bras en réponse, comme on le ferait à un enfant.

Sous le regard de Sabine, Annie referma la porte derrière sa mère, puis elle resta plantée au milieu de la pièce, comme si elle ne savait pas que faire de sa personne. Au bout de quelques instants, elle s'approcha du canapé et s'y laissa tomber en calant ses genoux sous son menton.

— Bon, Sabine, si vous nous trouviez un film ou quelque chose ? dit-elle, l'air terriblement lasse. Et vous pouvez bavarder tous les deux. J'espère que vous ne m'en voudrez pas, mais je vais probablement m'endormir ici. Je n'ai plus envie de parler pour aujourd'hui.

— Ton amie Melissa a téléphoné pour savoir si tu venais à sa fête le 15. Je lui ai répondu que je ne savais pas si tu serais rentrée.

— Oh !

— Et puis Goebbels a dégobillé dans ta chambre. J'ai envoyé ton tapis au pressing. Ils m'ont dit qu'ils me le rendront comme neuf.

— Est-ce qu'il va bien ?

— Très bien. C'est juste que je n'avais plus de nourriture pour chats. Il a englouti toute une boîte de thon à la place.

— Tu n'es pas supposée lui donner du thon.

— Je sais, ma chérie, mais le magasin du coin était fermé et je ne voulais pas qu'il meure de faim. Il digère très bien le thon quand il ne s'empiffre pas.

Sabine avait appelé sa mère la veille dans l'intention de la supplier de lui envoyer assez d'argent pour rentrer. Elle avait prévu de lui dire qu'elle l'aimait très fort, qu'elle était désolée d'être si dure, et que tout s'arrangerait si elle pouvait juste rentrer à la maison, parce qu'elle était sûre, et elle ne doutait pas un instant que sa mère comprendrait, qu'elle ne supporterait pas d'être coincée ici une minute de plus.

Elles étaient au téléphone depuis sept minutes maintenant. Sa mère avait été un peu déconcertée, semblait-il, quand elle avait trouvé son message la priant de la rappeler « de toute urgence ». Pourtant, Sabine n'arrivait plus à trouver les mots. Elle voulait rentrer, ça ne faisait aucun doute, mais cela lui paraissait inexplicablement moins urgent depuis la soirée qu'elle avait passée chez Annie. En outre, elle venait de s'apercevoir que, quelque part au fond d'elle-même, elle lui en voulait encore pour Geoff et Justin. Et puis c'était sacrément dur d'être super-sympa avec sa mère. Kate, des larmes dans la voix, en rajoutait, de sorte que Sabine finit par regretter d'avoir dit quoi que ce soit et sentit la moutarde lui monter au nez comme si, d'une certaine manière, elle s'était trahie. Sa mère ne pouvait jamais prendre les choses telles qu'elles étaient.

— Alors… Dis-moi, qu'as-tu fait d'intéressant ? Ta grand-mère t'a-t-elle déjà fait monter à cheval ?

— Non, et il n'en est pas question.

— Que fais-tu toute la journée ?

Sabine pensa à la boîte de photos qu'elle avait à nouveau explorée ce matin-là pendant que sa grand-mère était sortie faire des courses, à celles qu'elle avait trouvées de sa mère, jeune fille, en compagnie du Chinois. Elle pensa à la maison d'Annie, et à la façon dont celle-ci s'était tout bonnement endormie devant elle la veille au soir, comme si elle se fichait éperdument de ce qu'on pensait. Elle songea à Thom lui demandant avec une étrange maladresse ce que sa mère faisait ces temps-ci.

— Rien, répondit-elle.

3

Goebbels le chat était assis sur le montant du portail telle une sentinelle en pierre, le poil légèrement hérissé, mesure tangible du froid qu'il faisait dehors. Sur le trottoir d'en face, son bonnet de laine enfoncé sur le crâne, Mr Ogonye s'occupait de sa voiture, comme cela lui arrivait souvent, se jetant avec détermination sous le capot pareil à un dompteur de cirque qui s'engouffre dans la gueule d'un lion. Après quoi il en émergeait en s'essuyant les mains avec un torchon d'un air affligé, comme s'il cherchait à rassembler son courage pour s'y remettre. Entre les poubelles, dont la plupart se trouvaient toujours sur le trottoir, abandonnées depuis la collecte du matin, deux sachets de chips vides se couraient après en décrivant des cercles dans la poussière.

Vous êtes-vous déjà demandé si votre enfant et vous parliez la même langue ? Eh bien, à en croire une nouvelle enquête helvétique, il est probable que ce ne soit pas le cas.

Dans un rapport susceptible de provoquer des « j'en étais sûr » dans les foyers de toute l'Europe, des socio-psychologues de l'université de Genève ont en effet établi que ce que disent les parents diffère de ce qu'entendent les enfants.

Agnès, vêtue d'un manteau bleu tout mince et marchant pas à pas avec son déambulateur en aluminium flambant neuf, s'arrêta pour échanger quelques mots avec Mr Ogonye. Ce dernier haussa tristement les épaules en désignant son moteur. Quand ils ouvraient la bouche pour parler, l'air froid se solidifiait devant eux en petits nuages en forme de champignons, pareils à des bulles de bandes dessinées sans le texte.

Les parents se mettent très rarement à la place de leurs enfants, selon le professeur Friedrich Ansbulger qui a mené cette enquête au sein de deux mille familles. Dans le cas contraire, pourtant, ils comprendraient pourquoi leurs enfants ignorent si souvent leurs consignes. Il ne s'agit pas nécessairement de désobéissance. C'est simplement que ces directives ne cadrent pas avec la logique propre à la jeunesse.

Kate soupira et se força à reporter son attention sur son écran. Il lui avait fallu près d'une heure pour rédiger trois paragraphes. À cette cadence, elle empocherait un salaire horaire susceptible de choquer les travailleurs d'un atelier clandestin au Bangladesh.

Ce n'était pas difficile pour une femme à l'imagination fertile comme la sienne de déceler les raisons de son inaptitude à travailler ces derniers jours. Pour commencer, il régnait un silence trop pesant dans la maison. Même si Sabine était rarement là, Kate trouvait leur domaine bizarrement endormi. Elle savait que la porte d'entrée n'était pas sur le point de claquer, qu'elle n'allait pas entendre les bruits de pas familiers résonner sur les marches et la porte de la chambre en haut se refermer brusquement, suivie par les percussions étouffées de quelque groupe inaudible. Avec un occasionnel « salut » bougonné au passage.

Et puis le chauffage central était en panne. Emmitouflée jusqu'aux oreilles dans un tas d'épaisseurs de vêtements, elle avait l'air d'une clocharde. Sans compter que le plombier s'était borné à secouer la tête d'un air résigné et compatissant qui n'était pas sans lui rappeler celui de Mr Ogonye en promettant de revenir avec la pièce qui manquait. Il y avait trois jours de cela.

En plus, il y avait ce fichu article qui refusait obstinément de s'écrire tout seul. Les bons jours, elle était capable de rédiger deux papiers de huit cents mots avant le déjeuner. Ce ne serait pas le cas aujourd'hui : les contacts qu'elle avait joints ne la rappelaient pas, les mots lui échappaient les uns après les autres. Son niveau de motivation venait de sombrer sous la barre de l'auto-apitoiement.

Car c'était bel et bien la première semaine de sa vie d'adulte où elle se retrouvait vraiment toute seule. Sabine avait toujours été là, et quand elle partait en classe de neige, de mer, ou bien avec des amis, Geoff était là, et avant lui, Jim. Elle savait qu'il y aurait quelqu'un le soir avec qui partager un plat de pâtes, une bouteille de vin en ruminant les événements de la journée. Geoff n'était plus là. Justin était en mission sans qu'il ait pu lui communiquer la date de son retour, et Sabine en Irlande, apparemment déterminée à lui parler le moins possible. Et tout cela, c'était de sa faute.

Pour la énième fois, elle essaya de ne pas penser que Geoff aurait réparé le chauffage central en quelques heures. Il était tellement habile. En outre, il possédait les numéros de téléphone d'ouvriers fiables qu'il connaissait depuis des années et qui se précipitaient chez eux en priorité, pour se voir récompenser d'un généreux « petit verre », comme disait toujours Geoff avec humour. La première fois qu'il l'avait priée de donner « quelque chose à boire » à l'électricien, elle lui avait préparé une tisane. Les deux hommes s'étaient souri d'un air espiègle, puis ils avaient pouffé de rire en se tapant dans le dos comme le font les hommes entre eux. Sur le moment, cela l'avait mise hors d'elle qu'on puisse ainsi se jouer de sa naïveté. Dans cette maison glaciale, avec le recul, elle trouvait cela plutôt charmant. Seulement, elle ne pouvait pas s'adresser à Geoff. Quant à Justin, comme il le lui avait déclaré sur un ton de regret, « les problèmes domestiques le dépassaient ».

De fait, au cours des trois mois de leur liaison, elle s'était rendu compte qu'il y avait une foule de choses qui « dépassaient » Justin. Par exemple téléphoner tous les soirs quand il était en voyage. (« Écoute, ma chérie, ce n'est pas toujours possible. Mon portable est souvent à plat et si nous travaillons tard le soir, ou si on se trouve dans des endroits un peu louches, la dernière chose à faire, c'est de se mettre en quête d'une cabine. ») Il ne voulait pas vivre sous le même toit qu'elle non plus. (« J'adore la relation que nous avons. Je ne veux pas la gâcher. Il n'est pas question que je la gâche. ») Il refusait d'envisager l'avenir. (« Tu es la femme la plus fabuleuse que j'aie jamais rencontrée. Je veux être avec toi davantage que je n'ai voulu l'être avec qui que ce soit. Il va falloir que tu t'en contentes pour le moment. ») En fixant son ordinateur sans le voir, Kate s'obligea à concentrer son attention sur ce qu'il faisait de mieux en se reprochant de chercher la petite bête. Il l'aimait, non ? Il n'arrêtait pas de le lui dire.

Agnès continuait à pousser vaillamment son déambulateur vers l'angle de la rue, sa tête blanche duveteuse se balançant sur son cou frêle tel un pissenlit dans la brise. Elle devait se rendre au Café de Luis, sur la route principale, où chaque jour, avec une régularité absolue, elle arrivait à 12 h 45 pour prendre son thé, son œuf et ses frites et glousser dans son coin en lisant les journaux à sensation. Après quoi, selon le temps qu'il faisait, elle s'acheminait jusqu'à la salle de bingo, le centre d'assistance sociale ou la bibliothèque pour ne rentrer qu'à l'heure où l'organisme en question fermait. Il avait fallu plusieurs années à Kate pour comprendre que l'admirable sociabilité de sa voisine dissimulait en fait son inaptitude à chauffer convenablement sa maison. Allons, se dit-elle, glacée par le sentiment d'empathie qui l'avait soudain envahie, finis cet article, ou tu seras obligée de sortir toi aussi.

Peut-être cette période de solitude serait-elle salutaire. Geoff devait venir chercher le reste de ses affaires ce soir, et après leur désastreuse première rencontre, elle ne supporterait pas qu'il se retrouve nez à nez avec Justin. C'était déjà assez pénible de voir Geoff seul.

Elle resta assise là à regarder fixement le texte sous ses yeux en s'interrogeant sur les deux possibilités, aussi peu tentantes l'une que l'autre, qui s'offraient à elle pour l'après-midi à venir. Après quoi elle troqua ses lunettes contre des verres de contact, enfila une couche d'habits supplémentaire, et en proie à une profonde appréhension, elle prit le chemin du foyer municipal.

— Pourriez-vous pousser ces tables, celles qui sont près de la porte ? Je ne pense pas qu'il y ait assez de place pour tout le monde.

Au centre de la salle pleine de courants d'air, enveloppée dans son manteau matelassé, Maggie Cheung orchestrait l'agencement du mobilier tel un agent ivre au milieu d'un carrefour. Les sourcils froncés par la concentration, elle faisait de grands moulinets des deux bras, puis changeait brusquement d'avis, renvoyant Kate ou l'un des étudiants à l'autre bout de la pièce avec leur cargaison grinçante de tables en Formica et de chaises en plastique tout en s'efforçant de déterminer le meilleur moyen de caser tout le monde.

Derrière elle, un groupe de vieilles femmes chinoises assises en cercle bavardaient bruyamment en cantonais, absorbées par une sorte de jeu de dominos, sans se soucier le moins du monde de tout ce remue-ménage. À deux angles opposés de la pièce, près des vieux hommes en train de siroter leur thé au jasmin dans des gobelets en plastique, deux jeunes femmes, aussi silencieuses et tristes que leurs enfants, s'ignoraient l'une l'autre ainsi que le jeune homme solitaire assis entre elles.

— Il n'y aura pas suffisamment de chaises, quoi que nous fassions, affirma Ian, le gérant, après un rapide effort de calcul mental.

— Les gens qui servent n'auront qu'à manger debout, suggéra Maggie.

— N'empêche que ça va être juste. Il serait peut-être préférable de faire deux services.

L'air abattu de Ian et son teint gris illustraient les difficultés d'une vie faite de compromis inhérents aux fonds publics.

— Mieux vaut se serrer un peu plutôt que de faire

deux services, nota Maggie. On aura plus chaud comme ça.

— Je suis désolé pour le chauffage, dit Ian pour la cinquième fois. C'est à cause des réductions de budget. On doit garder le peu de fuel qui nous reste pour les réunions de personnes âgées et de jeunes mamans le mardi et le vendredi.

Réchauffée à force de se démener, Kate tira ses deux tables à l'autre bout de la salle et les disposa, selon les directives de Maggie, en un arrangement circulaire près de la cuisine. En dépit de l'assurance de son amie, elle ne voyait pas comment tout le monde allait pouvoir déjeuner en même temps. Mais Maggie y tenait, l'objectif étant que des liens se forgent entre les jeunes et les moins jeunes, entre les nouveaux arrivants et les immigrés de longue date. Cela ne servait à rien de créer un groupe de contact si l'on s'ingéniait à les séparer.

— De plus, ajouta-t-elle d'un ton enjoué, cela fait partie de notre culture. Tout le monde mange ensemble.

Kate se garda de souligner que la « culture » à laquelle Maggie faisait si souvent référence était quelque peu élastique dans son cas, surtout si l'on prenait en compte ses fréquentes visites chez MacDonald's avec ses enfants et les dîners qu'elle et son mari médecin qui avait des horaires irréguliers à l'hôpital préparaient à tour de rôle, sans parler de sa passion immodérée pour *Coronation Street.* Mais cela ne servait à rien de discuter avec Maggie : à l'instar d'un homme politique accompli, elle n'entendait rien de ce qui ne coïncidait pas avec sa vision actuelle du monde et réitérait avec entrain ses opinions comme si on ne les avait jamais contestées.

— Voilà ! Nous y sommes ! s'exclama-t-elle quelques minutes plus tard. Et nous n'aurons qu'à laisser les tables comme ça après. T'ai-je dit que j'avais réussi à convaincre un des enseignants de la Brownleigh School de venir donner des cours de lecture et d'écriture ? Si je dois encore me coltiner ne serait-ce qu'un seul formulaire d'allocations-logement, je vais rendre l'âme.

— Quant à moi, si je n'obtiens pas gain de cause avec celui de Mr Yip, je crois bien qu'il fera en sorte que ce soit moi qui rende l'âme, intervint Ian.

C'était un bel effort d'humour de sa part, Maggie et Kate sourirent obligeamment.

— Ne me dites pas qu'ils l'ont encore renvoyé.

— Pour la quatrième fois. Ça me serait égal si ce n'était pas moi qui le remplissais chaque fois. Si je ne suis pas capable de le faire convenablement après onze années de dur labeur pour la municipalité, comment voulez-vous que qui que ce soit d'autre y arrive ?

Kate avait commencé à travailler bénévolement pour le Groupe de contact oriental Daltston & Hackney environ un an avant le départ de Geoff. Un soir, il avait levé le nez de l'*American Journal of Applied Psychiatry* en cillant des yeux et s'était lamenté sur le taux effroyablement élevé de maladies mentales chez les immigrés, du fait de leur isolement, de leur aliénation et du racisme qui sévissait dans les quartiers où on les logeait. Il lui avait parlé du travail accompli par Maggie pour tenter de combattre ce phénomène. Kate avait été surprise par l'engagement de Maggie en la matière. En dépit de leur longue amitié, Maggie et elle limitaient leurs conversations aux conjoints et enfants. Geoff y avait fait allusion un autre soir où Maggie et Hamish étaient venus dîner, et Kate s'était alors aperçue que la réticence de Maggie tenait exclusivement au manque d'intérêt qu'elle avait perçu de sa part. Finalement,

Maggie lui avait habilement soutiré la vague promesse de venir donner un coup de main.

— Je ne sais pas ce que je peux faire, avait-elle dit, pas vraiment convaincue d'avoir envie d'y aller.

Quand Maggie avait su que Kate avait passé sa petite enfance à Hong-Kong, il n'y avait plus eu moyen de se défiler.

— Ce n'est pas vrai, ma vieille ! Tu connais la culture chinoise ! s'était-elle exclamée. Tu es pratiquement chinoise toi-même !

Elle avait proprement ignoré les protestations de Kate eu égard au fait qu'à partir de l'âge de huit ans, sa « culture » avait consisté à vivre en pension dans le Shropshire et à passer ses vacances dans un village du sud de l'Irlande.

— Et alors ? répliqua-t-elle. Je n'ai jamais vécu plus loin à l'est que Theydon Bois !

Même après tous ces mois, Kate ne se sentait pas très utile. Contrairement aux autres volontaires, elle ne parlait pas le cantonais, elle ne savait pas faire la cuisine et était incapable de débrouiller les requêtes kafkaïennes des formulaires de la sécurité sociale. Outre sa présence, elle ne pouvait guère offrir que son soutien pour les cours de lecture. Cela n'avait pas l'air d'ennuyer Maggie. Et force était de reconnaître qu'elle avait trouvé un certain plaisir à regarder le chef bénévole du traiteur local apprêter des plats chinois authentiques dans la petite cuisine du centre et à observer les personnes âgées qui lui semblaient tellement plus proches les unes des autres que leurs homologues européennes. Elle en était venue à apprécier ses brèves immersions dans un autre monde. Elle aimait entendre Maggie passer indifféremment de l'anglais au cantonais et admirait la façon dont elle rassemblait ces gens disparates autour d'elle, les rapprochant de par la force même de sa personnalité. D'une manière plus perverse, travailler au sein d'un groupe avait contribué à soulager la culpabilité qu'elle éprouvait à abandonner Geoff tout en lui donnant l'occasion d'expier ses fautes, au moins une fois par semaine. Et la plupart du temps, ça avait marché.

— Je ne pensais pas que tu viendrais aujourd'hui, dit Maggie en surgissant brusquement près de son épaule.

À cause de sa petite taille, il était rare de la voir sous un autre angle en dépit de son goût prononcé pour les talons aiguilles.

— J'ai failli ne pas venir, reconnut Kate. Je n'étais pas vraiment d'humeur.

— Il est toujours préférable de sortir quand on ne se sent pas dans son assiette. Loin des fours à gaz. Oh, le tien est électrique, n'est-ce pas ? On discutera pendant le déjeuner.

— Je ne suis pas sûre de rester pour le déjeuner.

Maggie ne l'écoutait plus.

— Non, mais regardez-les ! s'exclama-t-elle en prenant Kate à part tout en lui désignant les deux mères silencieuses. Elles devraient être en pleine conversation. Deux jeunes femmes avec leurs bébés. C'est absurde qu'elles restent assises là sans rien se dire. Il faut qu'on les incite à parler. Cela dit, celle-là, il faut surtout qu'on la persuade d'emmener son enfant se faire vacciner. Il y a presque six mois qu'elle est là, mais cette sotte refuse de se rendre dans un centre d'assistance médicale.

Quatre semaines après l'avoir amenée en Angleterre, lui expliqua Maggie, son mari était parti en lui disant qu'il allait gagner un peu d'argent. En dehors d'un témoignage non confirmé à Nottingham, c'est la dernière fois qu'on avait entendu parler de lui. La jeune femme était autorisée à rester dans le pays, mais elle n'avait pas de travail, partageait une chambre meublée et n'avait pas suffisamment d'argent pour rentrer chez elle.

— Elle a besoin de parler aux gens. De s'ouvrir un peu. Va lui faire la causette pendant que je vais voir où en est le déjeuner, lui ordonna Maggie avant de filer.

Travailler au centre aidait généralement Kate à relativiser ses problèmes, mais elle avait hésité toute la matinée avant de venir. Bizarrement, l'abattement provoqué par le silence inhabituel de la maison ne lui avait guère donné envie d'avoir de la compagnie. Sabine lui avait dit un jour qu'elle répartissait les filles de sa classe en deux groupes : les *radiateurs* et les *pompes*, les premières étant ces filles populaires qui manifestaient de l'intérêt et de l'enthousiasme, attirant de ce fait leurs camarades, les autres étant ni plus ni moins… des pompes qui aspiraient l'ambiance et la bonne volonté comme le vide. Aujourd'hui, se dit Kate, je suis incontestablement une pompe !

Une pompe à laquelle on demandait d'être un radiateur. Traînant les pieds comme une écolière, elle s'approcha lentement de la jeune fille, recroquevillée sur elle-même. Avec son anorak bon marché et ses chaussures en plastique, elle sentait la misère à plein nez. Kate ne savait pas trop comment elle allait pouvoir lui venir en aide. Et Maggie lui avait précisé que la fille ne parlait pas un mot d'anglais. Avec ses airs évangéliques et autoritaires de professeur de catéchisme, elle s'attendait en gros à ce que les gens se débrouillent. Qui veut peut !

Kate prit une profonde inspiration, s'arrêta à une distance respectable de la fille pour lui donner le temps de se rendre compte qu'elle approchait, puis sourit et esquissa un geste en direction du bébé.

— Bonjour, dit-elle. Je m'appelle Kate.

La fille, dont les cheveux étaient relevés pêle-mêle en une queue-de-cheval et dont les cernes bleutés dénotaient davantage que le manque de sommeil coutumier chez les jeunes mamans, la considéra d'un air morne, puis elle parcourut la salle du regard à la recherche de Maggie ou d'une des bénévoles chinoises.

— Kate, répéta-t-elle en se désignant, consciente qu'elle parlait trop fort comme quelque colonial débile espérant que la force de sa voix lui suffirait pour se faire comprendre des indigènes.

La fille la fixa en écarquillant les yeux, l'air d'attendre quelque chose. En un geste aussi fragile que son apparence, elle secoua la tête.

Kate engloutit une grande goulée d'air. Qu'était-elle censée faire, pour l'amour du ciel ? Elle n'avait pas ce talent qui consistait à mettre les gens tout de suite à l'aise. La plupart du temps, elle se sentait trop mal à l'aise elle-même.

— Je m'appelle Kate. Je suis bénévole ici, dit-elle en vain, avant d'ajouter : Comment vous appelez-vous ?

Le silence qui en résulta fut interrompu par un grand éclat de rire provenant de l'autre côté de la salle, suivi de l'explosion rapide d'une pluie de dominos heurtant le plateau d'une table. Les vieux joueurs avaient fini la partie. Maggie évoluait parmi eux en les félicitant à grands renforts d'exclamations chinoises, ses cheveux noirs et lisses obscurcissant son visage quand elle se penchait pour examiner l'échiquier.

Kate reporta son attention sur la fille en s'efforçant de garder le sourire.

— Garçon ou fille ? fit-elle en désignant le nouveau-né dont le visage endormi était à peine visible sous les couches de vêtements donnés. Garçon ?

Elle agita la main vers l'homme assis à proximité qui la dévisagea avec méfiance.

— Ou fille ? ajouta-t-elle en se désignant à nouveau.

Oh mon Dieu ! Elle avait l'air d'une demeurée et elle commençait à avoir mal aux joues à force de sourire. Elle se rapprocha de l'enfant.

— C'est un magnifique bébé.

C'était le cas. Ils l'étaient tous quand ils dormaient.

La fille regarda son enfant, puis Kate, en resserrant légèrement son étreinte autour du petit.

Je vais abandonner la partie, se dit Kate. Je vais l'orienter vers la table et laisser Maggie se débrouiller. Je ne sais décidément pas m'y prendre. Elle pensa, brièvement, tristement, à sa maison vide. Et puis tout à coup, deux mots surgirent dans son esprit, un écho mental, deux mots issus de son enfance, chuchotés par les lèvres de son *amah*. « *Hou leng* » dit-elle en montrant l'enfant du doigt. Puis, plus fort, « *Hou leng* ».

La fille baissa les yeux, puis les releva. Elle fronça légèrement les sourcils, comme si elle n'arrivait pas à croire ce qu'on lui disait.

— Votre bébé. *Hou leng*.

Deux mots doux et tendres : « Très beau ! » Le langage international de l'éloge.

Kate se sentit submergée par une vague de chaleur. Elle n'était pas si mauvaise après tout. Elle se creusa la cervelle pour tâcher de se souvenir si elle avait pris les bonnes intonations.

— *Hou leng.* Très beau, répéta-t-elle en souriant avec un plaisir bienveillant.

À cet instant, Maggie surgit derrière elle.

— Qu'est-ce que tu fais à cette pauvre fille ? dit-elle. Elle ne parle pas le cantonais. Elle vient du continent, bécasse. Elle parle le mandarin. Elle n'a pas la moindre idée de ce que tu lui racontes.

Maggie et Hamish, grand, mince, très « public school », formaient un couple mal assorti. Depuis dix-huit ans qu'ils étaient mariés, les gens ne cessaient de le répéter. Pas seulement à cause de la petite taille de Maggie, de sa volupté sombre, naturelle, opposée au teint diaphane de son époux, ou de sa spontanéité tapageuse, toute chinoise, face à la placidité anglo-saxonne d'Hamish. On avait l'impression qu'elle était « trop » pour lui. Trop pour à peu près tout le monde, se disait Kate. Elle parlait trop fort, elle était trop directe, trop sûre d'elle. Kate était quasi certaine qu'elle n'avait pas changé d'un iota depuis l'adolescence. Et c'était précisément la raison pour laquelle Hamish l'adorait.

Kate, pour sa part, avait changé avec pratiquement tous les hommes qui avaient partagé sa vie. Les modifications qu'ils avaient opérées en elle avaient déterminé la profondeur de son attachement. Dans le cas de Jim, elle avait été une mordue de hard rock ; elle avait apprécié l'attitude à la fois tendre et décontractée qu'il avait adoptée vis-à-vis d'elle et de sa fille, et la façon dont, pour la première fois depuis la naissance de Sabine, son statut ne s'était pas résumé à celui de « maman ». Il lui avait rendu une partie de son enfance, avait-elle pensé à l'époque, l'avait égayée et lui avait permis d'arrêter de se ronger les sangs à tout bout de champ. Il lui avait aussi appris à faire l'amour. Et puis, quand les choses avaient tourné au vinaigre, lorsqu'elle avait commencé à avoir des soupçons, elle s'était mise à détester la personne qu'elle était devenue. Une pauvre paranoïaque, le suppliant de lui dire la vérité, changeant désespérément de look dans l'espoir de regagner l'attention que lui avait volée une menace invisible. Et puis finalement, lorsqu'il était parti, le soulagement de ne plus avoir à être cette personne avait atténué son chagrin.

Quand Geoff avait intégré les lieux, elle était une maîtresse plus âgée, plus sage. Elle lui avait moins donné d'elle-même, consciente, cette fois-ci, du besoin de préserver une part de mystère. Geoff, en revanche, lui avait tout donné, tout ce qu'il avait en tout cas. Avec lui elle était devenue adulte. Il lui avait élargi l'esprit, l'éclairant sur la politique, la société et l'obligeant à ouvrir les yeux sur les injustices du monde qui l'entourait. Si l'aisance devait l'emporter sur la passion, qu'il en soit ainsi, s'était-elle dit. Il était somme toute préférable qu'elle vive avec un être capable de maintenir son équilibre. Au côté de Geoff, elle avait appris à faire usage de sa cervelle, et elle avait eu le sentiment de mûrir. Et puis il était si gentil avec Sabine, sans jamais tenter de s'imposer à elle ni de jouer au « papa », se bornant à lui apporter un soutien solide empreint d'amour et de sagesse.

Six ans plus tard, Justin avait fait irruption dans sa vie. Elle avait compris du même coup que tout un côté de sa personnalité avait sommeillé pendant des années et ne demandait qu'à se révéler. Elle était un être sexuel, il l'avait rendue ainsi, et une fois que cette force avait fait surface, tel un geyser, elle était irrépressible. Personne ne l'avait fait briller comme lui ni rougir ni déambuler tout étourdie, comme si elle était ivre à 9 heures du matin. Personne ne l'avait baignée d'une telle aura de sexualité, enveloppe scintillante de phéromones, au point qu'elle s'était aperçue qu'elle faisait tourner les têtes et provoquait des sifflements admiratifs même lorsqu'elle ne faisait pas d'efforts vestimentaires particuliers. Et elle le méritait, non ? s'était-elle répété en s'efforçant désespérément de rationaliser la souffrance qu'elle était sur le point de provoquer. On lui avait accordé une nouvelle chance. Pourquoi devrait-elle renoncer à un amour romantique à trente-cinq ans ?

— Aurais-je affaire à une conspiration d'efflanqués ? Pendant que tu étais là à rêvasser, j'ai englouti presque tout le *cheung fun*.

Adossée à l'évier de la cuisine, Maggie agitait énergiquement ses baguettes sous le nez de Kate.

— Ce n'est pas parce que tu n'es pas capable de faire la différence entre le mandarin et le cantonais que tu n'as pas le droit de manger.

— Désolée, dit Kate en triturant la nourriture figée dans son bol.

Elle avait cru avoir faim, mais son appétit, si capricieux ces derniers temps, avait décidé une fois de plus de disparaître.

— Oh, mon Dieu ! Pas un nouveau chagrin d'amour ? Pas le stade du je-ne-peux-rien-avaler ? Ça fait combien de temps ? Trois mois ?

— Je ne sais pas à quel stade j'en suis, répondit Kate d'un ton pitoyable. Si je sais. Au stade de la culpabilité.

Maggie leva un sourcil soigneusement épilé. Quand Kate lui avait annoncé qu'elle quittait Geoff pour Justin, elle s'était attendue à ce que Maggie, qui le connaissait depuis plus longtemps qu'elle, prenne d'office son parti. Elle se trompait. Maggie ayant l'art de défendre simultanément deux points de vue conflictuels, il était sans doute logique qu'elle fût également à même de faire preuve d'une double loyauté.

— Le stade de la culpabilité ? Oh, ne sois pas ridicule ! Pour l'amour du ciel ! Tu es heureuse, non ? Justin aussi ? Quant à Geoff, soyons honnêtes, on ne peut pas vraiment dire qu'il soit suicidaire. Ce n'est pas le genre, étant donné sa formation de psychiatre. Il est probablement en train de s'offrir une bonne auto-consultation thérapeutique à l'instant même.

Elle émit un éclat de rire tonitruant en expédiant un bout de nouille à l'autre bout de la table.

— Ce n'est pas Geoff le problème. C'est Sabine, dit Kate. Je lui gâche la vie.

Maggie prit une dernière crevette en papillote, poussa un profond soupir, puis posa son bol dans l'évier déjà plein à craquer.

— Je vois. L'enfer de l'adolescence, c'est ça ? La gamine te donne du fil à retordre ?

— Pas vraiment. Elle me parle à peine. Mais ça se lit sur son visage. Elle est convaincue que j'ai fichu sa vie en l'air. Et elle m'en veut à mort de l'avoir envoyée chez ma mère.

— Écoute, ça, ça se comprend, si ce que tu m'as dit est vrai. Pour le reste, n'en fais pas un drame !

Elle sourit à Kate.

— C'est facile à dire, je sais, mais franchement, ce n'est pas unc gosse maltraitée, hein !

Kate scruta son visage, cherchant désespérément à se rassurer.

Maggie leva la main et commença à compter sur ses doigts grassouillets.

— Petit 1. Elle est nourrie et vêtue ? Oui. Trop bien même, si tu me demandes mon avis. Tous ces vêtements de marque ridicules ! Petit 2. As-tu jamais fait preuve de la moindre cruauté à son égard ? Non. Tous les hommes, enfin les deux hommes avec qui tu as vécu, l'adoraient. Sans que la petite mademoiselle leur ait donné grand-chose en retour, soit dit en passant. Bénie soit-elle ! Petit 3. Geoff était-il son vrai père ? Non, comme elle s'empressait de le lui répéter à la moindre occasion. Petit 4. Va-t-elle quitter la maison dans les années à venir sans un seul regard en arrière ? À n'en point douter.

— Oh ! Eh bien, ça me fait sacrément du bien d'entendre ça !

— Sois honnête, ma chérie. Ce que j'essaie de te faire comprendre, c'est que tu te fais trop de mouron. Sabine est aussi bien dans sa peau qu'une adolescente peut l'être dans le monde qui nous entoure. Et j'entends ça positivement. Elle est futée, elle est ronchon et elle ne se laisse pas marcher sur les pieds. Tu n'as aucun souci à te faire.

— Mais elle ne me dit plus rien. Elle a carrément arrêté de parler.

— Elle a seize ans, pour l'amour du ciel ! Je n'ai pas adressé la parole à mes parents pendant au moins quatre ans et ils étaient deux !

— Et si c'est à cause de moi ? Si elle continue à me haïr ?

— Attends qu'elle ait besoin d'une voiture. Ou d'un

versement pour son premier studio. L'amour reviendra au galop, crois-moi. Il reviendra.

Kate jeta un coup d'œil par la fenêtre sur les façades grises de Kingsland Road, les quincailleries, les boutiques d'autoradios, les cafés, les affiches publicitaires crasseuses et les caisses d'allocations sociales qui prouvaient que, quoi qu'en disent les agents immobiliers, ce quartier « en plein essor » s'obstinait résolument à en rester là. Qu'est-ce qui avait bien pu lui faire croire que sa fille se sentirait mieux sur les terres verdoyantes de Kilcarrion, au bout du monde ? Quel bénéfice en avait-elle tiré elle-même ?

Elle tripota une grosse crevette rose, l'expédiant autour du bord de son assiette en un voyage solitaire.

— T'arrive-t-il de te lasser de Hamish ?

Elle ne savait pas trop d'où cette question avait surgi, mais une fois qu'elle l'avait formulée, elle se rendit compte qu'elle avait besoin de connaître la réponse.

Maggie baissa lentement la tasse qu'elle avait portée à ses lèvres et réfléchit un instant.

— Est-ce que je me lasse de lui ? Je ne pense pas que ce soit le terme qui convient. Il m'arrive d'avoir envie de lui tordre le cou. Ça te va ?

— Qu'est-ce qui vous incite à rester ensemble ? Vous ne pouvez pas être heureux tout le temps, si ?

Cette ultime interrogation s'apparentait à une plainte, aussi Kate s'efforça-t-elle de la tourner à la plaisanterie.

— Évidemment que non. Aucun couple n'est heureux tout le temps et si certains le prétendent, ils mentent. Mais tu le sais très bien.

Maggie fronça les sourcils.

— Qu'est-ce qu'il y a à la fin, Kate ? Honnêtement,

tu me fais parfois l'effet d'une gamine de quinze ans quand tu parles de relations.

— C'est parce que je me sens à peu près aussi douée en la matière qu'une gamine de quinze ans. Qu'est-ce qui vous pousse à rester ensemble ? insista-t-elle. Comment se fait-il que tu t'accroches même si à certains moments, tu ne penses qu'à ficher le camp ?

Ces moments où moi je disparais en général, pensa-t-elle en son for intérieur.

— Pour quelle raison restons-nous ensemble ? Mis à part les honoraires exorbitants d'un bon avocat spécialiste des divorces et le fait que notre maison n'ait pas vraiment pris de la valeur depuis cinq ans ? Sans oublier ces vilains trolls qui se font passer pour des enfants. La vérité, Kate ? Franchement, je n'en sais rien. Si, je sais ! C'est qu'en dépit du fait qu'il soit quelquefois insupportable, radin, souvent soûl et pas vraiment un bon coup au lit en dehors des anniversaires et des grandes occasions, je ne peux pas m'imaginer avec qui que ce soit d'autre que lui. Cela t'aide-t-il à y voir plus clair ?

— Je n'ai jamais eu une relation dans laquelle je ne m'imaginais pas avec quelqu'un d'autre, avoua tristement Kate.

— Oh, je n'ai pas dit que je ne fantasmais pas sur Robert Mitchum.

— Moi non plus… Oh, mon Dieu. Robert Mitchum ?

— Je sais, fit Maggie en souriant. C'est mon petit secret. Il donne l'impression d'être tellement… solide. Tu vois ce que je veux dire ?

— Je ne parle pas de fantasmes sexuels. Je n'ai jamais cessé de m'imaginer avec quelqu'un d'autre. J'ai tout le temps le béguin pour d'autres gens.

— Tu as vraiment quinze ans. J'en étais sûre !

— Seigneur ! Mais qu'est-ce que j'ai à la fin ? Pourquoi ai-je tellement de mal à avoir des histoires d'amour normales ?

Elle n'avait pas voulu exprimer sa pensée à haute voix, mais c'était chose faite.

Maggie commença à rassembler les bols vides empilés sur des plateaux dans la cuisine.

— Désolée de te dire ça, ma jolie, vu ton Jules du moment et tout ça, mais il se peut que tu n'aies pas encore trouvé l'homme qu'il te faut.

Justin téléphona à 18 h 45, peu avant l'heure à laquelle Geoff devait passer. Kate était contente qu'il appelle, contente qu'au bout de la ligne faiblarde, le son de sa voix puisse encore l'inonder de chaleur et de désir, confirmant ainsi qu'elle avait pris la bonne décision. Sa conversation avec Maggie l'avait mise à cran bien qu'elle fût consciente de l'avoir provoquée. En appelant à l'improviste, Justin avait rectifié la situation.

— Je pensais à toi, dit-il et j'avais envie de t'entendre.

— Ça me fait plaisir, répondit-elle, le souffle un peu court. Tu me manques beaucoup.

— J'aimerais tellement que tu sois ici avec moi. Je n'arrête pas de penser à toi.

On aurait dit qu'il était à des millions de kilomètres.

— Comment est-ce que…

— Où es-tu…

Ils avaient parlé en même temps et s'interrompirent, répugnant tous les deux à couper la parole à l'autre.

— Toi d'abord, dit Kate, maudissant la Compagnie des téléphones pour cette mauvaise transmission.

— Écoute, je ne peux pas te parler longtemps. Je voulais juste te dire que je serai probablement de retour ce week-end. Nous n'avons plus qu'une seule personne à voir. J'espère laisser les autres ici et prendre le premier vol du matin.

— Veux-tu que je vienne te chercher à l'aéroport ? Appelle-moi dès que tu sauras ton heure d'arrivée.

— Ne te donne pas cette peine. Je n'aime pas trop les retrouvailles dans les aéroports.

Kate ravala sa déception. Elle s'était imaginée dans ses bras au milieu de l'aéroport d'Heathrow, lui en tenue kaki poussiéreuse, les rides de la fatigue s'estompant dès qu'il avait posé les yeux sur elle. Pour l'amour du ciel ! se réprimanda-t-elle. Maggie avait raison. J'ai quinze ans d'âge mental.

— Je préparerai un bon dîner. Pour fêter ton retour.

— C'est inutile.

— J'y tiens. Tu me manques.

— Écoute, il y a des chances que je sois éreinté et crade. Je commencerai probablement par rentrer chez moi pour dormir douze heures d'affilée. Je t'appellerai quand je serai frais et dispos. On ira manger quelque part.

Kate lui répondit qu'elle se réjouissait en tâchant de dissimuler le désappointement que lui causait son manque d'empressement. Elle voulait le voir dès qu'il atterrirait : en sueur, épuisé, qu'importe ! Elle voulait l'étouffer sous ses baisers, lui faire couler un bon bain chaud et lui tendre des verres de vin tout en écoutant les récits de ses prouesses, puis lui mijoter un bon petit plat et le regarder s'assoupir béatement sur le canapé. Mais

Justin n'était pas vraiment le genre à s'assoupir. De fait, elle le soupçonnait fortement de ne pas être loin de l'hyperactivité. Il avait de la peine à rester assis où que ce soit ; il gigotait et se tambourinait les genoux du bout des doigts, grattait sa tignasse blond sable et arpentait la pièce. C'était sans doute la raison pour laquelle il réussissait si bien dans son métier. Même dans son sommeil, il tressaillait et marmonnait comme s'il était constamment sur quelque piste nocturne.

Très agitée, Kate monta dans sa chambre et resta un long moment à contempler son reflet dans la grande glace de l'armoire edwardienne. Que me trouve-t-il ? se demanda-t-elle, se sentant soudain vulnérable, en conflit avec elle-même. Il pouvait tomber n'importe qui, et pourtant il l'avait choisie, elle : une femme de trente-cinq ans, avec des vergetures, l'ébauche incontestable de pattes-d'oie autour des yeux et des cheveux qui, bien qu'abondants et roux, étaient semblait-il trop longs pour son âge, à en croire sa fille. Une femme qui, étant passée à côté de sa jeunesse, n'avait jamais rien compris à la mode – ne sachant jamais trop où elle se situait dans tout ça. Sabine lui disait que les habits d'occasion années 50 et 60 qu'elle achetait dans une boutique de Stoke Newington étaient « ridicules », mais ils lui plaisaient. Elle appréciait les tissus de qualité qu'elle n'aurait pas pu s'offrir avec une garde-robe contemporaine. Elle était contente de se distinguer ainsi des mères de son âge qu'elle croisait dans les supermarchés. Rongée soudain par le doute, elle se demandait si elle n'avait pas tout bonnement une allure bizarre, incongrue. Me quittera-t-il ? s'interrogea-t-elle en examinant son reflet. Il avait le même âge qu'elle, mais sa vie était si fluctuante, si dénuée de responsabilités qu'elle aurait pu être celle d'un individu de dix ans de moins. Chercherait-il un jour une femme qui partagerait cette liberté ?

Kate referma la porte de l'armoire en essayant de chasser les idées noires qui lui envahissaient l'esprit. Elle ne supportait pas la solitude, voilà tout. Cela lui donnait trop de temps pour penser, pour ruminer. Maggie lui avait déclaré que son bonheur dépendait trop de sa vie amoureuse, ce qui l'avait rendue terriblement vulnérable. Elle l'avait nié, mais sans trouver le moindre argument pour contrer son amie. Et Maggie avait lancé cela sans connaître la moitié de la vérité. Elle avait dépensé une fortune en literie neuve sous prétexte que Justin lui avait dit un jour qu'il dormait mieux dans du coton égyptien blanc. Elle avait refusé au moins deux commandes bien rémunérées faute de savoir précisément quand il reviendrait, de peur d'être en train de travailler à son retour. Et elle ne se donnait pas la peine de s'arranger quand Justin n'était pas là, à savoir qu'elle avait passé l'essentiel du temps en son absence en pyjama avec ses lunettes en plastique noir sur le nez.

Seigneur ! La solitude ne lui réussissait vraiment pas ! Elle allait prendre un pensionnaire. Ou acheter un chien. Quelque chose. N'importe quoi pour fuir ces pensées déprimantes. Allez, se dit-elle. Geoff ne va pas tarder. Ressaisis-toi !

Heureuse d'avoir une raison d'arrêter de réfléchir, elle se brossa les cheveux en s'émerveillant des nœuds provoqués par deux jours de négligence, mit du rouge à lèvres, puis du parfum, sans y penser : *Mitsouko,* de Guerlain. Après quoi elle considéra le flacon avec horreur. C'était Geoff qui le lui avait offert. Chaque année, pour la Saint-Valentin. Son parfum préféré. Il allait peut-être s'imaginer qu'elle avait changé d'avis, qu'elle voulait le séduire à nouveau. Elle examina son visage dans la glace, puis après un instant de réflexion, prit un mouchoir en papier et ôta son rouge à lèvres. Elle reboutonna le haut de son chemisier en soie crème années 50, enleva ses verres de contact et mit ses lunettes de travail qui ne l'avantageaient guère. Pour finir elle s'essuya le cou avec un mouchoir pour chasser l'odeur du parfum. Elle lui avait déjà fait suffisamment de mal comme ça ; elle n'avait pas la moindre envie d'éveiller à nouveau sa passion malgré elle. Dans ces circonstances, une Kate vieillie, lasse, à plat, celle au sujet de laquelle elle se rongeait les sangs depuis deux heures, était le cadeau le plus attentionné qu'elle pouvait lui offrir.

Il arriva en retard, ce qui la surprit. Geoff était d'une ponctualité irréprochable. Cela faisait partie de ses « manies ». Elle lui fut presque reconnaissante quand la sonnette retentit : elle était assise en silence dans le salon, fixant comme si elle les voyait pour la première fois les trous dans la bibliothèque et les espaces vides sur le mur où se trouvaient auparavant ses possessions. Quel effet cela ferait-il à Sabine quand elle s'apercevrait que tant d'objets familiers avaient disparu ? Y était-elle attachée ? Avait-elle jamais remarqué leur présence ? Comment savoir ce qui se passait dans son esprit si énigmatique ?

Il avait plutôt meilleure mine que la dernière fois qu'elle l'avait vu, remarqua-t-elle quand il la dépassa dans le couloir. Il semblait moins accablé par toute cette histoire. Mais cela n'avait probablement rien d'étonnant. La dernière fois, c'était le jour du déménagement.

Il s'était écoulé un siècle depuis, pour lui comme pour elle.

Il resta planté au milieu du salon. Un quinquagénaire de haute taille, légèrement voûté, se demandant apparemment s'il devait s'asseoir ou non. Bizarrement contente de le voir tout à coup, Kate lui sourit nerveusement en lui désignant le canapé.

— Veux-tu boire un verre ? Tes affaires sont en haut, mais je sais que tu viens de loin et je ne veux pas que tu te sentes obligé de repartir sur-le-champ.

Geoff frotta l'arrière de sa tête poivre et sel, un geste qu'elle ne lui connaissait pas, et s'assit d'un air hésitant.

— En fait, je viens d'Islington. Et j'y retourne.

Kate était certaine qu'il lui avait dit qu'il louait un appartement à Bromley, plus près de l'hôpital psychiatrique, mais elle s'abstint de tout commentaire. Les questions innocentes pouvaient s'avérer lourdes de conséquences. De toute façon, ça ne la regardait plus.

— Thé ? Café ? Un verre de vin rouge ? Il y a une bouteille ouverte.

— Je veux bien un peu de vin. Merci.

Elle se bagarra avec la bouteille à la cuisine en s'émerveillant de la vitesse à laquelle un ancien amant pouvait se transformer en un simple invité. Lorsqu'elle lui tendit son verre, elle sentit son regard scruter son visage et elle rougit sous l'emprise d'une émotion dont elle se serait volontiers passée.

— Alors, comment vas-tu ? demanda-t-il.

Ce qui la prit quelque peu au dépourvu parce qu'elle s'attendait à lui poser la question en premier.

— Ça va, ça va, dit-elle. Je m'en sors.

— Sabine est-elle toujours chez ta mère ?

— Oui. Elle ne s'y plaisait pas beaucoup au début, mais elle n'a pas appelé cette semaine. La connaissant, je suppose que c'est bon signe.

— Pas de nouvelles, bonnes nouvelles.

— Quelque chose comme ça.

— Embrasse-la de ma part la prochaine fois que tu l'auras au bout du fil.

Elle hocha la tête.

— Je n'y manquerai pas.

Un long silence suivit. Kate remarqua que le bouton du haut de son chemisier s'était défait et se demanda si le reboutonner serait un geste un peu trop explicite. Elle resserra son gros gilet autour d'elle en espérant que ça résoudrait le problème.

— Tu n'as pas mis le chauffage ? dit-il comme s'il venait de remarquer le froid ambiant.

— J'ai des problèmes avec la chaudière. Le gars est censé venir demain, mentit-elle.

— Est-il compétent ? Méfie-toi des amateurs. Ils sont capables de tout bousiller, le système électrique, la plomberie, tout.

— Il est très bien. On me l'a chaudement recommandé.

— Tant mieux. Sinon, il suffit que tu me le dises. Je…

Il laissa sa phrase en suspens, mal à l'aise.

— Enfin bref, je suis content que tu aies trouvé une solution.

Kate regardait fixement son verre, se sentant misérable. La bienveillance de Geoff ne faisait qu'aggraver les choses. C'était plus facile quand il l'enguirlandait. Lorsqu'elle lui avait fait part de sa liaison, il avait hurlé en la traitant de putain – un mot qui bizarrement ne lui avait fait aucun effet sur le moment, parce que c'était précisément ainsi qu'elle se sentait à l'époque, que c'était la seule chose vraiment méchante qu'il lui eût jamais dite et que cela lui donnait une excuse pour être furieuse contre lui.

— En fait, j'ai besoin de te parler, reprit-il.

Kate sentit son cœur faire un bond gigantesque dans sa poitrine. Geoff la dévisageait d'un air doux, la gentillesse illuminant son visage. Je t'en supplie, ne retombe pas amoureux de moi, le supplia-t-elle intérieurement. Je ne supporterai pas une telle responsabilité.

— Veux-tu que je descende tes affaires d'abord ? s'enquit-elle d'un ton brusque. On parlera après.

— Non.

Elle lui rendit son regard appuyé.

— Écoute, je voudrais te parler maintenant.

On passe notre vie à essayer de faire parler les hommes, pensa-t-elle, et quand ils s'y mettent enfin, on voudrait être à des kilomètres de là.

À ce stade, Goebbels entra dans la pièce à pas feutrés, son poil noir hérissé, saupoudré de gouttes de pluie. Ignorant Kate, il se dirigea droit sur Geoff, et après avoir reniflé avec un manque d'intérêt étudié son bas de pantalon, il sauta légèrement sur le canapé à côté de lui. Tu ne vas pas t'y mettre aussi, pensa Kate, désespérée.

— Je me sens un peu mal à l'aise..., commença-t-il.

— Non, non, c'est moi qui devrais me sentir mal à l'aise. Geoff, je suis tellement désolée de ce qui s'est passé. Tu es un homme merveilleux et je donnerais n'importe quoi pour inverser le cours de la situation. Je suis navrée, vraiment. Mais j'ai suivi mon chemin. Tu comprends ?

Sur ce, elle lui sourit d'une manière qui, espérait-elle,

lui communiquerait tout l'amour et la gratitude qu'elle avait éprouvés envers lui au fil des années, ainsi que sa détermination à ne pas ressusciter quoi que ce soit.

— C'est très gentil à toi, dit-il en regardant fixement ses chaussures.

Toutes neuves, comme elle ne manqua pas de le remarquer. À semelles épaisses. Visiblement coûteuses. Cela ne lui ressemblait guère.

— Je suis heureux de te l'entendre dire. Parce que je me sentais un peu gêné en venant ici aujourd'hui.

— Tu ne devrais pas ressentir ça, jamais ! protesta-t-elle avec véhémence, à moitié convaincue. Sabine aura toujours envie de te voir. Et moi, je... – elle se démena pour trouver les mots justes – ... je tiendrai toujours à toi. Je ne supporterais pas l'idée qu'on pourrait ne jamais se revoir.

— Tu le penses vraiment ?

Il s'était penché vers elle, ses deux mains reposant légèrement sur ses genoux.

— Absolument, dit-elle. Geoff, tu as énormément compté dans ma vie.

— Mais tu as fait ton chemin.

Kate sentit ses yeux s'emplir de larmes.

— Oui.

— Tant mieux, dit-il, et pour la première fois, il parut détendu. Parce que ce que je t'avoue, eh bien... j'étais un peu inquiet, ne sachant pas dans quel état d'esprit tu étais.

Kate le dévisagea sans comprendre.

— Ça me facilite les choses, comprends-tu. Moi aussi, j'ai fait du chemin, tu vois. J'ai, enfin, j'ai rencontré quelqu'un.

Kate eut comme un passage à vide.

Geoff secoua légèrement la tête, comme si ce qu'il disait lui paraissait incroyable.

— J'ai rencontré quelqu'un, reprit-il. Et il semble que ce soit sérieux. Du coup, je me suis rendu compte que tu avais raison. Raison de prendre l'initiative que tu as prise. Oh, ça m'a fait rudement mal sur le moment. Tu ne réalises pas à quel point ! C'est d'autant plus étonnant que cela ait pu se produire si vite. Parce que tu m'as mis au courant… Quand était-ce déjà, il y a six semaines ?

Kate hocha bêtement la tête.

— En tout cas, cette personne – cette femme – m'a fait comprendre que la décision que tu avais prise était incroyablement courageuse. Pour la bonne raison qu'on allait à la dérive, toi et moi. On ne se remettait plus en cause, pas plus qu'on ne se rendait heureux. Je suis heureux à présent. Et si c'est le cas pour toi aussi, eh bien… Seigneur, je n'arrive pas à croire que je dis une chose pareille… eh bien, j'ai le sentiment qu'au fond, tout est pour le mieux. Enfin… tant que Sabine va bien, évidemment.

Kate entendait un vague son de cloche dans ses oreilles. Elle fronça les sourcils en s'efforçant de s'en débarrasser.

— Est-ce que ça va ? demanda Geoff en tendant la main.

— Très bien, dit-elle à voix basse. Je suis juste un peu… surprise.

Les chaussures, pensa-t-elle. Cette femme lui avait fait acheter ces chaussures. Il n'y avait pas trois semaines qu'il était parti et elle l'avait déjà convaincu d'acheter des chaussures convenables.

— Qui est-ce ? s'enquit-elle en relevant la tête. Est-ce que je la connais ?

Geoff semblait embarrassé.

— C'est précisément de cela dont je voulais te parler.

Il marqua un temps d'arrêt.

— C'est Soraya.

Kate eut l'air totalement déconcertée.

— Soraya ? dit-elle finalement. Pas la Soraya qui travaille avec toi ?

— Si.

— La Soraya qui est venue dîner ici, combien de fois ? Cinq ou six ?

— Oui.

Soraya, la reine asiatique de la psychiatrie. Soraya, la quarantaine, des yeux de biche, déesse des vêtements de marque et des chaussures de luxe. Soraya, héritière d'une vaste maison géorgienne, impeccablement meublée, à Islington. Rentière. Sans enfant. Soraya, la sorcière. Voleuse de mari. Salope. Salope, salope !

— Elle n'a pas perdu son temps, dis-moi ?

Elle ne put réprimer la nuance d'amertume dans sa voix.

Geoff haussa les épaules et sourit d'un air espiègle.

— Elle a bien pris soin de me demander si c'était vraiment fini entre nous. Elle ne badine pas avec ce genre de choses, tu sais. Quand je lui ai dit que c'était le cas, elle m'a déclaré que si elle ne jetait pas son dévolu sur moi, quelqu'un d'autre le ferait. Elle estime que les hommes mûrs et convenables sont une espèce rare.

Il rougit légèrement en répétant ces compliments sans parvenir pour autant à dissimuler la fierté qu'ils lui inspiraient.

Kate n'en croyait pas ses oreilles. Geoff, cueilli par

le meilleur parti du sexe féminin de leur connaissance. Geoff, devenant tout à coup le trophée étincelant de la classe moyenne féminine. Comment cela avait-il pu se produire ? Était-elle myope au point d'être passée à côté de quelque qualité exceptionnelle chez lui ?

— Si je t'en parle, c'est uniquement parce que tu m'as dit que tu étais heureuse avec Justin. Jamais je ne ferais quoi que ce soit qui risque de te blesser, tu le sais.

— Oh, ne te fais pas de souci pour nous. Tout va bien. C'est l'extase.

Elle se rendait bien compte qu'elle avait l'air d'une gamine, sans parvenir pour autant à s'en empêcher.

Ils gardèrent le silence quelques minutes, Kate buvant son vin trop vite. Pour finir, elle reprit la parole.

— C'est vraiment sérieux ?

— Oui.

— Au bout de trois semaines ?

— À mon âge, inutile de perdre du temps, fit-il, sur le ton de la plaisanterie.

— Tu veux dire que… vous vivez ensemble ? s'exclama-t-elle, incrédule.

Comment avait-il pu se bâtir une nouvelle vie alors qu'elle-même n'avait pas encore commencé à se remettre de la perte de celle qu'ils avaient eue ?

— Eh bien, j'ai un bail de trois mois pour l'appartement de Bromley. Mais le fait est que je passe l'essentiel de mon temps à Islington.

— Ça doit être agréable.

— Tu sais très bien que ces choses-là n'ont jamais compté pour moi.

Kate regarda fixement ses chaussures. Jusqu'à maintenant, pensa-t-elle. En moins de temps qu'il ne faut pour le dire, Soraya aura fait de toi un intellectuel haute couture, vestes Nicole Farhi, chemises en lin et tout le tralala.

Geoff caressait le chat. Ils avaient l'air trop à leur aise l'un comme l'autre.

— Est-ce que… est-ce que quelque chose s'était passé entre vous… avant ?

Ce doute qui s'était insinué dans son esprit lui avait brusquement rempli le crâne comme une méduse vénéneuse à plusieurs têtes.

— Comment ?

— C'est que, tout cela me semble terriblement commode, non ? Trois semaines après être parti d'ici, tu t'es pour ainsi dire installé chez l'une de nos amies. Reconnais que c'est aller un peu vite en besogne.

Geoff avait l'air sérieux comme un pape.

— Kate, je te jure que rien ne s'était passé entre nous jusqu'à ce que tu me parles de ta… de Justin. Je trouvais Soraya jolie, mais pas plus que le reste de nos amies. Enfin, peut-être un peu plus, mais je n'ai jamais pensé à elle plus qu'aux autres, si c'est ce que tu insinues.

Il disait la vérité. Geoff n'avait jamais été fichu de mentir. Pourquoi éprouvait-elle une telle amertume dans ce cas ?

— Elle m'a dit qu'elle m'avait toujours beaucoup apprécié, mais qu'elle n'aurait jamais fait la moindre tentative d'approche tant que j'étais avec quelqu'un d'autre. Et si elle n'avait pas pris l'initiative, eh bien, je me serais probablement terré dans mon horrible appartement pour lécher mes plaies. Tu sais comment je suis. Tu me connais. L'infidélité, ce n'est pas mon genre.

En revanche, c'est le mien, pensa-t-elle, bien que tu sois trop gentil pour le dire. Kate se sentait inexplicablement larguée et se rendit compte qu'elle avait envie de hurler. De pousser des cris sauvages comme quelqu'un que l'on aurait trompé, de pleurer jusqu'à ce qu'elle en ait le souffle coupé et que les muscles de son estomac lui fassent mal. Et tout cela, c'était de sa faute.

En un instant de folie, elle songea à le séduire. Lui sauter dessus, lui arracher ses vêtements et lui faire l'amour avec une passion animale qui le laisserait tout tremblant, et non plus content de lui et sûr du bien-fondé de sa nouvelle passion. Elle avait envie qu'il soit anxieux, qu'il doute de lui. Elle voulait chasser de son esprit cette Soraya et son sourire oriental énigmatique. Elle en était capable. Elle le connaissait mieux que quiconque après tout.

Elle s'aperçut alors que Geoff la dévisageait d'un air tendre et soucieux. C'était le type de regard qu'il réservait d'ordinaire à ses patients, pensa-t-elle. Et c'était pire que l'infidélité. Elle ôta ses lunettes, se souvenant avec un certain malaise de son visage blême, sans fard.

— Est-ce que ça va ?

— Est-ce que ça va ? Seigneur, je vais super-bien. C'est juste que cette merveilleuse nouvelle me sidère. Je suis si contente pour toi.

Elle se leva, laissant son chemisier en soie s'écarter au niveau du col.

— La vie est si bien faite, tu ne trouves pas ?

Conscient qu'elle souhaitait mettre un terme brutal à leur conversation, Geoff se leva à son tour en posant son verre à moitié plein sur la petite table.

— Tu me promets que ça ne te fait rien ? Crois-le ou non, il est important pour moi d'avoir ton aval.

Les yeux de Kate étincelaient.

— Pourquoi voudrais-tu que ça me fasse quelque chose ?

Elle se lissa les cheveux en jetant des coups d'œil distraits dans la pièce.

— Justin sera tellement étonné d'apprendre que tout est bien qui finit bien. Étonné. Et content. Oui, nous sommes tous les deux très contents. Bon, allons chercher tes affaires, tu veux ? conclut-elle d'un ton joyeux avant de se diriger vers la porte, un grand sourire figé sur les lèvres.

4

— C'est ça. Les talons pointés vers le bas. Tenez-vous bien droite, vous voyez ? Vous vous débrouillez comme un chef !

— J'ai l'impression d'être un sac de patates.

— C'est parfait. Levez un peu les mains. Plus loin de l'encolure.

— Sans les mains, je vais passer par-dessus bord.

Sabine se renfrogna sous son écharpe, sentant le souffle doux et chaud de sa respiration sur son visage. Thom la gratifia d'un grand sourire. Force était de reconnaître qu'elle s'amusait presque, même si elle était résolue à n'en rien laisser paraître. Le petit cheval gris se mouvait docilement sous elle en agitant les oreilles pendant que Thom parlait, le cou incliné comme celui d'un cheval de bois. Il n'avait pas fait mine de la désarçonner, ni de la mordre, ni de ruer. Il n'avait pas foncé sur une haie, il n'était pas parti au galop, comme elle l'avait secrètement redouté. Il ne l'avait même pas regardée avec cet air malveillant propre aux chevaux des centres d'équitation et semblait satisfait de se promener en ce frais matin d'hiver, acceptant sa passagère comme un prix à payer.

— Je vous avais bien dit que votre grand-mère était douée pour juger les chevaux, lança Thom du haut du grand cheval bai à côté d'elle.

Il tenait les deux rênes dans sa main droite, selon la méthode occidentale, tandis que son autre bras pendait librement le long de son corps.

— Elle ne vous aurait jamais fait monter une bête trop vive. Elle s'est assurée que ce hongre était à toute épreuve avant qu'on le fasse venir. Je l'ai entendue moi-même au téléphone.

Sabine sentit qu'à cet instant, elle était censée manifester de la gratitude, ou de l'admiration, mais elle en était incapable. Ces derniers temps, sa grand-mère remarquait à peine sa présence et quand elle s'en apercevait, c'était toujours pour lui faire une remarque désobligeante. Sous prétexte qu'elle n'avait pas nettoyé ses bottes avant de les ranger dans la remise. Qu'elle avait laissé Bertie dormir sur son lit l'après-midi. Elle avait même enguirlandé Mrs H parce qu'elle n'avait pas mis le beurre qui convenait sur les œufs brouillés de son grand-père. Elle avait redescendu le plateau et l'avait copieusement réprimandée comme si la pauvre femme avait voulu l'empoisonner. Sabine avait eu envie de riposter sur le même ton, mais après que sa grand-mère eut regagné la chambre de son mari avec d'autres œufs brouillés, Mrs H avait posé la main sur son épaule en lui disant d'un ton apaisant que ça n'avait pas d'importance.

— Elle a beaucoup de soucis. Il faut la comprendre.

— Pourquoi est-ce que tout le monde se laisse faire ? demanda-t-elle à Thom alors qu'il descendait de sa monture pour ouvrir le portail en bois.

— Qui se laisse faire ? Par qui ?

— Tout le monde. Par mes grands-parents. Pourquoi

continuez-vous à travailler pour eux alors qu'ils sont si désagréables avec vous ? Je suis sûre qu'ils vous payent des clopinettes. Elle parle tout le temps de faire des économies.

Elle cracha cet ultime mot comme s'il avait mauvais goût.

Thom poussa le portail en tapotant son cheval sur le côté de sorte qu'il pivota maladroitement autour de lui. Sabine passa la première, les sabots du petit hongre produisant de vilains bruits de succion dans la boue.

— Elle n'est pas bien méchante.

— Oh que si ! Elle ne vous dit jamais merci pour toutes les choses que vous faites pour elle. Et elle a été grossière avec Mrs H hier. Pourtant aucun de vous ne la remet à sa place.

— Ça ne servirait à rien. Elle ne nous en veut pas personnellement.

— Ce n'est pas une excuse.

— Je ne dis pas le contraire. Mais chacun a ses manies et elle, elle est comme ça. Bon sang, il fait drôlement frisquet ce matin.

En grognant, Thom glissa son pied dans l'étrier, se hissa et passa l'autre jambe par-dessus le dos de sa monture. Ses bottes étaient maculées de boue.

— Mais c'est humiliant. Elle vous traite comme des domestiques. Comme si vous viviez au XIXe siècle.

Thom flatta l'encolure musclée de son cheval.

— Eh bien, en un sens, je suppose que nous sommes ses domestiques.

— C'est ridicule. Vous êtes des employés.

Un grand sourire illumina à nouveau le visage de Thom au-dessus de l'écharpe serrée autour de son cou.

— Quelle est la différence ?

— Ce n'est pas du tout la même chose.

— Expliquez-vous.

Sabine regardait fixement les oreilles de son cheval. La droite n'arrêtait pas de s'agiter. Thom pouvait être terriblement agaçant quelquefois.

— Je parle de sa façon de faire. Leur façon de faire. À eux deux. La différence tient à la manière dont ils devraient vous traiter. Comme des égaux et non pas… enfin, sans le moindre respect.

Elle jeta à Thom un regard en coulisse en se demandant si elle était allée trop loin. Elle s'était rendu compte au milieu de sa tirade que ce qu'elle disait l'avait peut-être blessé, à juste titre.

Mais il se borna à hausser les épaules et arracha une feuille mouillée d'une branche au-dessus de sa tête.

— Je ne vois pas ça sous cet angle-là. Vos grands-parents sont des gens gentils, mais ils sont vieux jeu. N'oubliez pas qu'ils ont grandi entourés de serviteurs. Ils ont passé leur enfance dans les colonies. Ils tiennent à ce que les choses soient faites d'une certaine manière et comme ils sont âgés, ils perdent vite leur sang-froid s'ils n'obtiennent pas ce qu'ils veulent. Certes, poursuivit-il en tirant légèrement sur les rênes de son cheval tout en se tournant à demi vers elle, s'ils traitaient mal une personne en particulier, s'ils s'acharnaient contre elle, je pense que nous ficherions tous le camp. Nous ne sommes pas des poires, Sabine, quoi que vous en pensiez. Nous les comprenons. Et nous comprenons leur attitude. Même si cela ne vous paraît pas évident, ils nous respectent aussi.

Sabine n'était toujours pas d'accord, mais quelque chose dans l'attitude de Thom la dissuada de pousser la discussion plus loin.

— Et quoi que vous pensiez de votre grand-mère maintenant, ajouta-t-il, Mrs H a raison. Elle a beaucoup de soucis, Sabine. Vous devriez vous ouvrir un peu plus à elle. Parlez-lui. Vous serez sans doute surprise.

Sabine haussa les épaules, comme si elle n'en avait que faire. L'inquiétude de sa grand-mère, elle le savait, tenait à la mauvaise santé de son grand-père. Il n'était pas sorti de sa chambre depuis cinq jours et le médecin, un jeune remplaçant à la mine grave, lui rendait fréquemment visite.

Sabine avait préféré ne pas demander ce qui n'allait pas. À une occasion, Mrs H l'avait priée de monter le déjeuner de son grand-père. Il dormait. Elle était restée figée sur le seuil, à la fois épouvantée et fascinée tandis qu'au-dessus du rouge vibrant du couvre-lit oriental, sa tête squelettique aspirait péniblement une goulée d'air après l'autre, sifflant et postillonnant dans un sommeil agité. Elle n'avait pas trouvé qu'il allait mal. Il était trop vieux pour avoir l'air autre chose que… vieux.

— Est-ce qu'il va mourir ? demanda-t-elle à Thom.

Il pivota sur sa selle et la considéra un bref instant, puis détourna les yeux, comme s'il réfléchissait.

— Nous allons tous mourir, Sabine.

— Ce n'est pas une réponse.

— C'est que je ne peux pas vous donner de réponse. Allons, le temps se gâte. Nous ferions mieux de ramener les chevaux à l'écurie.

Tout avait commencé la nuit des chiens de chasse. Près d'une semaine plus tôt, Sabine avait été réveillée de très bonne heure par ce qui lui avait fait l'effet d'une meute de loups sous sa fenêtre, leurs glapissements retentissant en une clameur étouffée et angoissée. Ils hurlaient non pas lugubrement, mais comme mus par une soif de sang irréductible. Un concert à vous glacer le sang, apte à réveiller les pires peurs ancestrales. Terrifiée, elle s'était levée dans une sorte de torpeur, puis elle avait couru pieds nus jusqu'à la fenêtre, s'attendant à voir la lune pleine. Dans la lueur bleutée, elle avait juste pu distinguer la mince silhouette de sa grand-mère, sa robe de chambre serrée autour d'elle, traversant la cour de l'écurie en courant. Tel un spectre. Elle criait à quelqu'un de revenir. Ce n'était pas le cri furieux, glaçant de quelqu'un poursuivant un cambrioleur, mais une sorte d'appel impérieux et suppliant à la fois : « Reviens, chéri, disait-elle. Reviens tout de suite, s'il te plaît. »

Sabine était restée là, la main contre la vitre, à regarder sa grand-mère disparaître sans trop savoir quoi faire. Elle avait envie de l'aider tout en ayant la conviction de s'immiscer dans quelque chose de trop intime.

Quelques instants plus tard, les hurlements s'étaient tus. Elle avait entendu des pas, puis à nouveau la voix de sa grand-mère, douce et réprobatrice cette fois-ci, comme quand elle s'adressait au Duc. En écartant légèrement le rideau, Sabine l'avait vue ramenant lentement son grand-père vers la porte de derrière. Il était courbé en deux et boitait. Le vent moulait son pyjama autour de lui si bien que ses os faisaient saillie, pareils à des cintres enveloppés de tissu.

— Je voulais juste m'assurer que les chiens allaient bien, répétait-il. Je sais que ce gaillard ne leur donne pas assez à manger. Je voulais juste m'assurer qu'ils allaient bien.

Sabine et sa grand-mère n'avaient pas parlé de l'incident. Était-elle censée faire l'innocente ? Quoi qu'il en soit, son grand-père n'était plus sorti de sa chambre depuis lors. La nuit, lorsqu'elle émergeait de temps en temps de son sommeil, Sabine entendait les pas précipités de sa grand-mère dans le couloir. Elle allait sans doute vérifier que son mari était toujours dans son lit et qu'il ne s'était pas lancé dans quelque nouvelle mission nocturne.

Cet épisode ayant piqué sa curiosité, Sabine demanda à sa grand-mère d'aller voir les chiens. Elle aurait voulu que Thom l'accompagne, mais après lui avoir décoché un de ses regards pointus, comme si elle n'arrivait pas à croire qu'elle fût vraiment intéressée, sa grand-mère lui avait dit qu'elle l'emmènerait un peu plus tard dans l'après-midi.

— Ils sont noir et fauve, lui avait-elle précisé alors qu'elles traversaient à grands pas la cour de l'écurie. C'est une race de chiens de chasse particulière. Nous en avons dans la région depuis des générations.

Elle disait « châisse ». Et c'était la phrase la plus longue qu'elle avait adressée à Sabine depuis plus d'une semaine.

— Les Ballantyne ont toujours été grands maîtres des fox-hounds. Ce sont les leaders au sein de la meute. Ils ont démarré la lignée à la fin du siècle dernier et ton grand-père a passé une bonne partie de sa vie à faire en sorte qu'elle se poursuive. Il était grand maître lui-même jusqu'à ce qu'il cesse de monter à cheval, il y a une dizaine d'années. Ce sont des bêtes merveilleuses. Tu aurais dû les entendre haleter à mon approche la dernière fois que j'y suis allée.

Elle marqua une brève pause et sourit, savourant ce souvenir.

Luttant contre l'envie de rire des derniers mots de sa grand-mère, Sabine se garda bien de lui faire part de ses arrière-pensées. Elle était convaincue que les pauvres chiens étaient cruellement maltraités : des bêtes heureuses ne poussaient pas des hurlements pareils. Et à l'idée qu'ils vivaient dans des abris en béton, loin du confort des bons feux de cheminée et des tapis usés, elle avait presque les larmes aux yeux. Elle ne savait pas trop ce qu'elle ferait quand elle les verrait. Les mauvais jours, elle se promettait de les libérer ou de contacter la SPA pour faire tout un foin. Mais tout le monde aurait des ennuis dans ce cas. Même Thom. Les bons jours, elle ne pensait même pas à eux.

Ils se trouvaient à cinq minutes à pied de la maison, dans une cour entourée d'enclos en béton, dont certains fermés par de hautes portes métalliques ou un réseau de fils de fer épais. On se croirait dans une prison, pensa Sabine avec amertume en faisant des pas de géant pour tâcher de suivre sa grand-mère. L'endroit empestait le désinfectant, la crotte de chien et quelque chose d'autre encore qu'elle ne parvenait pas à identifier. Comment sa grand-mère pouvait-elle prendre autant soin de ses labradors et laisser ces pauvres animaux dans le froid ?

— Comment va Horatio, Niall ?

— Un peu mieux, Mrs Ballantyne, répondit l'homme d'âge moyen qui avait émergé d'un des enclos en les voyant approcher.

Il portait une sorte de long tablier de forgeron en cuir et avait les yeux trop près du nez comme si on lui avait écrasé le visage de part et d'autre.

— Le pansement devrait se détacher de lui-même d'ici peu, et la plaie se cicatrise convenablement.

— Jetons-y un coup d'œil, voulez-vous.

Ce n'était pas une question. Sa grand-mère se dirigea d'un pas décidé vers l'enclos d'angle et explora du regard l'intérieur obscur. Sabine, derrière elle, distinguait vaguement la forme d'un chien couché dans la paille, sa patte bandée calée sous lui en un geste protecteur.

— Que lui est-il arrivé ? demanda-t-elle à l'homme.

Le chien avait dressé les oreilles en l'entendant approcher, comme s'il attendait quelque chose, et s'affaissa un peu quand il se détourna de lui pour faire face à Sabine.

— Il s'est fait bousculer par un cheval. Un cavalier du centre équestre voisin n'a pas retenu sa monture et ce pauvre bougre s'est retrouvé coincé sous les pattes de l'animal.

Il secoua la tête d'un air désapprobateur.

— Je vais vous dire une chose, Mrs Ballantyne, ils ne leur apprennent même pas les règles de base avant de les lâcher. Ils prennent leur argent et les expédient dans la nature. La moitié du temps, ils ne se préoccupent même pas de savoir s'ils savent monter.

La vieille dame hocha la tête, le regard fixé sur le chien.

— Vous avez raison, Niall. Tout à fait raison.

— Et c'est bien pire depuis qu'ils en ont fait un hôtel. Avant au moins, on avait surtout affaire à des gens du coin. Maintenant ce sont des vacanciers, des hommes d'affaires, tout le tintouin, et ils n'ont qu'une seule idée en tête : s'offrir une journée de chasse. On ne peut rien leur dire. Le vieux John MacRae, de l'écurie, m'a dit que quand on voit dans quel état certaines bêtes reviennent, ça donne envie de pleurer.

Sa grand-mère le regarda d'un air consterné.

— Vous voulez dire qu'ils boitent ?

— Ça encore, ça ne serait rien. Certains clients les

font courir pendant quatre, voire six heures d'affilée, jusqu'à ce qu'ils soient pratiquement sur les rotules. L'un d'eux avait une blessure sanguinolente au nez l'autre jour. Et cette petite jument châtaigne qu'ils ont achetée à Tipperary ? Vous vous en souvenez ? Elle a plein de cicatrices là, fit-il en désignant son flanc, parce qu'une imbécile de bonne femme s'était mise dans la tête de porter des éperons et les avait enfilés à l'envers.

Sabine regarda sa grand-mère attendrie faire la grimace. Elle ne lui avait jamais vu une telle expression.

— Je crois que je vais en toucher un mot à Mitchell Kilhoun, déclara-t-elle d'un ton ferme. Je vais lui dire qu'il faudrait qu'il s'occupe mieux des animaux, sinon nous ne les laisserons pas participer à la chasse.

— Vous en parlerez au grand maître ?

— Je n'y manquerai pas.

— Tant mieux, Mrs Ballantyne. Ça me fend le cœur de voir ces bonnes bêtes se faire maltraiter pour rien.

Il jeta un coup d'œil en direction du chien blessé qui léchait sa patte en bon état avec une compassion déplacée.

— Encore un peu, et il aurait fallu l'abattre, le pauvre diable.

Sabine qui regardait distraitement l'animal se tourna brusquement vers Niall.

— L'abattre ?

Le regard de l'homme glissa sur le visage de Mrs Ballantyne, avant de se porter sur Sabine.

— Oui, mademoiselle. Ça aurait été la chose la plus charitable à faire.

— L'abattre ? Comment pouvez-vous dire une chose pareille ?

Niall fronça légèrement les sourcils.

— C'est que… un chien de meute à trois pattes n'est bon à rien pour personne, vous voyez. Il se ferait distancer. Peut-être même piétiner. Rien de charitable là-dedans, vous comprenez ?

— Tu l'aurais vraiment fait abattre ? insista Sabine en scrutant le visage de sa grand-mère.

— Niall a raison, Sabine. Un chien de chasse blessé n'a plus de vie.

— Sans le moindre doute, si vous l'abattez.

Folle de rage, Sabine se sentait inexplicablement au bord des larmes.

— Comment peux-tu être aussi cruelle ? Quel effet est-ce que ça te ferait si on abattait Bertie pour l'unique raison qu'il ne pourrait plus faire son boulot ? Vous n'avez donc aucun sens des responsabilités ?

Sa grand-mère prit une profonde inspiration. Elle échangea un rapide coup d'œil avec Niall, puis fit mine d'orienter Sabine vers la grande maison.

— Ce ne sont pas des animaux de compagnie, ma chère. Ils n'ont rien à voir avec Bertie et Bella. Ce sont des chiens dressés spécialement pour la chasse…

Elle fut interrompue par le crissement des roues d'une Land Rover qui s'engageait dans la cour, suivie de près par un camion-remorque bleu pâle tout défoncé. Cette arrivée fracassante provoqua une cacophonie de bruits provenant des chenils, puis les chiens sortirent en masse de leurs enclos, se jetant contre le treillis de fils de fer en aboyant et en gémissant d'extase, faisant la culbute les uns sur les autres dans leurs efforts pour se rapprocher de l'extérieur.

Au milieu de tout ce vacarme, la porte de la Land Rover s'ouvrit, et Liam sauta à terre avec légèreté.

— Désolé d'avoir mis tant de temps, Niall. Il n'y avait

personne là-bas pour m'aider à charger. Oh, Mrs Ballantyne, pardonnez-moi. Je ne vous avais pas vue.

— Viens Sabine, fit sa grand-mère en l'entraînant résolument vers le portail. Il est temps de rentrer.

Mais Sabine résista.

— Que va-t-il advenir du chien à la patte blessée ? Horatio. Est-ce qu'on va l'abattre ?

Sa grand-mère jeta un coup d'œil à la remorque dont Michael avait commencé à baisser le hayon, puis elle se mit à pousser doucement Sabine au creux du dos.

— Non, on ne va pas l'abattre. Comme Niall te l'a dit, le vétérinaire nous a affirmé qu'il allait beaucoup mieux.

— Pourquoi ne les traite-t-on pas comme les autres chiens ?

Niall s'empara d'un côté de la rampe, Michael de l'autre et entre eux deux, ils l'abaissèrent, la lâchant une vingtaine de centimètres avant le sol, ce qui provoqua un bruit métallique retentissant. Du coup, les chiens se mirent à brailler de plus belle. Ils faisaient un peu peur à voir, songea Sabine.

— Allez viens, Sabine. Il faut que nous nous mettions en route.

Sa grand-mère la tirait par la manche à présent. Sabine tint bon, la dévisageant d'un air quelque peu déconcerté. Pourquoi étaient-elles si pressées tout à coup ? À l'évidence, il y avait quelque chose qu'elle ne voulait pas qu'elle voie, mais quoi ?

L'apparition d'une patte rigide brun foncé lui donna la réponse. Elle se balançait comme une aiguille d'horloge égarée et pendait, toute raide, à l'arrière de la remorque selon un angle des plus improbables, pointée en direction des cheminées. Elle se terminait par un sabot noir, brillant d'un onguent quelconque. Sous les yeux de Sabine, Niall passa une corde autour avec des gestes désinvoltes pendant que Michael, qui avait gravi prestement la rampe grognait hors de sa vue dans un effort désespéré pour mouvoir la chose.

— Qu'est-ce qu'ils foutent ? chuchota Sabine, trop sous le choc pour s'exprimer convenablement.

— Il est mort, Sabine.

Le ton circonspect de sa grand-mère prouvait qu'elle s'était attendue à sa réaction.

— Il ne sent plus rien, ajouta-t-elle.

Sabine lui fit face, les yeux pleins de larmes. Derrière elle, les chiens se jetaient frénétiquement contre le grillage.

— Mais que font-ils ?

Sa grand-mère regarda le corps du cheval bai qui glissait, centimètre par centimètre, le long de la rampe.

— Il va à l'abattoir.

— À l'abattoir ?

— Il faut bien que les chiens mangent quelque chose, ma chère.

Sabine écarquilla les yeux. Elle considéra l'animal mort, puis les chiens aux babines écumantes. Elle ne voyait plus que des dents, des gencives et de la bave.

— Ils vont le réduire en lambeaux, fit-elle, la voix étranglée, en portant inconsciemment ses deux mains à son visage. Oh mon Dieu, je ne peux pas croire que tu vas les laisser faire ça. Oh mon Dieu…

Les deux hommes s'interrompirent, puis se remirent au travail dès que Sabine eut franchi le portail en trombe pour filer en direction de la maison.

Mrs H avait préparé la tasse de thé une demi-heure

plus tôt, mais lorsque Joy Ballantyne se souvint qu'elle l'avait posée sur le bord du poêle, une pellicule s'était formée à la surface de sorte qu'un soleil brun pâle en coiffait le contenu.

Elle aurait dû se douter que c'était une mauvaise idée d'emmener Sabine au chenil. C'était un endroit crasseux, et la petite était encore protégée par le vernis artificiel de la ville. Les citadins avaient du mal à faire face à la brutalité de la vie et de la mort, et Sabine était citadine jusqu'au bout des ongles. Joy avait déjà assez de soucis comme ça, l'état de santé d'Edward ne faisant qu'empirer.

Elle releva la tête inconsciemment tel un chien de chasse cherchant à détecter un bruit de mouvement quelconque provenant des étages. Mais Mrs H était sortie faire des courses, et la maison était plongée dans le silence, les seuls sons se résumant aux cliquetis distants du chauffe-eau, aux ronflements et aux pets occasionnels des deux chiens couchés à ses pieds.

Joy soupira. Elle avait longuement réfléchi à sa façon d'agir avec la petite, à la manière de faire naître un peu d'enthousiasme, un peu de vie sur ce petit visage tendu et attentif. Cependant, il ne semblait pas qu'elle eût réellement envie de quoi que ce soit mis à part s'enfermer dans sa chambre, ou disparaître dans différents coins de la maison, son insatisfaction d'être à Kilcarrion émanant d'elle comme quelque odeur nauséabonde. Elle avait l'air mal à l'aise partout : dans sa chambre, au dîner, quand on la touchait sans qu'elle s'y attende, même eux, ses grands-parents.

Kate était-elle comme ça ? Peut-être. En buvant son thé tiède à petites gorgées dans la cuisine vide, Joy passa en revue ses souvenirs comme quelqu'un qui tenterait de retrouver une page dans un livre – les bouderies de Kate adolescente, sa fureur face à l'incapacité de ses parents à comprendre ses préoccupations, sa détermination, plus tardive, à ne plus monter, si bien que le cheval bai qu'ils avaient mis des mois à dénicher pour elle était resté inactif dans le champ d'en bas, rappel permanent du fossé creusé entre eux. Elle était si différente de son frère aîné, Christopher, qui passait tous ses week-ends loin de Dublin dans les rallyes hippiques avec ses chevaux. Difficile à croire qu'ils étaient du même sang. Voilà que cela se manifestait à nouveau chez Sabine.

Elle s'était imaginé que ce serait amusant d'avoir Sabine, songea-t-elle tristement, en finissant sa tasse. Elle avait espéré qu'elle aimerait sa petite-fille. Elle avait voulu qu'elle prenne vraiment du bon temps à Kilcarrion, qu'elle fasse le plein d'air pur, d'activités et de nourriture saine pour la renvoyer au bout du compte avec un peu de couleurs sur ses joues pâles. Elle avait passé des heures à chercher un gentil petit cheval susceptible de lui tenir compagnie. Elle avait surtout espéré avoir l'occasion de se comporter comme une grand-mère au lieu de s'efforcer de ne pas penser à elle, comme elle l'avait fait depuis que Kate et elle étaient en froid. Lorsque Kate avait appelé à l'improviste pour lui demander si elle pouvait lui confier Sabine quelque temps, sa fille avait pris son silence pour de la réticence et s'était immédiatement rétractée avec susceptibilité. Or le silence de Joy n'était qu'une réaction de plaisir mêlé d'étonnement : jamais, au cours des dix dernières années, elle n'avait imaginé avoir un jour la chance d'avoir sa petite-fille auprès d'elle !

À présent, les seuls moments où elles étaient à l'aise

l'une et l'autre, c'était lorsque Sabine disparaissait chez Annie. Ce qui lui arrivait de plus en plus souvent. Elle n'avait même pas l'air d'aimer sa grand-mère. Et Joy était bien forcée d'admettre qu'elle trouvait sa compagnie malaisée, voire agaçante.

Nous sommes peut-être trop âgés pour elle, pensa-t-elle, remarquant au passage le craquement de ses genoux lorsqu'elle se pencha pour caresser la tête douce de Bella. Nous sommes trop vieux, ou trop ennuyeux. Elle est habituée à la vie citadine. Un ordinateur, voilà ce qu'elle voulait, non ? Un ordinateur. La télévision. C'était idiot de penser qu'elle s'adapterait à nous. Idiot aussi de lui en vouloir sous prétexte qu'elle ne comprenait pas son histoire avec le Duc. La petite n'avait jamais eu de responsabilités à assumer. Je devrais la plaindre, pensa Joy, plutôt que de m'énerver contre elle ! Quelle triste existence désordonnée elle a menée jusque-là. Ce n'était pas de sa faute si elle est comme elle est. C'était Kate qu'il fallait blâmer.

— Venez les garçons, dit-elle en se levant. Allons chercher Sabine, voulez-vous ?

Sous des dehors sévères, Joy dissimulait une certaine ouverture d'esprit. Si elle avait ses petites manies, elle n'était pas rigide au point de ne pas s'amender quand elle s'était trompée. Elle devait pouvoir prendre certaines initiatives pour rendre la petite plus heureuse. Lui donner un peu d'argent et demander à Annie de l'emmener au cinéma. Cela ferait du bien à Annie de sortir un peu. Peut-être Thom accepterait-il de lui apprendre à conduire la Land Rover dans les champs du bas. Ça l'amuserait. Histoire de trouver un terrain d'entente.

Après avoir ordonné aux chiens de ne pas la suivre, elle monta l'escalier. Lorsqu'elle était allée à l'étage un peu plus tôt pour apporter de l'eau fraîche à Edward, elle avait entendu des sanglots étouffés provenant de la chambre bleue. Exaspérée et ne sachant pas trop si une tentative d'approche ne serait pas repoussée, elle était redescendue sans faire de bruit. Elle s'en souvint à présent, non sans honte. Pour l'amour du ciel, ma vieille, se dit-elle, ce n'est qu'une enfant ! C'est à toi d'aller la trouver si tu as assez de jugeote.

Elle resta un moment devant la porte, à l'affût de mouvements, et tapa ensuite doucement, à deux reprises.

Pas de réponse.

Elle frappa encore, puis poussa lentement la porte. Bien qu'il portât l'empreinte d'une occupation récente, le lit était vide. Elle jeta un coup d'œil autour d'elle, puis se sentant un peu gênée d'envahir ainsi l'intimité de Sabine, elle se retira. Elle avait probablement filé chez Annie. Joy ravala sa tristesse à la pensée que sa petite-fille préférait la compagnie d'étrangers à celle de sa propre famille.

Elle n'y est pour rien, pensa-t-elle. Nous n'avons pas fait assez d'efforts pour essayer de la comprendre.

Elle referma la porte sans bruit derrière elle, comme si Sabine était présente et n'avait fait que quelques pas dans le couloir lorsque la porte du bureau attira son attention. Elle était entrouverte.

Agacée, Joy était sur le point de la fermer quand son instinct l'incita à guigner à l'intérieur. Elle poussa la porte et entra.

Elle pénétrait rarement dans cette pièce. Il y avait plusieurs années qu'Edward avait cessé d'y passer du temps, et Mrs H avait l'ordre de ne pas s'en occuper. Aussi n'eut-elle aucun mal à constater qu'on y avait touché. Cela aurait été facile même sans les deux boîtes posées par terre et l'album de photos ouvert, adossé contre un des tapis roulés.

Joy regarda fixement les photos qui jonchaient le sol. Il y en avait une de Stella et d'elle, riant à gorge déployée de quelque plaisanterie. Le jour du couronnement. Il y avait la jonque qu'ils empruntaient le dimanche pour aller à la plage à Shek O. Et puis Edward en tenue d'officier. Kate jeune fille. Avec son petit copain. Son petit copain chinois.

Joy sentit la fureur monter en elle à la vue de ses souvenirs intimes éparpillés négligemment par terre, comme s'ils n'avaient pas la moindre valeur. Comment osait-elle ? Comment osait-elle fouiner dans ses possessions sans lui demander la permission ? Soudain, sa petite-fille lui fit l'effet d'une intruse, furetant subrepticement dans son passé. Ces photographies étaient personnelles. C'était sa vie, ses souvenirs, des rappels intimes de son passé. Les laisser ainsi traîner sans soin, comme s'ils n'avaient aucune importance…

Ravalant un hoquet d'indignation, Joy s'accroupit et entreprit de jeter les clichés dispersés dans la boîte, après quoi elle remit le couvercle avec une vigueur inutile. Elle ressortit de la pièce à grandes enjambées et descendit rapidement l'escalier d'un pas lourd. Au lieu de l'attendre avidement, les chiens prirent la fuite à son approche.

C'était la troisième fois que Sabine voyait *Breakfast at Tiffany's.*

Elle se rappelait du passage où le chapeau de la

femme prenait feu sans que personne ne s'en aperçoive. Elle se souvenait aussi du moment où Audrey Hepburn s'endormait dans le lit de George Peppard. (Il n'essayait même pas de lui faire des avances, ce qui se serait sûrement produit dans la vie.) Quant à la scène où elle lui faisait consulter son livre à la bibliothèque, elle aurait pratiquement pu le réciter par cœur. Mais cela n'avait pas d'importance parce qu'Annie l'intéressait beaucoup plus.

Pour quelqu'un qui ne donnait pas l'impression de faire grand-chose à part regarder des films toute la journée – Annie était abonnée aux chaînes câblées ainsi qu'à tous les magasins de location de vidéos dans un rayon de quarante kilomètres –, elle avait rarement l'air de les regarder. Depuis que Sabine était là, à savoir presque toute la première heure de *Breakfast à Tiffany's*, elle avait feuilleté deux revues et fait des croix près de quelques vêtements dans un gros catalogue. Elle s'était levée au moins deux fois pour aller jeter un coup d'œil par la fenêtre et paraissait souvent dans la lune tout en regardant fixement un point au-delà de l'écran. En définitive, Sabine avait trouvé plus passionnant de la suivre des yeux que de regarder le film.

Annie semblait incapable de se concentrer sur quoi que ce soit. Pendant leurs conversations, tandis qu'elles se penchaient sur leurs tasses de thé avec des airs de conspiratrices, elle perdait constamment le fil de ce qu'elles disaient de sorte que Sabine devait sans arrêt le lui rappeler. Ou bien son visage se vidait de toute expression et à l'occasion, elle disparaissait à l'étage cinq ou dix minutes. Il lui arrivait fréquemment de s'assoupir, comme si c'était par trop épuisant pour elle de vivre dans le présent. Au début, Sabine avait trouvé cela énervant et s'était demandé si elle avait fait quelque chose de mal, puis elle s'était rendu compte qu'Annie se comportait de la même façon avec tout le monde, que ce soit Patrick, sa mère, voire Thom. Elle en avait conclu que c'était sa manière d'être. Comme le lui avait dit Thom, chacun a ses manies, et dès lors que cela n'avait rien de personnel, il fallait les accepter.

— Où étais-tu donc ce matin, Sabine ?

Ses pieds calés sous elle sur le grand canapé bleu, Annie se détourna de l'écran de télévision. Elle portait un immense pull de pêcheur qui donnait l'impression de l'engloutir tout entière. Il appartenait probablement à Patrick.

— Es-tu montée à cheval ?

Sabine hocha la tête. Elle s'aperçut qu'inconsciemment, elle avait imité la position d'Annie, et elle commençait à avoir des fourmis dans sa jambe coincée en dessous.

— Avec Thom ?

— Oui.

Elle tendit la jambe en contemplant sa chaussette.

— As-tu déjà vu les chiens de meute ?

— Évidemment que je les ai vus. Ils passent tout le temps sur cette route pendant la période de la chasse.

— L'endroit où ils vivent, je veux dire.

Annie la considéra d'un air perplexe.

— Les chenils ? Bien sûr. Tristounet, hein ? Pourquoi me demandes-tu ça ? Ça t'a choquée ?

Sabine hocha de nouveau la tête. Elle ne tenait pas à raconter toute l'histoire à Annie. Dans cette maison au moins, elle pouvait faire comme si la vie était normale, avec la télé, les potins, sans vieux fous ni règles imbéciles, sans choses mortes.

Annie remarqua son expression. Elle fit basculer ses jambes et posa les deux pieds par terre.

— Il n'aurait pas dû t'emmener. Ce n'est pas beau à voir quand on n'a pas l'habitude de la campagne.

— Ce n'est pas Thom qui m'a emmenée. Est-ce qu'on porte tous les chevaux morts là-bas ?

— Pas seulement les chevaux. Les vaches aussi, les moutons, tout. Il faut bien qu'on les mette quelque part. Je n'en ferais pas tout un plat si j'étais toi. Bon, je vais mettre de l'eau à bouillir. Voudrais-tu une tasse de thé ?

Bien évidemment, il fallut un bon quart d'heure à Annie pour demander à Patrick s'il voulait une tasse de thé. Lorsqu'elle revint dans le salon, Audrey Hepburn avait entamé sa relation avec George Peppard et retrouvé son chat. Quant à Sabine, elle avait décidé qu'elle avait peut-être réagi trop fort à propos des chenils. Les animaux étaient morts, comme Annie le lui avait dit. Et il fallait bien que les chiens mangent quelque chose. Confrontée à cette réalité brutale, elle avait été un peu choquée, c'était sûr. Surtout pour une végétarienne !

À Londres, sa mère avait toujours respecté religieusement son point de vue en matière d'alimentation, faisant en sorte qu'il y ait toujours du fromage, de la sauce pour les pâtes ou du tofu dans le réfrigérateur. Et Geoff préparait souvent des plats végétariens pour eux trois. Ça rendait les choses plus faciles, disait-il. Et ça leur faisait probablement du bien de ne pas manger trop de graisses animales. C'était déjà assez difficile comme ça d'essayer de s'en tenir à ses convictions sans que tout le monde les traite comme quelque absurdité propre à l'adolescence. Ici, les gens n'arrêtaient pas d'« oublier » qu'elle ne mangeait pas de viande et lui en servaient quand même. Ou bien ils se comportaient comme s'il s'agissait de quelque faille bizarre dont elle finirait par se débarrasser. Force était de reconnaître que chez elle, on n'avait pas à confronter la question de la vie et de la mort au quotidien, sauf si l'on prenait en compte ce qu'on voyait à la télévision. Alors qu'ici, elle se posait constamment : avec les petits animaux que Bertie tracassait dans le jardin, l'abattoir, ce terme horrible, près des chenils, avec le visage ridé et anguleux de son grand-père, qui n'avait même plus l'énergie de changer d'expression !

— Mon grand-père va-t-il mourir ? demanda-t-elle.

Annie se tenait sur le seuil de la cuisine. Elle jeta ses deux mains maladroitement le long de l'ourlet de son chandail.

— Il ne va pas très bien, reconnut-elle.

— Pourquoi est-ce que personne ne veut me répondre franchement ? Je sais qu'il est malade, mais je ne peux pas interroger ma grand-mère. Je veux juste savoir s'il va mourir ou non.

Annie versa le thé dans des grandes tasses rayées. Elle garda le silence un moment, puis se tourna vers Sabine.

— Qu'est-ce que ça change ? demanda-t-elle.

— Rien. Je voudrais juste que les gens soient honnêtes avec moi.

— Honnêtes. Allons donc ! Il vaut mieux qu'ils ne le soient pas trop, crois-moi.

Sabine perçut une nuance vaguement agressive dans la voix d'Annie qui la mit dans l'embarras.

— Si ça ne change rien, alors peu importe. Tu devrais profiter de lui pendant qu'il est encore là. L'aimer, même.

À ces mots, Sabine écarquilla les yeux. L'idée que l'on puisse infliger de l'amour à ce vieil homme bougon lui paraissait passablement ridicule.

— Il n'est pas… vraiment du genre affectueux, se hasarda-t-elle à répondre en détachant ses mots.

— Pourquoi dis-tu cela ? Parce qu'il est vieux ? Difficile à vivre ? Ou parce que tu te sens gênée en sa présence ?

Le ton d'Annie la mettait de plus en plus mal à l'aise. C'était l'une des rares personnes qui la comprenaient, et voilà qu'elle se comportait comme si elle n'arrêtait pas de dire ce qu'il ne fallait pas.

— Je ne voulais pas t'offenser, marmonna-t-elle d'un air maussade.

Annie posa une tasse de thé devant elle. En relevant les yeux, Sabine s'aperçut qu'elle la regardait avec des yeux doux.

— Tu ne m'as pas offensée, Sabine. Je pense simplement que c'est important d'aimer les gens tant qu'ils sont là. Quel que soit le temps où nous pouvons profiter d'eux.

À cet instant, ses yeux s'emplirent de larmes, et elle détourna le regard.

Elle avait remis ça ! Sabine frissonna en se rendant compte qu'une fois de plus, elle avait fait pleurer Annie. Pourquoi n'arrivait-elle pas à jauger les gens ? Pourquoi avait-elle constamment l'impression de mal interpréter quelque indice crucial, comme quand elle traînait avec une bande qu'elle ne connaissait pas et qu'elle ne comprenait rien à leurs plaisanteries et à leurs allusions ?

— J'essaie vraiment d'être gentille avec tout le monde, risqua-t-elle à voix basse tant elle avait envie qu'Annie ait de nouveau une bonne opinion d'elle.

Annie renifla et s'essuya le nez du revers de sa manche.

— Je n'en doute pas, Sabine. C'est juste que tu ne les connais pour ainsi dire pas.

— C'est plutôt que ce n'est pas facile avec eux de montrer ce qu'on ressent. Ils ne sont pas très… démonstratifs, tu vois.

Annie s'esclaffa et posa sa main sur celle de Sabine. Elle était fraîche, douce, et sèche. Celle de Sabine était brûlante.

— Tu n'as pas tort. Ce n'est pas de la tarte d'obtenir de ces deux-là qu'ils manifestent ce qu'ils ressentent… Tu aurais probablement plus de chance avec le Duc.

Elles pouffèrent de rire toutes les deux en chœur, dissipant ainsi la tension. Sabine sentit qu'elle se relaxait. Elles avaient dû passer les turbulences invisibles qu'elle avait provoquées involontairement.

— Mais sérieusement, Sabine, ce n'est pas parce qu'ils ont du mal à exprimer leurs sentiments qu'ils n'éprouvent rien.

Elles furent interrompues par un petit coup sec à la porte. Après avoir jeté un coup d'œil perplexe à Sabine – Mrs H et Thom entraient toujours sans frapper –, Annie se leva et alla ouvrir en calant ses cheveux derrière ses oreilles.

Sabine sursauta en voyant sa grand-mère sur le seuil, grande et raide comme un piquet, les traits tirés sous son foulard, les bras enveloppés dans sa veste matelassée, plaqués de part et d'autre de son corps.

— Je suis navrée de vous déranger, Annie. Pourrais-je parler à Sabine une minute ?

— Mais certainement, Mrs Ballantyne.

Annie recula d'un pas en ouvrant la porte en grand.

— Entrez, je vous en prie.

— Non, merci. C'est gentil à vous. Sabine, je voudrais que tu rentres à la maison.

Sabine dévisagea sa grand-mère, consciente de la fureur à peine réprimée émanant d'elle. Elle passa rapidement en revue la liste des bévues qu'elle avait pu commettre : elle avait repris ses flacons de shampoing à la salle de bains, ses bottes étaient propres, elle avait fermé la porte de sa chambre pour empêcher Bertie d'entrer. Pourtant, quelque chose dans l'expression de Joy l'incitait à répugner sérieusement à quitter le confort et la sécurité de la maison d'Annie. Elle continua à fixer sa grand-mère en s'efforçant d'apaiser le malaise qui l'envahissait inexorablement.

— Je vais finir mon thé, dit-elle. Je viendrai aussitôt après.

Joy tressaillit. Ses traits se durcirent.

— Je voudrais que tu rentres tout de suite, Sabine.

Le cœur de Sabine se mit à battre plus vite.

— Non, insista-t-elle. Je prends le thé.

Le regard d'Annie allait de l'une à l'autre.

— Sabine…, dit-elle, et il y avait comme un avertissement dans sa voix.

— Je ne vois pas pourquoi c'est si urgent, riposta Sabine d'un ton plein de défi.

Elle était consciente de naviguer en eaux troubles, mais quelque chose en son for intérieur l'exhortait à se rebeller contre l'idée de retourner tête basse dans cette sinistre maison pour se faire enguirlander à cause de quelque écart de conduite sans importance. Elle en avait marre à la fin.

— Je viendrai quand je serai prête, déclara-t-elle.

Joy Ballantyne ne se contenait plus. Elle passa en

trombe devant Annie, l'air glacial du dehors s'engouffrant dans la pièce autour d'elle comme quelque bourdonnement radioactif.

— Comment as-tu osé ? siffla-t-elle. Comment peux-tu avoir le culot de fouiller dans mes affaires ? De quel droit as-tu saccagé mes photographies sans même me demander la permission ? Ce sont des choses intimes, comprends-tu ? Personne ne t'a autorisée à les regarder.

En sursautant, Sabine se souvint des albums. Elle rougit d'être ainsi démasquée. Elle n'avait même pas pensé à les remettre en place. Cela lui avait paru inutile puisque personne n'allait jamais dans cette pièce. Quoi qu'il en soit, la culpabilité qu'elle aurait pu éprouver fut éclipsée en un clin d'œil par la réaction démesurée de sa grand-mère. C'était la première fois qu'elle la voyait perdre son sang-froid. La voix de la vieille dame crépitait comme une bûche sèche au milieu des flammes. On aurait dit que ses cheveux qui jaillissaient de ses deux barrettes étaient électrifiés. Tandis que sa tirade se prolongeait dans l'atmosphère survoltée, Sabine sentit l'adrénaline monter en elle et s'aperçut bientôt qu'elle lui donnait la réplique en hurlant à pleins poumons.

— Ce ne sont que des photos, beugla-t-elle, couvrant la voix de sa grand-mère. Je n'ai rien fait à part fureter dans une boîte de fichues photos. Ce n'est pas comme si j'étais allée mettre le nez dans ton tiroir de sous-vêtements, si ?

— Tu n'avais pas le droit de fouiller là-dedans ! Tu n'avais pas le droit !

La voix de Joy monta à la fin de sa phrase, prenant des intonations bizarrement adolescentes.

— Le droit ? Le droit ?

Sabine se leva en repoussant sa chaise avec fracas.

— Je n'ai aucun droit depuis que je suis ici. Je ne peux strictement rien faire sans ta permission, c'est ça ? Je n'ai pas le droit de me balader dans la maison, ni de parler au personnel. Je ne peux même pas prendre un bain de peur que quelqu'un n'entre et colle un double décimètre dans l'eau pour s'assurer que je n'en utilise pas trop.

— Ces photos m'appartiennent ! hurla Joy. Que dirais-tu si je fouinais dans tes affaires ?

— Tu sais quoi ? Va donc y jeter un coup d'œil ? Je n'ai pas d'affaires personnelles. Je ne peux même pas laisser ma fichue brosse à dents dans la salle de bains. Ni regarder les émissions qui me plaisent. Ni téléphoner à mes amis.

À cet instant, la voix de Sabine commença à se briser à son tour et elle fourra ses poings sur ses yeux, déterminée à ne pas laisser la vieille dame voir qu'elle pleurait.

— Sabine, tu peux faire tout ce que tu veux, mais pas si tu te bornes à fureter dans tous les coins en refusant de t'intégrer. Il faut que tu t'intègres.

— En faisant quoi ? En allant chasser ? En donnant des chevaux morts à manger aux chiens ? Désolée. Aux chiens de meute. En aidant les huit millions de personnes qui triment toute la journée comme des malades pour préparer les œufs durs de mon grand-père ?

Sabine se rendit vaguement compte de la présence de Patrick sur le seuil de la cuisine.

— Tu es une invitée chez moi, riposta Joy qui semblait avoir du mal à maîtriser son souffle, et tant que ce sera le cas, j'attends au moins de toi que tu cesses de te mêler de choses qui ne te regardent pas.

— Ce ne sont que des photos. Quelques malheureux

clichés de rien du tout. À part celles de ma mère, elles ne sont même pas jolies !

Sabine se mit à pleurer pour de bon.

— Je n'arrive pas à croire que tu fais une histoire pareille pour si peu ! Je m'ennuyais, d'accord ! Je m'ennuyais, j'en avais ras le bol et puis j'avais envie de voir à quoi ressemblait ma mère quand elle avait mon âge. Si j'avais su que tu piquerais une crise, je n'aurais même pas touché à ces foutues photos. Je te déteste. Je te déteste et je veux rentrer à la maison.

Ses larmes se changèrent en de profonds sanglots saccadés. Elle se laissa retomber sur sa chaise et enfouit son visage dans ses bras croisés sur la table.

Annie qui était restée plantée là, impuissante, referma la porte d'entrée et s'approcha de la table. Elle posa une main sur l'épaule de Sabine.

— Écoutez, Mrs Ballantyne, dit-elle, je suis sûre que Sabine ne cherchait pas à vous faire du mal.

Patrick gagna alors en silence le milieu de la pièce.

— Est-ce que ça va ? demanda-t-il.

— Remonte dans ton bureau, Patrick. Tout va bien.

— Les clients se demandent ce qui se passe.

— Je sais, mon chéri. Remonte, dit Annie. Remonte. Il n'y aura plus de bruit.

Joy secoua légèrement la tête comme si elle avait oublié la présence de l'autre femme. Elle leva les yeux, vit Patrick, et parut soudain horrifiée par son propre déluge d'émotions.

— Annie, Patrick, je suis navrée, finit-elle par dire. Ce n'est pourtant pas dans mes habitudes de sortir de mes gonds.

Patrick considéra tour à tour Joy et Sabine d'un air prudent.

— Je suis vraiment désolée.

— Je serai en haut si tu as besoin de moi, dit Patrick à sa femme avant de pivoter sur ses talons.

Il y eut un bref silence, interrompu seulement par les sanglots et les reniflements de Sabine. Joy porta ses mains à ses joues, comme pour vérifier si elle avait de la température, puis se dirigea rapidement vers la porte.

— Pardonnez-moi, Annie, je vous en prie. Je… je. Eh bien, je pense que je ferais mieux de rentrer. Sabine, je te verrai plus tard.

Sabine refusa de lever le nez.

— Je suis désolée, répéta Joy en ouvrant la porte.

— Ce n'est pas grave, Mrs Ballantyne, dit Annie. Ne vous faites pas de soucis. Je vais laisser Sabine finir son thé. Elle vous rejoindra dans un moment.

Joy s'assit au bord du lit de son mari. Soutenu par une pile d'oreillers blancs, il regardait le feu que Mrs H avait ranimé avant de partir. La nuit était tombée et l'unique éclairage dans la pièce provenait de la lampe de chevet et des flammes qui jetaient leurs reflets vacillants sur les piliers en acajou du lit et les poignées en cuivre de la commode sous la fenêtre.

— Oh ! Edward, j'ai fait une chose épouvantable, dit-elle.

Le regard chassieux d'Edward parcourut le visage de sa femme.

— J'ai complètement perdu mon sang-froid avec Sabine. Devant Annie et Patrick. Je ne sais pas ce qui m'a pris.

Elle s'essuya les yeux d'une main tout en serrant dans l'autre le mouchoir qu'elle avait sorti de sa commode en rentrant. Cela ne lui ressemblait pas de pleurer. Elle ne se souvenait même pas de la dernière fois où cela lui était arrivé. Mais elle avait été hantée par la silhouette fluette de l'adolescente éclatant en sanglots puérils, et plus encore par la violence de ses propres sentiments à son égard.

— Elle est allée dans le bureau, tu comprends.

Joy inspira profondément et prit la main d'Edward. Elle était osseuse et sèche. En la caressant, elle se souvint de l'époque où elle était large, avec des doigts robustes, et hâlée par le travail en plein air.

— Elle a fouillé dans les photos de Hong-Kong. Et le fait de les revoir m'a… Oh, Edward, j'ai complètement perdu les pédales.

Edward garda les yeux fixés sur son visage. Elle crut percevoir une vague pression de sa main en réponse.

— Ce n'est qu'une enfant, n'est-ce pas ? Elle ne comprend pas. Pourquoi ne regarderait-elle pas ces vieilles photos ? Seigneur, elle sait si peu de choses sur sa famille. Oh ! Edward, je me sens tellement ridicule. Je donnerais cher pour ravaler mes paroles.

Elle entreprit de plier son mouchoir tout en réfléchissant. Elle savait ce qui lui restait à faire, mais elle ne savait pas trop comment s'y prendre. Il lui arrivait rarement de demander des conseils à Edward, mais il semblait aller un peu mieux aujourd'hui. Et personne d'autre ne pouvait comprendre.

— Tu as toujours su comment t'y prendre avec les gens. Beaucoup mieux que moi. Comment puis-je me faire pardonner ?

Joy scruta le visage de son époux et changea de position pour être sûre d'entendre sa réponse.

Edward détourna le regard, comme s'il était profondément perdu dans ses pensées. Au bout d'un moment, il reporta son attention sur elle. Joy se pencha un peu plus. Elle savait qu'il avait de la peine à parler en ce moment.

Quand sa voix émergea, elle était rauque et chevrotante.

— Y aura-t-il des saucisses pour le dîner ? demanda-t-il.

5

Le seul intérêt de vivre dans une maison régie par toutes sortes de règlements et de consignes, c'est que du coup, il était plus facile de s'y faufiler incognito. Sabine avait prévu de rentrer à Kilcarrion à 20 h 15, sachant qu'à cette heure-là, sa grand-mère serait en train de dîner dans la salle à manger. Même quand son mari prenait ses repas dans sa chambre, Joy mangeait là, à une table dressée avec soin, apparemment résolue à maintenir en solitaire quelque grande tradition. Sabine avait mis au point un itinéraire détourné qui lui évitait de passer par la salle à manger ; si elle s'introduisait dans la maison par la porte de derrière et longeait sans bruit le couloir conduisant à la remise à chaussures, elle pouvait emprunter l'escalier de service et ressurgir sur le palier principal sans que sa grand-mère sût qu'elle était là.

Car il était hors de question qu'elle lui adresse de nouveau la parole. La prochaine fois qu'elle la verrait, ce serait pour lui dire au revoir. Elle attendrait qu'elle soit couchée, puis redescendrait dans le salon sur la pointe des pieds pour appeler sa mère et lui annoncer qu'elle rentrait. Il n'y avait pas de téléphone dans la chambre de sa grand-mère. Elle n'entendrait donc rien. Quant à son grand-père, il n'entendait jamais rien de toute façon. Tant que les chiens ne s'agitaient pas et ne se mettaient pas à aboyer, tout serait organisé avant que cette vieille bique eût pu faire quoi que ce soit.

Le nœud de tension qui lui serrait l'estomac ne s'était pas vraiment dissipé pendant qu'elle élaborait ses plans, mais peu importe. Elle s'en réjouissait presque. La fureur et le sentiment d'injustice qu'elle éprouvait la rendaient d'autant plus déterminée à agir. Certes, Thom, Annie et Mrs H lui manqueraient, et c'était dommage qu'elle ait juste commencé à s'amuser un peu. Mais il n'était pas question qu'elle reste dans cette baraque une journée de plus. Pas question. À un moment donné, après le départ de sa grand-mère, alors qu'elle en était au stade des reniflements et des frissons, elle avait suggéré à Annie qu'elle pourrait peut-être passer la nuit dans la chambre inoccupée voisine de la leur, où aucun client ne logeait jamais. Comme ça, elle n'aurait pas à retourner à Kilcarrion. Mais Annie était redevenue bizarre et elle avait refusé tout net. Personne ne dormait dans cette chambre. Sabine avait résolu de ne pas insister. Elle avait trop besoin des quelques amis qu'elle s'était faits.

Elle sortit son sac de dessous son lit et commença à y jeter ses vêtements pêle-mêle. C'était mieux ainsi, se dit-elle. Sa grand-mère et elle ne s'entendaient pas, voilà tout. Elle comprenait maintenant pourquoi sa mère ne retournait jamais en Irlande. Imaginez vivre toute son enfance avec ça ! Sabine eut tout à coup très envie de voir sa mère et se réconforta en se disant qu'à cette heure-ci, le lendemain, elle serait de retour chez elle à Hackney. C'était la seule chose qui comptait. Elle réglerait le problème de Justin plus tard.

Elle s'approcha de la commode, ouvrit les tiroirs en grand et expédia le reste de ses habits dans son sac sans se préoccuper de savoir s'ils seraient froissés ou non. Elle en avait ras le bol de faire les choses comme il fallait. À partir de maintenant, elle agirait comme bon lui semblait.

Tout en faisant ses bagages, elle se rendit compte qu'elle devait éviter de trop penser à Justin. Ou à Geoff. Ou aux bons côtés de Kilcarrion. Les balades à cheval matinales avec Thom. Cette manière qu'il avait de poser sa main sur son épaule en lui disant qu'il ferait d'elle une cavalière hors pair. Et de se pencher vers elle quand ils dessellaient les chevaux dans la cour en décochant un coup d'œil d'avertissement à Liam lorsqu'il essayait de lancer des plaisanteries grossières devant elle. Ne pas penser à Mrs H et ses bons repas, bien meilleurs que ce qu'elle mangerait sûrement à la maison tant qu'elle serait seule avec sa mère. Ni à Bertie, qui la suivait partout maintenant et semblait l'adorer comme Goebbels ne l'avait jamais aimée bien qu'elle se fût occupée de lui depuis qu'il n'était qu'un chaton. Ni même à Annie, aussi bizarre fût-elle. Parce que si elle pensait un peu trop fort à tout ça, elle allait se mettre à pleurer. Beaucoup.

Elle sursauta en entendant frapper doucement à sa porte et se figea. Prise en flagrant délit, pensa-t-elle. Et puis elle songea que, quoi que sa grand-mère fasse ces temps-ci, elle se sentait coupable. Elle resta immobile, sans rien dire. Pour finir la porte s'ouvrit, lentement, avec précaution, en produisant un doux bruissement sur la moquette bleue à longs poils.

Sa grand-mère se tenait sur le seuil, un petit plateau en bois dans les mains sur lequel elle vit un bol de soupe à la tomate et du pain beurré préparés par Mrs H.

Sabine la dévisagea une minute, pétrifiée, attendant le prochain assaut.

Mais Joy se borna à regarder le plateau.

— J'ai pensé que tu avais peut-être faim, dit-elle, puis, comme si elle s'attendait à quelque protestation, elle se dirigea lentement vers la coiffeuse.

Si elle remarqua le sac à moitié rempli, elle n'en laissa rien paraître. Elle posa le plateau doucement sur la surface dégagée, puis se retourna pour fairc face à sa petite-fille.

— C'est de la soupe en conserve, j'en ai peur, dit-elle. J'espère que ça ira.

Clouée près du lit, Sabine hocha prudemment la tête.

Un long silence suivit. Sabine attendait que Joy prenne l'initiative, mais elle ne semblait pas décidée à le faire. Elle se contenta de presser ses mains l'une contre l'autre un peu maladroitement et les leva à demi vers Sabine en se forçant à sourire. Puis elle les enfouit prestement dans les poches de sa veste matelassée.

— Thom m'a dit que tu avais une très bonne posture à cheval aujourd'hui. Très nette.

Sabine continua à la dévisager.

— Il dit que le petit cheval gris et toi vous entendez à merveille. C'est une bonne nouvelle. Très bonne. Il dit aussi que tu as les mains douces. Et une excellente assise.

L'examen minutieux que Sabine était en train de faire de sa grand-mère fut interrompu un court instant par la pensée de Thom scrutant son postérieur. S'agissait-il juste de la terminologie propre à l'équitation ? Ou l'avait-il lorgné pour d'autres raisons ?

— Bref. Il a l'air de penser que vous allez bientôt

passer au saut tous les deux. C'est un bon sauteur, ce petit cheval gris. Je l'ai vu dans les champs. Courageux comme un lion. Une âme généreuse.

Elle avait l'air franchement mal à l'aise, songea Sabine. Elle se tordait les mains à présent autour d'un vieux mouchoir blanc et elle avait semble-t-il du mal à la regarder en face.

— Il est capable de faire un Wexford, tu sais. Sans difficulté.

Sabine se sentit triste tout à coup à la vue du malaise de la vieille dame. Ça ne lui faisait pas le moindre plaisir. Elle releva la tête et prit la parole.

— Qu'est-ce que c'est ?

— Un Wexford ? Oh, c'est très difficile. Un saut très ardu à accomplir.

Joy parlait trop vite à présent, comme si elle était soulagée que Sabine eût réagi.

— Il s'agit d'un obstacle d'un mètre quatre-vingts de haut environ, avec un large fossé de part et d'autre. Les chevaux l'attaquent au galop, s'élancent, et les plus habiles restent là en équilibre un bref instant, comme s'ils étaient sur la pointe des pieds.

Elle serra ses mains l'une contre l'autre en les pointant vers le bas, puis les bougea comme si elle cherchait son équilibre.

— Ensuite ils bondissent à nouveau pour franchir l'autre fossé. Certains refusent de le tenter, vois-tu. Il faut être très brave. Et faire preuve de sagesse. Certains choisissent systématiquement la voie la plus facile.

— Le portail.

— Oui, répondit sa grand-mère en la regardant très sérieusement. Certains prendront toujours le chemin du portail.

Elles restèrent toutes les deux silencieuses un moment. Puis Joy se dirigea à pas lents vers la porte en laissant le plateau. Une fois parvenue sur le seuil, elle se retourna. Elle avait l'air très vieille et très triste.

— Tu sais, j'ai pensé que ce serait peut-être une bonne idée de mettre un peu d'ordre dans le bureau. Je me demandais si tu serais d'accord pour me donner un coup de main. Je pourrais peut-être te raconter des histoires à propos de l'endroit où ta mère a grandi. Si tu ne trouves pas ça ennuyeux, bien sûr.

Un autre silence prolongé suivit. Sabine regardait ses mains. Elle jeta un coup d'œil à son sac par terre d'où ses chaussettes pendaient comme des langues bleues grossières.

— D'accord, dit-elle.

6

SS Destiny, *océan Indien, 1954*

Sous son chapeau bleu à larges bords, Mrs Lipscombe leur racontait son accouchement. Une fois de plus. La sage-femme lui avait donné du brandy qu'elle avait régurgité n'étant pas habituée à boire. « Pas à l'époque », fit-elle avec un petit rire, et cette gourde s'était penchée pour tenter d'essuyer ses chaussures souillées. Malheureusement, c'est à ce moment-là que Georgina Lipscombe s'était redressée en émettant un rugissement, s'emparant de ce qu'elle avait sous la main et poussant de toutes ses forces. Propulsée par cette ultime pulsion magistrale, une Rosalind ensanglantée avait volé jusqu'au milieu de la pièce pour être rattrapée tel un ballon de rugby par l'infirmière vigilante qui attendait à proximité.

— J'ai arraché toute une poignée de cheveux de cette sotte, je vous le dis, déclara Mrs Lipscombe, non sans fierté. Il paraît que je ne l'ai pas lâchée pendant une bonne heure. J'en avais plein la main. Elle était furax.

Étendues près d'elle sur leurs transats, Joy et Stella échangèrent la plus infime grimace. Les anecdotes de

Georgina Lipscombe étaient une source de distraction salutaire, mais une fois qu'elle avait englouti plusieurs gin-tonics, elles tendaient à devenir assez immondes.

— Allait-elle bien ? demanda poliment Joy.

— Rosalind ? Oh, pas de problème. N'est-ce pas, chérie ?

Rosalind était assise au bord de la piscine, ses petites jambes potelées à demi submergées dans l'eau bleue fraîche. Quand sa mère lui adressa la parole, elle releva la tête et regarda un bref instant les trois femmes avant de se replonger dans la contemplation de ses pieds tout pâles. Aussi difficile que ce fût de discerner la moindre expression sur son visage, Joy pensa que la fillette avait probablement déjà entendu cette histoire un nombre incalculable de fois.

— Je ne comprends pas pourquoi elle ne se baigne pas. Il fait si chaud. Rosie, ma chérie, pourquoi ne te baignes-tu pas ? Tu vas attraper des coups de soleil si tu restes là.

Rosalind leva les yeux vers sa mère allongée sur le pont-promenade puis, sans un mot, sortit ses pieds de l'eau et s'éloigna de la piscine à pas feutrés en direction des cabines.

Georgina Lipscombe leva un sourcil.

— Vous découvrirez ça bien assez tôt. Oh là là ! La douleur ! J'ai dit à Johnnie que ça suffisait comme ça. Pas question que j'en passe par là une deuxième fois.

Elle exhala un mince filet de fumée dans l'air limpide.

— Évidemment, j'ai eu Arthur moins d'un an après.

Le garçonnet en question, assis tout seul du côté le moins profond de la piscine, poussait un bateau en bois sur les vaguelettes. Malgré la chaleur, il était l'unique autre occupant de la piscine. Le spectacle impromptu de « music-hall » qui avait eu lieu à bord la veille au soir avait fait un tabac, à en juger d'après le nombre de gueules de bois tout au moins.

L'ancien transport de troupes *SS Destiny* était en mer depuis près de quatre semaines. Sa cargaison blasée, composée d'épouses d'officiers s'apprêtant à rejoindre leurs conjoints et d'officiers en route pour leurs nouveaux postes, était assoiffée de divertissements. Le voyage paraissait interminable et la chaleur désormais impitoyable. Les journées s'étaient succédé à coups de tangage et de roulis, à l'instar de l'océan, ponctuées seulement par les repas, quelques ragots et le lent mais incontestable changement de climat tandis qu'ils s'éloignaient du port de Bombay en direction de l'Égypte. Joy se demandait souvent comment les soldats avaient pu supporter de rester coincés sous le pont tout le trajet dans des cabines sans fenêtres. Elle aurait bien voulu demander aux musulmans qui travaillaient dans la salle des machines comment c'était dans les entrailles bruyantes, graisseuses et vibrantes du navire, mais on lui avait clairement signifié que l'intérêt qu'elle portait à ce genre de choses était pour le moins déplacé. Tout le monde était avide d'un changement après les sempiternelles promenades sur le pont (« Allons, Joy ! s'exclamait Stella chaque matin en la secouant pour l'extirper de son sommeil. Dix fois le tour du pont pour avoir les cuisses bien fermes ! »), les parties de cartes ou, quand le temps était moins clément, le brandy et le Ginger ale destinés à lutter contre le mal de mer. Aussi la petite bande au sein de laquelle Stella et elle s'étaient curieusement retrouvées mêlées depuis qu'elles étaient montées à bord avait-elle sauté sur l'occasion de faire autre chose.

On avait beaucoup bu. Encore plus que d'habitude. L'un des convives à la table du capitaine avait donné le coup d'envoi avec une version enlevée de *My Blue Heaven,* après quoi, nonobstant quelques faibles protestations, Joy avait eu l'impression que ses compagnons de voyage s'étaient presque bagarrés pour avoir la chance de pousser la chansonnette, de raconter des blagues ou de se hasarder à quelque révélation publique inopinée. Aiguillonnée par trois gin-tonics, Stella s'était levée pour interpréter *Singing in the rain,* compensant la discordance de sa voix par des expressions gracieuses qui charmèrent toute l'assistance. Ensuite, Pieter, le Hollandais à la carrure imposante et aux joues brûlées par le soleil qui était disait-on « dans les diamants », avait pris la relève. Il avait chanté quelque chose d'exclamatif dans sa langue. Puis il avait essayé, en vain malgré son insistance, de persuader Stella de l'accompagner dans un duo au piano, s'emparant sans vergogne de ses mains fines comme s'il pouvait les poser lui-même sur le clavier. Le refus modeste et affecté de Stella fut très admiré à la table de Joy, aussi celle-ci s'abstint-elle de révéler que son amie était incapable de jouer autre chose que *Chopsticks.*

La soirée avait dégénéré quand les serveurs avaient apporté une bouteille d'un cognac assez redoutable. Les choses avaient encore empiré après que Pieter eut accepté le pari d'en engloutir le dernier tiers d'une seule traite. Ce fut la Berezina lorsque Mr Fairweather et son épouse, qui avaient déjà cloué le bec à leur auditoire en interprétant de leurs voix flûtées *I get a kick out of you,* s'étaient levés à nouveau en se tenant les mains pour tenter le duo des *Pêcheurs de perles,* dont l'apogée douloureux avait incité Georgina Lipscombe à renverser son verre sur le corsage en satin mauve de sa robe. Louis Baxter, l'un des officiers à bord, avait alors entrepris de lancer des petits pains à la ronde, si bien que le capitaine avait dû intervenir, appelant au calme d'un ton bon enfant. Il avait finalement obtenu gain de cause, mais Mrs Fairweather, rose de douleur, n'avait plus parlé à personne tout le restant de la soirée, même lorsque deux garçons l'avaient saisie à bras-le-corps pour obliger la malheureuse à la mine figée à s'intégrer à une conga chaotique exécutée à la queue leu leu en suivant tout un circuit sur le pont supérieur. Joy remarqua à ce moment-là que Stella avait de nouveau disparu.

— Il m'a fallu une bonne partie de la journée rien que pour y voir clair, vous savez, déclara Georgina en remontant ses lunettes de soleil sur l'arête de son nez. Je me demande comment vous faites pour avoir l'air aussi en forme. C'est sans doute parce que vous n'êtes pas réveillées à l'aube par votre progéniture.

— J'ai une mine épouvantable, dit Stella gentiment en lissant sa coiffure impeccable.

Rien d'étonnant, pensa Joy en se souvenant du retour de Stella dans la cabine une bonne heure après le lever du soleil.

Tandis qu'elles lézardaient sur le pont dans leurs costumes de bain deux pièces flambant neufs, Joy s'efforçait de ne pas trop penser aux absences de plus en plus fréquentes de Stella. Elle était à peu près sûre qu'elle aimait Dick, le séduisant pilote qu'elle avait épousé peu après son propre mariage avec Edward – « Je ne parcourrais pas la moitié du monde sur un pareil rafiot pour aller le voir sinon, hein ? » lui avait répondu Stella d'un ton acerbe lorsqu'elle l'avait interrogée avec hésitation à ce sujet. Pourtant il y avait quelque chose dans la manière dont elle flirtait de plus en plus effrontément avec les autres officiers, et dans son amitié avec Pieter en particulier, qui provoquait chez Joy une sensation de déséquilibre qu'on ne pouvait attribuer uniquement à son manque d'habitude de la mer.

Elle avait imprudemment confié son inquiétude à Georgina Lipscombe avec laquelle elle partageait une cabine, un soir, après que les enfants furent couchés. Georgina avait levé un sourcil en lui laissant entendre qu'elle était bien naïve. « Ça se produit sur tous les bateaux, ma chérie, lui avait-elle rétorqué en allumant une de ses sempiternelles cigarettes. C'est difficile pour certaines filles de rester fidèles au milieu de tous ces charmants officiers. L'ennui y est pour beaucoup à mon avis. Que voulez-vous qu'on fasse d'autre à bord ? »

Le discours blasé de Georgina et la désinvolture avec laquelle elle avait soufflé cette ultime phrase incitaient Joy à se demander si elle était vraiment naïve à ce point-là. Elle n'avait pas vu Georgina, mariée à un ingénieur de la marine, faire les yeux doux à qui que ce soit, mais il s'écoulait bien deux heures chaque soir entre le moment où elle priait Joy et Stella de sortir de la cabine, pour qu'elle puisse lire une histoire à ses enfants, et celui où elle réapparaissait pour le dîner. Et Joy savait que c'était toujours le gentil steward de Goa qui donnait le bain aux enfants et leur faisait la lecture pour la bonne raison qu'il le lui avait dit lui-même. Peut-être Georgina se laissait-elle elle aussi distraire à l'occasion par ces « charmants officiers ». Peut-être Joy était-elle la seule à qui cela n'arrivait pas ! Elle songea à Louis Baxter qui s'était montré terriblement attentionné la veille au soir après s'être arrangé pour s'asseoir à côté d'elle. Toutefois la présence du jeune homme, aussi agréable fût-elle, ne provoquait pas chez elle de telles ambiguïtés. Personne à bord n'arrivait à la cheville d'Edward !

Joy repensa à la dernière fois qu'elle avait vu son mari quelque six mois plus tôt. Si tant est qu'on puisse parler d'un mari puisqu'elle n'avait passé que deux journées pleines en sa compagnie. Ils s'étaient mariés à Hong-Kong durant une permission de quarante-huit heures, en présence de leurs proches exclusivement, au grand dam de sa mère. Il y avait eu un déjeuner de noces – un poulet du couronnement arrosé de chablis, envoyé spécialement par l'un des collègues de son père qui connaissait un bon marchand de vins.

Joy arborait une robe simple en satin blanc moulante, coupée dans le biais – « Tu as moins l'air d'une grande perche », avait décrété sa mère –, et Edward un sourire qui se prolongea presque les quarante-huit heures d'affilée. Stella avait éclipsé la jeune mariée dans une robe bleu nuit au décolleté plongeant agrémentée d'un chapeau à plumes qui avait incité toutes les dames de l'assemblée à marmonner de désapprobation du coin de leurs bouches luisantes de rouge à lèvres. Sa tante Marcelle, venue tout spécialement d'Australie, avait marché sur sa traîne avant de s'effondrer comme une masse en maudissant l'humidité. Son père avait trop bu, pleuré et versé un tel pourboire au chef français de l'hôtel Péninsule que sa mère avait été incapable de prononcer un mot durant la dernière heure de la réception. Mais Joy n'en avait que faire. Elle était à peine consciente du décor. Elle se cramponnait à la grande main couverte de taches de rousseur d'Edward, comme à un radeau de sauvetage, sans parvenir à croire qu'au bout de près d'un an de doutes (essentiellement dus à ceux exprimés haut et fort par Alice), Edward était revenu pour l'épouser.

Non que sa mère ne voulût pas son bonheur, s'était-elle rendu compte depuis lors. Elle n'était pas méchante. Elle croyait simplement, à l'instar d'un anthropologue étudiant quelque tribu étrange, que tout contact avec autrui plus proche que la longueur d'un bras aboutirait forcément à des ennuis.

« Le soir de tes noces, lui avait-elle expliqué gravement un jour, tandis qu'elles rangeaient avec soin la chemise de nuit de Joy dans du papier de soie, tu devrais essayer… enfin, tâcher de faire comme si ça ne t'ennuyait pas. Comme si ça te faisait plaisir. » Alice avait considéré la délicate étoffe couleur de coquillage et bordée de dentelle crème comme si elle luttait avec ses propres souvenirs. « Ils ne sont pas contents si tu n'as pas l'air d'apprécier », ajouta-t-elle finalement. Ce fut la fin de l'introduction d'Alice au mariage.

Joy était restée assise maladroitement à côté d'elle, consciente qu'Alice essayait de lui communiquer de précieux conseils maternels. Elle avait eu droit à si peu de recommandations qui ne fussent pas gâtées par des critiques implicites qu'elle estima juste de les traiter avec une certaine révérence. Toutefois, elle avait beau se donner du mal, elle n'avait pas pu lier l'expérience de sa mère et celle qu'elle vécut avec Edward. Sa mère tressaillait visiblement quand son père, le plus souvent ivre, tentait maladroitement de la prendre dans ses bras. Elle tapotait ses mains baladeuses comme quelqu'un qui se serait accidentellement assis sur un nid de fourmis rouges. Alors que Joy passait presque toutes ses heures d'éveil à rêver qu'Edward la touchait.

Si bien que le soir de leurs noces, elle n'avait pas songé un seul instant à avoir peur. À ce stade, elle attendait avec impatience de franchir la ligne de démarcation invisible qui séparait les femmes qui savaient de celles qui, comme elle, ne savaient pas. Et nourrie par une longue absence durant laquelle elle n'avait pas eu grand-chose à faire à part remplir le vide de ses connaissances par de vagues chimères erronées, elle l'avait étreint avec presque autant d'appétit que lui.

Ce ne fut pas parfait, bien évidemment. Elle n'était pas sûre de ce que « parfait » voulait dire en l'occurrence. Mais elle se délecta de le sentir si proche, se laissa consumer par le plaisir du contact de sa peau contre la sienne, sa peau virile, ferme, son odeur, ses textures, si agréablement distincts de la féminité poudrée et fardée qui avait dominé sa vie jusque-là. Elle aimait son étrangeté, la force de leurs corps entrelacés, le fait que sa grande taille lui procurait la sensation d'être moins imposante et que son désir ne lui donnait pas l'impression de faire quelque chose de mal. Le lendemain, joyeuse et sans complexes dans son nouvel état, elle avait répondu au regard inquisiteur de sa mère par un grand sourire rassurant. Au lieu d'avoir l'air soulagée, toutefois, comme Joy l'avait espéré, Alice avait fait la grimace avant de filer vérifier Dieu sait quoi à la cuisine.

Joy avait gravé dans sa mémoire presque tous les détails de cette nuit afin de se les remémorer durant les interminables nuits humides passées seule, de retour dans son lit de jeune fille. Elle allait le revoir après cinq mois et quatorze jours en arrivant à Tilbury au terme d'un voyage de six semaines à bord du *SS Destiny*.

Stella devait aussi y retrouver Dick. Leurs parents à

l'une et à l'autre avaient été rassurés à la pensée que les jeunes femmes voyageraient ensemble, pas suffisamment toutefois pour éviter un déluge de recommandations superflues durant les semaines qui avaient précédé leur départ. Alice était convaincue que les navires de transport étaient des « pépinières d'immoralité » : la cousine de Bei-Lin avait travaillé comme cuisinière sur un de ces navires pendant la guerre, et elle avait décrit non sans délectation une ribambelle d'épouses de marins qui s'ennuyaient à mourir vadrouillant dans les coursives étroites qui conduisaient au quartier des hommes. Joy ne savait pas ce qui choquait le plus sa mère, l'idée de relations extraconjugales ou le fait qu'il s'agît d'hommes n'appartenant pas à la classe des officiers. La mère de Stella, dont les « nerfs » omniprésents semblaient tinter comme des carillons dans le meilleur des cas, se faisait davantage de soucis à propos du récent naufrage de l'*Empire Windrush*, qui avait coulé lors d'une tempête au large de Malte. Quant à Stella et Joy, affranchies pour la première fois de l'attention de leurs parents, elles étaient déterminées à en profiter au maximum.

Toutefois, quelques semaines plus tard, Stella et Joy n'avaient plus du tout la même perception des choses.

— Bon. Je vais aller faire une petite balade, dit Stella en dépliant ses jambes lisses et hâlées au-dessus de sa chaise longue tout en adressant un hochement de tête à Georgina.

Georgina leva les yeux vers elle. Il était impossible de savoir ce qu'elle pensait derrière ses lunettes noires.

— J'espère que ça sera agréable, au moins, dit-elle.

Stella ébaucha un vague geste vers la proue du navire.

— J'ai juste besoin de me dégourdir un peu, fit-elle

d'un ton désinvolte. Je vais voir ce que font les autres. Il semble que la plupart de ces messieurs soient restés dans leur cabine aujourd'hui.

Joy dévisagea Stella, consciente que celle-ci évitait son regard.

— Amuse-toi bien, lança Georgina.

Elle sourit, dévoilant ses dents blanches et régulières sous ses lunettes de soleil.

Stella se leva et, après s'être enveloppée de son peignoir, elle s'éloigna à grandes enjambées en direction du bar. Contrariée tout à coup, Joy lutta contre la tentation de la suivre.

Il y eut un bref silence durant lequel Georgina accepta un autre verre du serveur originaire de Goa qui venait de surgir près d'elle.

— Ta petite amie devrait faire attention à elle, ma chérie, dit-elle en souriant d'un air toujours aussi impénétrable à cause de ses lunettes. Il n'y a pas de moyen plus rapide pour se faire une mauvaise réputation que de batifoler en mer.

Calée entre la fenêtre et la porte ouverte pour avoir un peu d'air, ses pieds gainés de bas tendus devant elle, Joy était allongée sur sa couchette. Au cours des derniers jours, la traversée touchant à sa fin, elle avait passé de nombreux après-midi ainsi, peu disposée à traîner en compagnie des autres femmes et de leurs enfants irascibles à force de s'ennuyer, ou des officiers qui se réunissaient dans les bars pour évoquer les batailles d'antan et vitupérer. Lorsqu'ils s'étaient mis en route, Joy était tout excitée, retenant son haleine à la perspective de se lancer dans la première grande aventure de sa vie. Depuis qu'ils avaient entamé le long trajet depuis Bombay en direction de Suez, toutefois, les jours semblaient ralentir inexorablement à mesure que la chaleur s'intensifiait, leur univers se limitant aux périmètres familiers du bar, du pont, de la salle à manger, si bien qu'ils avaient fini par avoir l'impression d'être de véritables piliers et que la plupart se donnaient rarement la peine de mettre pied à terre lors des escales. Il était de plus en plus difficile d'imaginer que la vraie vie existait encore quelque part. Accablés par la touffeur ambiante, certains n'essayaient même plus, se laissant porter par les rythmes indolents de la vie à bord. Les activités des premiers temps, les parties de tennis sur le pont, les promenades l'après-midi, la natation représentaient trop d'efforts à leurs yeux ; même les conversations se faisaient rares. Les passagers étaient de plus en plus nombreux à faire la sieste et à regarder des films le soir, et seule une poignée d'entre eux chantaient mollement en suivant les paroles qui défilaient sur l'écran. Ils assistaient sans les voir à des couchers de soleil aux reflets irisés surnaturels, insensibles à leur extraordinaire beauté à force d'en avoir vu. Seuls ceux, comme Georgina Lipscombe, contraints de mettre le nez dehors avec leurs enfants prenaient encore part à quelques activités.

Stella finit par s'ennuyer ferme et ne tenait plus en place à telle enseigne que Joy en arrivait à préférer lorsqu'elle disparaissait. Joy, en revanche, ne se plaignait de rien. Bien qu'elle trouvât les paramètres exigus de la vie à bord un peu trop conformes à ceux qu'elle avait quittés à Hong-Kong, elle avait découvert avec satisfaction qu'elle pouvait laisser libre cours à sa nature antisociale sans qu'on lui en fît grief. Elle prenait plaisir à se retirer seule dans sa cabine quand tous les autres étaient sortis pour passer en revue ce qu'elle appelait en secret ses trésors edwardiens : ses lettres, fragiles et crasseuses à force d'avoir été manipulées, la photographie encadrée de leur mariage, et le petit tableau chinois, un cheval bleu sur du papier de riz, qu'Edward lui avait acheté le premier jour de leur vie commune alors qu'ils flânaient dans Hong-Kong.

Il l'avait réveillée de bonne heure, elle avait écarquillé les yeux sans comprendre tout de suite dans sa semi-torpeur comment elle avait pu se retrouver dans le même lit que cet homme. Dès qu'elle s'en était souvenue, elle avait tendu les bras vers lui, les nouant langoureusement autour de son cou criblé de taches de rousseur, plissant les yeux pour les protéger de la clarté. Il l'avait attirée contre lui en murmurant des mots doux, mais elle n'avait rien entendu hormis le bruissement des draps.

Ensuite, alors que la sueur refroidissait sur sa peau nue, il s'était dressé sur un coude et avait déposé un petit baiser sur le bout de son nez. « Levons-nous, avait-il chuchoté. Je veux que nous passions notre première matinée seuls. Disparaissons avant que les autres sortent du lit. » Joy avait lutté contre un vague sentiment de déception à l'idée qu'il ne veuille pas s'attarder avec elle dans le lit de leur lune de miel et l'envelopper à nouveau de ses bras chauds. Cependant, avide de lui faire plaisir, elle s'était mise debout et avait enfilé la robe en soie brute assortie d'une courte veste que sa mère lui avait fait faire. Ils avaient appelé le garçon d'étage pour commander du thé, qu'ils avaient bu rapidement en se regardant timidement de part et d'autre de la table du petit déjeuner. Puis ils avaient émergé en clignant des yeux dans les rues vibrantes de coups de klaxon de la capitale, leurs sens assaillis par l'ampleur des vues, des sons et des odeurs pas toujours agréables qui flottaient dans l'air de Kowloon au petit matin. Joy avait regardé autour d'elle avec la mine ahurie d'un nouveau-né en s'émerveillant de ce que le monde puisse changer à ce point en l'espace de vingt-quatre heures.

— Nous allons prendre le Star Ferry, lui avait dit Edward en serrant sa main dans la sienne pour l'entraîner vers le terminal. Je veux t'emmener à Cat Street.

Joy n'était jamais allée au marché de Cat Street. Si elle s'était hasardée à suggérer une visite là-bas, sa mère aurait blêmi en lui rappelant l'indigne passé de ce havre pour les criminels et les prostituées – sauf qu'elle les aurait taxées de « filles perdues ». Elle lui aurait fait remarquer que tout individu un tant soit peu *distingué* n'y mettrait jamais les pieds. En outre, ce quartier se situait à l'extrémité occidentale de l'île, dans une zone qu'Alice aurait qualifiée, non sans malveillance, de « par trop chinoise ». Alors qu'ils étaient assis sur les sièges en bois du ferry, enveloppés comme dans un cocon par la félicité propre aux jeunes mariés, oublieux des voix criardes autour d'eux, Edward lui avait raconté que depuis la révolution chinoise de 1949, quantité de richesses familiales, dont un grand nombre d'antiquités précieuses, avaient atterri sur ce marché. « Je veux t'acheter quelque chose, lui avait-il dit en faisant glisser son doigt au creux de sa paume. Pour que tu aies de quoi te souvenir de moi jusqu'à ce que nous nous revoyions. Quelque chose de spécial pour toi et moi. » Il l'avait appelée Mrs Ballantyne à cet instant, et Joy avait rougi de plaisir. Chaque fois qu'il lui rappelait sa toute nouvelle situation, elle ne pouvait s'empêcher de penser aux intimités conjugales de la nuit précédente.

Il n'était pas encore 7 heures lorsqu'ils étaient arrivés, mais Cat Street grouillait déjà de monde : des marchands en tailleur derrière des tissus tendus à plat sur lesquels reposaient de vieilles montres ou des pièces de jade savamment sculptées enfilées sur du fil rouge ; des vieillards assis sur des bancs près de cages dans lesquelles voltigeaient de petits oiseaux. Des malles dorées ornementées. Des meubles émaillés. Le tout baignant dans l'odeur suave de la pâte de navets frite, cuite par des marchands ambulants qui poussaient des cris stridents et haranguaient la foule en parlant si vite que Joy, qui comprenait beaucoup mieux le cantonais que ses parents ne l'auraient souhaité, n'avait pas le moindre espoir d'en saisir un traître mot.

Elle avait eu l'impression d'être au bout du monde. Joy, notant l'enthousiasme d'Edward, s'était fait violence pour ne pas se cramponner à lui. Il ne voulait pas d'une femme pot de colle ; il le lui avait clairement signifié la veille au soir. Il appréciait sa force de caractère, son indépendance, le fait qu'elle ne s'affolait pas pour un rien comme les autres femmes d'officiers. Il n'avait connu qu'une autre femme comme elle, lui avait-il confié à voix basse alors qu'ils gisaient entrelacés dans le noir. Et il l'avait aimée aussi. Mais elle était morte pendant la guerre, tuée par une bombe à Plymouth où elle était allée rendre visite à sa sœur. Joy avait senti son cœur se serrer quand il avait mentionné le mot « aimer » bien qu'elle sût que cette femme ne pouvait plus constituer une menace au sens conventionnel du terme. Cette émotion s'était accompagnée d'une prise de conscience terrifiante : à savoir qu'à partir de cet instant, son bonheur était captif, otage des propos spontanés de son époux, presque entièrement dépendant de la bienveillance d'un autre.

— Regarde, s'était-il exclamé en lui désignant un étal bondé, voilà ce que je vais te donner. Qu'en penses-tu ?

En se retournant pour suivre la direction de son doigt, elle était tombée sur un petit tableau au cadre en bambou reposant contre un pot de fer ouvragé. Dessiné à grands traits d'encre libres sur du papier blanc, il représentait un cheval bleu contorsionné comme s'il tentait de se libérer, entouré de lignes plus sombres suggérant une sorte d'entrave.

— Est-ce qu'il te plaît ? avait-il demandé, les yeux brillants comme ceux d'un enfant.

Joy avait examiné le tableau. Elle ne le trouvait pas vraiment à son goût. Tout au moins elle ne l'aurait pas remarqué si elle avait été seule, mais l'expression d'Edward l'incita à essayer de le voir à travers son regard.

— Je le trouve merveilleux, avait-elle répondu.

Son mari voulait l'acheter. Pour elle, sa femme.

— Absolument merveilleux, avait-elle répété.

— Combien ?

Il avait désigné l'objet au vendeur qui les avait toisés de la tête aux pieds, notant leurs vêtements de qualité, la tenue d'officier.

De dessous ses longues moustaches effilées, l'homme avait grommelé en haussant les épaules comme s'il ne comprenait pas.

Joy marqua un temps d'arrêt, puis jeta un coup d'œil à Edward.

— *Geido tsin ah ?* demanda-t-elle.

Le vendeur la dévisagea avant de hausser de nouveau les épaules. Joy lui rendit son regard, sachant pertinemment qu'il avait compris.

— *Mgoi lei Sinsaahn,* dit-elle plus gentiment. *Geido tsin ah ?*

Il ôta sa pipe en argile de sa bouche comme s'il réfléchissait. Puis il indiqua un chiffre. Un chiffre exorbitant.

Joy le fixa d'un air incrédule.

— *Pengh di la !* s'écria-t-elle, le priant de reconsidérer son prix.

Mais l'homme secoua la tête.

Elle se tourna vers Edward en s'efforçant de réprimer sa fureur.

— C'est ridicule, dit-elle d'un ton calme. Il demande dix fois trop cher uniquement parce que tu portes l'uniforme. Allons plus loin.

Le regard d'Edward passa de Joy au vendeur.

— Non, dit-il. Dis-moi combien c'est. Je me fiche de ce que ça coûte aujourd'hui. Tu es ma femme. Je veux t'acheter un cadeau. Ce cadeau-là !

Joy pressa sa main dans la sienne.

— C'est très gentil, dit-elle. Mais je ne peux pas accepter. Pas à ce prix.

— Pourquoi ?

Joy leva les yeux vers lui en se demandant comment exprimer sa pensée. Ça gâcherait tout pour moi, se dit-elle en son for intérieur, parce que chaque fois que je le regarderai, je verrai non pas ton amour pour moi, mais je te verrai, toi, en train de te faire avoir par un homme sans scrupules. Et ce n'est pas ainsi que je veux penser à toi.

— Écoute, lui murmura-t-elle à l'oreille.

L'odeur de sa peau détourna un instant son attention, lui faisant regretter tout à coup d'être au marché et non de retour dans leur chambre d'hôtel.

— Faisons semblant de continuer notre chemin. Il craindra d'avoir perdu une vente. Il nous proposera sans doute alors un prix raisonnable.

Mais l'homme les regarda s'éloigner sans broncher si bien qu'Edward s'énerva. Rien d'autre n'était à son goût, ne cessait-il de répéter tandis qu'ils flânaient de stand en stand. Ce tableau était parfait. Il voulait l'acheter.

— Allons au temple, proposa Joy en désignant le temple Man Mo vibrant de rouge et d'or au coin d'Hollywood Road. De l'encens s'en échappait en volutes comme s'il s'offrait seulement à contrecœur aux dieux dans l'intérêt de ses visiteurs. Mais Edward lui suggéra distraitement d'y aller seule. Il allait faire une petite promenade. Sur ce, il piétina un peu sur place comme s'il avait besoin de se soulager.

Joy se détourna de lui, la mort dans l'âme, avec le sentiment de l'avoir déçu d'une manière ou d'une autre. La matinée ne se déroulait pas comme elle l'avait espéré.

Dans l'enceinte obscure du temple, elle regretta à moitié de ne pas avoir changé d'avis. Le groupe de Chinois en train d'allumer leurs offrandes au fond se retournèrent en silence pour la dévisager, la *gweilo* envahissant leur espace sacré. De peur de les offenser, elle marmonna un bonjour en cantonais ; cela parut les apaiser quelque peu. Ils cessèrent de s'intéresser à elle au moins. Joy leva les yeux vers le plafond d'où pendaient d'immenses spirales d'encens qui se consumaient lentement en se demandant s'il était trop tôt pour ressortir. D'ici combien de temps pourrait-elle convaincre Edward de remonter dans le ferry afin qu'elle puisse pleinement profiter des dernières heures qui leur restaient à passer ensemble.

Soudain il apparut à son côté. Il rayonnait.

— Je l'ai, dit-il.

— Quoi donc ? s'enquit-elle.

Mais elle savait.

— Je l'ai eu. À un bon prix.

Il lui tendit le petit tableau des deux mains, comme s'il faisait sa propre offrande.

— Le gars a baissé son prix après ton départ. Il devait avoir peur de perdre la face devant une dame ! Ces gens-là attachent beaucoup d'importance aux histoires d'orgueil.

Joy considéra le visage fier et souriant de son nouvel époux, puis le petit cheval sur papier de riz qu'il brandissait devant lui. Un bref silence suivit.

— Petit futé, dit-elle finalement en l'embrassant. Je l'adore.

Il était tellement content quand ils sortirent du temple que cela ne valait vraiment pas la peine de souligner qu'elle ne lui avait jamais précisé le prix.

En agitant les orteils en direction de la porte, Joy contempla le cheval bleu. Puis sa photo de mariage. Après quoi elle se demanda si elle s'offrirait le plaisir de relire une de ses lettres. Elle devait se rationner désormais, elles tombaient en morceaux, mais c'était si difficile parfois de se représenter Edward sans elles. Elle parvenait à se figurer des fragments de lui, son rire de ténor, ses grandes mains, la forme de ses jambes quand il était en caleçon, mais elle avait de plus en plus de mal à l'imaginer en entier. Au cours des semaines qui avaient précédé son départ, elle s'était sentie paniquée parce qu'elle n'y arrivait presque plus. Encore une semaine et quatre jours, se dit-elle, désormais experte dans ce type de calcul mental au point que les dates lui venaient aussi naturellement que son propre anniversaire. Alors elle le reverrait.

— As-tu le trac ? lui avait demandé Stella la semaine

précédente comme elles parlaient de ce qu'elles porteraient le jour des retrouvailles.

— Moi je vais avoir peur, j'en suis sûre. Il m'arrive de me demander si je le reconnaîtrai.

Il y avait moins de trois mois que Stella n'avait pas vu Dick. Ce n'était rien à côté de Joy !

Mais Joy, elle, n'avait pas du tout peur. Elle avait juste envie de le voir, de sentir l'étreinte solide de ses bras, de voir son visage s'illuminer comme le soleil au-dessus d'elle. Quand elle avait dit cela aux autres épouses, au cours d'une séance de coiffure, Stella avait simulé une sorte de strangulation, ce que Joy avait trouvé blessant, même si elle comprenait pourquoi Stella agissait ainsi. Les autres femmes avaient échangé des regards entendus. À l'instar de sa mère des mois plus tôt, elles suggéraient qu'elle était encore naïve, une ingénue, et qu'il lui restait une foule de choses à apprendre sur les hommes et sur la vie conjugale. Seule Mrs Fairweather avait souri et hoché la tête, comme si elle comprenait, mais son mari n'avait jamais été dans l'armée et faisait l'effet d'être collé à sa hanche rebondie. Joy n'avait plus jamais parlé d'Edward en public après cela. Elle se l'était gardé pour elle, comme on conserve quelque précieux secret.

Une seule lettre, se dit-elle en dépliant la plus récente, comme on déballe un chocolat particulièrement succulent. Une lettre par jour jusqu'à ce que je le voie. Ensuite je les rangerai en lieu sûr afin de pouvoir les lire quand je serai une vieille, vieille dame, pour me souvenir de ce que c'était d'être séparée de l'homme que j'aime.

L'atmosphère à bord changea sensiblement à l'approche du canal de Suez, la vague rumeur de conflits ayant extirpé les passagers de leur torpeur. Les mots « Suez » et « gouvernement » circulaient allègrement au souper, et les hommes, conversant par petits groupes, prenaient des airs terriblement sérieux si bien que Joy, qui n'avait pas la moindre idée de ce que tout cela pouvait signifier, finit par se laisser gagner par l'anxiété et se féliciter de la présence des militaires. D'après le premier officier, les Britanniques occupaient toujours le côté africain du canal. « Mais si j'étais vous, je ne m'approcherais pas trop des flancs du navire tant que nous serons à l'intérieur, conseilla-t-il gravement. On ne peut pas faire confiance à ces Arabes. Nous avons reçu des rapports selon lesquels ils galoperaient le long de la rive, armés de fusils. Il leur arrive de prendre les navires étrangers comme cibles pour s'exercer au tir. » À ces mots, toutes les femmes étaient restées bouche bée et s'étaient pris la gorge à deux mains avec des gestes théâtraux tandis que les hommes hochaient la tête d'un air sage en marmonnant des choses à propos du barrage d'Assouan, sous-entendant tout du long que leurs compagnes s'affolaient pour rien. Joy n'avait pas paniqué ; elle était fascinée. En dépit des sinistres mises en garde, elle n'avait pas pu rester enfermée à l'intérieur tandis que le *SS Destiny* longeait le canal. Elle s'asseyait souvent seule sur le pont, le visage dissimulé sous un chapeau à larges bords, souriant aimablement en réponse aux avertissements des officiers qui passaient, espérant secrètement qu'elle verrait quelque assassin enturbanné à califourchon sur un chameau. Elle savait que les officiers la trouvaient un peu sauvage, que l'équipage hindou du pont parlait d'elle à mots couverts, mais ça lui était égal. Combien de chances aurait-elle dans sa vie de prendre part à une véritable aventure ?

Le canal de Suez lui-même se révéla à des lieues du passage jalonné de béton, déchiré par la guerre, qu'elle avait imaginé. C'était une bande d'eau argentée et changeante, bordée de dunes de sable et ponctuée par une procession quasi silencieuse d'imposants vaisseaux qui glissaient à la queue leu leu, telles les perles d'un chapelet. Face à ce défilé muet et ordonné, on avait peine à croire qu'il pût y avoir quoi que ce soit à craindre. Le seul vrai frisson qu'il lui fut donné d'avoir fut le soir où le capitaine ordonna d'éteindre les lumières et qu'ils restèrent tous blottis les uns contre les autres dans la pénombre de la salle à manger ; et même à ce moment-là, elle fut bizarrement reconnaissante de ce qu'il se produisît autre chose que des parties de bridge ou de tennis.

Lorsque le bateau mit le cap sur l'Égypte, le premier officier leur parla du bal costumé. Point d'orgue du voyage, il aurait lieu la veille de leur arrivée à Southampton. Le capitaine avait souhaité que les passagers aient amplement le temps de préparer leurs costumes. Joy songea qu'il avait probablement voulu les distraire pendant la traversée de l'Égypte, mais elle s'abstint de tout commentaire d'autant plus que tout le monde était très excité, comme si la mention de cette ultime nuit à bord l'avait en quelque sorte rapprochée. Chacun s'était aussitôt mis en devoir de concevoir sa tenue.

— J'aimerais me déguiser en Carmen Miranda, mais je doute qu'ils puissent me fournir les fruits, lui confia Stella alors qu'elles revenaient de la salle à manger.

Pieter n'était pas apparu au dîner ce soir-là, ce qui

l'avait mise de fort mauvaise humeur. Aussi Joy se garda-t-elle de lui dire ce qu'elle pensait : à savoir qu'un costume de Carmen Miranda risquait d'être un peu trop déshabillé pour qu'une femme mariée pût le porter sans s'exposer à des remarques désobligeantes.

— Que dirais-tu de Marilyn Monroe dans *Comment épouser un milliardaire* ? Il faudrait que je trouve de la passementerie neuve pour ma robe rose.

Stella considéra son reflet dans un hublot.

— Crois-tu que cela vaudrait la peine de me teindre les cheveux quelques tons plus clairs ? Ça fait des siècles que j'y songe.

— Qu'en penserait Dick ? demanda Joy, s'apercevant une fraction de seconde trop tard que ce n'était pas la question à poser.

— Oh, Dick me prendra telle que je suis, répondit Stella d'un ton sans appel. Il a déjà de la chance de m'avoir !

Elle tient ça de Pieter ! pensa Joy avec embarras. La Stella d'autrefois n'aurait jamais dit une chose pareille. Néanmoins, il était difficile de savoir ce que la nouvelle Stella allait déclarer, et plus encore ce qu'on pouvait lui dire sans risque. Alors que pendant des années elle s'était sentie en mesure de lui faire ses confidences les plus pénibles, Joy se rendait compte à présent que lorsqu'elle parlait à Stella, elle avait un peu l'impression de s'aventurer sur des sables mouvants. Il fallait faire attention où l'on mettait les pieds, et on ne pouvait jamais être certain de ne pas trébucher et se casser le nez.

— Eh bien, si tu penses que ça plaira à Dick… Je suis sûre que ça t'ira à merveille. Mais n'as-tu pas envie d'être exactement telle que tu étais quand tu l'as quitté pour qu'il ne se sente pas… euh, mal à l'aise ?

— Oh Dick, Dick, Dick, s'exclama Stella d'un ton furibard. Honnêtement, Joy, tu me casses les oreilles. Je t'assure qu'il sera content de me voir même si je me mettais tout à coup à ressembler à une Orientale. Cesse de me harceler, veux-tu ? Ce n'est rien qu'un bal costumé, après tout.

Piquée au vif, Joy n'avait rien ajouté jusqu'à ce qu'elles aient regagné leur cabine. À ce moment-là, comme de bien entendu, Stella avait déclaré qu'elle ne supportait pas d'entendre les ronflements des enfants et qu'elle allait faire un tour sur le pont. Toute seule.

Le lendemain matin, elle avait retrouvé sa bonne humeur, et les jours suivants elle redevint un peu la Stella d'autrefois, obnubilée par sa quête de matériaux appropriés pour confectionner son costume. Pendant l'escale à Port-Saïd, on permit à deux marchands de monter à bord avec d'énormes paniers en bois remplis de perles et de colifichets, à telle enseigne que même les femmes comme Mrs Fairweather qui auraient normalement jugé les Égyptiens indignes de leur considération s'étaient affairées et presque bagarrées pour de la passementerie ou des plumes d'une manière que Georgina Lipscombe estima d'ailleurs franchement indigne.

Joy essaya de s'absorber dans ces histoires de costumes et de déguisements, mais tandis qu'ils s'enfonçaient dans les eaux plus clémentes de la Méditerranée, elle ne pensait en vérité qu'à une seule chose : dans quelques jours maintenant, et non plus dans des semaines, elle allait revoir Edward. Parfois elle avait presque l'impression de le sentir s'approcher physiquement. Bien qu'à coup sûr, Stella aurait fait mine de se pâmer en entendant cela.

Le soir du bal costumé, ils devaient franchir la dernière longue étendue de mer avant de pénétrer dans la Manche. Le golfe de Gascogne, comme les voyageurs aguerris les en avaient avertis, était réputé pour ses eaux turbulentes, aussi ces dames feraient-elles bien de « tenir fermement leurs verres ». « Et si elles n'y parviennent pas, qu'elles se cramponnent à moi », avait déclaré Pieter, trop fort, si bien que les femmes qui se trouvaient près de lui à cet instant-là s'étaient écartées discrètement, leur sourire se figeant sur leur visage. Quoi qu'il en soit, l'excitation, à la perspective du bal ou de la fin prochaine du voyage, avait peu à peu gagné tout le monde tant et si bien que le dernier soir, alors que les embruns de l'Atlantique rendaient les ponts froids et humides, des cris témoignant d'inconduites s'élevèrent ici et là alors que divers passagers en costumes exotiques couraient d'une cabine à l'autre.

Mr et Mrs Fairweather portaient des tenues authentiques de maharajahs qu'ils s'étaient procurées à l'époque où ils étaient en poste à Delhi – une affectation de courte durée, mais éprouvante, dixit Mrs Fairweather –, et qu'ils emportaient semble-t-il systématiquement avec eux lors de leurs voyages en mer au cas où de tels événements se produiraient. Mrs Fairweather s'était badigeonné le visage et les bras de thé froid de manière à obtenir juste la couleur qui convenait pour une Indienne, avait-elle assuré à la ronde d'un ton impérieux en tiraillant sur ses étoffes exotiques pour dissimuler une peau d'une blancheur éclatante au niveau du ventre. Stella, qui avait renoncé à incarner Marilyn, après qu'on lui eut expliqué ce que l'eau oxygénée disponible à bord ferait à ses cheveux, s'était métamorphosée en Rita Hayworth dans *Salomé*, bien qu'il manquât au moins deux voiles sur les sept requis par sa tenue. Elle était furieuse de se voir égalée par Georgina Lipscombe qui, ayant persuadé un des officiers de marine de lui prêter son uniforme immaculé, était somptueuse avec ses cheveux noirs relevés sous sa casquette à visière. Joy, ayant trop attendu, s'était trouvée à court d'inspiration. Aussi Stella lui avait-elle prestement confectionné une couronne en feuille d'aluminium en lui suggérant de se déguiser en reine Elizabeth. « Nous pouvons garnir ma robe violette de coton pour que cela ait l'air d'hermine. Mais elle se maquille à peine, lui avait-elle précisé. Tu risques de te sentir un peu mal à l'aise. » En dépit de la passion qu'elle lui avait inspirée moins d'un an plus tôt, Stella ne s'intéressait plus guère à la jeune souveraine. Après un bref engouement pour la princesse Margaret – « Elle s'habille beaucoup mieux » –, elle s'était tournée vers Hollywood.

Joy se sentait passablement ridicule en reine sans trop savoir si c'était l'arrogance de son choix ou la puérilité de son costume qui la mettait le plus mal à l'aise. Lorsqu'elles firent leur entrée dans la salle à manger et qu'elle aperçut certains accoutrements, elle fut quelque peu soulagée.

Pieter était en tenue de marchand égyptien, nu jusqu'à la taille et noirci avec ce qui ressemblait fort à du cirage de sorte que ses muscles faisaient saillie et étincelaient sous l'éclairage tamisé. Ses cheveux blonds dissimulés sous un bonnet de laine noire confectionné au crochet par la vieille Mrs Tennant, il portait un panier rempli de perles et de gravures sur bois. Déjà survolté, il fondait de temps à autre sur une des femmes qui poussait les hauts cris en l'écartant, hilare, tout en s'efforçant de prendre un air courroucé. Pas une seule fois, néanmoins, il ne fit mine de se jeter sur Joy.

— Ai-je le teint marbré ? lui demanda Mrs Fairweather en s'approchant d'elle alors qu'elle prenait place à table. Je suis sûre que la teinture m'a donné des boutons.

Joy examina son visage brunâtre.

— J'ai l'impression que ça va, dit-elle, mais je peux faire quelques retouches si vous le souhaitez. Un des garçons nous fera bien un peu de thé froid.

Mrs Fairweather sortit un poudrier de son sac et examina son reflet tout en redressant les joyaux ornant sa coiffe.

— Oh, je ne voudrais pas les ennuyer. Ils sont tous terriblement occupés ce soir. Je me suis laissé dire que ce sera un dîner très spécial.

— Bonjour, Joy. Ou devrais-je dire Votre Majesté ?

Louis s'inclina devant elle, puis lui fit un baisemain, ce qui la fit rougir.

— On dirait que vous êtes née pour être reine. N'est-ce pas, Mrs Fairweather ?

Il portait une jupe en tweed miteuse, un foulard ainsi qu'un rouge à lèvres d'une teinte redoutable.

— Absolument, acquiesça Mrs Fairweather. Elle est royale !

— Je vous en prie, protesta Joy en riant comme Louis s'asseyait à côté d'elle. Vous allez m'inciter à présumer de moi-même. Puis-je vous demander en quoi vous êtes déguisé, pour l'amour du ciel ?

— Ne devinez-vous pas ?

Il paraissait dépité.

— Je ne peux pas croire que vous n'ayez pas deviné.

Joy regarda Mrs Fairweather, puis reporta son attention sur lui.

— Je suis désolée, dit-cllc.

— Je suis une *landgirl*, fit-il en brandissant sa fourche. Regardez ! Je parie que vous vous demandez comment j'ai fait pour dénicher ça !

— Une *landgirl* ?

Mrs Fairweather éclata de rire.

— Je comprends maintenant, dit-elle. Tu comprends, Philip ? Mr Baxter est déguisé en *landgirl*. Il a même un sac de pommes de terre.

— Qu'est-ce que c'est qu'une *landgirl* ? demanda Joy d'un ton hésitant.

— D'où sortez-vous ? De Tombouctou ?

Joy regarda autour d'elle pour voir si elle était la seule à être aussi ignare. Mais Stella poussait des petits cris à l'adresse de Pieter, Georgina Lipscombe discutait avec le premier officier, et la seule autre personne à proximité, une danseuse étoile aux jambes couvertes de poils suspects, n'avait pas l'air d'écouter.

— Quand êtes-vous allée en Angleterre pour la dernière fois ? demanda Louis.

— Oh mon Dieu. Quand j'étais enfant, je pense, répondit Joy. À l'époque où Hong-Kong a été envahi, on nous a tous envoyés en Australie.

— Tu te rends compte, Philip ! Joy ne sait même pas ce que c'est qu'une *landgirl*.

Mrs Fairweather expédia un coup de coude à son mari, qui, sous son turban, contemplait son gin-tonic d'un air bienveillant.

— Ben ça alors, fit-il avec la plus parfaite indifférence.

— Vous n'en avez vraiment jamais vue ?

Joy se sentit assez mal à l'aise. Il y avait toujours quelque chose dans ce genre de réunions pour lui donner la sensation d'être ignorante, ou stupide. C'était la raison pour laquelle elle adorait Edward : il ne lui donnait jamais cette impression.

— Je ne vois pas pourquoi Joy saurait ce qu'est une *landgirl*, s'empressa de souligner Louis. Je suis sûr qu'il y a des tas de choses à propos de Hong-Kong que je ne comprendrai jamais. Puis-je aller vous chercher un verre, Joy ? Mrs Fairweather ?

Joy lui sourit, reconnaissante de sa sollicitude, et le moment passa.

La mer se déchaîna peu à peu alors qu'ils achevaient le plat principal au point que les serveurs devaient parfois se cramponner aux angles des meubles pour éviter de laisser choir les assiettes et que le vin s'inclinait de façon alarmante dans le verre de Joy.

— C'est toujours comme ça, commenta Louis, assis à côté d'elle.

Son rouge à lèvres s'était estompé au cours du repas et elle ne pouvait plus le regarder sans pouffer de rire.

— La première fois que j'ai fait la traversée, je suis tombé de ma couchette en plein sommeil.

Joy n'avait que faire de la houle. Chaque énorme vague la rapprochait de Tilburry. En revanche, certaines de ces dames poussaient des cris réprobateurs, comme si l'on pouvait reprocher à quelqu'un ce manque de considération météorologique.

Leurs voix prenaient des intonations stridentes dignes des mouettes, couvrant la musique qui continuait à retentir sur l'ordre du capitaine bien que les musiciens eussent toutes les peines du monde à ne pas perdre l'équilibre et que les accords fussent de plus en plus dissonants. Stella, qui se dirigeait vers les toilettes d'une démarche incertaine, avait failli culbuter de sorte que Pieter avait bondi pour se porter à son secours, envoyant sa chaise valser avec grand fracas. Joy surprit l'expression de son amie quand elle le remercia de son geste et se sentit tout à coup profondément mal à l'aise.

Louis qui la regardait emplit son verre de vin en lui suggérant de le boire d'une traite.

— Si vous buvez suffisamment, vous penserez que c'est vous qui tanguez et non le navire, dit-il, et sa main effleura accidentellement la sienne.

Joy, qui observait toujours Stella alors qu'elle tenait le bras secourable de Pieter un peu trop longtemps, s'en rendit à peine compte.

Pour finir, elle avait bu. Elle avait fait preuve d'une sobriété relative jusqu'à ce soir, mais cette fois-là, comme les autres, elle avait été gagnée par la sensation de quelque chose sur le point de s'achever et une sorte d'audace provoquée par leur isolement et la pensée de l'existence plus sérieuse, plus adulte, qui les attendait. On porta des toasts de plus en plus absurdes, avec des voix toujours plus tonitruantes : à feu le Roi, au bon vieux pays, à Elizabeth, auquel stade Joy se retrouva debout en train de hocher royalement la tête, à Lone Ranger et à Tonto, au dessert, une structure complexe à base de crème, de génoise et d'alcool, au *SS Destiny* lui-même tandis qu'il se frayait un chemin à coups d'embardées parmi les vagues.

Joy s'aperçut qu'elle n'arrêtait pas de pouffer de rire et se laissa faire quand Louis la prit par la taille. Elle cessa bientôt de remarquer qui avait disparu de la table, et à quel moment. Et lorsque le capitaine monta sur le podium pour annoncer qu'il était sur le point de décerner le prix du meilleur costume, elle l'invectiva aussi grossièrement et sans merci que le reste de la tablée.

— Un peu de silence, mesdames et messieurs ! s'exclama le premier officier en tapotant son verre de cognac avec la lame de son couteau. Taisez-vous ! S'il vous plaît !

— Vous savez, Joy, je vous trouve absolument merveilleuse.

Elle détourna brusquement le regard de l'estrade et dévisagea Louis dont les yeux bruns avaient pris tout à coup cet air de langueur humide qu'ont les chiots.

— J'avais envie de vous le dire depuis Bombay.

Il posa sa main sur la sienne et Joy se libéra prestement de peur que quelqu'un ne l'ait vue.

— Du calme, mesdames, messieurs, s'il vous plaît. Allons, allons.

Le capitaine brandit les mains, paumes baissées, devant lui, puis en leva une brutalement en l'air alors que le navire se déportait soudain vers tribord si bien que les passagers se mirent à pousser des hurlements et à siffler à qui mieux mieux.

— C'est une séparation cruellement longue quand on aime quelqu'un, Joy. Je le sais. J'ai moi aussi quelqu'un qui m'attend. Mais cela n'empêche pas de désirer quelqu'un d'autre, si ?

Joy le regarda fixement, attristée à l'idée qu'il ait fallu qu'il complique les choses. Elle l'aimait bien. En d'autres circonstances, enfin, peut-être. Mais pas ça… Elle secoua la tête en s'efforçant d'instiller un peu de regret dans ce petit geste, pour ne pas le blesser.

— Ne parlons pas ainsi, Louis.

Louis scruta son visage un long moment, puis baissa les yeux.

— Désolé, fit-il. J'ai probablement un peu trop bu.

— Chut ! siffla Mrs Fairweather. Vous ne pourriez

pas vous taire, vous deux. Il essaie de faire un discours !

— Bon, je sais que vous attendez ce moment avec impatience et j'aimerais pouvoir vous dire que vous avez tous fait un remarquable effort… mais ce ne serait pas vrai.

Le capitaine hésita tandis que des éclats de rire fusaient de toutes parts.

— Non, non, je plaisante. Écoutez, nous avons longuement délibéré à propos de ces costumes, et même très longtemps sur certains.

En disant cela, il considéra d'un air plein de sous-entendus les voiles diaphanes de Stella. Aussi préoccupée fût-elle, Joy fut soulagée de voir qu'elle était toujours à sa table. Il y avait un bout de temps que Pieter s'était absenté.

— Mais la décision unanime de mes collègues et de moi-même a été de décerner notre prix, ajouta-t-il en brandissant une bouteille de champagne, à un homme qui a prouvé qu'il était capable de se révéler au grand jour. Littéralement.

Les passagers assemblés attendaient en silence.

— Mesdames, messieurs, Pieter Brandt. Ou devrais-je dire, notre marchand égyptien ?

Un tonnerre d'applaudissements emplit la salle, des serviettes et des petits pains entamés voltigeant en l'air. À l'instar du reste de sa tablée, Joy jeta des coups d'œil autour d'elle pour tenter de localiser Pieter parmi les nombreux visages savamment grimés. Comme sa perruque en laine noire n'apparaissait pas, les clameurs s'apaisèrent peu à peu et un petit murmure se répandit dans l'assistance tandis que les têtes continuaient à pivoter en tous sens.

Joy leva les yeux vers le capitaine, brièvement muselé par la disparition de Pieter, avant de tourner son attention vers Stella qui semblait tout aussi perplexe.

— Il a dû aller faire des affaires, plaisanta le capitaine. Je ferais bien de demander au cuisinier de vérifier nos provisions.

Il regarda autour de lui, se demandant à l'évidence ce qu'il convenait de faire.

Des chuchotements provenant du bout de la salle attirèrent son attention. Ils se propagèrent d'une table à l'autre comme une douce brise de sorte que Joy, qui suivait leur cheminement, finit par percevoir la cause de cette rumeur. Tous les yeux étaient tournés vers Georgina Lipscombe qui franchissait les portes du fond d'un pas chancelant, ses cheveux délivrés de sa casquette à visière pendant en boucles désordonnées sur ses épaules. Elle titubait en s'efforçant de garder son équilibre et tendit la main vers le dossier d'une chaise inoccupée.

Joy la dévisagea en essayant de comprendre le sens du spectacle qu'elle avait sous les yeux, puis elle regarda Stella qui blêmissait à vue d'œil. Car l'uniforme d'officier de Georgina Lipscombe était désormais loin d'être immaculé. Des épaulettes jusqu'au milieu des cuisses, il était maculé d'empreintes mal définies, mais reconnaissables, de cirage. Apparemment inconsciente de son apparence, Georgina considéra les visages tournés vers elle, puis, la tête haute, résolut manifestement de les ignorer. En atteignant sa table, elle s'assit, un peu lourdement, et alluma une cigarette. Un silence pesant suivit.

Puis Stella hurla : « Oh la garce ! » en se jetant sur elle par-dessus la table, s'emparant de ses cheveux, de ses épaulettes, du peu de peau ou d'uniforme qu'elle put saisir avant que Louis et le premier officier eussent le temps de bondir de leurs chaises pour tenter de l'arracher à sa proie. Atterrée, Joy se leva et resta plantée là, incapable de reconnaître son amie en cette mégère déchaînée dont les voiles se déchiraient alors qu'elle se démenait pour tâcher d'avoir une meilleure prise. « Espèce de salope ! » beugla Stella, à présent en larmes, son maquillage soigné déjà strié autour des yeux. Louis lui saisit le bras, la forçant à lâcher les cheveux de Georgina, mais quelques secondes s'écoulèrent avant que les deux hommes puissent la libérer.

— Chut ! Allons, ma chère ! dit Mrs Fairweather, lui caressant les cheveux pendant qu'on la faisait asseoir. Allons, calmez-vous ! Nous avons eu bien assez d'excitation pour ce soir.

Un silence de mort régnait à présent dans la salle à manger. Le capitaine fit signe à l'orchestre de se remettre à jouer, mais il y eut un temps d'arrêt prolongé avant que les musiciens retrouvent la mesure où ils en étaient. Autour d'eux, les dîneurs riaient d'un air gêné ou manifestaient leur désapprobation en poussant des cris stupéfaits tout en reportant peu à peu leur attention sur leurs voisins de table.

Les cheveux emmêlés, Georgina se tâta le visage pour voir si elle saignait. Voyant qu'il n'en était rien, elle chercha sur la nappe la cigarette allumée qui avait valsé un peu plus tôt. Elle flottait, tristement, dans le verre de Mrs Fairweather. Elle en extirpa une autre calmement de son étui en argent et l'alluma. Puis elle leva la tête et plongea son regard dans celui de Stella. Il y eut un bref silence.

— Quelle sotte tu fais ! dit-elle en exhalant un long

nuage de fumée. Tu ne croyais tout de même pas être la seule, si ?

Assise sur le pont à tribord, Joy étreignait une Stella secouée de sanglots en se demandant combien de temps elle tiendrait encore le coup avant de lui faire gentiment remarquer que non seulement elles étaient trempées, mais qu'en plus elle claquait des dents.

Stella pleurait depuis plus de vingt minutes, blottie dans les bras mouillés et endoloris de son amie, sans se soucier des embruns glacés et du tangage du navire.

— Je n'arrive pas à croire qu'il m'ait menti, haleta-t-elle durant un bref interlude entre deux hoquets. Toutes les choses qu'il m'a dites…

Joy préféra ne pas s'appesantir sur les propos qu'il lui avait tenus. Ni sur les conséquences qu'ils auraient pu avoir.

— Elle est horrible en plus. Elle est vieille, pour l'amour du ciel !

Stella leva vers Joy des yeux gonflés par les larmes.

— Elle a un visage dur, fit-elle d'un ton incrédule. Elle se farde trop. Et elle a des *vergetures*.

Ce n'était pas tant que Pieter l'eût trompée, se disait Joy. Mais le choix sans discernement qu'il avait fait en jetant son dévolu sur Georgina.

— Oh Joy… Que vais-je faire à présent ?

Joy repensa au retour de Pieter à la table. Il avait d'abord ri en faisant quelques blagues grivoises, son état d'ébriété l'empêchant de constater que les autres l'avaient accueilli avec un silence glacial. Puis son hilarité avait eu quelque chose de forcé et il avait raconté une autre anecdote burlesque, comme pour essayer de restaurer la bonne humeur. Mais lorsque le capitaine s'était approché pour flanquer la bouteille de champagne devant lui, lui annonçant sèchement : « Vous avez gagné » avant de tourner les talons, le Hollandais avait compris que la situation avait changé au cours de la demi-heure qu'avait duré son absence.

— Vous feriez bien de retoucher votre cirage, mon vieux, lui avait dit Louis en fixant d'un air entendu la poitrine pâle de Pieter, puis avec tout autant d'insistance le devant taché de Georgina.

Pour des raisons évidentes, il avait été impossible de déterminer si Pieter avait blêmi, mais il avait jeté des coups d'œil anxieux autour de lui à ses compagnons de voyage, puis s'était excusé en disant qu'il avait « besoin de se dégourdir les jambes ». Georgina avait pris un air las en tirant sur sa sempiternelle cigarette, réussissant à fixer un point au loin sans croiser le regard de qui que ce soit. Pour finir, apparemment vexée par le manque d'attention de l'assistance masculine, elle avait quitté la table à son tour.

Stella était déjà partie, escortée aux toilettes par Mrs Fairweather qui lui avait essuyé le visage en vain avec un malheureux mouchoir en dentelle en la suppliant d'arrêter de pleurer. « Vous étiez si jolie avec votre maquillage, ne cessait-elle de lui répéter. Il ne faut pas que cette femme voie qu'elle vous a bouleversée à ce point. » Elle avait paru assez soulagée quand Joy les avait rejointes et lui avait confié Stella avec un peu trop d'enthousiasme et de gratitude. « Vous êtes amies, toutes les deux, avait-elle dit. Vous saurez lui remonter le moral. Parlez-lui. » Après quoi, dans un tourbillon d'Arpège, de perles et d'étoffes transparentes, elle avait disparu.

— Que vais-je faire ? répéta Stella une demi-heure plus tard en scrutant la mer noire d'encre ourlée d'écume. Tout est fini. Je devrais peut-être…

Joy suivit son regard au-delà du pont et resserra son emprise sur le bras de son amie.

— Je t'interdis de parler comme ça, dit-elle, prise de panique. Je t'interdis même d'y penser, Stella Hanniford.

Stella tourna vers elle un visage dénué d'artifice et de fourberie.

— Mais que vais-je faire. Joy ? J'ai tout gâché, n'est-ce pas ?

Joy prit ses mains glacées dans les siennes.

— Tu n'as rien gâché du tout. Tu t'es juste intéressée d'un peu trop près à un homme vraiment stupide que tu ne reverras plus jamais à partir d'après-demain.

— Mais c'est ça qui est terrible, Joy. Une partie de moi rêve de le revoir.

Stella leva vers elle ses grands yeux bleus écarquillés par le chagrin. Elle lâcha une des mains de Joy et écarta ses cheveux de son visage.

— Il était absolument merveilleux. Bien meilleur que Dick. C'est ça le pire… Comment puis-je retourner auprès de Dick et faire comme si tout allait bien alors que j'ai éprouvé quelque chose de tellement plus fort ?

Joy se sentit écœurée. Elle avait envie de se boucher les oreilles, de dire à Stella : « Arrête ! Je ne veux pas le savoir », mais elle était consciente d'être la seule confidente possible pour son amie. L'unique confidente de quelqu'un qui, toujours un peu mélodramatique, n'en avait pas moins regardé ces vagues d'une manière franchement inquiétante.

— Il faut que tu l'oublies, déclara-t-elle inutilement. Il faut que tu t'arranges pour que ça se passe bien avec Dick.

— Et si je m'étais trompée en l'épousant ? Oh, j'étais

amoureuse, je te l'accorde, mais que savais-je de la vie ? Je n'avais embrassé que deux hommes avant de le rencontrer. Comment pouvais-je me douter que je m'attacherais à quelqu'un d'autre ?

— Dick est un homme bien, dit Joy en songeant au pilote séduisant et affable. Vous étiez heureux ensemble. Vous le serez à nouveau.

— Mais je n'en ai pas envie. Je ne veux plus avoir à lui sourire, à l'embrasser et à le laisser presser son horrible vieux corps contre le mien. Je voulais Pieter… et maintenant je vais me retrouver coincée avec quelqu'un que je n'aime plus jusqu'à la fin de mes jours.

Joy prit de nouveau son amie dans ses bras en contemplant le ciel obscur. Il n'y avait presque pas d'étoiles, rien que des nuages bas, grisâtres, éclipsant les constellations.

— Tout ira bien, murmura-t-elle contre l'oreille glacée de Stella. Je te le promets. Tu te sentiras déjà beaucoup mieux demain matin.

— Comment peut-on être sûr ? demanda Stella en levant son visage vers le sien.

— C'est toujours comme ça. Ça s'arrange quand il fait jour.

— Je ne te parle pas de ça. Comment peut-on être sûr qu'on a fait le bon choix ?

Joy réfléchit une minute de peur de se tromper de réponse. Elle songea un bref instant à Louis.

— Je suppose qu'on n'en est jamais sûr, finit-elle par dire. Il faut l'espérer, c'est tout.

— Mais tu le sais, toi. Tu en es sûre.

— Oui, répondit Joy après un bref silence.

— Comment ?

— Parce que je ne me sens pas vraiment à l'aise avec

qui que ce soit d'autre. Quand je suis avec lui… c'est comme avec toi… sauf qu'il y a la passion en plus.

Elle jeta un coup d'œil à Stella qui l'observait avec attention.

— J'ai l'impression qu'il est la version masculine de moi. La meilleure moitié. Quand je suis auprès de lui, j'ai envie d'être à la hauteur de l'image qu'il a de moi. Je ne veux pas le décevoir.

Joy se le représentait bien à cet instant, lui souriant, ses yeux plissés aux coins, ses dents juste visibles sous sa lèvre supérieure.

— Je ne me suis jamais vraiment souciée de ce que les gens pensaient de moi jusqu'au jour où je l'ai rencontré, reprit-elle, et je n'arrive toujours pas à croire qu'il m'ait choisie. Chaque matin quand je me réveille, je remercie le Ciel qu'il en soit ainsi. Chaque soir, je me couche en priant pour que le temps passe plus vite afin que je puisse être de nouveau auprès de lui. Je pense sans arrêt à ce qu'il fait, aux gens auxquels il parle. Pas par jalousie… C'est juste que j'ai envie d'être plus près de lui, et si je peux m'imaginer ce qu'il est en train de faire, ça m'aide.

Il devait dormir à présent, pensa-t-elle. Ou bien il lisait. Probablement un de ces manuels sur les chevaux de race remplis de lignées de bêtes remontant à des générations, édifiant ses rêves d'un arbre généalogique équin.

— Il surpasse largement tout ce que j'aurais jamais espéré avoir. Ou demander, dit-elle d'un ton rêveur. Je ne peux pas m'imaginer avec qui que ce soit d'autre.

Un bref silence suivit. Joy se rendit compte qu'elle avait presque oublié la présence de Stella.

Mais Stella se leva du banc où elles étaient assises

près des bateaux de sauvetage. Elle avait cessé de pleurer et se pelotonnait sous son châle pour se protéger du froid.

Joy se redressa à son tour et écarta ses cheveux mouillés de son visage.

— Eh bien, tu as de la chance, lança Stella en évitant son regard. Ça a été facile pour toi.

Joy fronça légèrement les sourcils, surprise par le ton de son amie.

Stella se dirigea vers la porte, puis se retourna, de sorte que son ultime réplique ricocha sur Joy dans les embruns de la nuit.

— Nettement plus facile pour toi. Au fond, personne d'autre n'a jamais eu envie de vivre avec toi.

7

Assise par terre au milieu du tapis persan usé jusqu'à la corde, Sabine regardait la photographie de Stella dans sa robe bleu nuit. Aux tons fanés de la pièce où elle se trouvait s'était momentanément substituée la vision des ponts inondés de pluie d'un navire malmené par les flots, de satin émaillé d'étincelles chatoyantes de quelque sept voiles détrempés, incrustés de paillettes.

— Est-elle retournée auprès de Dick en définitive ?

Elle considéra les yeux pétillants, le sourire entendu, s'efforçant en vain d'imaginer cette jeune femme abandonnée et misérable sur un paquebot battu par les vents. Elle avait l'air trop sûre d'elle.

Joy qui triait une boîte remplie de vieux certificats jeta un coup d'œil au cliché par-dessus son épaule.

— Stella ? Oui, mais pas pour longtemps.

Sabine se tourna vers elle en attendant de plus amples explications. Joy posa la boîte sur ses genoux et réfléchit une minute.

— Il l'adorait, mais je pense que les sentiments qu'elle avait éprouvés pour Pieter Brandt l'avaient ébranlée et au bout d'un moment, comme aucun enfant ne venait, elle a résolu d'aller voir ailleurs.

— Que s'est-il passé alors ?

Joy se frotta les mains pour essayer de se débarrasser d'un peu de poussière. Elle était contente que Sabine et elle fussent de nouveau en bons termes, mais c'était un peu fatigant, cette manière que la petite avait de lui poser des questions sur tout. Elle prit une profonde inspiration, s'armant de courage, comme Stella le faisait tant d'années plus tôt lorsqu'elle avait une mauvaise nouvelle à lui annoncer.

— Elle a connu beaucoup d'hommes en définitive. Sans jamais faire sa vie avec aucun d'eux.

— Elle n'avait pas froid aux yeux, s'exclama Sabine d'un ton enjoué.

Stella lui plaisait assez.

— Si on veut appeler ça comme ça. Elle s'est certainement bien amusée tant qu'elle était jeune. En vieillissant cependant, elle est devenue un peu triste. Elle buvait trop.

Joy se frotta un œil. Un grain de poussière avait dû s'y glisser.

— Son dernier mari est mort d'une insuffisance hépatique. Après l'avoir perdu, je crois qu'elle s'est rendu compte qu'elle n'avait plus personne dans sa vie. Elle avait soixante-deux ans, vois-tu. Ce n'est pas facile d'être tout seul à cet âge-là.

Sabine essaya d'imaginer la silhouette éblouissante qu'elle avait sous les yeux non plus seulement abandonnée, mais en vieille alcoolique solitaire.

— Est-elle morte ?

— Oui. Il y a quelques années. En 92, il me semble. Nous étions restées en contact, mais elle est allée s'installer dans un petit appartement sur la Costa Brava et nous ne nous sommes jamais revues après cela. J'ai appris son décès par sa nièce qui m'avait envoyé une gentille lettre.

Joy parut distraite l'espace d'un instant.

— Bon ! Je crois que je ferais mieux de me débarrasser de toutes ces vieilles rosettes. Il y a du vert-de-gris dessus. Quel dommage !

Sabine remit les photographies dans la boîte devant elle en s'efforçant de se représenter sa mère à la place de Stella Hanniford. Elle était moins séduisante que Stella, mais dans l'état actuel des choses, elle pourrait aisément passer d'un homme à l'autre avant de se retrouver toute seule quelque part sur la côte espagnole. Sabine eut une soudaine vision d'elle-même rendant visite à sa mère tandis que Kate vautrée sur un canapé miteux, cramponnée à une bouteille de rioja, évoquerait d'un ton éméché tous ceux qu'elle avait laissés derrière elle. « Oh, Geoff, dirait-elle, ses cheveux roux pendant lamentablement sur ses épaules, son rouge à lèvres débordant allègrement de ses lèvres. C'était une bonne année. Geoff. À moins que ce ne soit George ? Je les confonds toujours. »

Sabine écarta cette image de son esprit sans trop savoir si cela lui donnait envie de rire ou de pleurer. Puis elle jeta un regard en coulisse à sa grand-mère, qui déversait le contenu de la boîte de vieilles décorations dans un sac en plastique noir, en s'efforçant de réconcilier la silhouette rigide près d'elle avec l'image idyllique du jeune amour qui s'était récemment ancrée dans son imagination. Au cours des derniers jours, Sabine s'était vue dans l'obligation de considérer ses grands-parents sous un nouveau jour. Ce vieux couple guindé et grincheux avait jadis connu une histoire sentimentale apte à rivaliser avec toutes celles que l'on voyait à la télé.

Son grand-père avait été bel homme. Sa grand-mère… eh bien, elle était fort jolie elle aussi. Mais ce qui avait surtout frappé Sabine, c'était cette longue attente, tout ce temps passé séparés. Et malgré tout, elle n'avait pas douté d'elle un seul instant. Tous ces autres officiers, et elle était restée fidèle à son Edward.

— Personne ne se fiancerait au bout de vingt-quatre heures de nos jours, dit-elle en pensant à haute voix. Certainement pas s'il faut attendre toute une année après ça.

Joy, en train de fermer le sac avec un bout de ficelle, s'interrompit pour considérer sa petite-fille.

— Oui, je suppose que peu de gens le feraient.

— Et toi le referais-tu ? Je veux dire, si cela devait se produire maintenant.

Joy posa le sac par terre et resta plantée au milieu de la pièce d'un air songeur.

— Avec ton grand-père ?

— Je ne sais pas moi. Bon, mettons, oui, avec grand-père.

Joy regarda par la fenêtre que la pluie striait d'éclats métalliques. Au-dessus de l'encadrement, une tache brunâtre semi-circulaire marquait l'emplacement où la gouttière s'était délogée, offrant à l'eau un nouveau moyen de s'insinuer allègrement dans la maison.

— Oui, bien sûr, finit-elle par dire.

Mais elle n'avait pas l'air convaincue.

— Est-ce que tu te sentais nerveuse quelquefois ? Je veux dire, avant de le revoir ? Après tout ce temps passé sur le bateau ?

— Je te l'ai déjà dit, ma chère. J'étais juste heureuse à l'idée de le retrouver.

Sabine n'était pas satisfaite.

— Mais tu devais bien avoir le trac. Pendant les derniers instants, avant vos retrouvailles. Quand tu scrutais le quai pour tâcher de l'apercevoir en attendant que le bateau accoste. Tu devais avoir un peu la nausée. Je suis sûre que ce serait le cas pour moi.

— C'était il y a longtemps, Sabine. Nous nous sommes retrouvés tant de fois. Je ne me souviens pas vraiment. Bon, il faut que je descende ce sac pour ne pas rater le passage des éboueurs.

Renfrognée tout à coup, Joy se dirigea vers la porte en essuyant la poussière sur son front.

— Allez, range tout ça. Nous ferions mieux d'aller préparer le déjeuner. Ton grand-père doit avoir faim.

Sabine s'étira, puis se leva. Elle avait remarqué la brusquerie soudaine de sa grand-mère, mais ne s'en formalisa pas. Au cours des dernières semaines durant lesquelles elles avaient passé presque chaque jour plusieurs heures ensemble à éplucher de vieux souvenirs, l'attitude compassée de Joy s'était relâchée, surtout lorsqu'elle lui avait raconté les premiers temps de son mariage avec Edward. Les réminiscences lui déliaient la langue, ses phrases se succédant en narrations fluides, vibrantes de couleurs, et Sabine avait été fascinée et ravie de l'écouter comme si on lui laissait entrevoir un monde inédit fait de privilèges, de conformisme et d'inconduites.

Sans parler du sexe. Ça faisait drôle d'entendre sa grand-mère y faire référence. Enfin, elle ne prononçait jamais vraiment le mot, mais elle n'avait guère laissé de doute dans l'esprit de Sabine quant à ce qui avait mis Stella Hanniford et Georgina Lipscombe dans de si vilains draps ! Sabine n'arrivait pas à croire qu'ils avaient des mœurs aussi dissolues dans les années 50. Elle avait déjà suffisamment de mal à imaginer sa mère en train de faire l'amour. Sabine se remit à penser à elle et se demanda, pour la énième fois, pourquoi Kate n'arrivait pas à vivre une belle histoire sentimentale comme ses grands-parents. Un véritable amour, songea-t-elle avec mélancolie, qui aurait survécu aux vicissitudes du sort, qui se serait épanoui, comme une sorte de « Roméo et Juliette » des années 50, au-delà de la mesquinerie et de la banalité. Ce genre d'amour dont on parlait dans les livres, qui inspirait des chansons, qui vous élevait dans les airs comme un oiseau tout en restant solidement ancré, tel un monolithe, immense, éternel, englobant tout.

Debout sur le seuil, Joy se retourna vers elle.

— Allez viens, Sabine. Dépêche-toi un peu. Mrs H prépare du haddock et si nous tardons trop à le porter à ton grand-père, je n'arriverai pas à le persuader de le manger.

Ainsi, entre ses relations plus détendues avec sa grand-mère, le fait qu'elle ait fini par s'habituer à l'humidité et les leçons d'équitation qu'elle aimait assez (bien qu'elle refusât toujours de l'admettre), Sabine sentait que son mal du pays s'était considérablement amoindri, même s'il n'avait pas totalement disparu. La télévision lui manquait moins en tout cas. Et elle ne pensait presque plus à Dean Baxter. Mrs H et son mari devaient fêter leurs trente-deux ans de mariage dimanche et bien que ce ne fût pas un événement si important que ça (c'était les noces de granit ou de papier journal, quelque chose comme ça, et non d'or ou d'argent), Mrs H avait déclaré qu'à son avis, cela valait bien une fête. Sabine était invitée, ainsi qu'une bonne partie de la famille de Mrs H.

Sabine avait été assez contente d'être conviée. Cela lui donnait l'occasion de passer la soirée dehors. (Même si sa grand-mère et elle s'étaient réconciliées, les dîners à la grande table de la salle à manger n'en restaient pas moins une épreuve.) Cela prouvait aussi qu'en plus d'être mieux intégrée à sa propre famille, elle faisait un peu partie de celle de Thom et d'Annie. Étant enfant unique d'une mère célibataire par intermittence, c'était la première famille qu'elle voyait de près, une famille qui lui faisait l'effet d'être infinie, tentaculaire, mais suffisamment intime pour que tout le monde se connaisse. Ils allaient librement les uns chez les autres, sûrs d'un sentiment d'appartenance, sachant où était leur place. Ce que Sabine aimait le plus en leur compagnie, cependant, c'était le bruit : les interminables conversations, les interruptions, les explosions d'hilarité, les moqueries. Chez elle, le silence régnait en permanence. Aussi loin que ses souvenirs remontaient, il avait toujours fallu ce silence pour permettre à sa mère de travailler, si bien que l'ambiance avait quelque chose de sinistre. On éprouvait une sorte d'étouffement permanent comme sous une couverture épaisse. Lorsque Geoff, sa mère et elle prenaient place autour de la table pour le repas, il n'y avait jamais d'éclats de rire bruyants, juste Geoff lui posant poliment des questions à propos de sa journée, la traitant un peu maladroitement comme une grande personne et sa mère regardant dans le vague tout en mangeant, rêvant à Dieu sait quoi. Probablement de Justin, pensa Sabine avec rancœur. Pour quelque inexplicable raison, elle avait recommencé à être fâchée contre Justin.

C'était la première fois qu'elle allait chez Mrs H. Celle-ci habitait une maison préfabriquée en bordure du village ; elle trônait au beau milieu d'un petit jardin carré entouré de dalles et flanqué d'une succession de plates-bandes soigneusement entretenues. Une antenne parabolique se dressait en équilibre apparemment instable sur le côté, pareille à un cornet acoustique. Il y avait des rideaux à fleurs de couleurs gaies aux fenêtres et une jardinière remplie de cyclamens roses et rouges sur chaque rebord.

Un revêtement de pierre synthétique qui aurait fait grincer Geoff des dents couvrait la façade. C'était l'œuvre de Michael, le mari de Mrs H, que tout le monde appelait Mack. De fait, la maison elle-même s'appelait Mackellen, ce qui, tout compte fait, en disait plus long sur le véritable nom de Mrs H que ce que Sabine en savait jusque-là.

— Il y a une sacrée différence entre la maison de vos grands-parents et là où nous allons, je vous le dis, lança Thom qui l'avait accompagnée.

— Il y aura sûrement moins de moisi en tout cas, observa Sabine, ce qui l'avait fait rire.

Une fois à l'intérieur, Sabine comprit ce que Thom avait voulu dire. Dès qu'il ouvrit la porte, elle fut saisie par le souffle chaud du chauffage central lancé à fond et sentit le moelleux de la moquette claire sous ses pieds. Des photos de famille et quelques poèmes brodés ornaient les murs, mais l'élément prédominant du décor n'était autre que des bibelots. Il y en avait partout : des petits éléphants en verre, des clowns hilares en caoutchouc, de gracieuses bergères entourées de leurs troupeaux. Tous étincelant sous les lumières vives. Il n'y avait pas un grain de poussière. Tout était clair, gai, immaculé. Sabine passa en revue le bataillon de petites créatures, décontenancée par leur nombre.

— Venez, Sabine. Ferme la porte, Thom, tu laisses entrer l'air humide. Bon sang, il fait frisquet ce soir !

Rayonnante, Mrs H vint à sa rencontre pour lui prendre son manteau. Elle ne ressemblait pas du tout à la Mrs H que Sabine voyait tous les jours, avec sa blouse en nylon dans des tons pastel, son chignon et sans une touche de maquillage sur son visage au teint rose éclatant. Alors que celle qu'elle avait à cet instant devant elle arborait un chandail mauve agrémenté de deux grosses chaînes en or dont une avec une croix. Ses cheveux ondulés et brillants paraissaient plus volumineux. Un léger fard lui donnait un air plus jeune, assez sophistiqué, presque intimidant. Sabine se sentit légèrement désarçonnée et se rendit compte à sa grande honte qu'elle n'avait pas imaginé une seule seconde que Mrs H puisse avoir une vie à elle, loin de la grande maison et de ses attributions de cuisinière et de femme de ménage.

Même lorsqu'elle était chez Annie, elle s'activait constamment, toujours accaparée par quelque tâche domestique.

— Vous êtes… très jolie, fit-elle d'un ton hésitant.

— Vraiment ? C'est gentil à vous, répondit Mrs H en la conduisant dans le couloir. Annie m'a acheté ce pull-over il y a un an ou deux et figurez-vous que je l'ai à peine porté. Je l'avais gardé pour une occasion spéciale. Elle me gronde bien sûr, mais je le trouve trop beau pour tous les jours.

— Annie va-t-elle venir ?

— Elle est déjà là, mon cœur. Allez, venez. Thom, n'oublie pas de mettre tes chaussures dehors. J'en ai assez de l'aspirateur pour aujourd'hui.

Tout en suivant Mrs H, Sabine repensa à la veille lorsque en passant à cheval devant le jardin d'Annie, elle avait jeté un coup d'œil par-dessus le mur, espérant l'apercevoir et la saluer au passage. Annie lui avait souvent dit de l'appeler si elle venait afin qu'elle puisse l'admirer sur sa monture, et Sabine était forcée d'admettre qu'elle était secrètement assez fière de ses nouvelles aptitudes de cavalière. Elle avait commencé à s'exercer toute seule au saut et rassemblait peu à peu son courage avec la ferme intention de tenter de franchir de petites haies, encouragée par l'apparente infaillibilité de son petit cheval.

Quoi qu'il en soit, lorsqu'elle avait tiré doucement sur les rênes pour l'arrêter et guigné par la fenêtre de la cuisine, elle avait vu non pas Annie en train de lui faire un signe, mais Patrick, son mari, assis à la table, la tête enfouie dans ses bras, comme sous l'emprise d'un fardeau trop lourd à porter. À demi dissimulée par les reflets sur la vitre, Annie se tenait debout en face de lui et regardait fixement dans le vague.

Sabine avait retenu son cheval en attendant qu'ils bougent, mais comme ni l'un ni l'autre n'avait bronché au bout de plusieurs minutes, elle avait continué son chemin de peur qu'ils ne remarquent sa présence et s'imaginent qu'elle les épiait. Elle songea à en parler à Mrs H, mais ne savait pas trop comment aborder la question. Et puis, elles avaient déjà atteint la salle à manger.

La famille de Mrs H y était installée dans des canapés immaculés, bien rembourrés, bavardant par groupes tout en sirotant des petits verres. Une grande table chargée d'assiettes et de couverts occupait toute la longueur d'un mur. Somptueusement décorée de fleurs, elle était entourée de chaises disposées à deux centimètres à peine les unes des autres. Au milieu de la pièce, sur un tapis bleu pâle et crème, deux petits garçons jouaient avec un circuit électronique, expédiant bruyamment leurs engins à toute volée hors de la piste. Ils se heurtaient en vrombissant dans les fauteuils capitonnés. Il faisait encore plus chaud dans le salon que dans le couloir, et Sabine avait la désagréable impression de transpirer dans son gros pull. Elle s'était tellement habituée à vivre dans une maison froide qu'elle n'allait plus où que ce soit sans un minimum de quatre épaisseurs de vêtements, et elle ne se souvenait plus si les trois du dessous étaient présentables.

Elle ne reconnut pour ainsi dire personne en dehors de Patrick et d'Annie. Elle se rendit compte avec stupéfaction qu'elle ne les avait jamais vus en dehors de chez eux. Patrick leva son verre à son adresse en guise de salut. Il donna un petit coup de coude à Annie qui regardait fixement un point dans l'espace. Elle sursauta avant de gratifier Sabine d'un grand sourire et de lui faire signe de venir s'asseoir près d'elle. En s'efforçant de chasser de son esprit l'étrange vision qu'elle avait eue d'eux, Sabine hésita avant de s'approcher, à moitié poussée par Mrs H qui devait parler à tue-tête pour se faire entendre au-delà du concert de voix et de la musique de fond.

— Voici Sabine, tout le monde. Sabine, je n'essayerai même pas de vous les présenter tous. Vous ne vous souviendrez jamais de tous leurs noms. Je vais commencer à servir dans cinq minutes. Venez quand vous serez prêts. Thom, propose quelque chose à boire à Sabine, veux-tu.

Annie portait un de ses sempiternels pulls géants. Sabine, qui tiraillait déjà sur le col du sien, se demanda comment elle faisait pour ne pas avoir l'air aussi mal à l'aise qu'elle l'était elle-même.

— Comment ça va, Sabine ? demanda Patrick. J'ai entendu dire que vous vous en sortez très bien avec le petit cheval gris.

Sabine hocha la tête en constatant au passage qu'il avait très mauvaise mine. De grands cernes marquaient ses yeux et une barbe de deux jours au moins lui obscurcissait les joues. En dépit de sa stature et de son côté rustre, qu'elle aurait jugé plus approprié pour un paysan que pour un écrivain, il était toujours rasé de près d'ordinaire. Il sentait généralement l'assouplissant.

— Allez-vous prendre part à la chasse la semaine prochaine ? Histoire de découvrir un peu la campagne autour de Wexford.

— Bien sûr, intervint Thom qui avait pris place par terre à côté des garçonnets. Je l'emmènerai moi-même. Je vais commencer par lui faire franchir quelques bons obstacles pour voir si elle est capable de tenir la distance, et nous passerons une journée fabuleuse.

Sabine ne savait pas si elle devait protester à cette suggestion ou se réjouir intérieurement à la pensée que Thom allait l'accompagner à la chasse au renard. Elle n'avait aucune envie de tuer des renards. Vraiment aucune. Elle était végétarienne, pour l'amour du ciel ! Elle avait pleuré en voyant de malheureuses petites bêtes écrasées sur la route. Mais la perspective de passer toute une journée avec Thom… seule…

— Votre maman est-elle ici ?

La question émanait d'une femme d'âge moyen aux cheveux courts couleur aubergine et aux épaulettes ultra-rembourrées qui rivalisaient avec sa poitrine imposante. Sabine la considéra d'un air interdit.

— Sabine, je vous présente Tatie May, dit Thom. C'est la tante d'Annie et la sœur de ma mère. Et voici

Steven, son mari. Ils ont connu votre maman quand elle habitait ici.

— Pouvez-vous venir vous asseoir à table ? Mack, sors des cuillers pour servir, veux-tu ?

— Une bien jolie fille, votre maman, ajouta la dame en posant sa main grassouillette sur le bras de Sabine. Elle allait parfois au bal avec ma Sarah. Elles faisaient la paire toutes les deux. Est-elle venue avec vous ?

— Non. Elle a dû rester à la maison pour travailler.

— Comme c'est dommage. Vraiment dommage. J'aurais adoré la revoir. Évidemment, j'aurais dû la contacter quand je suis allée là-bas moi-même. Quand était-ce déjà, Steven ? Il y a deux ans ? Mais avec mes hanches et tout ça… Ça devient difficile pour moi de voyager.

Sabine hocha la tête sans trop savoir ce qu'elle était censée répondre alors qu'on la guidait vers sa chaise.

— J'ai de l'arthrite. C'est terrible. Les médecins ne peuvent pas faire grand-chose, d'après ce qu'on m'a dit. Je serai bientôt en fauteuil roulant. Je ne pourrai plus marcher. Mais vous direz à votre maman que je la salue bien, d'accord ?

— Servez-vous bien, Sabine. Cette bande de sauvages va se jeter sur la nourriture. Vous n'aurez qu'à plonger dans la mêlée.

— Vous lui direz qu'elle passe me voir si jamais elle vient un jour par ici. Comme je vous le disais, je ne pourrai peut-être plus beaucoup sortir d'ici là, mais elle sera toujours accueillie à bras ouverts chez nous.

— Vos problèmes de hanche se sont-ils aggravés, May ? Vous ne nous en avez rien dit.

Cet ultime commentaire fut accompagné d'un gloussement à peine audible.

— Puis-je avoir un peu de sauce, tante Ellen ?

— Attrapez les pommes de terre, Sabine. Si vous êtes trop polie par ici, dit Thom, vous n'aurez rien à manger. Emparez-vous du plat quand vous le pouvez, sinon quelqu'un d'autre le fera à votre place.

Tout au long de cet échange, Annie n'avait pas détaché les yeux des rideaux en face d'elle, manifestement à des kilomètres des clameurs qui emplissaient la pièce bondée. Patrick, qui maintenait en temps normal un contact physique avec sa femme en lui caressant affectueusement le dos ou en lui tenant la main, regardait ailleurs pour l'heure et buvait sa canette de bière avec une sinistre détermination.

Oh mon Dieu, pensa Sabine en les observant. Ils vont se séparer. Elle était experte dans l'art de repérer les signes avant-coureurs.

— Reprenez des légumes, Sabine. Il n'y a même pas de quoi nourrir une mouche dans votre assiette.

— Laisse-la tranquille, Mack. Elle prendra ce qu'elle voudra, n'est-ce pas, Sabine ?

Telle une langue qui ne peut s'empêcher de taquiner une dent branlante, Sabine s'aperçut que tout au long du repas, son attention retournait inexorablement vers Annie et Patrick. Elle remarqua qu'à deux ou trois reprises, il essaya de lui parler et que même lorsqu'elle daignait lui répondre, elle semblait à peine le voir. Son regard était toujours fixé sur quelque point invisible derrière lui. Elle constata aussi qu'Annie buvait plus qu'à l'ordinaire, à tel point qu'à un moment donné, sa mère posa subrepticement un verre d'eau devant elle. Thom s'était manifestement rendu compte de la situation, il redoublait d'attention pour Annie, essayant de la faire rire, en connivence avec Patrick, et de l'entraîner dans les conversations alors qu'elle était déjà totalement absente.

Sabine regrettait que cette scène la préoccupât autant. Elle aurait sûrement passé un moment très agréable autrement. En plus de deux énormes dindes, il y avait des monceaux de délicieux légumes, ainsi qu'un morceau de saumon rien que pour elle. Tout le monde parlait en même temps tant et si bien qu'elle pouvait participer ou prendre un peu de recul et les écouter. La famille de Thom n'arrêtait pas de le taquiner à propos de sa nature solitaire en lui disant qu'il finirait ermite dans une cabane au fond des bois.

— Je suis à peu près certain d'avoir aperçu une petite masure avec un toit en tôle ondulée là-bas la dernière fois que j'y suis allé, lança Steven. T'as obtenu ton premier crédit, c'est ça, Thomo ?

— Non ! C'est là qu'habite sa petite amie, renchérit un des garçons qui semblaient s'appeler James tous les deux. Elle est en train d'attraper des chauves-souris pour son dîner.

En attendant, Mr et Mrs H n'arrêtaient pas de se toucher et d'échanger des regards que Sabine aurait trouvés embarrassants s'il s'était agi de ses propres parents. Ils se pelotaient ni plus ni moins ; de temps à autre, Mr H chuchotait quelque chose à l'oreille de sa femme et elle rougissait en s'exclamant : « Oh Mack ! » Le reste de la tablée comprenant ce qui se passait se mettait à brailler à leur adresser « d'attendre un peu », « … au moins jusqu'à ce que les enfants soient couchés ».

Tout du long, pourtant, même si elle souriait à l'occasion, Annie était à peu près aussi animée que les bibelots de Mrs H. En moins gai. Sabine l'observait toujours et eut la sensation d'un mauvais présage. Pourquoi Annie avait-elle tant de mal à s'amuser ?

Au milieu du dessert – une énorme charlotte au chocolat, servie avec de la glace à même le pot –, Sabine éprouva un vague tiraillement dans le bas-ventre, une douleur sourde, intense, qui détourna son attention de la tablée et l'incita à serrer les jambes avec effroi.

Oh mon Dieu ! Pas ici ! Pas maintenant ! Les rythmes de sa vie en Irlande avaient changé si radicalement par rapport à la maison qu'elle n'y avait même pas songé ! Mais à cet instant, en comptant silencieusement les semaines tout en grignotant des petits morceaux de gâteau, elle se rendit compte que si elle avait oublié, son corps, lui, avait bonne mémoire.

Elle attendit qu'il y eût un échange particulièrement tapageur pour se glisser hors de sa chaise.

— Pouvez-vous me dire où se trouvent les toilettes ? chuchota-t-elle à l'oreille de Mrs H, hors d'haleine à force de rire d'une blague qu'un de ses parents plus âgé venait de faire.

— Au bout du couloir, première porte à droite, répondit Mrs H en posant une main sur son bras. Si c'est occupé, essayez l'autre à côté de la cuisine.

Enfermée dans les toilettes, Sabine constata avec désarroi l'indice indubitable qu'elle avait soupçonné et redouté à la fois. Elle n'avait strictement rien apporté et il était hors de question qu'elle passe le restant de la soirée assise sur les fauteuils couleur pastel de Mrs H à moins d'avoir ce qu'il lui fallait pour se sentir à l'aise.

À défaut, elle plia plusieurs feuilles de papier de toilette ensemble en guise de protection temporaire. Puis en ouvrant les portes aussi discrètement que possible, consciente que ça ne se faisait pas, elle entreprit de fureter dans les placards de ses hôtes.

Du bain moussant, de l'eau oxygénée, de la pâte à dentier (Pour qui ? se demanda-t-elle en essayant en vain de se souvenir des dents de Mr H), des sels de bain, des savons neufs et des rouleaux de papier toilette. Une pince à épiler rouillée, du coton, un filet pour les cheveux, quelques flacons de remèdes oubliés depuis longtemps, une bouteille de shampoing. Pas de tampons. Ni de serviettes hygiéniques. Sabine soupira et regarda autour d'elle pour s'assurer qu'elle n'avait pas oublié un endroit quelconque.

Après avoir jeté un coup d'œil sous la poupée en tissu qui couvrait les rouleaux de papier toilette, au cas où – Mrs H était peut-être pudique –, ainsi que dans le placard chauffé où s'empilaient les serviettes de bain aux tons pastel assortis, Sabine fut forcée de conclure que Mrs H était un peu trop vieille pour pouvoir lui fournir ce dont elle avait besoin. La seule autre personne était Annie – elle avait l'âge *ad hoc*, mais comment allait-elle bien pouvoir s'y prendre pour l'éloigner de la table et lui poser la question sans attirer l'attention ? Ils n'en loupaient pas une, quand il s'agissait de se moquer les uns des autres, et s'ils apprenaient ce qu'elle cherchait et faisaient des blagues à ce sujet, elle en mourrait ! Foudroyée.

Je vais peut-être attendre ici quelques minutes, se dit-elle en s'asseyant sur le siège des toilettes garni d'un étrange tissu à bouclettes. Ils auront le temps ainsi de finir le dessert et de retourner s'installer sur les canapés et ça sera plus facile alors de glisser deux mots à Annie.

Elle resta là un moment, inhalant les senteurs de pin

synthétique, puis sursauta d'un air coupable lorsqu'on frappa doucement à la porte. Elle retint son souffle, se demandant si c'était l'un des convives en quête de toilettes libres, et puis elle entendit la voix de Mrs H.

— Sabine ? Est-ce que ça va, ma jolie ?

— Ça va, répondit-elle en tâchant de prendre un ton aussi naturel que possible.

Ce qui voulait dire que sa voix monta d'une octave et vacilla.

— Vous êtes sûre ? Y'a un bout de temps que vous êtes là-dedans.

Sabine hésita, puis elle se leva, s'approcha de la porte et l'ouvrit. Mrs H se tenait devant elle, légèrement penchée en avant comme si elle avait écouté par le trou d'une serrure.

— Tout va bien, vraiment ? demanda-t-elle en se redressant.

Sabine se mordit la lèvre.

— À peu près.

— Que se passe-t-il ? Vous pouvez me le dire.

— J'ai besoin de demander quelque chose à Annie.

— Quoi donc ?

Sabine détourna le regard, tiraillée entre l'urgence de la situation et la honte d'avoir à avouer son problème.

— Allons, ma petite, ne vous gênez pas.

— Je ne me gêne pas. Enfin, pas vraiment.

— Que se passe-t-il ?

— Pouvez-vous dire à Annie de venir ?

Mrs H fronça légèrement les sourcils sans se départir de son sourire.

— Pour quoi faire ?

— J'ai besoin de lui demander quelque chose.

— Quoi donc ?

Était-ce vraiment si difficile à deviner ? Sabine se sentit tout à coup agacée par l'incapacité de Mrs H à comprendre la source de ses ennuis.

— J'ai besoin d'une serviette hygiénique. Ou d'un tampon.

Elle avait honte rien qu'en disant ça.

Le sourire de Mrs H s'effaça. Elle jeta un coup d'œil derrière elle en direction du salon bruyant.

— Pourriez-vous aller la chercher, s'il vous plaît ?

— Je ne pense pas que ce soit une bonne idée.

Mrs H avait une mine grave, à présent, l'éclat des dernières heures se dissipant peu à peu de ses joues.

— Voilà ce qu'on va faire. Restez là. Je vais faire un saut chez la voisine. Carrie aura sûrement ce qu'il vous faut.

Sur ce, elle disparut.

Sabine resta assise anxieusement dans les toilettes vides, attendant qu'elle revienne en ruminant les raisons pour lesquelles elle n'avait pas voulu qu'elle s'adresse à Annie pour résoudre son problème. Patrick et elle étaient-ils si pauvres que ça les mettrait dans l'embarras ? Avaient-ils quelque bizarre objection religieuse contre les tampons ? Une fille de sa classe lui avait dit, quand elles étaient plus jeunes, que les catholiques n'en utilisaient pas de peur de perdre leur virginité. Mais Patrick et Annie étaient mariés et devaient coucher ensemble depuis des années. Ça leur était sûrement égal.

Quand Mrs H revint avec son petit sac en papier discret, elle ne lui fournit pas la moindre explication à ce sujet. Elle se borna à lui dire de les rejoindre quand elle serait prête et la laissa tranquille.

Lorsqu'elle regagna le salon, ils étaient encore tous à

table, à part deux parentes qui aidaient Mrs H à débarrasser. Un souffle d'hilarité semblait flotter dans l'atmosphère comme s'ils venaient de partager une bonne blague. À moins que la sensibilité de Sabine fût exacerbée par sa récente préoccupation. Elle n'aurait pas su dire.

— Vous ne vouliez plus de dessert, Sabine ? Je vous ai laissé votre assiette au cas où.

Sabine secoua la tête tout en jetant un coup d'œil à Annie en train de tripoter distraitement sa serviette en papier dont elle roulait et déroulait le coin.

— Bon, qui vient boire une petite pinte rapide avec moi au pub ?

Debout au bout de la table, Mack se tourna vers Patrick.

— Je veux bien t'accompagner, mais je ne resterai pas longtemps, dit Thom.

— Tu n'es bon à rien à ne boire que du jus d'orange. Qui se joint à moi ? Steven ? Vous venez. Parfait. Patrick ?

— Je vais rester avec Annie, répondit-il, apparemment pas très excité à cette perspective.

— Annie va venir avec nous, n'est-ce pas, ma fille ? Il est temps que tu ailles faire un petit tour au Black Hen. Ça fait des siècles qu'on ne t'y a pas vue.

Annie jeta un regard en direction de sa mère.

— C'est gentil, papa, mais je ne suis vraiment pas d'humeur.

— Allons, ma petite. Ton homme a envie d'aller boire un verre et il refuse de sortir sans toi. Alors viens, pour lui faire plaisir.

— Vous serez bien mieux entre vous. Je vais rester ici et aider maman à ranger.

— Pas question. La machine à laver fera tout le travail. Allons, Annie. Va t'amuser un peu pour changer.

Une clameur chaleureuse s'éleva autour de la table, indiquant que tous partageaient son avis.

— Allez, Annie, murmurèrent-ils en chœur. Sors un peu. Va boire un verre.

— Allez viens, renchérit Thom. Tu me dois bien quelques pintes de bière après toutes les cassettes que je t'ai apportées.

Thom se leva et lui offrit son bras.

— Je n'ai vraiment pas envie. Merci.

— Voyons, voyons ! Ne sois pas rabat-joie. Ton mari a envie de t'emmener boire un verre.

Le visage d'Annie s'assombrit.

— Allez-vous me laisser tranquille à la fin ? Je ne veux pas aller dans votre foutu pub. Je veux rentrer à la maison.

Après avoir ainsi imposé le silence dans la pièce, elle fit volte-face et sortit en courant, sa mère sur ses talons.

Sabine considéra les visages qui l'entouraient, choquée par la véhémence de la réaction d'Annie. En croisant son regard, Thom s'efforça de lui sourire d'un air rassurant. Du style : « Ah les femmes ! Il faut s'attendre à tout avec elles ! » Pas franchement convaincant.

— Ellen va s'occuper d'elle, marmonna Mack. Venez, les gars. Allons-y.

— Oui, filez, intervint tante May en se levant avec peine avant de tendre les bras vers une pile d'assiettes. Vas-y, Patrick, ça te fera du bien de te détendre un peu.

— Ça vous convient de rester ici, Sabine ? demanda Thom, tête baissée, en levant un sourcil interrogateur.

Elle avait envie de répondre que non. Mais il était évident que personne n'allait l'inviter au pub, aussi se borna-t-elle à hocher la tête gentiment.

— Très bien, merci, dit-elle.

Les hommes sortirent silencieusement en troupe au moment où Mrs H revenait. Mack et Patrick échangèrent quelques mots à voix basse avec elle, puis elle entra à grandes enjambées dans la pièce en souriant.

— Annie est allée s'étendre un moment. Je crois qu'elle a un peu la migraine. Elle vous salue tous.

En jetant des coups d'œil autour d'elle, Sabine constata que personne ne croyait un mot de ce que Mrs H venait de dire. Personne ne lui posa la moindre question non plus : chacun se mit à s'activer pour débarrasser et ranger tout en entamant des conversations à propos de gens dont Sabine n'avait jamais entendu parler.

— Allez vous asseoir, Ellen, lança tante May. Bavardez avec Sabine et surveillez les enfants. On va s'occuper de la cuisine. Allons, c'est votre anniversaire de mariage. Et vous ne vous êtes pas assise cinq minutes depuis que nous sommes là.

Mrs H protesta jusqu'au moment où tante May leva une main couverte de bijoux pour la faire taire.

— Je n'écoute pas, Ellen ! Ayez les garçons à l'œil, comme je vous l'ai dit. Ça me fera du bien aux hanches de me remuer un peu. Elles auront moins de chances de se bloquer tout à l'heure.

Mrs H qui tenait toujours un torchon à la main finit par s'asseoir sur le canapé à côté de Sabine. Les garçons avaient allumé la télévision ; ils étaient assis devant, en chaussettes, les yeux rivés sur l'écran. Mrs H essaya brièvement de leur parler, mais il était évident que leur attention était accaparée ailleurs.

Sabine l'observa en se demandant si elle allait oser lui demander l'impossible. Ça commençait à lui peser, cette sensation d'être tenue à l'écart d'un secret important. Cela lui rappelait un incident qui avait eu lieu à l'école récemment. Les filles de sa classe s'étaient réparties en petits groupes, et celles qu'elle considérait comme ses amies s'en étaient inexplicablement prises à elle en lui cachant une fête qu'elles avaient organisée. Elles l'avaient toutes regardée avec des yeux de merlan frit en faisant la sainte nitouche lorsqu'elle avait insisté pour savoir où cela devait avoir lieu et quand. Ce n'était pas tant qu'elle avait envie d'y aller – elle n'aimait pas beaucoup les fêtes –, mais ce sentiment d'exclusion lui faisait horreur.

— Annie est-elle alcoolique ? demanda-t-elle à brûle-pourpoint.

Ses copines avaient fini par lui dire la vérité à la fin. Ensuite ça avait été au tour de Jennifer Laing d'être mise sur la touche.

Mrs H se tourna brusquement vers elle. Elle paraissait sincèrement choquée.

— Annie ? Alcoolique ? Bien sûr que non. Qu'est-ce qui vous fait dire une chose pareille ?

Sabine rougit.

— Je ne dis pas qu'elle en a l'air ou quoi que ce soit… C'est juste que vous avez tous l'air inquiets à son sujet, et puis personne ne dit jamais rien quand elle agit un peu bizarrement. Je me demandais juste si c'était parce qu'elle buvait trop.

Mrs H porta la main à ses cheveux et entreprit de les lisser, un geste nerveux que la jeune fille n'avait jamais remarqué auparavant.

— Non, Sabine. Elle n'est pas alcoolique.

Un long silence suivit au cours duquel les garçons se bagarrèrent pour la télécommande.

En écoutant les cliquetis distants de la vaisselle dans la cuisine, Sabine se sentit à la fois gênée d'avoir dit quelque chose et pleine d'amertume à l'idée que personne ne parût disposé à lui préciser la raison de l'étrange comportement d'Annie. D'autant plus que ça ne s'arrangeait pas. Elle ne se donnait même plus la peine de ranger. Chaque fois que Sabine passait chez elle, le salon, qui n'avait jamais été très ordonné, prenait des allures de capharnaüm. Annie s'endormait à tout moment, et quand elle était réveillée, on avait l'impression qu'elle n'écoutait pas un mot de ce qu'on lui disait. Peut-être avait-elle un problème de drogue, pensa-t-elle tout à coup. On n'était pas vraiment en pleine ville, mais elle était certaine d'avoir vu quelque chose aux informations à propos de l'usage de la drogue dans les régions rurales. Peut-être Annie était-elle droguée.

Mrs H fixait ses mains depuis un moment. Elle se leva tout à coup et fit signe à Sabine de l'imiter en jetant un rapide coup d'œil derrière elle en direction de la cuisine.

— Suivez-moi, dit-elle. Nous allons causer un peu, vous et moi.

La chambre de Mrs H était aussi immaculée que le reste de sa maison, et il y faisait encore plus chaud, si tant est que ce fût possible. La tête de lit couleur framboise était capitonnée ; de là s'étendait un énorme édredon brodé. Les rideaux en velours rose étaient assortis à la couette ainsi qu'à la passementerie des coussins du fauteuil dans l'angle. La frise qui courait tout autour du plafond représentait des grappes de raisin soigneusement dessinées dans des tons passés, entremêlées de feuilles et de tiges vertes. C'était le genre de chambre qui, en temps normal, inciterait sa mère et elle à échanger des coups d'œil espiègles. Elles savaient l'une et l'autre que c'était de mauvais goût de tout assortir. À cet instant, pourtant, Sabine n'était plus si sûre de ses convictions, et ne se sentait pas le moins du monde espiègle. L'uniformité chaude et confortable du logis de Mrs H lui paraissait plus attirante que tout ce que sa propre famille pouvait lui offrir.

Une rangée de penderies, dont certaines munies de glaces, couvrait tout un pan de mur. Sabine aperçut son reflet en double, lorsque Mrs H ouvrit une des portes. Après quoi elle tira lentement un tiroir.

Elle fit signe à Sabine de s'asseoir, puis revenant sur ses pas, elle se laissa tomber lourdement à côté d'elle en lui tendant le contenu du tiroir en question : la photographie, dans un cadre argenté, d'une petite fille rayonnante au soleil, assise de côté sur un tricycle bleu pimpant.

— C'est Niamh, dit-elle.

Comme Sabine regardait le grand sourire découvrant toute une rangée de petites dents, les cheveux blonds, elle ajouta :

— C'est la fille d'Annie. C'était. Elle est morte, il y a deux ans. Elle s'est fait renverser par une voiture en sortant du jardin. Annie n'est plus la même depuis.

Sabine fixa la petite fille, le cœur battant sous l'effet du choc, les larmes aux yeux.

— Elle avait trois ans. Elle venait de fêter son anniversaire. Ça a été très difficile pour Annie et Patrick d'autant plus qu'ils n'ont pas pu avoir un autre enfant. Ils ont essayé, mais ça n'a pas marché. C'est un fardeau supplémentaire à porter pour Annie. C'est aussi la raison pour laquelle je ne voulais pas lui demander… Vous comprenez. Chaque mois, c'est un nouveau rappel.

Mrs H parlait d'un ton posé, comme si c'était sa manière à elle de réprimer l'émotion à vif, explosive, que contenaient ses propos. Sabine la sentait, comme une énorme vague remontant vers son œsophage, emplissant sa poitrine et lui donnant envie d'éclater en sanglots.

— Nous espérons qu'elle finira par s'en remettre, ajouta calmement Mrs H. Ces dernières années ont été terribles. Mais il semble qu'il faille plus de temps à certains qu'à d'autres pour s'en sortir.

— Je suis vraiment désolée, murmura Sabine.

Une alcoolique. Mrs H devait la trouver sacrément grossière.

— Vous ne pouviez pas savoir, dit celle-ci en lui tapotant la main. Nous ne parlons jamais de Niamh. Il semble que cela ne fait qu'aggraver les choses. Annie ne veut pas voir de photos d'elle. C'est pourquoi je garde celle-ci dans mon tiroir. C'est dommage tout de même.

Elle traça la silhouette de l'enfant du bout de son doigt.

— J'aimerais bien en avoir quelques-unes dans la maison. Juste pour me souvenir d'elle, vous comprenez ?

Sabine hocha la tête, fascinée par la petite fille. Elle entendit résonner les rires de tante May et des autres en bas, couvrant le son de la télévision.

— Est-ce sa chambre ? Chez Annie ?

— À côté de celle d'Annie et de Patrick ? Oui, c'était sa chambre. Annie n'aime pas qu'on y entre.

Elle soupira.

— Je n'arrête pas de lui dire qu'il est temps de tout débarrasser, mais elle ne veut rien entendre. Et je ne peux pas la forcer.

Sabine réfléchit un instant.

— A-t-elle vu un médecin ?

— Oh, on lui a bien proposé. Le curé aussi a essayé de l'aider. Mais je pense que Patrick et elle ont cru qu'ils pourraient s'en sortir tout seuls. Patrick regrette probablement cette décision à présent, mais c'est un peu tard. Annie refuse de voir qui que ce soit. Même un docteur. Comme vous l'avez sans doute remarqué, elle n'aime pas beaucoup sortir de chez elle.

Elles restèrent assises en silence, se remémorant toutes les deux le brusque départ d'Annie un peu plus tôt. Sabine jeta encore un coup d'œil à la photographie de la petite fille. Elle portait des bottes en caoutchouc rouge et un T-shirt orné d'un pingouin. Sabine avait l'impression que c'était la première fois de sa vie qu'elle voyait d'aussi près la photo d'un enfant mort. En plongeant son regard dans celui de la petite, elle crut presque y voir quelque présage, le pressentiment d'une disparition prématurée.

— Est-ce qu'elle vous manque ?

Mrs H remit le cliché avec soin dans le tiroir. Après l'avoir refermé, elle resta figée une seconde, face au placard, Sabine ne pouvait pas voir son visage.

— Elles me manquent toutes les deux, Sabine. Elles me manquent toutes les deux.

En dépit de l'affection qu'elle avait pour Mrs H et sa famille, Sabine ne fut pas fâchée de passer quelques jours seule avec ses grands-parents. Elle avait besoin de temps pour digérer ce que Mrs H lui avait révélé et resituer Annie dans son esprit, la faisant passer du registre « excentrique et difficile » à celui de « tragique jeune mère ». Elle ne savait pas quoi dire à une tragique jeune mère et n'avait pas encore déterminé l'effet que cela allait avoir sur leur amitié. Jusque-là elle avait eu l'impression qu'elles étaient somme toute des égales, le statut de femme mariée d'Annie étant quelque peu contrebalancé par son pathétique manque de sens pratique. La jeunesse de Sabine étant compensée pour sa part par le fait qu'elle sache mieux qu'elle ce qui était branché et ce qui ne l'était pas. C'était tout au moins son point de vue. Tout avait changé à présent, et Sabine ne savait plus trop comment elle était supposée se comporter. Percevant apparemment sa réticence, Mrs H s'était montrée résolument discrète tout en lui laissant entendre qu'elle avait eu beaucoup de plaisir à la recevoir chez elle pour dîner et que tout le monde avait été heureux de faire sa connaissance. Elle était si gentille ; ils étaient tous adorables dans la famille.

Du reste, même sa grand-mère était gentille avec elle en ce moment. Elle avait servi une tarte aux légumes pour le dîner de la veille au soir et aujourd'hui du riz pilaf au poisson fumé, aux œufs durs et aux raisins secs, un plat bizarre qui curieusement avait meilleur goût que ses ingrédients individuellement. « En réalité, c'est un petit déjeuner pour les chasseurs, lui avait-elle expliqué tandis que Sabine considérait son assiette avec de grands yeux, mais c'est un souper léger très agréable. »

Sabine en conclut qu'elle était de bonne humeur parce que son grand-père avait « repris du poil de la bête », comme l'avait dit le médecin. Aussi contente fût-elle pour tout le monde, Sabine ne le trouvait pas si ragaillardi que ça. Quoi qu'il en soit, il avait pu descendre pour dîner en chassant les chiens devant lui avec sa canne et après avoir grignoté, il avait pris place dans le salon sur l'un des fauteuils à haut dossier près du feu.

Après avoir aidé sa grand-mère à débarrasser la table – ce nouvel esprit de coopération pouvait être à double sens, au fond –, Sabine était sur le point de se retirer dans sa chambre quand Joy la rappela.

— Il faut que j'aille voir les chevaux, dit-elle en enfilant sa veste matelassée avant de nouer sa vieille écharpe en laine autour de son cou. Je veux appliquer un cataplasme sur la patte du Duc. Ça risque de prendre un peu de temps. Cela t'ennuyerait-il de tenir compagnie à ton grand-père ?

La mort dans l'âme, Sabine s'efforça de dissimuler sa contrariété. Tenir compagnie à son grand-père lui faisait l'effet d'une contradiction absolue. Il n'avait pas dit deux mots pendant le dîner, sauf pour marmonner « pauvres brebis », apparemment en relation avec une remarque qu'il avait faite plusieurs heures auparavant au sujet de l'état des pâturages de la ferme voisine. En outre, il s'était à peine rendu compte de sa présence. Il ne s'était certainement pas aperçu de celle de Bertie et avait réussi à lui marcher dessus à deux reprises en s'asseyant puis en se levant de table, provoquant des hurlements à vous glacer le sang. L'idée de passer toute une heure à lui faire la conversation avant les informations de 22 heures lui donnait envie de prendre ses jambes à son cou.

— D'accord, dit-elle avant de gagner le salon à pas lents.

Il avait les yeux fermés. Sabine prit un numéro de *Country Life* dans la pile posée sur la table basse et s'approcha lentement du fauteuil ultra-rembourré en face de lui. Elle aurait bien aimé s'allonger sur le canapé, mais il faisait si froid et si humide dans la pièce qu'il fallait se coller près du feu si l'on devait rester sans rien faire.

Pendant quelques minutes, elle feuilleta la revue en se demandant laquelle de ces maisons exotiques dans les Maldives appartenait à telle ou telle pop star, puis elle regarda d'un air dédaigneux les jeunes starlettes blondes au regard vide. Il n'y avait rien de bien intéressant à moins qu'elle n'eût un intérêt pour les vieilles églises de l'East Anglia ou les boucheries bio, de sorte qu'assez rapidement, elle se retrouva en train d'observer son grand-père.

Il avait plus de rides qu'elle n'en avait jamais vu sur qui que ce soit. Elles ne descendaient pas en de longues lignes creuses, comme celles de Geoff quand il se faisait du souci pour ses patients ; elles n'étaient pas non plus délicates, prémices indistinctes du futur, comme celles de sa mère. Celles de son grand-père s'entrecroisaient en un réseau presque régulier, un peu comme les indications sur une vieille carte. En plus parcheminé. À certains endroits, la peau était si fine qu'on voyait les veines bleues en dessous telles des routes secondaires, à demi cachées par de grosses taches de vieillesse brunâtres. À la base de son crâne, quelques cheveux gris épars faisaient saillie, pareils à des voyageurs solitaires dans le désert.

Il était difficile de s'imaginer si vieux. Sabine regarda ses mains, sa peau à travers laquelle des lignes mauves presque imperceptibles transparaissaient, une peau tendue par la jeunesse et une vie saine. Les mains de son grand-père étaient si osseuses qu'on aurait dit des griffes avec des ongles épais, jaunis comme de la corne.

Elle sursauta lorsqu'il ouvrit les yeux. Elle savait que c'était mal élevé de fixer les gens ainsi et qu'il n'allait pas manquer de le lui rappeler. Il la considéra de dessous ses paupières reptiliennes, puis son regard glissa de gauche à droite comme s'il voulait s'assurer qu'ils étaient seuls dans la pièce. Dans le silence, les bûches crépitèrent en expédiant un jet de petites étincelles par-dessus la grille.

Il ouvrit la bouche, marqua un temps d'arrêt, puis parla.

— J'ai bien peur de ne plus faire grand-chose, dit-il lentement en articulant avec soin.

Sabine le dévisagea. Son visage parut soudain s'animer, comme s'il se concentrait sur le message qu'il tentait de communiquer.

— J'ai tendance à... être simplement.

Il referma lentement la bouche, comme si ces deux phrases lui avaient demandé un terrible effort, mais maintint son attention sur elle.

Sabine, qui ne l'avait pas quitté des yeux, éprouva une vague lueur de compréhension. Et de sympathie, consciente qu'il venait de lui faire des excuses à sa manière. Elle hocha la tête, un mouvement presque imperceptible, pour lui signifier qu'elle avait saisi, puis se tourna vers le feu.

— Bon, dit-il finalement.

Après quoi il referma les yeux.

8

Le matin de la chasse, le manoir de Kilcarrion parut se souvenir de ce pour quoi il était fait. On aurait dit que la maison s'était extirpée d'un profond sommeil et se remettait en mouvement avec des grincements comme les rouages d'une machine rarement utilisée, résolue néanmoins à remplir sa fonction. En se réveillant, Sabine trouva ses vêtements préparés au pied de son lit et Mrs H prête à lui mettre une tasse de thé bouillant entre les mains. L'effervescence qui régnait au rez-de-chaussée et dans la cour donnait à l'allée des allures de promenade tranquille. Gagnés par la frénésie ambiante, les chiens aboyaient et couraient en tous sens dans le hall. Le téléphone sonnait périodiquement comme une sorte de réveil-matin, annonçant quelques changements mineurs dans le programme. Même le chauffe-eau dont les grondements lointains réveillaient souvent Sabine au milieu de la nuit paraissait cliqueter et frémir avec davantage de détermination.

Mrs H s'affairait, allumant un feu dans sa chambre, rangeant ses affaires tout en lui expliquant qui allait « se montrer » aujourd'hui. Joy passait à tout moment la tête dans l'embrasure de la porte en exhortant

Sabine à « se presser », sauf qu'elle le disait d'un ton tout excité et non fâché. Sabine l'entendit en bas dans la cour aboyer des ordres aux palefreniers tandis que lentement, avec des doigts tremblants, elle s'ingéniait à enfiler ses habits.

En dépit de ses aspects incontestablement répugnants, immoraux et franchement cruels, force était de reconnaître que la chasse au renard était une activité qui ne manquait pas de prestige. Il suffisait de voir les vêtements que Joy lui avait prêtés pour l'occasion. Avec la veste bleu marine et le pantalon de cheval crème, doublés de soie et faits sur mesure, elle ressemblait à l'héroïne d'un drame d'antan. Sa grand-mère l'avait gratifiée d'un grand sourire en mettant la dernière main à sa tenue. C'était bien la première fois qu'elle arborait un sourire aussi rayonnant et naturel. C'était évident à la façon dont on avait tressé et bichonné son cheval et celui de Thom, dont le pelage lustré brillait comme une châtaigne après une bonne heure de brossage intensif. C'était évident aussi dans le grand soin que sa grand-mère avait mis à lui attacher son foulard en tempêtant en des termes qui n'avaient rien de ceux d'une aïeule, à fixer bien en sécurité son épingle en or, à s'assurer que ses bottes brillaient assez… Ce fut pour toutes ces raisons que, lorsqu'on les déposa, quelque deux heures plus tard, avec leurs montures, au point de rencontre, il était tout aussi évident aux yeux de Sabine que pour Dieu sait quelle raison, ils s'étaient trompé d'endroit.

Elle s'était attendue à se retrouver sur les terres de quelque grande demeure, au milieu d'une nuée de vestes roses – elles n'étaient pas du tout rouges, avait soutenu sa grand-mère – en train de boire le coup de l'étrier, du champagne ou quelque chose d'approchant, dans une coupe en argent. Or, ils avaient mis pied à terre à un carrefour au milieu de nulle part, qui plus est sous une pluie battante. Tandis que les chevaux descendaient la rampe en bois à grand fracas pour gagner le macadam, Sabine ne vit rien d'autre qu'une multitude désordonnée de poneys maculés de boue, montés par des enfants en cirés et en sweat-shirts, quelques grands canassons maladroits, des fermiers aux allures de gentleman-farmer et une ribambelle d'autres chevaux plutôt miteux. Le tout suivi de gens à pied de toutes les tailles et de toutes les couleurs, flanqués encore d'autres gens en imperméables, armés de parapluies, les cheveux trempés, ébouriffés par le vent ou bien coiffés de bonnets de laine enfoncés sur le crâne. Il y avait même quelques jeunes en vestes de camouflage assis sur des quads. Et partout de la boue, sur les bas-côtés transformés en soupe brunâtre par les piétinements impatients des chevaux, sur les bottes des cavaliers, sur les pattes des chiens qui tournaient en rond au milieu de toute cette cohue en émettant de temps à autre un aboiement ou un jappement. Trois personnes seulement portaient des vestes roses, et l'un d'eux, au grand dam de Sabine, avait le visage strié de veines et un nez bulbeux et grêlé. Ce n'était autre que le grand maître, comme Thom s'était empressé de le lui préciser.

Cela ne ressemblait pas du tout aux photos qu'on lui avait montrées, ni aux sets de table de ses grands-parents qui représentaient une horde de pur-sang sveltes montés par des hommes de la haute société en tenue de chasse à courre. Rien à voir avec les tableaux qui ornaient leurs murs non plus. C'était même sans rapport aucun avec les reportages qu'elle avait vus à la télévision, où des opposants à la chasse, affublés de dreadlocks, s'époumonaient et sifflaient à qui mieux mieux, dans leur lutte de classe acharnée contre des membres mineurs de la royauté juchés sur leurs destriers. On se serait cru dans une sorte de piquet de grève équin, avec les chiens et les quads en plus. Et sans doute encore plus de gadoue !

Sabine était passablement déçue. Si elle éprouvait toujours des sentiments équivoques à l'idée de prendre part à une chasse, elle avait fini par se convaincre qu'il était important de voir une chose de près avant de la condamner. Et puis surtout, elle avait secrètement attendu le moment où Thom cesserait de la voir comme le bébé de la famille, traînant avec ses monceaux de pulls et ses bottes en caoutchouc, pour la découvrir sous un nouveau jour, tout en bleu marine et cuir ciré. En éblouissante cavalière au milieu d'un environnement somptueux. Une cavalière éblouissante dont la nervosité provoquait à tout moment des besoins pressants !

— Tenez, prenez vos Mars, lui dit Thom en lui en fourrant quelques-uns dans la poche. Vous en aurez besoin plus tard.

Il avait enfoncé son chapeau sur sa tête et s'efforçait de maîtriser un Birdie qui ne cessait de tourner en rond. Le jeune pur-sang était apparemment surexcité à la perspective de sa deuxième chasse. Le vent souleva sa queue, et il gonflait les naseaux en glissant sur le côté et en arrière tandis que des feuilles virevoltaient à sa rencontre.

— Ce fichu Liam les a remontés à bloc, s'exclama Thom en voyant l'inquiétude se peindre sur le visage de Joy. Il n'a rien trouvé de mieux que de se mettre à jouer du cor de chasse avant même qu'on les ait chargés dans le van. Cette pauvre bête ne sait plus où elle en est.

L'effet du cor de chasse sur les chevaux avait étonné Sabine. Quelques semaines plus tôt, Thom avait soufflé dans un de ces instruments rien qu'une fois pour la persuader qu'ils aimaient la chasse. Le Duc s'était rué sur la porte de son box et avait passé son énorme tête pardessus en jetant des coups d'œil à gauche et à droite, après quoi il s'était promptement soulagé sous le coup de l'excitation.

— Comment savez-vous que ce n'est pas tout bonnement la peur qui les pousse à agir ainsi ? avait lancé Sabine d'un ton de défi. À leur place, je viendrais probablement voir ce qui se passe et je perdrais moi aussi tous mes moyens si un tel bruit m'épouvantait.

— C'est facile de savoir quand ils ont peur, lui avait répondu Thom. Ils plaquent leurs oreilles sur leur tête et se mettent à ruer. On voit le blanc de leurs yeux. Vous ne me croyez toujours pas ? Écoutez. Si j'ouvre cette porte maintenant, le petit Dukey s'approchera instantanément du van, prêt à partir.

Rien que pour prouver qu'il avait raison, il l'avait fait. Et l'animal s'était exécuté.

Sabine avait presque ri en voyant le vieux cheval s'acheminant d'un air déterminé jusqu'à la remorque avant d'attendre patiemment près de la rampe. Et quand Thom lui avait donné un bonbon à la menthe et l'avait reconduit lentement à son box, elle avait dû admettre que même si elle n'aimait pas la chasse, dans cette cour de quadrupèdes tout au moins, elle faisait partie d'une minorité.

Quoi qu'il en soit, lorsque Thom lui donna un coup de main pour enfourcher le petit cheval gris, Sabine n'en menait pas large. Percevant sa tension, l'animal, d'ordinaire si docile, se mit à piétiner impatiemment en mâchonnant son mors, ses oreilles s'agitant d'avant en arrière pareilles à des leviers de vitesse.

— Quoi que tu fasses, ne dépasse pas le grand maître.

Sous son foulard, Joy redressait les courroies des étriers de Sabine tout en lui répétant les consignes qu'elle lui avait déjà données à deux reprises pendant le trajet.

— Maintiens ton cheval hors de la trajectoire des chiens. Ne fonce pas à l'approche des obstacles. Si quelqu'un a un renard dans sa ligne de mire, retiens ton cheval et attends qu'il soit passé. Ne galope pas au milieu des champs. Et n'épuise pas ce petit bonhomme, dit-elle en caressant le museau du cheval de sa main humide. Laisse-le aller jusqu'à ce qu'il soit fatigué. Nous viendrons te chercher avec le van. Je ne veux pas que tu le pousses jusqu'à la tombée de la nuit pour l'unique raison que tu t'es emballée.

Sabine, l'estomac révulsé par la peur, pensa qu'elle était sans doute la moins susceptible de s'emballer de toutes les personnes qu'elle avait sous les yeux. Il y avait plus de chances qu'on l'emballe… dans un linceul ! Tout le monde avait l'air radieux, échangeant des salutations et admirant les montures des uns et des autres. Était-elle la seule à être convaincue qu'elle allait mourir ?

— Ne vous inquiétez pas, Mrs Ballantyne, lança Thom en passant la jambe par-dessus sa selle. Je prendrai soin d'elle.

— Ne la laissez pas aller trop à l'avant, Thom, lui recommanda Joy d'un ton anxieux. C'est très mouillé et la bande qui suivra de près le grand maître risque d'avoir un comportement impossible.

Sabine suivit son regard en direction d'un groupe

de jeunes gens hilares qui chatouillaient leurs chevaux respectifs avec leurs cravaches, les faisant broncher et ruer.

— Ce sont des idiots, commenta Thom, mais il souriait. Ne vous faites pas de soucis, Mrs Ballantyne. Je la retiendrai.

Et puis tout à coup, après quelques coups de cor, ils s'élancèrent tous, des centaines de sabots claquant à l'unisson sur la route mouillée.

— Souriez, lui lança Thom en la gratifiant lui-même d'un sourire jusqu'aux oreilles. Vous allez vous amuser comme une petite folle !

Sabine n'osa pas lui dire ce qu'elle pensait : qu'elle avait toutes les chances de mourir piétinée par une de ces bêtes démentes, qu'elle ne se sentait pas capable de sauter de la hauteur d'un trottoir, sans parler d'un portail à cinq barres, et qu'elle avait tellement mal au cœur qu'elle était à peu près sûre de dégobiller.

— Je ne veux pas voir un animal mort, dit-elle en baissant la tête pour se protéger du vent. Je ne veux même pas m'en approcher. Et s'ils s'avisent de faire leur sale besogne sous mon nez, je les truciderai probablement tous, y compris le grand maître.

— Je ne vous entends pas, cria Thom en pointant sa cravache devant lui. Allez, suivez-moi. On se dirige vers le prochain champ.

À partir de ce moment-là, la journée passa dans une sorte de brouillard. Dès que les chevaux sentirent le ressort de l'herbe humide sous eux, ils foncèrent, remontant à fond de train la colline marécageuse, truffées d'ornières, et Sabine, prise dans le mouvement, vit sa terreur initiale peu à peu remplacée par une sensation d'excitation tandis que des visages réjouis, maculés de boue, la dépassaient à toute allure. Une fois parvenue au sommet, elle se rendit compte qu'elle aussi souriait au point qu'elle oublia de se rembrunir quand Thom arriva à sa hauteur.

— Ça va ? demanda-t-il, tout sourire.

— Ça va, répondit-elle, à court de souffle.

— Vous allez prendre des couleurs aujourd'hui, dit-il, après quoi ils se remirent en route.

La première partie de la chasse passa en un éclair. Coincée au milieu de l'assortiment disparate de cavaliers et de leurs montures, Sabine s'aperçut qu'elle mettait toute sa confiance dans le petit cheval gris, fermant fréquemment les yeux, se cramponnant à sa crinière à l'approche des échaliers et des haies qu'ils survolaient dans la masse avec souplesse. Elle n'avait plus le temps d'avoir peur et bientôt, ayant remarqué le nombre de jeunes enfants montés sur des poneys et de gamins casse-cou sur de piteux chevaux pie, elle en conclut qu'il y avait peu de choses qu'ils affronteraient dont elle-même ne pourrait venir à bout sur sa monture, plus imposante et plus brave.

Elle ignorait totalement l'endroit où elle allait et ce qu'elle était censée faire. Elle avait des picotements dans les yeux, un goût de boue dans la bouche à cause des giclées provoquées par ceux qui la devançaient, mais son cœur battait à tout rompre et elle poussait maintenant son cheval à accélérer l'allure pour tâcher de gagner du terrain. Thom faisait de son mieux pour rester à ses côtés, mais ils étaient souvent séparés, quand l'un d'eux devait attendre pour sauter dans le champ suivant, ou que les chasseurs se dispersaient tout bonnement. Des coups de cor retentissaient alors au milieu des piétinements jusqu'à ce que tout le monde soit à nouveau réuni.

Comme Sabine ne tarda pas à le découvrir, on passait beaucoup de temps à faire du sur-place, en général précisément au moment où on s'était habitué à galoper à fond de train. Il semblait que cela se produisait simplement pour que les gens puissent causer, échanger des remarques sur les performances des chevaux ou de leurs cavaliers, ou jaser à propos de « qui avait disparu avec qui », ignorant les trombes d'eau qui s'abattaient sur eux en provoquant des ruissellements sur leurs vestes et collant lamentablement la queue de leur monture à leur arrière-train. Sabine qui ne connaissait personne en dehors de Thom n'était pas exclue pour autant. Une femme rondelette d'un certain âge lui avait déclaré qu'elle se débrouillait comme un chef en lui précisant qu'elle avait connu sa mère. Un homme mince au nez busqué lui avait affirmé pour sa part qu'il connaissait son cheval, puis un des enfants dépenaillés lui avait demandé s'il pouvait avoir un bout de son Mars. Elle le lui avait donné en entier. Après cela, elle avait été préoccupée car pendant qu'ils tournaient ainsi en rond, une jeune fille aux longs cheveux ondulés, relevés dans un filet, s'était approchée de Thom à plusieurs reprises, bavardant et riant avec lui en essuyant d'un geste gracieux la poussière qu'elle avait sur le nez ou le priant de le faire pour elle. Elle en pinçait pour lui, c'était évident. Elle bavait devant lui. Mais lorsque Sabine en avait parlé à Thom, pendant qu'ils attendaient qu'un des hommes plus âgés remonte sur sa selle récemment évacuée, il l'avait regardée d'un air abasourdi comme s'il n'avait rien remarqué.

En plus, aujourd'hui, il semblait déterminé à la materner, ce qui l'agaçait au plus haut point. Par deux fois, il avait sauté à terre en lui disant qu'il voulait vérifier la sangle de son cheval. Il avait écarté sa jambe et le rabat de sa selle de son chemin pour remonter les boucles d'un cran, sans flirter avec elle le moins du monde ni lui effleurer la cuisse comme par mégarde, et quand Sabine avait essayé d'essuyer la boue sur son foulard blanc, il avait ri et fait tourner bride à son cheval pour s'en charger lui-même.

— Occupez-vous de vous-même, voulez-vous ? dit-il en se tapotant inexplicablement la tête. Un peu de gadoue sur un vêtement, ce n'est pas bien grave à côté de toutes les choses qui peuvent arriver ici.

Ils étaient à cheval depuis près de trois heures lorsque Sabine se rendit compte qu'elle n'avait toujours pas vu de renard. Elle eut honte d'avoir oublié qu'en tuer un avait été l'objectif de la journée, mais il est vrai qu'elle n'était plus du tout dans le sillage de la meute. À un moment donné, son cheval, ainsi que trois ou quatre autres, avait pris une orientation différente de celle de la majorité des chasseurs. Ils avançaient tranquillement à présent « pour laisser respirer leurs montures », comme le fermier rougeaud en tête l'avait suggéré.

Elle avait perdu Thom dans la forêt quand il avait mis pied à terre pour aider un cheval qui s'était pris la patte dans des barbelés. Quatre personnes se tenaient autour de l'animal. L'une d'elles avait sorti de sa poche une paire de pinces coupantes et Thom avait tenu la tête du cheval pendant que l'on procédait à l'opération délicate pour le libérer.

— Continuez, avait-il crié à Sabine. Ça risque de nous prendre un peu de temps. Je vous rattraperai.

Il avait apparemment cessé de s'inquiéter pour elle. À tort, en définitive : une dizaine de minutes plus tard, le cheval gris avait glissé sur du bois et elle avait plongé par-dessus sa tête.

— Vous n'avez rien ? lui avait demandé un jeune homme qui s'était empressé de sauter à terre pour l'aider à se relever tandis que quelqu'un d'autre rattrapait sa monture.

— Ça va, avait-il répondu en se redressant péniblement sur le sol imbibé d'eau. Je me suis juste un peu sali.

C'était le moins que l'on puisse dire ! se rendit-elle compte, non sans regret. L'une des jambes de son pantalon blanc crème était brunâtre comme celui d'un bouffon au rabais et la magnifique veste bleu marine de Joy était maculée de boue.

L'homme sortit un mouchoir un peu douteux de sa poche et le lui tendit.

— Pour votre figure, dit-il. Vous en avez plein autour de l'œil.

Comme elle le portait à l'œil intact, il fit mine de corriger son geste, puis lui reprenant le mouchoir des mains, il lui essuya lui-même le visage. Ce fut alors qu'elle le remarqua : des yeux bruns, une peau claire, un grand sourire. Jeune.

— Vous n'êtes pas d'ici, si ? fit-il en l'aidant à regagner sa monture que l'on avait examinée entre-temps et qui n'avait rien. Pas avec cet accent. Vous êtes de Londres, n'est-ce pas ?

— En plein dans le mille, répondit-elle d'un ton qu'elle trouva effronté. Je suis en visite chez mes grands-parents.

— Où ça ?

— À Kilcarrion. C'est dans un village du nom de Ballymalnaugh.

— Je sais où c'est. Qui sont vos grands-parents ?

— Ils s'appellent Ballantyne.

Il saisit sa botte pour l'aider à se remettre en selle.

— Je les connais. Un couple âgé. Ils sont anglais. J'ignorais qu'ils avaient de la famille.

Elle baissa le regard vers lui en souriant.

— Oh ! Et vous connaissez tout sur tout le monde, hein ?

Il lui rendit son sourire. Il était vraiment pas mal, en fait.

— Écoutez, mademoiselle la Londonienne, ici, tout le monde est au courant de tout.

Il ne l'avait plus quittée après cela et ils avaient bavardé. Alors qu'ils descendaient les sentiers humides avec leur petit groupe, il jacassait toujours. Il vivait dans un village à une dizaine de kilomètres de Kilcarrion et espérait aller à l'université de Durham en Angleterre, comme son frère aîné. En attendant, il passait son temps libre à bricoler dans la ferme de ses parents. Il s'appelait Robert, mais tout le monde l'appelait Bobby et Sabine se disait qu'elle n'avait jamais rencontré qui que ce soit dans sa vie qui parlât autant.

— Alors, tu sors beaucoup, Sabine ?

— Comment ça ? À Londres ?

— Non, ici. Je suis sûr qu'une jolie fille comme toi ne manque pas de propositions à Londres.

Sabine le considéra en plissant les yeux. Bobby avait une manière de dire des choses charmantes qui sous-entendaient subrepticement qu'il se payait votre tête. Elle n'aimait pas trop qu'on se moque d'elle.

— Je sors un peu, répondit-elle.

— Tu vas au pub et tout ça ? demanda-t-il en tirant sur les rênes de son cheval pour qu'ils soient côte à côte.

— Ce genre de choses, dit-elle avec un manque de sincérité incontestable.

Elle n'avait pas mis les pieds dans un pub depuis qu'elle était en Irlande. Ce n'était pas le genre de ses parents et Thom ne l'avait jamais conviée.

— Ça te dirait qu'on y aille ensemble un soir ?

Sabine piqua un fard. Il était en train de l'inviter à sortir avec lui ! Elle regarda fixement ses mains en se maudissant de rougir. Ce qu'elle pouvait être ridicule, quelquefois.

— Pourquoi pas, marmonna-t-elle.

— Tu n'es pas obligée, riposta-t-il. Je ne te forcerai pas en tout cas.

Il souriait toujours. Elle décida d'attendre d'être de retour à la maison avant de se faire une opinion sur lui. Et de trouver le moyen d'expliquer à ses grands-parents qu'elle avait peut-être un rendez-vous.

— Bon d'accord.

— Super. Maintenant, cramponne-toi. Je crois que nous allons prendre un raccourci pour rejoindre les autres.

Avant qu'elle eût le temps de méditer davantage sur Bobby McAndrew, elle s'élançait au galop dans le sillage de son cheval bai. La nuit commençait à tomber et tandis qu'ils filaient vers l'extrémité d'un champ, Sabine s'aperçut qu'elle avait mal partout et ne sentait plus ses doigts de pied. Elle concentra son attention sur la croupe éclaboussée de boue devant elle. Elle se prit tout à coup à rêver d'un bain chaud et à espérer qu'ils n'étaient plus trop loin de la maison. Elle n'était pas sûre que Thom et elle allaient de nouveau se croiser. Et elle n'avait pas la moindre idée de l'endroit où elle était censée rejoindre sa grand-mère pour la bonne raison qu'elle n'avait pas écouté un traître mot de ce qu'elle lui avait dit ce matin.

Elle était tellement préoccupée à l'idée de retrouver son chemin que plusieurs secondes s'écoulèrent avant qu'elle se rende compte que Bobby criait quelque chose à son adresse. Elle secoua la tête en s'efforçant de bloquer le sifflement du vent pour entendre ce qu'il disait de sorte qu'à la fin, il ralentit un peu et hurla :

— Il y a un Wexford un peu plus loin, dit-il. Pas facile. Plante bien tes talons et cramponne-toi à sa crinière.

Les yeux écarquillés, Sabine regarda l'endroit qu'il lui désignait. Un peu plus loin devant eux, elle distinguait deux chevaux qui semblaient faire des sauts presque à la verticale au-dessus d'un obstacle, puis s'envoler de nouveau dans un tourbillon de boue et de sabots. Son sang ne fit qu'un tour.

— Je ne peux pas faire ça ! cria-t-elle.

— Tu ne peux pas faire autrement, beugla Bobby en retour. Le seul autre moyen de sortir de ce champ est de retourner d'où nous venons.

Sur ce, il rassembla ses rênes, prêt à s'élancer.

Sabine décida qu'elle préférait refaire le long trajet toute seule plutôt que se rompre le cou et fit mine de tirer sur ses rênes. Mais le petit hongre gris ne l'entendait pas de cette oreille. Déterminé à suivre ses compagnons, le cou tendu, aussi rigide qu'un écouvillon, il fonçait droit sur l'obstacle sans prêter la moindre attention à ses tiraillements et à ses supplications. Sabine n'eut pas le temps de penser : soit elle larguait les amarres en cours de route et sautait sur l'herbe trempée, soit elle faisait confiance à l'animal en tâchant de rester en selle. Le talus qui se profilait devant elle lui paraissait immense ; le fossé sombre juste devant lui fit l'effet d'une tombe.

Elle vit le cheval de Bobby se retenir puis bondir, glissant un peu au sommet, avant de disparaître de sa vue tandis que son cavalier poussait un cri strident.

Elle lâcha les rênes, enfonça les pieds dans les étriers et ferma les yeux. Je vais mourir, pensa-t-elle. Maman, je t'aime. Tout à coup, le cheval bascula vers le haut si bien qu'elle glissa brusquement en arrière en plongeant sur la selle. Quand elle rouvrit un bref instant les yeux, ils étaient au-dessus de l'obstacle, le cou du cheval était incliné comme s'il vérifiait la position de ses pattes, après quoi Sabine referma les yeux en poussant de petits jappements. Ils s'envolèrent à nouveau au-delà d'une distance impossible. Quand ils atterrirent, elle s'effondra à plat ventre, les pieds hors des étriers, en se cramponnant tant bien que mal à son cou.

— Voilà ! Ça y est ! cria Bobby, euphorique, en lui fourrant une des rênes qu'elle avait lâchées dans la main. Tu as réussi. Bravo !

Sabine se redressa, secouée de rire, en flattant le cou du petit cheval, sidérée par ce qu'ils venaient de faire.

— Brave bête, chantonna-t-elle joyeusement. Brave bête. Tu es drôlement habile, mon petit.

L'adrénaline lui fouettait le sang, elle avait envie de hurler de joie et de recommencer…

— Je ne pensais pas y arriver moi-même, lança Bobby. C'est super que tu aies réussi à rester en selle.

Elle se tourna vers lui, le visage illuminé par un sourire radieux. Et prononça alors une phrase dont la signification échappa entièrement à un fils de fermier vivant à dix kilomètres de là. « Je n'ai pas pris le portail. »

Après avoir franchi le plus haut obstacle du monde, cela paraissait injuste qu'elle soit contrainte de passer un temps fou à frotter les pattes de son cheval pour ôter la boue, à nettoyer la sellerie, à cirer ses bottes alors qu'elle avait affreusement mal partout, qu'on aurait dit qu'on l'avait battue avec une barre métallique tant ses os étaient douloureux et qu'elle avait tellement froid que ses doigts étaient tout engourdis et mous comme des chipolatas pas cuites. Mais Joy avait été on ne peut plus claire.

— Ton cheval passe d'abord. Il t'a servie toute la journée. Le moins que tu puisses faire, c'est de le bichonner bien comme il faut.

Quand elle eut finalement enlevé toute la gadoue – et la gadoue irlandaise, elle le savait maintenant, et c'était franchement exaspérant, avait le don de s'immiscer partout –, elle avait presque les pieds sur terre après l'euphorie de la chasse. Elle se sentait transie, toute raide, et c'était elle qui avait besoin d'un bon massage et d'un mélange bien chaud de son et de mélasse (ça sentait si bon qu'elle avait goûté. On aurait dit de la doublure de tapis !). Malheureusement, Joy avait choisi ce moment-là pour descendre dans la remise aux chaussures et l'informer, d'un ton qui s'apparentait presque à une excuse, qu'à cause d'un problème de plomberie, il n'y aurait pas suffisamment d'eau chaude pour qu'elle puisse prendre un bain.

— Tu plaisantes, avait rétorqué Sabine, sur le point d'éclater en sanglots.

La pensée de se débarrasser de ses vêtements trempés dans cette chambre humide pour enfiler une autre tenue tout aussi glacée était trop déprimante.

— Non, répondit Joy. Mais j'ai parlé avec Annie. Elle

n'a pas de clients ce soir et tu peux aller prendre un bain là-bas si tu le souhaites.

Elle ébaucha un sourire en allant fermer la porte.

— Tu n'as quand même pas cru que j'allais te laisser faire toute une journée de chasse sans un bon bain au bout du compte, si ? C'est presque ce qu'il y a de meilleur.

Sabine lui avait rendu son sourire en s'interrogeant intérieurement sur l'étrange sens de l'humour de sa grand-mère, après quoi elle avait couru à l'étage chercher sa serviette et son shampoing. Un bain chez Annie ! De l'eau chaude illimitée ! Du savon sans grosses fissures grisâtres ! Pas de sprint glacé à claquer des dents de la salle de bains à sa chambre ! Sabine traversa la route presque en courant, la proximité d'un tel luxe lui ayant donné des ailes.

Dès qu'elle avait ouvert la porte, cependant, elle avait senti qu'il y avait de la tension dans l'air chez Annie. Elle avait fait irruption dans le salon, avide de lui raconter sa journée, l'invitation de Bobby et de la remercier d'avance pour le bain, mais en les apercevant tous les deux se tournant le dos, chacun à un bout de la pièce, les mots lui étaient restés en travers de la gorge.

— Je… bonjour, avait-elle dit en s'immobilisant sur le seuil.

Un silence inhabituel régnait dans la maison. La télévision toujours présente était éteinte. C'était un de ces mauvais silences – lourd, encore chargé des violents reproches échangés.

— Sabine, fit Patrick en se redressant un peu.

Annie, vêtue d'un gros pull dont le col était remonté sous son menton, se borna à poser les yeux sur elle comme si elle n'était pas là. Sabine se balança d'un pied sur l'autre en se demandant si elle ne ferait pas mieux de s'en retourner.

— C'est toujours d'accord pour que je prenne un bain ?

Patrick hocha la tête, mais Annie releva le menton lentement d'un air interdit.

— Un bain…

— Je croyais que ma grand-mère…

— Tu viens de dire qu'elle pouvait venir prendre un bain. Tu l'as dit au téléphone à Mrs Ballantyne. Je t'ai entendue.

Patrick avait un ton exaspéré, comme si c'était l'ultime réplique d'un long échange.

Annie haussa les épaules.

— Bien sûr, tu peux prendre un bain. Quand tu veux.

Sabine la dévisagea d'un air anxieux.

— Maintenant ? dit-elle. Ma grand-mère a dit que je pouvais venir tout de suite.

Il y eut un bref silence. Incapable de supporter l'indécision de Sabine, Patrick, n'y tenant plus, s'exclama :

— Il n'y a pas de problème, Sabine. Nous vous attendions. Montez donc et appelez si vous avez besoin de quelque chose. Prenez votre temps.

Sabine traversa le salon à pas lents pour gagner l'escalier.

— J'ai apporté ma serviette, dit-elle d'une voix douce, comme si cela pouvait alléger l'humeur d'Annie.

Mais ce fut Patrick qui lui répondit.

— Ne vous faites pas de soucis, Sabine. Profitez-en bien.

Sabine s'attarda un bon moment dans son bain, et ce n'était pas uniquement pour le plaisir. Elle s'était aperçue qu'elle gisait totalement immobile dans l'eau qui refroidissait à écouter les échos d'une dispute, les pauses trop longues, les voix saccadées, le bourdonnement faible de l'exaspération qui caractérisait les querelles d'adultes. Ils étaient à l'évidence en pleine engueulade, mais on aurait dit que c'était à sens unique, comme si Annie refusait de prendre part à la bataille et laissait Patrick s'en charger. Annie étant son amie, en temps normal, Sabine aurait pris son parti : comment pouvait-il se montrer aussi odieux vis-à-vis d'une femme qui avait perdu sa fille ? Comment pouvait-il s'en prendre à quelqu'un qui ne s'était toujours pas remis de son deuil ? Pourtant, il y avait quelque chose chez Patrick, lorsqu'elle le regardait de près, qui laissait supposer qu'il souffrait encore plus qu'elle.

Elle n'avait vraiment pas envie de redescendre. Elle répugnait à l'idée de retraverser cette zone de guerre en souriant et en faisant poliment la conversation rien que pour pouvoir aller se mettre au lit et se sentir misérable. Si je voulais m'engager dans une zone de conflits, se dit-elle, je n'avais qu'à rester à la maison, et elle sourit tristement de son mot d'esprit. Mais il n'y avait aucune raison de sourire. Elle ne voulait pas que Patrick et Annie se séparent. Patrick aimait manifestement Annie et celle-ci, à l'évidence, avait adoré leur fille. Ils devraient se soutenir pour franchir ensemble ce cap difficile plutôt que de s'éloigner l'un de l'autre. Parfois les choses paraissaient si simples aux yeux de Sabine qu'elle n'arrivait pas à croire que les adultes puissent se fourvoyer à ce point.

Ils semblaient compliquer les choses pour le plaisir. Sa mère doutait toujours de tout, même quand tout se passait bien. Elle ne pouvait jamais accepter la situation telle quelle. Sabine savait exactement ce qui allait se passer une fois que Justin serait installé à la maison, si ce n'était pas déjà fait. Elle et lui finiraient par se prendre en grippe, et Kate, après avoir feint pendant Dieu sait combien de mois de faire comme s'ils composaient une famille heureuse, pleurnicherait un beau jour à la table de la cuisine en disant qu'elle avait gâché la vie de tout le monde. Et Sabine ne pensait-elle pas qu'elles seraient plus heureuses toutes les deux toutes seules ? Parce qu'elle voulait qu'elle ait son mot à dire dans cette histoire, vraiment, elle y tenait… Sabine savait parfaitement ce qu'elle répondrait à cela. Elle prenait plaisir à répéter les répliques qu'elle opposerait à sa mère en pareil cas et s'étonnait parfois quand leurs prises de bec se déroulaient exactement comme elle avait prévu. « Oh ! Alors maintenant j'ai le droit de dire ce que je pense ! Comment se fait-il que je n'aie pas pu en placer une quand Geoff est parti ? Ou quand Jim a fichu le camp ? Hein ? » Et sa mère, anéantie, se confondrait en excuses et se rendrait compte qu'elle aurait dû se comporter davantage comme sa propre mère.

Sabine resta allongée en silence dans une eau de plus en plus glacée, à ruminer toutes les injustices inhérentes au fait d'avoir seize ans et d'être totalement désarmée. Pour finir, consciente que ses doigts avaient pris l'apparence de pruneaux d'Agen et que la température de son bain n'était plus du tout agréable, elle s'extirpa de la baignoire et se sécha.

Lorsqu'elle regagna le salon, il n'y avait plus personne. Elle n'était pas sûre de pouvoir se sentir soulagée pour autant. Tandis qu'elle filait sur la route humide en direction de Kilcarrion, quelque chose l'incita à jeter un coup d'œil derrière elle. Annie, dont la silhouette se profilait dans la lumière, se tenait devant la fenêtre et regardait dans le jardin. Elle n'avait pas vu Sabine. Elle n'avait l'air de rien voir. Sur son pull-over trop grand, elle se tenait l'estomac à deux mains.

— Un dîner spécial pour toi ce soir, Sabine.

Sa grand-mère posa le plat fumant au milieu de la table étincelante et souleva le couvercle avec un panache qui ne lui ressemblait guère.

— Mrs H a préparé ça rien que pour toi. C'est un ragoût de légumes rôtis aux herbes végétariennes et aux boulettes de fromage. De la nourriture bien consistante pour se réchauffer après une bonne journée de chasse.

Sabine sentit son estomac se crisper sous l'effet de la faim en humant le délicieux parfum. Elle avait regretté presque tout l'après-midi d'avoir donné son Mars au petit garçon, les pincements du froid lui permettant seuls d'oublier ses gargouillis.

— Je me suis dit que j'en mangerai aussi pour te tenir compagnie.

— Ça a l'air délicieux, dit-elle en se demandant si ce serait impoli de se servir tout de suite.

— J'ai toujours trouvé qu'on avait envie d'un bon ragoût pour se remettre après une journée en plein air, déclara Joy en fouillant dans le vaisselier à la recherche de serviettes. La chasse me donnait tellement faim, je me souviens… et même quand j'avais pris soin d'emporter des sandwichs, je m'apercevais presque chaque fois qu'ils étaient tombés de mes poches et qu'un cheval les avait piétinés.

S'il te plaît, dépêche-toi, la supplia mentalement Sabine. Selon la règle en vigueur, elle ne pouvait commencer à manger avant que sa grand-mère soit assise.

Son estomac, réagissant aux effluves du plat, gronda bruyamment au point que Bertie releva la tête d'un air interrogateur.

— Où donc ai-je fourré ces ronds de serviette ? J'étais sûre qu'ils étaient dans ce tiroir. Peut-être Mrs H les a-t-elle mis dans la cuisine.

— Puis-je… est-ce que je peux…

L'odeur aromatique de la sauce lui faisait tourner la tête.

— Je vais aller jeter un coup d'œil. Cela t'ennuie-t-il d'attendre une minute ?

— En fait, je…

Elles furent interrompues par un bruit sourd et un cognement provenant du couloir devant la salle à manger. Les deux chiens se levèrent d'un bond et coururent vers la porte en geignant et en grattant pour qu'on les laisse sortir.

Se détournant du vaisselier, Joy les suivit à grandes enjambées et ouvrit la porte.

— Edward ! Qu'est-ce que tu fais là ?

Elle recula et Sabine vit le vieil homme s'acheminer péniblement dans la pièce en traînant les pieds et en soufflant, courbé en deux sur ses cannes comme quelque quadrupède préhistorique.

— Qu'est-ce que tu crois que je fais ? grommela-t-il sans lever les yeux tandis qu'il avançait pas à pas. Je viens dîner.

Joy jeta un coup d'œil anxieux dans la direction de Sabine, et celle-ci détourna le regard par déférence. Car ce n'était pas tant la présence inattendue d'Edward qui avait alarmé sa grand-mère que sa tenue fort peu conventionnelle. Il portait un pyjama en coton à impressions cachemire d'un rouge profond et des pantoufles assorties au-dessus desquelles on apercevait ses chevilles violettes, terriblement enflées. Par-dessus son haut de pyjama, il avait enfilé une veste blanche à col Mao immaculée, dotée d'épaulettes dont émanait une vague odeur au demeurant reconnaissable de naphtaline. Un uniforme d'officier, devina Sabine. Autour de son cou, comme quelque dandy de bas étage, il avait mis l'écharpe en cachemire de Joy, mauve avec des fleurs bleues.

Tandis que Sabine regardait fixement son assiette, il s'approcha de la table et s'assit à sa place avec des gestes prudents. Une fois installé, il posa ses cannes par terre, soupira, se pencha en avant et regarda attentivement la table cirée devant lui.

— Je n'ai pas d'assiette, annonça-t-il.

Joy se tenait toujours près de la porte, les sourcils froncés.

— Je ne m'attendais pas à ce que tu descendes ce soir. Tu m'as dit que tu n'avais pas faim.

— Eh bien… maintenant, j'ai faim.

Il y eut un bref interlude comme s'il s'agissait d'une conversation téléphonique internationale. En s'essuyant inutilement les mains sur son pantalon, Joy attendit d'être sûre qu'il n'allait pas changer d'avis. Après quoi elle se dirigea vers la cuisine, repoussant les chiens devant elle avec mauvaise humeur.

— Je vais te mettre un couvert.

Satisfait, Edward s'adossa à sa chaise et regarda autour de lui comme s'il cherchait quelque chose. Quand il aperçut Sabine, il cessa son manège et posa lourdement une main sur la table.

— Ah, te voilà !

Sabine sourit d'un air hésitant.

— Bon, fit-il en prenant une inspiration pénible. J'ai cru comprendre que tu étais allée chasser.

Il avait dit cela avec une certaine satisfaction.

Avant que Sabine ait eu le temps de répondre, Joy revenait avec une assiette et des couverts qu'elle disposa avec des gestes brusques mais précis devant lui.

— Oui. Elle a passé une belle journée en plein air, commenta-t-elle.

Edward leva lentement les yeux vers sa femme, le visage impassible, mais la voix vibrante d'agacement.

— Je souhaiterais parler à ma petite-fille. J'aimerais autant que tu ne m'interrompes pas.

Joy haussa un sourcil, mais l'ignora. Elle retourna à sa place et commença à servir.

— Bon... fit-il d'un ton circonspect en considérant Sabine d'un œil qui lui parut presque espiègle. As-tu passé une bonne journée ?

En dehors du fait qu'elle trouvait assez amusant de voir sa grand-mère remise à sa place, Sabine, qui se délectait avec la première bouchée de son repas, n'avait pas franchement envie de se lancer dans une conversation quelconque.

— Oui, fit-elle en hochant vigoureusement la tête pour qu'il ne lui demande pas de répéter.

— Tant mieux, tant mieux...

Il se radossa en souriant.

— Quel cheval as-tu monté ? Était-ce le Duc ?

— Non, Edward. Le Duc boite. Tu sais très bien que le Duc boite.

— Comment ?

— Le Duc. Il boite.

Joy servit un petit verre de vin rouge et le poussa dans la direction de Sabine.

— Oh ! Il boite… Vraiment ?
Puis il marqua un temps d'arrêt, les yeux rivés sur son assiette.
— Oh mon Dieu !… Qu'est-ce que c'est que ça ?
— Un ragoût de légumes, répondit Joy d'une voix forte. C'est le plat préféré de Sabine.
— Qu'est-ce que c'est comme viande ?
Il triturait maladroitement le contenu de son assiette du bout de sa fourchette.
— Je n'ai pas eu un seul morceau de viande.
— Il n'y a pas de viande. Ce ne sont que des légumes.
Il la considéra d'un air méfiant.
— Mais où est la viande ?
Joy parut sur le point de perdre patience un instant.
— Je ne t'en ai pas donné, dit-elle finalement. Il n'en restait plus.
Elle jeta un rapide coup d'œil à Sabine, consciente de son mensonge comme si elle mettait sa petite-fille au défi de relever.
Edward contemplait son assiette.
— Oh… Y a-t-il du maïs dedans ?
— Oui, répondit Joy en attaquant son repas. Il va falloir que tu fasses le tri.
— Je n'aime pas le maïs.
— Sabine a franchi un Wexford aujourd'hui, annonça Joy d'un ton résolu et plus gai. C'est Thom qui me l'a dit.
— Ah bon ! Je te félicite, mon enfant.
Les commissures de ses lèvres se retroussèrent en un sourire. Sabine s'aperçut qu'elle souriait à son tour. Elle se sentait encore toute fière quand elle y pensait.
— Pas facile, ces talus, dit-il.

— C'est le cheval qui a tout fait, commenta modestement Sabine. Je me suis juste cramponnée.

— Parfois laisser le cheval prendre l'initiative est la meilleure chose à faire, dit Joy en s'essuyant la bouche. Le tien est loin d'être bête, ça c'est sûr.

En regardant ses grands-parents manger, Sabine eut soudain conscience de faire partie d'une famille, et du plaisir que cela pouvait procurer de bénéficier de leur approbation. Elle doutait d'avoir jamais éprouvé un tel sentiment d'orgueil. Elle avait été fière de réussir ses examens au début de l'été, mais sa joie avait été atténuée par l'histoire de Geoff et de Justin. Même si intérieurement elle était contente d'elle, en réagissant à la satisfaction de sa mère face à son succès, elle aurait resserré les liens entre elles. Or, elle lui en avait trop voulu tous ces mois pour ça. Bizarrement, avec ses grands-parents, c'était moins compliqué. Au fond, ça ne m'ennuie pas vraiment d'être ici, pensa-t-elle. En fait, ça me plaît assez.

— Alors dis-moi, reprit son grand-père… combien de fois as-tu mis en joue ?

Sabine leva les yeux vers lui, puis tourna son attention vers Joy qui n'était plus à sa place. Elle ne voyait pas trop de quoi il voulait parler.

— Pardon ? fit-elle faiblement, en tendant l'oreille en direction de la cuisine à l'affût du retour imminent de sa grand-mère.

Son grand-père eut l'air agacé un bref instant, apparemment las d'avoir à répéter des choses pourtant faciles à comprendre.

— J'ai dit, combien de fois as-tu mis en joue ?

Elle n'aurait pas su dire précisément pourquoi, mais Sabine se refusait à admettre qu'elle ne savait pas de quoi il parlait. Leur approbation tacite, si inhabituelle, lui avait fait tellement plaisir. Elle aurait eu l'impression de rompre un sort. Son grand-père serait déçu, comme s'il avait affaire à quelque imposteur. Sa grand-mère prendrait cet air morne vaguement exaspéré qui avait caractérisé pratiquement tous leurs échanges jusqu'à récemment. Et elle serait une fois de plus Sabine la citadine.

— Six fois.

— Comment ?

— Six fois.

Cela lui semblait une bonne moyenne.

— Six fois ?

Son grand-père ouvrit grand les yeux.

Sa grand-mère revint dans la pièce, chargée d'une planche à pain encombrée.

— As-tu entendu ça, Joy ? Sabine a chassé aujourd'hui. Elle a mis en joue six fois.

Joy foudroya sa petite fille du regard. Sabine, déjà consciente d'avoir dit ce qu'il ne fallait pas, se donna un mal de chien pour lui transmettre une sorte d'explication.

— C'est étonnant, dit-il en secouant la tête sans quitter son assiette des yeux. La dernière fois que j'ai entendu parler d'un chasseur qui avait mis en joue six fois, ça devait être… en 67, Joy, c'est ça ? C'était l'hiver où les Pettigrew sont venus nous rendre visite. C'était cinq ou six fois, non ?

— Je ne m'en souviens pas, répondit Joy d'un ton cassant.

— Je me suis peut-être trompée, lança Sabine d'un ton désespéré.

— Six fois, dit son grand-père en secouant de nouveau la tête. Eh bien dis donc… tout de même, belle saison, 67 ! D'excellents chevaux cette année-là en plus. Tu te souviens du petit poulain que nous avions acheté à Tipperary, Joy ? Comment s'appelait-il déjà ?

— Master Ridley.

— Master Ridley. C'est ça. On est allés jusqu'à Tipperary et on a dépensé tellement d'argent pour l'acheter qu'on n'avait plus de quoi payer l'hôtel. On a dû loger dans une caravane. N'est-ce pas, chérie ?

— Effectivement.

— Oui. Dans une caravane. Il faisait un froid de canard. Il y avait des trous partout.

— Absolument.

— On s'est bien amusé tout de même.

Il sourit lentement pour lui-même, son vieux visage ridé tendu par l'effort, et Sabine s'aperçut que l'expression de Joy s'était adoucie.

— Oui, dit-elle, on s'est bien amusé.

— Apparemment, marmonna Sabine en en profitant pour prendre une autre boulette au fromage.

— Six fois… Tu sais, rien ne ressemble à la musique de la meute, ajouta son grand-père en relevant la tête comme s'il écoutait quelque son lointain. Rien.

Après quoi il regarda Sabine bien en face comme s'il la voyait vraiment pour la première fois.

— Tu n'es pas du tout comme ta mère, n'est-ce pas ? dit-il.

Après quoi, il s'effondra en piquant du nez dans son ragoût.

L'espace d'une terrible seconde, Sabine le regarda fixement en se demandant distraitement s'il s'agissait d'une plaisanterie. Puis Joy se leva précipitamment en poussant un cri d'horreur et courut extraire la tête de son mari de son assiette et la serrer contre son épaule.

— Appelle le médecin ! cria-t-elle à Sabine.

Brutalement extirpée de sa torpeur, Sabine repoussa sa chaise et sortit de la pièce en courant. Tandis qu'elle passait au crible la liste des numéros de téléphone sur la table à côté de l'appareil avant de composer le numéro avec des doigts tremblants, la terrible vision de son grand-père allait et venait devant ses yeux. Cette image, elle le savait déjà, la hanterait longtemps après que la situation serait redevenue normale. Il avait les yeux à demi clos, la bouche ouverte. Des filets de liquide chaud couleur tomate ruisselaient sur son visage ; ils coulaient sur son foulard à fleurs et ses épaules immaculées pareil à du sang pâle et fluide.

Kate s'assit sur le canapé près de Justin et se demanda si elle devait se blottir contre lui, passer ses doigts dans ses cheveux. Ou peut-être lui prendre la main. Voire poser la sienne sur sa cuisse d'une manière à la fois décontractée et un tant soit peu possessive. Elle le regarda à la dérobée en tâchant de déterminer l'attitude la plus appropriée. Deux mois plus tôt, elle n'aurait pas fait tant de cas de ces considérations, mais à l'époque, elle se sentait libre avec lui, convaincue que la moindre initiative donnerait lieu à un geste en retour.

Pour la bonne raison que le Justin d'aujourd'hui ne partageait pas le désir constant de la toucher, de la tenir dans ses bras, de la caresser comme il y a deux mois. La plupart du temps, le soir, il ne prenait même pas la peine de s'asseoir près d'elle. Désespérée de combler le fossé qui les séparait, Kate se sentait affreusement mal à l'aise et faisait de son mieux pour raviver une chaleur qui n'existait plus sans ses efforts.

Pour finir, elle résolut de s'installer dans un siège voisin du sien et de poser une jambe avec désinvolture près de la sienne.

— Voudrais-tu un autre verre de vin ?

Il ne détacha même pas son regard de la télévision.

— Avec plaisir.

— J'adore le Fleurie. C'est une petite faveur que je me fais de temps en temps.

Il rit de quelque chose qu'il avait vu sur l'écran et lui jeta un bref coup d'œil pendant qu'elle remplissait son verre.

— Il est très bon.

— Je ne crois pas savoir quel est ton vin préféré.

Elle voulait tant qu'ils se remettent à parler, qu'ils concentrent vraiment leur attention l'un sur l'autre, se dévoilant des secrets qu'ils ignoraient, avides de se connaître à fond. Me voilà telle que je suis. Prends-moi ! Lorsqu'ils avaient commencé à sortir ensemble, elle avait été frappée par l'idée qu'elle avait du potentiel. Il avait eu l'air de voir des possibilités infinies en elle, il lui avait laissé entendre qu'elle pouvait être bien plus qu'elle n'était, qu'ils grandiraient ensemble. Désormais, lorsqu'il venait la voir, il se plantait devant la télévision, la télécommande à la main, après quoi il lui demandait ce qu'il y avait pour le dîner.

— C'est ce qu'on appelle *cocooner,* lui avait-il déclaré lorsqu'elle avait abordé le sujet un soir. Ça prouve que je suis à l'aise avec toi. On ne peut pas s'attendre à ce que la passion dure toujours.

Dans ce cas, pourquoi ai-je quitté Geoff pour toi ? avait-elle eu envie de lui rétorquer. Avec lui, au moins, ce n'était pas moi qui me coltinais la cuisine et toute la vaisselle. Geoff, lui, voulait bavarder le soir. Et puis il lui arrivait d'avoir envie de faire l'amour !

— Alors quel est ton vin préféré ?

— Comment ?

— Ton vin préféré. C'est quoi ?

Elle perçut des intonations métalliques insolites dans sa voix.

— Euh… Je n'y ai jamais vraiment réfléchi.

Il marqua une pause, comme s'il tentait d'occuper la moitié de son cerveau à réfléchir à la question, conscient qu'une réponse s'imposait.

— Certains chiliens sont plutôt bons.

On aurait dit qu'une fois le spectre de Geoff disparu tout comme la menace d'être découverts, il n'y avait plus suffisamment d'éléments excitants pour alimenter son désir. Kate s'était aperçue qu'elle luttait contre la rancœur et l'impression de plus en plus nette de jouer un tout autre rôle, celui d'une sorte de succédané maternel destiné à fournir les repas, un cadre domestique et un havre de sécurité à quelqu'un dont la véritable passion se situait à des lieues de là, quelque part sur une route vue à travers un téléobjectif.

— C'est une situation idéale pour lui, avait remarqué Maggie la semaine précédente en voyant les sacs remplis d'équipement photographique de Justin dans son entrée.

— Que veux-tu dire ?

— Une jolie maison où crécher et manger, plus quelqu'un à mettre dans son lit. Un endroit commode pour conserver son matériel. Pas de responsabilités. Pas d'engagements. Pas de notes à payer.

Elle avait pincé les lèvres et avait pénétré brusquement dans la cuisine où Kate préparait du thé.

— Pourquoi payerait-il les notes puisqu'il n'habite pas ici ?

Le ton de Maggie l'avait agacée. Mais elle était très consciente de la prolifération des affaires de Justin chez elle, et elle avait le sentiment que Sabine ne s'en accommoderait pas aussi bien qu'elle.

— Certes. Je pensais juste qu'après tout ce temps, il aurait envie de vivre ici avec toi.

— Écoute, Maggie, tout le monde n'a pas envie d'être comme Hamish et toi. Justin est un non-conformiste. De plus, je sors d'une rupture pénible. Tu le sais. La dernière chose qu'il me faut, c'est que quelqu'un d'autre s'incruste ici et m'encombre avant que j'aie eu le temps de profiter un peu de ma liberté.

Elle avait presque réussi à se convaincre.

— Ah bon ! Je ne m'étais pas rendu compte que tu t'étais séparée de Geoff pour être seule. Désolée, ma chérie, j'avais cru comprendre que tu voulais être avec Justin ! J'oublie tout ! Ça doit être Alzheimer qui me guette !

Avec un regard malicieux, Maggie avait mis ainsi un terme à la conversation.

Elle avait raison, bien évidemment. Mais Kate n'était pas prête à admettre qu'elle avait commis une erreur. Cela signifierait que tout ce gâchis, cette souffrance, le fossé plus profond qui s'était creusé dans sa relation déjà précaire avec sa fille, n'auraient servi à rien. Cela voudrait dire aussi qu'en dépit de ses trente-cinq printemps et du nombre incalculable de liaisons qu'elle avait eues et bien qu'elle considérât qu'elle savait pertinemment ce qu'elle faisait, elle n'avait toujours rien compris aux hommes.

Elle se mit à penser à Sabine à laquelle elle n'avait pas parlé depuis une semaine. Elle avait été relativement aimable au téléphone la dernière fois, s'était abstenue de lui reprocher ses faiblesses et n'avait même pas mordu à l'hameçon lorsque Kate avait mentionné Justin accidentellement. Mais lorsqu'elle avait essayé gentiment de lui dire que le moment était peut-être venu pour elle d'envisager de rentrer, Sabine avait poliment, mais résolument, changé de sujet. L'attitude de sa fille était plus déroutante encore que ce refus apparent. Sabine n'avait jamais manifesté la moindre inquiétude quant aux sentiments de sa mère auparavant : le plus clair du temps, elle faisait de son mieux pour lui être désagréable. La nouvelle Sabine, adulte, ne se bornait pas à lui dire en douceur qu'elle désapprouvait son mode de vie. Elle était apparemment en train de s'en façonner un, aussi loin d'elle que possible.

Kate ravala péniblement la boule qui lui obstruait la gorge. Il va falloir que je me donne plus de mal, se dit-elle en regardant les jambes de Justin dans leur pantalon en coton, tendues devant elle. Je vais laisser encore un peu de répit à Sabine et puis je lui rappellerai toutes les choses qu'elle aimait à Londres. Je ne serai pas pot de colle, ni désespérée. Je vais ronger mon frein jusqu'à ce qu'elle soit prête à revenir près de moi. Et puis il faut que j'arrête d'essayer d'interpréter le comportement de Justin. Il est gentil et il m'aime. C'est juste que nous sommes tombés trop rapidement dans la banalité du quotidien. À moi de me secouer un peu.

Elle inspira profondément et se passa la main dans les cheveux en les ébouriffant légèrement.

— Alors, dit-elle en posant une main sur sa jambe, le repas t'a plu ?

Elle avait servi des darnes de thon. Son plat préféré. Elle faisait décidément des progrès en cuisine.

— C'était délicieux. Je te l'ai déjà dit.

Elle fit glisser sa main doucement le long de sa cuisse et lui chuchota à l'oreille :

— Je me demandais si tu aurais envie d'un dessert…

Oh mon Dieu ! On croirait entendre une actrice d'un film porno. Mais il fallait qu'elle continue sur sa lancée. Si elle se laissait gagner par l'embarras, elle ficherait tout en l'air.

— Bonne idée, dit-il en détournant les yeux de la télévision pour la regarder. Qu'est-ce qu'il y a ?

Elle essaya de maintenir son sourire enjôleur.

— Euh… Ce n'était pas vraiment un dessert conventionnel auquel je pensais.

Il la dévisagea d'un air ahuri.

— Mais ça pourrait être délicieux… Je suppose…

Es-tu vraiment bouché à ce point ? eut-elle envie de hurler.

À la place, déterminée à ne pas lâcher prise, elle laissa sa main lui suggérer lentement ce qu'elle avait à l'esprit.

Un long silence suivit.

Justin la dévisagea, puis considéra sa main avant de reporter son attention sur son visage. Il sourit, haussa les sourcils.

— C'est… une gentille pensée. Mais pour être honnête, Kate, tu m'as donné sacrément envie de manger un dessert quelconque. Y a-t-il quelque chose de sucré dans la maison ?

Il marqua un temps d'arrêt.

— Un peu de chocolat ? De la glace ?

La main de Kate s'immobilisa. Elle le dévisagea à son tour.

— Écoute, c'est toi qui m'y as fait penser, dit-il, un peu sur la défensive. Ça ne m'aurait même pas effleuré si tu n'y avais pas fait allusion. Maintenant j'en crève d'envie.

Pendant un bref instant de folie, Kate lutta contre le désir d'aller vérifier le contenu du congélateur. Ensuite, elle se demanda si elle n'allait pas le frapper. Finalement elle songea qu'elle ferait mieux de quitter la pièce jusqu'à ce qu'elle ait décidé laquelle des innombrables émotions qui couvaient en elle elle allait laisser éclater. Heureusement pour Justin, sans doute, elle fut interrompue dans ces réflexions par la sonnerie stridente du téléphone.

Il fut sur le point de répondre, puis, ayant surpris quelque chose dans son expression, il se laissa retomber contre les coussins du canapé.

— Allô ? fit-elle, consciente qu'il scrutait son visage, apparemment sidéré par sa réaction.

— Kate ?

— Oui ?

— C'est ta mère.

Il est arrivé quelque chose à Sabine, pensa Kate, prise de panique. Elle a eu un accident.

— Que s'est-il passé ?

Il n'y avait aucune raison pour que sa mère l'appelle autrement. Il y avait des années qu'elle ne l'avait pas fait.

— J'ai pensé qu'il fallait que je te prévienne. Ton père… ne va pas très bien. Il a eu une attaque hier soir. Il est… il est à l'hôpital.

Elle bafouilla, la voix crispée, comme si elle attendait une réaction.

À défaut, elle poussa un profond soupir.

— Comme je te l'ai dit, j'ai pensé qu'il fallait te prévenir.

Sur ce, elle raccrocha.

Kate s'assit sur une chaise et reposa le combiné, consciente qu'en plus du choc, elle était consumée par un puissant sentiment de soulagement à la pensée qu'il n'était rien arrivé à Sabine. Si soulagée que sa fille soit saine et sauve, elle n'avait pas vraiment pris la mesure de ce que Joy lui avait dit.

— C'est mon père, dit-elle finalement en réponse à l'expression interdite de Justin. Je crois qu'il est mourant. Elle ne m'aurait pas appelée, autrement.

Son ton était étonnamment ferme.

— Tu ferais mieux d'y aller, fit-il en posant sa main sur son épaule. Ma pauvre ! Voudrais-tu que je m'occupe de te prendre une réservation par téléphone ?

Ce fut près d'une heure après le départ de Justin, alors qu'elle avait appelé les différentes compagnies d'aviation pour s'apercevoir, avec un mélange de frustration et de soulagement, qu'à cause d'une kyrielle de festivals artistiques et de colloques médicaux, elle ne trouverait pas un vol avant deux jours, sans compter que sa voiture avait finalement rendu l'âme, que Kate fut frappée par une triste réalité. Pas une seule fois, en dépit de son attitude compatissante, Justin ne lui avait proposé de l'accompagner.

9

Christopher Ballantyne et sa femme, Julia, se ressemblaient tellement que de l'avis de Mrs H, s'ils s'étaient mariés trente ans plus tôt, toutes sortes de rumeurs auraient circulé au village. Il avait les cheveux noirs, ondulés, exactement de la même couleur que ceux de son épouse. Ils avaient tous les deux un nez crochu, des formes sveltes et les mêmes idées arrêtées sur la plupart des sujets, notamment en ce qui concernait l'hygiène et la politique. Ils parlaient l'un et l'autre à coups de phrases explosives, braillées, à croire qu'ils avaient un soufflet à la place de la bouche.

Ils traitaient Sabine avec un même détachement complaisant comme ils l'auraient fait avec n'importe quelle invitée, ce qu'elle ne manqua pas de remarquer avec amertume. Hormis que dans son cas, elle avait la conviction qu'ils se comportaient ainsi de façon délibérée, histoire de lui faire sentir qu'elle ne faisait pas vraiment partie de la famille en dépit des liens de sang. Pas au même titre qu'eux en tout cas. Et c'était de la faute de Kate, bien entendu.

Christopher avait fait irruption dans la maison comme s'il était chez lui le soir où son père avait piqué du nez dans le ragoût en déclarant à Joy – assez vainement de l'avis de Sabine – qu'« elle n'avait plus aucun souci à se faire ». Julia et lui s'étaient rendus à un bal de chasseurs à Kilkenny, une « chance » comme il le souligna avec un manque flagrant de tact. Ils étaient venus immédiatement en apprenant la nouvelle et avaient entrepris d'installer leurs affaires dans la meilleure chambre d'amis, voisine de celle de Joy. Jusqu'à cet instant, Sabine ne s'était jamais demandé pour quelle raison on ne la lui avait pas donnée à elle ; la moquette y était en bien meilleur état, il y avait une grande commode étincelante en noisetier. Mais lorsqu'elle en avait parlé à Mrs H, celle-ci lui avait répondu que Christopher tenait à avoir « sa chambre » quand il revenait à la maison. Et Julia et lui venaient souvent. En d'autres termes, pas comme maman et moi, pensa Sabine. Mais elle se garda de relever.

Si Joy avait remarqué les ressentiments de sa petite fille, elle ne fit aucun commentaire. Mais il est vrai qu'elle paraissait terriblement distraite, faute d'avoir à s'occuper d'Edward. À l'hôpital de Wexford, on avait décidé de le garder en observation. Si Sabine avait préféré ne pas demander ce qu'il avait – il ne lui semblait pas qu'il restât grand-chose à observer chez lui ! –, il était évident que c'était grave. Parce que sa grand-mère était pâle, tendue et d'une passivité inhabituelle, mais aussi parce que lorsqu'elle n'était pas dans la pièce, Christopher inspectait le dos des meubles et guignait sous les tapis à la recherche de petites étiquettes écrites à la main pour voir s'il y avait eu des changements dans la répartition du butin que sa mère avait commencé à entreprendre quelques mois plus tôt en songeant à la mort d'Edward.

— C'est une excellente idée, maman, lui avait-il déclaré. Ça évite les embrouilles à long terme.

Cependant, Sabine l'avait entendu chuchoter à Julia qu'à son avis, ce n'était pas juste que la vieille horloge du couloir et le tableau au cadre doré à la feuille de la salle du petit déjeuner portent le nom de « Katherine ». « Depuis quand s'intéresse-t-elle de près ou de loin à cet endroit ? » avait-il marmonné, et Sabine avait battu silencieusement en retraite dans les ombres en prenant la résolution de surveiller chaque étiquette dans la maison afin de s'assurer que Christopher ne s'avise pas de faire des échanges.

En attendant, Julia avait insisté pour « donner un coup de main » dans la maison. Et elle s'y était ingéniée avec une détermination telle que la mine normalement affable de Mrs H s'était figée peu à peu comme un aspic. Julia avait déjà « réorganisé » la cuisine de manière à aider à préparer les repas. Elle avait passé le réfrigérateur en revue en demandant si cela valait vraiment la peine de garder ces vieux restes. Et ne serait-il pas préférable qu'on achète du bon pain « dans le commerce » pour que Mrs H ne soit pas obligée d'en confectionner tous les jours. Dès qu'elle eut quitté la pièce, Sabine fit savoir à Mrs H que cette « peau de vache » se mêlait vraiment de ce qui ne la regardait pas. Mrs H se borna simplement à répondre : « Elle n'est pas méchante. » Et de répéter, tel un mantra, qu'ils ne tarderaient pas à retourner à Dublin.

Comme c'étaient les uniques oncle et tante qu'elle avait, Sabine aurait sans doute dû s'étonner de n'avoir rencontré Christopher et Julia qu'à deux ou trois reprises auparavant. La première fois à l'occasion de leur mariage, à Parsons Green, lorsqu'elle était toute petite. Elle se souvenait juste qu'on lui avait demandé d'être demoiselle d'honneur et que sa mère l'avait, pour Dieu sait quelle raison, habillée différemment des autres – sans doute parce qu'elle avait mal taillé le modèle. Mortifiée par ses manches bouffantes, Sabine avait passé la journée à se morfondre, tandis que les autres petites déesses blondes, percevant qu'elle ne cadrait pas, lui avaient battu froid. Plus récemment, quelques années avant qu'ils quittent Londres pour aller vivre à Dublin, Christopher et Julia avaient organisé une petite « sauterie » à laquelle, dans un esprit de réconciliation, ils avaient convié Sabine, Kate et Geoff. Il y avait tout un tas de juristes et de gens de la City, et Sabine n'avait pas tardé à filer dans la chambre pour regarder la télévision en compagnie des chats de Julia, s'efforçant d'ignorer le pré-adolescent qui avait bécoté sa petite amie de treize ans pendant presque toute la durée des *Enfants du rail* dans un coin de la pièce. Sans cesser de se demander quand ils rentreraient enfin à la maison. Comme si quelque divinité avait entendu son appel, elle avait été sauvée des eaux un peu plus d'une heure après leur arrivée par sa mère et Geoff. Ce dernier avait passé tout le trajet du retour à fulminer à propos des capitalistes, pendant que Kate lançait de temps à autre un « Oui, enfin, tu sais, c'est ma famille », sans paraître les défendre vraiment.

Ce fut en partie pour éviter la présence intolérable de Christopher et de Julia que Sabine résolut de participer à la garde de son grand-père lorsqu'il revint deux jours plus tard, plus frêle que jamais, enveloppé d'une couverture et apparemment cloué sur un fauteuil roulant. Par déférence envers Joy, son fils et sa belle-fille tendaient à l'abandonner à ses soins – c'était tout au moins l'excuse qu'ils avaient alléguée, déclara Sabine à Mrs H, mais il était évident qu'en réalité, ils préféraient monter à cheval. Quoi qu'il en soit, Joy avait l'air contente lorsque Sabine allait s'asseoir près de lui pour lui lire la rubrique du courrier des lecteurs de *Horse and Hound.* La plupart du temps, il ne semblait pas se rendre compte de sa présence, mais Sabine était persuadée qu'il avait un air profondément agacé lorsque l'infirmière brutale que Christopher avait engagée pour une bonne partie de la journée l'aidait à se redresser en lui annonçant gaiement qu'il était temps d'aller « au petit coin ». De temps à autre, quand elle lui racontait ce qu'elle avait fait avec le petit cheval, ou lui rapportait quelque nouvelle de l'écurie, elle était certaine qu'il cillait des paupières et qu'une lueur d'intérêt passait dans son regard, comme un nuage lointain.

Joy avait réagi au retour de son mari en s'activant plus que jamais. Il y avait apparemment encore plus de choses à faire à l'écurie, la maison était dans un état épouvantable, et si Liam et John-John ne nettoyaient pas la sellerie sur-le-champ, tout serait fichu. Elle ne parla jamais de ce que les médecins avaient dit. Pas plus qu'elle n'expliqua la raison pour laquelle son époux ne semblait plus rien manger du tout, ou pourquoi il y avait désormais un assortiment impressionnant de matériel médical autour de son lit, tel un dispositif d'alerte maximale en prévision d'un désastre imminent. Elle se borna à dire à Sabine, d'une manière assez vague, qu'elle « se débrouillait très bien », guignant de temps à autre par l'embrasure de la porte comme pour s'assurer qu'il était toujours vivant, tout en passant encore plus d'heures, si tant est que cela fût possible, à soigner son vieux cheval à l'écurie.

— Tout va bien, chuchota Sabine à son grand-père après le départ de l'infirmière, heureuse d'échapper une fois de plus au tourbillon d'activités en bas. Tu peux te détendre. On s'est de nouveau débarrassé d'eux.

Elle remonta les couvertures sur sa poitrine creuse, remarquant au passage que la fragilité du vieil homme ne la faisait plus tressaillir. Elle était juste contente qu'il soit vivant, qu'il ait l'air paisible et qu'il ne soit pas couvert de sauce tomate.

— Écoute, ne crois pas que je m'ennuie ou quoi que ce soit, lui dit-elle à l'oreille alors qu'elle s'apprêtait à lui lire un passage d'un vieux bouquin de Rudyard Kipling qu'elle avait déniché dans la bibliothèque, à propos de chevaux jouant au polo en Inde.

Elle était sûre qu'il l'entendait, même si l'infirmière levait les sourcils comme si ce qu'elle faisait était absurde.

— L'autre jour, je voulais te dire que moi aussi parfois, j'aime bien rester assise et être, tout simplement.

Pour son dix-huitième anniversaire, Kate Ballantyne avait eu droit à trois cadeaux importants. Le premier, de ses parents, une selle en peau de porc brun foncé d'usage courant, mais d'excellente qualité. Elle l'avait déballée, la mort dans l'âme, parce qu'elle avait spécifiquement demandé de l'argent pour s'acheter un nouveau soutien-gorge et un pantalon. Le deuxième, également de la part de ses parents, était destiné à marquer son accession à l'âge adulte. Il s'agissait d'un portrait d'elle par un artiste du cru. On ne peut pas dire que cela l'avait enchantée non plus : l'artiste en question venait d'achever une grande toile de Lancelot, le nouveau hongre de sa mère ! Quant au troisième cadeau… Eh bien, il dérivait indirectement du second. Mais cela s'était produit beaucoup plus tard.

Plus de seize années s'étaient écoulées depuis lors. Sur la banquette arrière du taxi qui la conduisait de l'aéroport de Waterford à Kilcarrion, Kate repensait à tout ça en humant les effluves prononcés d'un rafraîchisseur d'atmosphère. Elle était retournée à trois reprises seulement chez ses parents depuis qu'elle avait quitté la maison familiale peu après son dix-huitième anniversaire, une fois pour leur montrer Sabine toute petite, les deux autres fois avec Jim parce qu'elle s'était dit que le fait d'appartenir à une « famille » adoucirait peut-être leur attitude à son égard. Il y avait plus de dix ans qu'elle n'avait pas mis les pieds en Irlande. Pourquoi est-ce qu'il pleut toujours ici ? pensa-t-elle distraitement en essuyant la buée sur la vitre. Je n'arrive pas à me souvenir d'un jour où il ne pleuvait pas.

Il lui avait fallu près de quarante-huit heures pour obtenir une place dans un vol. Elle savait déjà que son arrivée retardée se retournerait contre elle, comme une cravache, même si sa mère s'était donné la peine de l'appeler pour lui dire que l'état de son père s'était « stabilisé ». Elle ne se sentait pas suffisamment concernée pour venir tout de suite : ce serait le leitmotiv. Bien que son père fût aux portes de la mort. Sans doute trop occupée à vadrouiller avec son dernier prétendant. Elle soupira en songeant à l'ironie de son ultime conversation avec Justin. Il avait paru moins choqué et troublé par le fait qu'elle eût mis brusquement un terme à leur relation que par le ton insistant sur lequel elle l'avait prié de récupérer ses affaires entreposées chez elle *avant* son retour d'Irlande.

Elle ne savait même pas pourquoi elle était venue. En dehors de son envie dévorante de revoir sa fille, elle n'avait aucun lien affectif avec ce lieu. Son père ne lui avait jamais parlé avec la moindre chaleur ou civilité depuis qu'elle avait dix-huit ans ; son frère et sa belle-sœur allaient s'adresser à elle d'un ton condescendant en truffant leur discours de remarques désobligeantes, sous-entendant les droits privilégiés dont ils jouissaient eu égard à la maison. Quant à sa mère, il y avait belle lurette qu'elle préférait s'entretenir avec ses chiens qu'avec elle. Je suis ici parce que mon père est mourant, se répéta-t-elle en s'écoutant le dire pour voir si, même après tout ce temps, ces mots pouvaient provoquer des regrets, l'impression d'une perte potentielle. Mais la seule émotion qui l'habitait, c'était un sentiment de terreur à l'idée de se retrouver dans cette maison, au demeurant nuancé par la pensée de revoir Sabine.

Je vais rester deux ou trois jours, se dit-elle, au moment où le taxi s'arrêtait à l'entrée de Ballymalnaugh. Je suis une grande fille. Je peux m'en aller quand je veux. Deux ou trois jours, c'est supportable. Et je parviendrai peut-être à convaincre Sabine de rentrer avec moi.

— Vous venez de loin ?

À l'évidence, le chauffeur éprouvait le besoin de s'assurer d'un bon pourboire maintenant qu'il approchait de sa destination.

— Londres.

Ses yeux, deux scarabées sous des taillis, croisèrent les siens dans le rétroviseur.

— Londres. J'ai de la famille à Willesden.

Il lui fit un clin d'œil.

— Ne vous inquiétez pas, ma jolie. Je ne vais pas vous demander si vous les connaissez.

Kate esquissa un petit sourire en regardant les repères familiers défiler par la fenêtre : la maison de Mrs H, l'église de Saint-Pierre, le champ de vingt hectares que ses parents avaient vendu à un fermier la première fois qu'ils avaient été à court d'argent.

— Vous êtes déjà venue alors ? Y'a rarement des touristes par ici. En général, je les emmène plus au nord. Ou à l'ouest. Si je vous disais le nombre de gens qui vont à l'ouest maintenant, vous ne me croiriez pas.

Kate hésita en contemplant le mur de pierre qui entourait Kilcarrion.

— Non, je ne suis jamais venue, dit-elle.

— Vous allez chez des amis dans ce cas.

— Quelque chose comme ça.

Dis-toi juste que tu viens chercher Sabine, pensa-t-elle. Ça rendra les choses plus tolérables.

Sauf que ce ne fut pas Sabine qui lui ouvrit la porte, mais Julia, vêtue d'un pantalon de cheval, d'un énorme gilet matelassé rouge écarlate avec chaussettes assorties. Après une volée de baisers ponctuée d'exclamations, elle déclara d'un ton qui en disait long qu'elle n'avait pas « la moindre idée » de l'endroit où pouvait se trouver Sabine.

— Elle passe le plus clair de son temps à se cacher dans l'écurie ou à s'enfermer avec Edward.

Julia s'exprimait toujours d'une manière qui témoignait de la consternation que suscitait chez elle le comportement d'autrui.

En s'efforçant de dissimuler l'agacement de cette

manière par trop intime dont Julia avait fait référence à son père, Kate décida qu'elle avait dû mal comprendre. Sabine n'avait sûrement pas la moindre envie de traîner dans l'écurie et encore moins de s'« enfermer » avec son grand-père.

— Mais qu'est-ce que je fais ? s'exclama Julia en s'emparant d'un des sacs de Kate. Entre donc. J'ai dû oublier mes bonnes manières.

Elles ont été ratiboisées par tes instincts possessifs, pensa amèrement Kate, après quoi elle se mordit les lèvres. Ce n'était pas comme si, au cours des seize dernières années, elle s'était préoccupée de savoir si Kilcarrion était à elle, ou si on l'avait rasé pour construire un McDo à la place. Elle remonta ses lunettes sur l'arête de son nez – elle avait oublié ses verres de contact bien évidemment – en s'efforçant de prendre la mesure de la demeure qui n'était plus la sienne.

— On t'a mise dans la chambre italienne, lança Julia d'une voix stridente en la « guidant » à l'étage.

On aurait dit que la maison avait vieilli en années de chien au cours de la dernière décennie, songea Kate en regardant autour d'elle. Elle ne l'avait jamais connue autrement que froide et humide, mais elle ne se souvenait pas de ces taches d'humidité brunâtres qui s'étalaient sur les murs comme des cartes de continents lointains couleur sépia, ni de l'aspect miteux et usé des lieux, entre les tapis persans réduits à un réseau irrégulier de fils de coton gris, et les meubles éraflés et écornés, en mal de réparation depuis des lustres. Elle ne se rappelait pas non plus des odeurs vagues, mais omniprésentes, de chien et de cheval, désormais mêlées à celles de la moisissure et de la négligence. Ni de ce froid, pas un froid sec comme celui qui régnait chez elle quand son chauffage était tombé en panne, mais un froid humide, pénétrant, tenace, qui lui avait glacé les os quelques minutes après son arrivée. Kate considéra le dos couvert d'un coton épais de Julia d'un autre œil. Cette veste avait certainement l'air plus chaude que tout ce qu'elle avait apporté dans ses sacs.

— Nous avons réussi à chauffer un peu, l'informa Julia en ouvrant en grand la porte de sa chambre. Tu ne peux pas savoir comme il faisait froid avant qu'on arrive. Comme je l'ai dit à Christopher, ce n'est pas étonnant qu'Edward soit tombé malade.

— Je croyais qu'il avait eu une attaque, répondit Kate d'un ton glacial.

— Certes, mais il est âgé et terriblement fragile. Et les personnes âgées ont besoin de leur confort, non ? J'ai dit à Christopher qu'on devrait le ramener avec nous à Dublin pour qu'il profite un peu du chauffage central. Nous avons une chambre toute prête. Mais ta mère s'y oppose. Elle veut le garder ici.

Le ton sur lequel elle avait prononcé ces derniers mots ne laissait guère de doute quant à son opinion sur la situation : en gardant son mari à Kilcarrion, Joy le vouait incontestablement à une mort prématurée. Kate se sentit tout à coup en communion avec sa mère. Son père préférait certainement rester là, dans cette maison froide et humide, plutôt que d'être étouffé à mort dans l'univers pastel et surchauffé de Julia.

— Entre toi et moi, Kate, je meurs d'impatience de rentrer chez nous, ajouta Julia en ouvrant un des tiroirs pour vérifier qu'il était vide.

Elle était encline à ce genre de « confidences », des propos qui ne signifiaient rien, mais sous-entendaient une soi-disant intimité.

— Je trouve cet endroit déprimant même si Christopher l'adore. Notre voisine s'occupe des chats et je suis sûre qu'ils sont très malheureux, les pauvres ! On leur manque terriblement. Ils détestent quand on s'en va.

— Oh, tes chats, fit poliment Kate, se souvenant de la passion de Julia pour les deux félins aux mines insolentes. Ce sont toujours les mêmes ?

Julia posa une main sur son bras.

— Tu sais, Kate, je suis touchée que tu me poses la question. Malheureusement non. Enfin, Armand est toujours là, mais Mam'selle est décédée au printemps dernier.

Kate constata non sans crainte que les yeux de Julia s'étaient emplis de larmes.

— Enfin, elle a eu une belle vie..., médita-t-elle d'un ton distant. Et nous avons une charmante petite fille pour tenir compagnie à Armand. Poubelle, elle s'appelle, précisa-t-elle en riant avec bonheur, ayant soudain retrouvé sa bonne humeur, pour la bonne raison que cette petite dame passe tout son temps dans celle de la cuisine.

Kate essaya de sourire en se demandant dans combien de temps elle pourrait échapper à l'emprise parfumée aux frésias de Julia pour se mettre en quête de sa fille.

— Tu dois avoir envie de défaire tes bagages. Je vais te laisser, dit Julia. Mais n'oublie pas que le thé est à 16 h 30 précises. Nous avons réussi à convaincre Joy de le prendre dans la salle du petit déjeuner parce qu'elle est un peu plus facile à chauffer. On se voit là-bas tout à l'heure.

Après avoir agité les doigts en signe d'adieu, elle s'éclipsa.

Kate s'assit lourdement sur le lit et passa en revuc la

pièce qu'elle n'avait pas vue depuis dix ans. Ce n'était pas celle qu'elle occupait jadis : Julia lui avait dit qu'on l'avait donnée à Sabine et que Christopher et elle dormaient dans la chambre qui avait toujours été la sienne. L'autre chambre d'amis « sèche » était apparemment le domaine de sa mère. Cela ne la surprenait pas : Kate soupçonnait ses parents de faire déjà chambre à part à l'époque où elle habitait encore à la maison. « Ton père ronfle », lui avait expliqué Joy sans conviction. Quoi qu'il en soit, elle avait de la peine à s'y retrouver. On aurait dit que la maison avait vieilli plus vite que quiconque, laminant tous les indices de familiarité au fur à mesure, et elle avait véritablement le sentiment qu'elle n'avait strictement rien à voir avec cet endroit.

Quelle importance ? pensa-t-elle vivement. Ma vie n'est plus ici depuis que Sabine est née. Elle est à Londres.

N'empêche qu'elle examina un à un tous les tableaux aux murs et passa en revue le contenu des armoires, comme si elle s'attendait à quelque sursaut de reconnaissance, voire un pincement de mélancolie pour cette existence passée, moins compliquée.

Elle descendait l'escalier quand elle aperçut Sabine. Elle lui tournait le dos. Accroupie près des chiens, elle retirait ses bottes de cheval en poussant des exclamations à l'adresse de Bella et de Bertie qui frottaient leur truffe contre son visage. « Vous êtes des abrutis, des abrutis », leur disait-elle avec tendresse. Bertie, surexcité, lui sauta alors dessus, l'expédiant les quatre fers en l'air sur le tapis de l'entrée, et Sabine éclata de rire en le repoussant tout en essayant d'essuyer la salive qu'elle avait sur la figure.

Elle ne ressemblait même plus à sa fille. Kate resta plantée là à la regarder en proie à un sentiment de joie face à cette démonstration d'affection spontanée auquel se mêlait une douleur sourde à la pensée que cet endroit, ce no man's land d'émotion glacé, avait réussi là où elle avait échoué.

Sentant sa présence, Sabine se retourna. Elle tressaillit en voyant sa mère sur les marches.

— Sabine, s'exclama Kate impulsivement en lui tendant les bras.

Elle ne s'était pas attendue à un tel raz-de-marée émotionnel en revoyant sa fille. Mais il y avait des semaines qu'elles s'étaient quittées.

Sabine s'était figée, l'indécision vacillant sur son visage.

— Oh euh… salut, maman, fit-elle.

Elle se laissa étreindre après avoir fait un pas hésitant en avant. Pour finir, elle se dégagea doucement quand elle estima que ce moment d'intimité se prolongeait trop.

— Regarde-toi ! s'exclama Kate. Tu es… tu as l'air… je te trouve superbe.

Tu donnes vraiment l'impression d'être dans ton élément ici, avait-elle envie d'ajouter. Mais ce commentaire contenait tant d'implications périlleuses qu'elle s'abstint d'exprimer sa pensée.

— J'ai l'air d'une clocharde, répondit Sabine en considérant son jean plein de boue et son pull trop grand couvert de brins de paille. Elle inclina la tête, passa une main dans ses cheveux, et l'instant d'après, elle était redevenue la Sabine d'avant, mal dans sa peau, ultra-critique, se méfiant comme de la peste du moindre compliment.

— Tu as mis tes lunettes, lança-t-elle d'un ton accusateur.

— Je sais. Dans la panique, j'ai oublié mes verres de contact.

Sabine la dévisagea.

— Tu devrais changer de monture, déclara-t-elle, puis elle se retourna vers les chiens.

Un bref silence suivit comme elle se penchait pour ramasser ses bottes.

— Alors, dit Kate, consciente de son ton trop haut perché, trop avide… tu fais du cheval ?

Sabine hocha la tête en posant ses bottes derrière la porte.

— Je n'aurais jamais pensé que ta mamie réussirait à te convaincre de monter. Ça te plaît ? Elle t'a trouvé un cheval ?

— Oui. Elle en a emprunté un.

— Super… super. C'est sympa de redécouvrir de vieux intérêts, hein ? Qu'as-tu fait d'autre ?

Sabine la considéra d'un air agacé.

— Pas grand-chose.

— Comment ? Rien que du cheval ?

La porte de la salle du petit déjeuner était ouverte. Kate remarqua avec un certain soulagement qu'il n'y avait encore personne.

— J'ai aidé un peu. J'ai fait des trucs dans la maison.

Sabine poussa les chiens dans la pièce, puis en un geste apparemment issu d'une longue habitude, elle posa un de ses pieds en chaussette contre un radiateur à huile.

— Et… tu es contente ? Tout se passe bien ? Je… n'ai pour ainsi dire pas entendu parler de toi ces derniers temps. Je me demandais si c'était bon signe.

— Ça va bien.

Suivit un silence prolongé durant lequel Sabine regarda résolument par la fenêtre, scrutant le ciel qui s'assombrissait.

— On ne prend pas le thé ici, normalement, mais Julia – elle s'appesantit sur son nom d'un ton méprisant – pense que le feu de cheminée ne chauffe pas suffisamment le salon. Alors maintenant ça se passe ici.

Kate s'assit avec hésitation sur une chaise en essayant de ne pas montrer à quel point l'indifférence de sa fille la blessait.

« Normalement, avait-elle dit. Normalement... » Comme si elle était chez elle. À croire qu'elle avait vécu ici toute sa vie.

— Alors, reprit-elle d'un ton enjoué, veux-tu des nouvelles de Goebbels ?

Sabine la regarda en se balançant d'un pied sur l'autre.

— Il va bien, non ?

— Oui, il va bien. Je pensais que ça t'intéresserait de savoir ce qu'il devient.

— C'est un chat, répliqua Sabine d'un ton dédaigneux. Je ne vois pas trop ce qu'il peut y avoir à raconter.

Mon Dieu, pensa Kate. Quelles que soient les leçons qu'on donne aux adolescentes pour remettre les gens à leur place, Sabine en a sûrement eu son compte.

— N'as-tu pas envie de m'interroger à propos de la maison ? De mon travail ?

Sabine considéra sa mère, les sourcils froncés, en s'efforçant de déterminer ce qu'elle était censée lui demander exactement. Elle semblait vouloir à tout prix provoquer une réaction chez elle, comme si elle s'était attendue à ce qu'elle lui saute au cou et la bombarde de questions à propos de Londres en bondissant de joie comme lors des retrouvailles dans les feuilletons à la télévision. Peut-être qu'une ou deux semaines plus tôt, elle aurait agi ainsi, mais Kilcarrion ne lui faisait plus la même impression qu'avant et revoir sa mère si brusquement… eh bien, ça lui avait mis les nerfs à cran ! Le besoin qu'elle avait eu de sa présence s'était évaporé à son arrivée. C'était comme avec les garçons : on passait toute la semaine à penser à eux, on mourait d'envie de les voir et quand finalement le moment venait, on se sentait tout bizarre, compliqué, sans plus trop savoir si on en avait si envie que ça.

Elle jeta des coups d'œil à sa mère qui contemplait la pièce autour d'elle avec un air un peu perdu, presque pathétique. Au cours des deux derniers mois, elle n'avait pensé qu'aux bons côtés : au fait que sa mère la soutenait, qu'elle était gentille et qu'on pouvait tout lui dire. À présent, quand elle la regardait, ce qu'elle éprouvait avant tout, c'était… eh bien, quoi ? De l'agacement ? Le vague sentiment d'être envahie ? Sa vue lui rappelait toute l'affaire Justin/Geoff. En l'entendant, elle s'était souvenue que sa mère ne pouvait jamais se détendre et lui ficher la paix. Elle en demandait toujours plus que Sabine n'était prête à lui donner. Pourquoi est-ce que tu ne peux pas être *cool* ? avait-elle envie de s'écrier. Me dire simplement bonjour et me laisser venir à toi ? Pourquoi faut-il toujours que tu mettes tellement la pression pour qu'à la fin je te repousse ? Mais elle resta là à réchauffer ses pieds gelés contre le chauffage en ravalant ses émotions.

— Ah Katherine ! s'exclama Christopher en entrant dans la pièce à grandes enjambées. Julia m'a dit que tu étais arrivée. (Il posa une main sur son épaule et lui infligea un baiser distant.) Tu as fait bon voyage ? Es-tu venue en ferry pour finir ?

— Non, j'ai pris l'avion. Impossible de trouver un vol plus tôt, répondit Kate, consciente qu'elle était déjà sur la défensive.

— Oh oui. On me l'avait dit. Peu importe, il semble que le paternel aille un peu mieux.

— Pas du tout, marmonna Sabine. J'ai passé du temps avec lui presque tous les jours et ça ne s'améliore pas du tout.

— Alors, combien de temps comptes-tu rester ?

Ignorant l'intervention de Sabine, il s'assit à la place de son père et jeta des coups d'œil autour de lui comme s'il s'attendait à ce que Julia ou Mrs H entre avec le plateau de thé. Kate ne savait pas quoi lui répondre. Jusqu'à ce qu'il meure, avait-elle envie de dire. Je pensais que c'était pour cela que nous étions tous là.

— Je ne sais pas encore, fit-elle.

— Nous serons probablement obligés de partir demain, annonça son frère. On commence à s'impatienter à mon travail, et pour être honnête, maintenant que papa va mieux, il ne semble plus que la situation soit aussi pressante qu'il y a quelques jours.

Quand je n'étais pas là, pensa Kate.

— Je passerai de temps en temps le week-end, ajouta-t-il, pour m'assurer qu'ils vont bien. Les avoir à l'œil. Veiller à ce qu'il ait assez chaud, ce genre de choses.

— Il y a un feu en permanence dans sa chambre, souligna Sabine.

Christopher n'avait pas l'air de la voir.

— Oui, oui, mais cette vieille bicoque est terriblement humide. Ça ne peut pas lui faire du bien. Bon, où est passée Julia ? Et maman ? Je croyais que nous prenions le thé à 16 h 30.

À cet instant précis, Joy apparut sur le seuil. Ses cheveux, jamais très conciliants, avaient échappé au vague arrangement qui leur avait été imposé. On aurait dit une éponge à récurer usée. Son chandail bleu marine était rapiécé aux coudes et ses chaussettes, visibles sous son pantalon en velours râpé, étaient non seulement pas assorties, mais carrément distinctes.

— Katherine. Oui. Comment vas-tu ?

Elle s'approcha et, après un instant d'hésitation, déposa un baiser sur la joue de sa fille. Kate, étourdie par les odeurs familières de lavande fanée et de cheval, remarqua non sans émotion à quel point sa mère avait vieilli depuis la dernière fois qu'elle l'avait vue.

Sa peau, déjà burinée auparavant, semblait désormais comme meurtrie et brûlée par les éléments, le soleil, l'air froid, au point qu'elle s'apparentait à du cuir clair, veiné et entaillé de lignes profondes. Ses cheveux, jadis gris foncé, étaient argentés, mais ses yeux surtout témoignaient des pires épreuves de l'âge. Au regard d'acier, intense, d'autrefois s'étaient substitué des yeux hagards, enfoncés dans leurs orbites. Elle paraissait moins grande, bizarrement, moins robuste. Moins redoutable.

— As-tu fait bon voyage ? Je suis désolée, je ne savais pas que tu étais arrivée. J'étais à l'écurie.

— Ce n'est pas grave, répondit Kate. Julia m'a montré ma chambre.

— Et tu as vu Sabine. Bon. Bon… Sabine, ton grand-père voulait-il du thé ?

— Non, il dort.

Sabine était assise par terre, flanquée des deux chiens.

— J'essayerai de nouveau dans une demi-heure.

— Entendu. Bon travail. Maintenant où est Mrs H avec notre thé ?

Sur ce, elle sortit de la pièce. Kate n'arrivait pas à détacher son regard de l'endroit où elle s'était tenue. C'était tout ? pensa-t-elle. Dix ans que nous ne nous sommes pas vues, mon père est mourant, et c'est tout ?

— Elle est un peu… enfin, pas tout à fait là depuis que papa est malade, commenta Christopher.

— Elle n'est plus elle-même, incontestablement, renchérit Julia qui était entrée après le départ de sa belle-mère.

— Elle va très bien, protesta Sabine, sur la défensive. Elle est juste un peu distraite.

— Elle oublie les choses, fit Julia en secouant la tête. J'ai dû lui dire deux fois que nous reviendrons samedi prochain.

— À mon avis, nous devrions engager quelqu'un pour prendre soin d'eux.

Christopher se leva et alla jeter un coup d'œil dans le couloir comme à l'affût d'oreilles indiscrètes.

— Je pense qu'ils ne s'en sortent plus tout seuls.

— Et c'est terriblement difficile de faire quoi que ce soit pour eux, ajouta Julia. Ils ont leurs petites manies.

— Mrs H s'occupe d'eux. Tu as embauché cette infirmière et ils ne supportent déjà pas sa présence. Ils ne voudront jamais de qui que ce soit d'autre.

Kate dévisagea sa fille, étonnée de l'entendre défendre le mode de vie de ses grands-parents. Christopher dévisagea lui aussi Sabine, puis regarda Kate, comme s'il lui reprochait ce numéro d'impudence inattendu. Entre eux deux, Kate ne se sentait même pas en mesure de prendre part à la discussion.

— Ils n'aiment pas que des gens du dehors viennent fouiner ici, poursuivit Sabine en haussant le ton. Mrs H fait tout et elle a dit que si nécessaire, elle travaillerait davantage. Je ne vois pas pourquoi vous ne pouvez pas les laisser tranquilles.

— Oui, eh bien, Sabine, c'est une très jolie idée, mais tu connais à peine tes grands-parents. Julia et moi nous nous occupons d'eux depuis des années. Je pense que nous sommes mieux placés que toi pour savoir ce dont ils ont besoin.

— Absolument pas, protesta Sabine, furieuse. Vous ne leur avez même pas demandé leur avis. Vous débarquez et vous prenez les choses en main. Tu n'as jamais demandé à mamie si elle voulait d'une infirmière. Tu lui as forcé la main. Et grand-père ne peut pas sentir cette bonne femme. Il grogne à chaque fois qu'elle entre dans la pièce.

— Ton grand-père est très malade, Sabine, intervint Julia d'une voix suave. Il a besoin d'une prise en charge médicale.

— Il n'a pas besoin de quelqu'un qui l'engueule sous prétexte qu'il ne va pas aux toilettes proprement. Ni de quelqu'un qui lui dit de manger ses légumes comme un bébé et qui parle de lui comme s'il n'était pas là.

Christopher perdit patience.

— Tu ne comprends rien aux besoins de mes parents, Sabine. Katherine et toi n'avez strictement rien eu à voir avec cette famille depuis des années et si tu crois que tu peux faire irruption ici et décider de la manière dont les choses doivent fonctionner dans cette maison, tu te trompes.

Il était devenu tout rose.

— C'est un moment difficile pour nous tous, ajouta-t-il, et je te serais reconnaissante de cesser de te mêler de ce qui ne te regarde pas.

— Je m'en irai quand ils voudront que je m'en aille, riposta Sabine presque en criant. Et non pas quand tu le décideras. Tout le monde sait que la seule chose qui vous intéresse, ce sont leurs précieux meubles anciens. Je vous ai vus vérifier les étiquettes. Ne vous imaginez pas que je suis aveugle !

En se relevant péniblement, les joues en feu, elle sortit précipitamment de la pièce en beuglant : « Je vous avise qu'ils ne sont pas encore morts, bordel ! » avant de claquer la porte derrière elle.

Joy qui venait de réapparaître avec le plateau de thé sursauta face à la sortie brutale de sa petite-fille.

— Où est-elle allée ?

— Elle est partie bouder comme une bonne adolescente, répondit Christopher d'un ton dédaigneux.

Il était encore plus rouge que Sabine, nota Kate. Le commentaire de sa fille à propos du mobilier devait avoir un certain degré de vérité.

— Oh, fit Joy en considérant un bref instant la porte comme si elle songeait à la suivre, après quoi elle décida manifestement à contrecœur que sa place était avec les autres.

— Elle va peut-être revenir, fit-elle d'un ton plein d'espoir.

Elle se pencha pour remuer le thé et disposer les tasses sur les soucoupes.

— J'apprécie beaucoup sa compagnie.

Elle jeta un coup d'œil presque timide à Kate en disant cela. Face à ce déploiement d'émotion sans précédent – l'équivalent à Kilcarrion d'une personne normale arrachant tous ses vêtements pour déclarer un amour éternel à travers un haut-parleur –, Kate se sentit inexplicablement glacée.

Le thé ne fut pas une partie de plaisir, l'absence de Sabine laissant qui plus est un vide, comme une tête découpée à la hâte sur une photographie de famille. Joy ne cessait de s'inquiéter de ce que « la petite » était en train de faire, se demandant si cela valait la peine de lui garder du cake pendant que Christopher boudait et que Julia parlait trop fort à propos de tout et de rien, histoire de préserver un semblant d'atmosphère heureuse. Kate, qui en était déjà arrivée à la conclusion que cette visite était un cauchemar pire que tout ce qu'elle avait imaginé, n'aligna pas trois mots, répondant laconiquement aux vagues questions à propos de son travail, prenant note du manque de référence délibéré à sa vie sentimentale tout en luttant contre une envie furieuse d'aller s'assurer que sa fille allait bien. Elle y serait allée, elle ne demandait que ça, mais quelque chose lui disait que Sabine se bornerait à l'envoyer promener en lui disant qu'elle ne comprenait pas, et elle n'était pas sûre de pouvoir supporter autant de rejets en une seule journée.

Et elle n'était pas sortie de l'auberge. Dès que Joy avait quitté la pièce après avoir annoncé qu'elle allait voir Edward, Christopher, toujours vexé par les remarques de Sabine apparemment, lui avait demandé à brûle-pourpoint quand elle avait l'intention d'apprendre les bonnes manières à sa fille.

— Chris, s'il te plaît, avait-elle répondu d'un ton las, je suis fatiguée et je ne suis pas d'humeur.

— Il va bien falloir qu'elle les apprenne quelque part, non ? Et il est évident que ce n'est pas toi qui les lui inculqueras.

— Ce qui veut dire ?

— Cela me semble clair. On ne peut pas vraiment dire que tu te donnes du mal pour qu'elle apprenne à se comporter en bonne compagnie.

Kate le dévisagea, les oreilles bourdonnantes. Il avait remis ça ! Il n'y avait pas deux heures qu'elle était là et il avait déjà commencé, comme si les seize dernières années n'avaient pas existé et qu'ils étaient juste des frère et sœur vivant à la maison. Voilà qu'il critiquait une fois de plus son « inaptitude à se comporter convenablement ».

— Pour l'amour du ciel, Chris. Je viens d'arriver. Donne-moi le temps de souffler.

— Laisse tomber, chéri.

Julia, qui avait paraît-il une poussée d'urticaire à la moindre suggestion d'une querelle familiale, s'était levée, apparemment sur le point de quitter la pièce.

— Pourquoi est-ce que je laisserais tomber ? Elle est revenue ici maintenant que le paternel est sur le point de nous tirer sa révérence, non sans s'être assurée au préalable que sa fille se soit attiré les faveurs de maman. J'estime qu'il est juste qu'elle entende quelques vérités en retour.

— Qu'est-ce que tu racontes ?

Aussi aguerrie fût-elle contre les jérémiades de son frère, Kate n'arrivait pas à croire ce qu'elle venait d'entendre.

— Tu as parfaitement entendu. Ce que tu manigances est on ne peut plus flagrant, Katherine, et je vais te dire une chose, je trouve ça méprisable.

— Tu crois que j'avais envie de revenir ? Tu t'imagines que Sabine voulait me voir ici ? Mon Dieu, j'ai toujours su que tu avais une piètre opinion de moi, mais là, tu dépasses les bornes !

Son frère fourra les mains dans ses poches et se dirigea vers le feu en lui tournant obstinément le dos.

— C'est assez commode pour toi, non ? Tu ne t'intéresses pas à eux pendant des années et maintenant qu'il est sur le point de passer l'arme à gauche, ta fille et toi vous rappliquez comme deux corneilles noires.

— Comment peux-tu dire ça ? s'exclama-t-elle, folle de rage, en se levant. Comment oses-tu suggérer que j'en ai quoi que ce soit à foutre du fric de papa et maman ? Si tu voulais faire l'effort de voir les choses au-delà de ta foutue paranoïa, tu te souviendrais que je m'en suis plutôt bien sortie sans un sou de leur part, jusqu'à présent. Contrairement à certains.

— Cet argent était un prêt.

— Oui. Un prêt que tu n'as toujours pas remboursé. Depuis combien de temps ? Onze ans. En dépit du fait que tes propres parents pèlent de froid dans une maison sans chauffage central qui m'a tout l'air de tomber en ruine. C'est sacrément généreux de ta part, y'a pas à dire !

— Oh, s'il vous plaît. Arrêtez… coupa Julia. S'il vous plaît…

Elle se tourna tour à tour vers l'un puis vers l'autre, et ayant apparemment conclu que personne n'allait lui prêter la moindre attention, elle sortit de la pièce en trombe.

— Et qui paie pour ce qu'ils ont à ton avis ?

Christopher s'était dressé à son tour, sa taille plus

imposante lui permettant de la dominer tandis qu'il hurlait :

— Qui rémunère la foutue infirmière à raison de quatre cents livres par semaine ? Qui paie d'après toi pour que maman arrive à garder ces vieux canassons, rien que pour faire comme si sa vie n'avait pas changé ? Qui met de l'argent sur leur compte tous les mois en prétendant que ça vient de leurs investissements, sachant pertinemment qu'ils n'y toucheraient pas autrement ? Regarde autour de toi, Katherine. Ouvre les yeux. Si tu t'étais donné la peine de revenir plus d'une fois en dix ans, tu te serais rendu compte que tes parents sont complètement fauchés.

Kate le considéra d'un air interdit.

— Mais il est vrai que tu n'as jamais manifesté beaucoup d'intérêt pour ce qui se passait au-delà du bout de ton nez ! Ou devrais-je dire de la partie inférieure de ton anatomie ? Je suppose que tu vas téléphoner à Alexander Fowler pendant ton séjour ici, maintenant que tu t'es débarrassée de ton dernier jules. Je suis sûr qu'il ne dira pas non si tu lui proposes un petit coup. Le seul genre de cavalcade que tu aies jamais apprécié, si je me souviens bien.

Le bras de Kate partit comme une flèche, et elle le gifla de toutes ses forces.

L'atmosphère autour d'eux parut se volatiliser tout à coup. Elle resta plantée là à respirer bruyamment, choquée par son propre geste, regardant fixement sa main qui la brûlait à cause de la violence de l'impact. Lui la dévisageait en retour tout en se tenant la joue.

— Alors dis-moi ! fit-il d'une voix basse et pernicieuse. Est-elle au courant ? Ta fille connaît-elle ses origines présumées ?

Il scruta son visage en quête d'une réaction.

— A-t-elle rencontré son père ? Tu pourrais peut-être t'arranger pour qu'elle pose pour lui aussi. Ça ferait un joli portrait de famille.

— Va te faire foutre, lâcha Kate avant de l'écarter pour foncer vers la porte.

La maison d'été n'avait jamais eu le type d'atmosphère que suggère cette formule délicieuse. Elle n'avait jamais rien eu d'estival pour commencer ; les fenêtres n'étaient pas étincelantes et baignées de soleil. Elles étaient crasseuses, avec de la mousse en guise de double vitrage. Pas de meubles en fer forgé peints dans des tons gais à l'intérieur. Rien que des vieilles valises et des pots de peinture, de vernis tout secs depuis longtemps scellés au point de ne plus pouvoir s'ouvrir, sans oublier les bestioles qui grouillaient derrière des bouts de bois non identifiés. Jamais on n'y avait organisé une fête d'été ou un buffet. La bâtisse n'avait jamais fait office de point de mire à ce qui restait des anciens jardins de Kilcarrion. Pour Kate, quoi qu'il en soit, elle avait depuis toujours une tout autre fonction. Durant son enfance, elle y avait trouvé refuge. C'était là qu'elle s'échappait pour rêver à la famille qui, bien entendu, ne tarderait pas à venir la réclamer. Pendant son adolescence, elle lui avait offert un abri sûr où s'exercer à fumer en écoutant la radio et rêver des garçons auxquels elle ne plairait jamais parce qu'elle vivait dans la grande maison et ne savait pas s'habiller. Un peu plus tard, quand il y avait tout de même eu un garçon, c'était l'endroit où ils se retrouvaient en secret, loin des regards épouvantés de sa famille.

Elle s'y était terrée une fois de plus pour laisser libre cours aux sentiments que lui inspirait son retour.

— Bordel de bordel de bordel de merde, sanglota-t-elle en tapant sur le mur avec une rage qui faisait vaciller la vieille ampoule électrique. Qu'ils aillent se faire foutre ! Tous autant qu'ils sont. Foutu Christopher. Salopard de Justin. Et puis merde !

Elle était de nouveau une gamine de seize ans incapable de faire quoi que ce soit de bien aux yeux de sa famille, désarmée face à leurs certitudes et à leur vision commune du monde. Elle avait été promptement, et efficacement, dépouillée de son identité professionnelle, de son statut de mère, de son amour-propre, pour se retrouver aussi impuissante face à la fureur de son frère aîné qu'elle l'avait été, trente ans plus tôt, quand il s'était assis sur elle lui bloquant les bras avec ses genoux et lui lâchant de petits insectes sur la figure.

— J'ai trente-cinq ans, bon sang ! dit-elle aux araignées et aux vieux paquets de désherbant. Comment font-ils pour avoir un tel impact sur moi ? Comment se démerdent-ils pour que j'aie l'impression d'être une enfant ?

Elle marqua une pause, consciente d'avoir l'air parfaitement idiote, ce qui eut pour effet de redoubler sa fureur.

— Comment se fait-il que je sois ici depuis deux heures et que j'en sois déjà à jurer comme une dingue à l'encontre d'un foutu mur ?

— Contente d'être de retour alors ?

Kate fit volte-face, blêmissant à la vue de ce visiteur inattendu. Puis elle se figea, bouche bée, comme une demeurée.

— Thom ? fit-elle d'un ton hésitant.

— Comment vas-tu ?

Il fit un pas de plus dans la maison d'été de manière

à ce que son visage soit éclairé par l'ampoule nue. Il tenait deux sacs d'engrais serrés sous un bras et une vieille caisse sous l'autre.

— Je suis désolé de t'avoir fait peur, dit-il sans la quitter des yeux. J'étais dans la remise et j'ai vu de la lumière. J'ai pensé que j'avais peut-être oublié d'éteindre.

Son visage s'était élargi. À l'époque où elle vivait encore ici, il avait une figure étroite, presque spectrale. Mais en ce temps-là, il s'entraînait pour sa licence de jockey et veillait à ne pas prendre un gramme. Il avait les épaules plus larges aussi, et sous son chandail épais, son torse paraissait solide, costaud. C'était le corps d'un homme. La dernière fois qu'ils s'étaient vus, il n'était qu'un jeune garçon.

— Je te trouve… en forme, dit-elle.

— Tu n'as pas l'air d'aller trop mal non plus.

Il sourit. Un sourire lent, amusé.

— En revanche, ta voix est moins douce qu'avant.

Kate rougit en portant inconsciemment sa main à ses lunettes qui la désavantageaient.

— Oh mon Dieu ! Je suis désolée. C'est… enfin, tu sais comment est ma famille. On ne peut pas dire qu'ils me fassent apparaître sous mon meilleur jour.

Il hocha la tête, la contemplant toujours. Elle sentit la rougeur de ses joues gagner peu à peu son cou.

— Mon Dieu, fit-elle avant d'ajouter : Je ne m'attendais vraiment pas à te voir.

Il resta là sans rien dire.

— Je ne pensais pas que tu travaillais encore ici.

— J'avais arrêté. Je suis revenu il y a quelques années.

— Où es-tu allé ? Je veux dire, je sais que tu es allé en

Angleterre après moi. Mais je n'ai jamais très bien su ce que tu faisais.

— Je suis allé à Lambourn. J'ai travaillé quelque temps dans une écurie de courses. Puis dans une autre, à Newmarket. Ensuite j'ai déconné et j'ai décidé de rentrer.

— Es-tu passé professionnel ? Je suis navrée, je ne lis pas la presse hippique. Je n'ai jamais su.

— J'ai fait ça un moment. Je n'étais pas génial, pour être honnête. J'ai eu un accident et je me suis retrouvé à l'écurie.

Ce fut alors, comme il levait son bras, qu'elle vit sa main. Elle tressaillit en comprenant tout à coup que son manque d'animation n'avait rien à voir avec l'immobilisme de son propriétaire. Il suivit son regard et baissa les yeux, un vague malaise le faisant vaciller sur ses jambes. Kate se rendit compte qu'elle était à l'origine de son embarras et elle en eut honte.

Un long silence suivit.

— Que s'est-il passé ?

Il releva la tête, manifestement plus à l'aise avec ce ton direct.

— Je me suis emmêlé les pinceaux avec un cheval dans son box. Lorsqu'ils m'ont tiré de là, cela ne valait plus la peine d'essayer de le sauver.

Il leva le bras, comme pour l'examiner lui-même.

— Ce n'est pas grave. Ça ne me gêne plus. Je m'en suis bien sorti.

Kate se sentit accablée par le chagrin à l'idée que de tous les gens qu'elle connaissait, Thom, avec son énergie et sa grâce naturelle, ses aptitudes physiques, sa joie, se soit retrouvé handicapé.

— Je suis désolée, fit-elle.

— Pourquoi dis-tu ça ? répondit-il d'un ton plus dur.

À l'évidence, il ne voulait pas de sa compassion.

Ils restèrent silencieux quelques instants, Kate contemplant ses pieds tandis que Thom continuait à la dévisager. Lorsqu'elle releva finalement les yeux, on aurait dit qu'elle l'avait surpris en train de faire une bêtise.

— Je ferais mieux d'y aller, lâcha-t-il. Je dois finir de m'occuper des chevaux.

— Oui, répondit-elle.

Elle s'aperçut qu'elle avait retiré ses lunettes et qu'elle les tripotait d'une main.

— On se reverra.

— Oui. Je vais sans doute rester ici quelques jours.

— Si ta famille ne te rend pas dingo, hein !

Elle rit. Un rire bref, sans humour.

Il pivota sur ses talons en se penchant pour passer l'encadrement de la pièce.

— Ta fille, Sabine, dit-il en se retournant brusquement vers elle. Elle est super. Vraiment. Tu as fait du bon boulot.

Kate sentit qu'un immense sourire lui illuminait le visage – probablement le premier depuis qu'elle était arrivée.

— Merci. Merci beaucoup.

Puis il disparut, une silhouette pâle s'éloignant dans l'obscurité.

10

Il n'est jamais facile de revenir sur les lieux de son enfance. En particulier quand votre mère a semble-t-il du mal à admettre le simple fait que vous ayez grandi. Mais il est vrai que Joy, qui n'espérait rien de simple dans la vie, ne s'était pas vraiment attendue à ce que les retrouvailles avec sa mère fussent chaleureuses ni faciles.

Elle n'était pas retournée à Hong-Kong depuis six ans, six années au cours desquelles elle avait suivi Edward autour du monde au gré des divers postes auxquels il avait été affecté. Six années durant lesquelles elle était devenue, à n'en point douter, peut-être pas quelqu'un d'autre, mais tout au moins un être dont l'assurance et les espérances éclipseraient de loin celles de la Joy d'antan. Six années pendant lesquelles son père était mort, sa mère devenant de plus en plus renfermée et amère quant à l'existence qu'il lui restait à vivre.

Joy avait appris l'attaque de son père par un télégramme alors qu'Edward et elle se trouvaient cantonnés à Portsmouth. Elle avait fait son deuil silencieusement, aux prises avec la culpabilité de ne pas avoir été là au moment de son décès et la quasi-conviction que, si elle s'avouait la vérité, elle aurait préféré que sa mère parte la première. « Eh bien, elle a ce qu'elle veut, je suppose, avait-elle dit à Edward qui avait levé les sourcils en percevant la brusquerie de son ton. Elle peut épouser quelqu'un d'autre à présent. Quelqu'un qui correspond à ses normes. »

Or, loin de se sentir libérée par sa mort, Alice avait fait de feu Graham Leonard le nouveau point de mire de sa vie en le prenant encore plus en grippe que du temps de son vivant, si tant est que ce fût possible. « Il est trop tard pour moi maintenant », écrivait-elle dans ses missives de plus en plus gribouillées, sous-entendant ainsi qu'elle ne se serait pas retrouvée dans un tel pétrin si son époux avait eu la décence de partir plus tôt, avant que sa taille n'épaississe, que sa peau perde de son élasticité et que le gris domine dans ses cheveux au lieu d'être une suggestion discrète et contrite d'un futur inéluctable. Avant que Duncan Alleyne, effarouché par sa disponibilité soudaine, ne tourne son attention vers une Penelope Standish, nettement plus jeune, dont l'époux, bien que souvent absent, était on ne peut plus vivant. Dans ces lettres, elle avait aussi réussi à suggérer, d'un ton de martyr, qu'elle en voulait à Joy d'être si loin tout en se hérissant à l'idée qu'elle puisse revenir auprès d'elle. « Tu as ta vie désormais », était une phrase qui revenait fréquemment lorsque Joy lui proposait à contrecœur la chambre d'amis du logement qu'ils occupaient alors. Proposition qu'Alice rejetait en termes sarcastiques : « Tu ne veux pas d'une "vieille femme" sur le dos. » (Si Joy avait employé cette formule cinq ans plus tôt, se disait-elle, Alice aurait claqué la langue si fort qu'elle aurait pu déchirer une feuille de papier.)

« Chère maman, écrivait-elle affablement en retour, comme je te l'ai dit, Edward et moi serions ravis que tu viennes vivre chez nous quand cela te convient. » Elle ne prenait pas vraiment de risques, elle le savait : Alice n'échangerait jamais sa maison de Robinson Road avec ses parquets cirés et sa belle vue (la mort de son mari était peut-être inopportune, mais il avait une bonne assurance) contre ce qu'elle considérait comme les conditions de vie étriquées et « immorales » dans lesquelles vivaient les couples de la Marine, les uns sur les autres.

Quoi qu'il en soit, dans chacune de ses lettres, Joy ne manquait pas de glisser au moins une allusion à quelque inconduite de la part des domestiques ou bien aux enfants braillards d'à côté, en guise de garantie.

Joy ne voulait pas retourner à Hong-Kong. Depuis six ans qu'elle était femme d'officier, elle avait l'impression d'avoir laissé derrière elle la Joy d'autrefois, prisonnière, gauche, triste, qu'au lieu de se sentir obligée d'être comme les autres, elle avait profité de la liberté d'être elle-même. Son envie dévorante de découvrir le monde avait été assouvie grâce à leurs fréquents déménagements aux quatre coins du globe, de Hong-Kong à Southampton, puis à Singapour, un bref séjour aux Bermudes et finalement Portsmouth. Edward lui avait fait remarquer un jour qu'elle était l'unique épouse d'officier de sa connaissance qui accueillait la réapparition des bagages avec un grand sourire et non un soupir résigné. Sans le fardeau d'enfants (ils s'étaient mis d'accord pour attendre), ni le désir de se fixer, Joy avait adoré chaque endroit où on les avait envoyés, les cieux gris et salés du sud de l'Angleterre comme les sables brûlants des tropiques. C'était chaque fois nouveau :

cela l'aidait à élargir ses vues comme un appareil photo offrant une vision panoramique tout en amoindrissant ses peurs de se retrouver entravée, restreinte, assujettie à une existence formelle et rigide.

Avant toute chose, cela lui avait permis d'être avec Edward. S'il était descendu de son piédestal à ses yeux, par sa tendresse et l'attention qu'il lui portait, il avait tellement dépassé ses espérances qu'il lui avait fallu plus de trois ans pour cesser de marmonner quotidiennement une prière de gratitude. Elle était heureuse ; elle s'était répété ces mots d'innombrables fois par superstition, comme si les prononcer pouvait constituer un garde-fou contre le risque de disparition de son bonheur.

Elle aimait la sensation qu'elle avait de former une équipe avec lui, deux êtres œuvrant en tandem, contrairement à ses parents et à de nombreux couples qu'elle avait observés en grandissant, accablés sous le poids de la déception, des obligations et des rêves évanouis. Joy n'avait pas eu à renoncer à ses rêves : elle venait à peine de s'autoriser à en avoir.

Toutefois elle avait dû faire certaines concessions : apprendre à tenir un ménage par exemple. Et là, elle s'était curieusement identifiée à sa mère en se retrouvant confrontée aux problèmes d'un personnel « difficile », de chaudières capricieuses ou de l'impitoyable et abrutissante question de savoir quoi servir au dîner. Solitaire de nature, peut-être plus heureuse en sa propre compagnie qu'avec quiconque – et de ce fait parfaitement à même de supporter les longues absences –, elle avait eu de la peine à s'habituer au grand besoin d'attention d'Edward, si bien qu'au cours des premières années de leur mariage, elle s'était aperçue qu'elle luttait contre une impression de claustrophobie lorsqu'en rentrant du travail, il la suivait de pièce en pièce, pareil à un chien mendiant des restes. Il lui avait fallu apprendre à être plus sociable aussi : les fonctions d'Edward l'obligeaient à recevoir beaucoup, ses nouveaux collègues, ses associés, ses homologues à bord des navires de passage. Et il lui incombait d'organiser des dîners, de dresser le menu, de donner des consignes au personnel et de faire en sorte que son époux ait suffisamment d'uniformes (blancs pour la journée, et tenues de soirée à vestes courtes pour le soir) afin qu'il soit toujours tiré à quatre épingles.

Elle n'y voyait pas d'inconvénient. Les réceptions se déroulaient différemment maintenant qu'elle était l'épouse d'Edward, affranchie des sempiternelles présentations de bons partis, hors de portée des entremetteurs malavisés. Elle embarrassait rarement son mari, même quand elle ne trouvait plus rien à dire. Il disait toujours qu'il préférait sa compagnie à celle des autres de toute façon. Il arrivait que ses aînés lui reprochent avec un sourire un peu figé d'être trop attentif à son égard. Cela ne se faisait pas, semblait-il, de manifester autant d'intérêt à sa moitié.

Aussi avaient-ils mis au point tout un code : se frotter le nez si quelqu'un était barbant, se passer plusieurs fois la main dans les cheveux quand on avait affaire à un convive sentencieux, se tirailler l'oreille gauche en cas de besoin désespéré que l'autre vienne à la rescousse. Et Edward volait immanquablement à son secours, surgissant auprès d'elle avec un verre, ou une plaisanterie, prêt à éloigner l'individu offensant. Ils avaient encore un autre signal, destiné à suggérer l'envie d'être seuls. Celui-là faisait toujours rougir Joy. Edward aimait tout particulièrement leurs tête-à-tête.

À Hong-Kong, ce serait différent. Elle en était sûre. Elle redeviendrait Joy la Maladroite, harcelée par sa mère, réputée « difficile » en société. Loin d'être une beauté qui plus est. La fille de ce brave Graham. (N'était-ce pas navrant ? Il était encore si jeune.) Elle a de la chance d'avoir déniché un mari. Mais ça fait un bon bout de temps qu'ils sont mariés et sans enfant. Qu'allait-on penser ?

Ils avaient réintégré la colonie au cours d'une des semaines les plus pluvieuses de mémoire d'homme, une brume grisâtre enveloppant en permanence l'immeuble qui abritait les logements de la Marine. L'humidité dans l'air était si forte que Joy avait les cheveux tout drus sans qu'on pût y faire quoi que ce soit, et qu'elle était forcée de se changer trois fois par jour au minimum rien que pour être présentable. Mais l'immeuble en question était de construction récente, et pendant qu'elle supervisait le personnel chinois chargé d'apporter leurs meubles dans l'appartement spacieux du troisième étage qui leur avait été alloué, Joy avait été tout excitée de voir qu'en plus d'un immense salon clair qui donnait sur le port d'Aberdeen, d'une vraie salle à manger et de trois belles chambres, il y avait un de ces déshumidificateurs ultra-modernes qui, bien que bruyants, contribuaient à parer à la menace omniprésente des moisissures qui sévissait durant toute la saison des pluies.

Les femmes de la colonie menaient un combat sans merci contre ce fléau. Elles s'y attelaient avec une morne détermination à la mesure de celle que leurs conjoints avaient manifestée face aux Japonais. Il n'y avait pas moyen de faire autrement : à moins d'installer de petits chauffages électriques dans les penderies, d'essuyer continuellement les chaussures en cuir, dans les enceintes closes, chaudes et humides de ces appartements, on pouvait être sûr qu'au bout de deux semaines, tout serait recouvert d'une pellicule vert feutre, les plus belles toilettes se parant d'une nouvelle doublure insolite, composée de petits motifs verts en filigrane. La boîte à cigarettes – même lorsqu'on ne fumait pas, il était important d'en avoir une à disposition, comme Joy n'avait pas manqué de le découvrir – requérait des soins tout spéciaux. Il n'y avait rien de plus embarrassant que de voir un invité s'efforçant en vain d'allumer une cigarette détrempée. L'odeur de moisi, musquée, désagréable, imprégnait l'atmosphère, preuve tangible de la présence de spores invisibles partout autour de soi. Joy avait mis le déshumidificateur en marche avant même qu'on eût apporté toutes ses possessions, et les trois boys chinois s'étaient immobilisés à côté d'elle, hochant la tête en signe d'approbation, lorsque, après un faible grondement, l'appareil s'était mis à absorber l'humidité ambiante.

Ils avaient eu de la chance d'obtenir cet appartement, lui avait déclaré une des autres épouses d'officiers tout en montrant à Joy la meilleure manière de faire glisser le panier le long de la corde quand le postier sifflait – c'était une telle plaie de descendre à chaque fois. Depuis que les communistes avaient pris le pouvoir en Chine, une foule de Chinois s'étaient réfugiés à Hong-Kong, provoquant du même coup de terribles problèmes de logement. Toute la ville semblait chaotique, presque saturée, entre les bidonvilles qui proliféraient dans les collines et le port désormais infesté de miséreux agglutinés à bord de leurs minuscules sampans. Par ailleurs, les activités commerciales s'étaient encore multipliées ; toutes sortes de gens affluaient dans la colonie, jetant leur dévolu sur les plus belles maisons et provoquant une hausse des loyers.

Certains changements récents étaient bienvenus. Dans les nouvelles épiceries de la Dairy Farm, les *amahs* trouvaient plus facilement des produits frais et l'on pouvait désormais se procurer des denrées de luxe comme recevoir des huîtres, par exemple, expédiées de Sydney par avion. Il y avait davantage de magasins ; ils étaient mieux approvisionnés. On avait moins de difficultés à dénicher des revues ou des livres. En outre, grâce à l'arrivée en masse de jeunes infirmières et enseignantes, on ne s'arrachait plus les cheveux pour avoir le bon nombre de convives à table. Les infirmières étaient en général assez gaies, de l'avis de Joy, endurcies certes, mais pleines d'humour à propos de leurs expériences auprès des soldats. Les jeunes officiers appréciaient leur compagnie – davantage que celle des enseignantes, moins vives et surtout nettement plus âgées. De plus, la plupart d'entre elles étaient assez audacieuses pour accompagner ces messieurs à Wan Chai où la vie nocturne était en plein essor, où des clubs tels que Smoky Joe's et le Pink Pussicat avaient surgi sous les néons, tirant profit du désir des soldats en visite et des marchands solitaires de se divertir après une rude journée. Joy était très intriguée par ces établissements. Elle aurait bien voulu savoir pourquoi on les disait scandaleux, mais Edward n'avait pas l'air de s'y intéresser, et ce n'était pas le genre d'endroits où une femme respectable pouvait se rendre seule, surtout la nuit.

En attendant, Alice se plaignait amèrement du barouf constant provenant des chantiers de construction, soulignant que toutes les belles vues disparaissaient les unes après les autres, occultées par les immeubles de parvenus qui s'élevaient en contrebas vers les quais. Elle ne voyait plus la mer de ses fenêtres donnant à l'ouest, remarqua-t-elle, à cause des tours de bureaux qui poussaient comme des champignons autour de Central Road et Des Vœux. Et puis cela devenait insupportable de prendre le tram. Ce qui voulait dire qu'elle fut des plus impressionnée en découvrant la voiture de sa fille, une Morris 10 blanche que celle-ci conduisait avec prudence chaque jour jusqu'au port pour aller chercher son mari au travail.

— Je t'emmène au Stanley Market si tu veux, proposa Joy en voyant la mine stupéfaite de sa mère alors qu'elle sortait la voiture du garage en marche arrière.

Alice n'en revenait pas de l'indépendance de Joy. « Insolite » était le terme qu'elle employait en sa présence. « Un peu trop masculine à mon goût », confia-t-elle à la mère de Stella. Elle pouvait se permettre de le reconnaître en présence de Mrs Hanniford. Tout le monde savait que Stella avait quitté son pilote de mari et qu'en conséquence sa famille n'était pas en position de juger qui que ce soit.

— Je ne voudrais pas te déranger, répondit Alice en serrant son sac à fermoir contre son estomac, comme si elle se tenait les entrailles.

— Voyons, maman, ça ne me dérange pas du tout. J'ai besoin d'acheter quelques nappes. Tu pourras m'aider à choisir. Viens ! Ça te fera du bien de sortir un peu.

Alice avait marqué une pause.

— Je vais y réfléchir.

Si les prédictions de Joy à propos de sa maladresse

en société et de sa régression au stade de l'adolescence ne s'étaient pas réalisées à leur retour à Hong-Kong, en revanche, ses appréhensions concernant ses relations avec sa mère, elles, s'étaient malheureusement avérées exactes. Bien qu'elle ne souffrît pas d'une trop grande ingérence maternelle (au contraire, elle devait pousser Alice à l'accompagner où que ce fût), il lui fallait néanmoins supporter les lèvres pincées de désapprobation, l'air anéanti de la déception, désormais puissamment allié à un sentiment de martyre, qui plus est fortement teinté de jalousie. Quand Edward rentrait des chantiers navals le soir, s'il tentait quoi que ce soit de plus affectueux qu'un petit baiser sur la joue, Alice pivotait la tête comme si celle-ci était montée sur une rotule, détournant ostensiblement le regard. S'il invitait sa belle-mère à dîner – il était étonnamment patient, ce dont Joy lui était reconnaissante, mais c'était parce qu'ils savaient pertinemment l'un et l'autre qu'Alice ne pouvait guère avoir d'emprise sur eux –, elle acceptait à contrecœur, non sans avoir répété un nombre incalculable de fois « qu'elle ne voulait surtout pas s'immiscer dans leur vie privée ». Si Edward suggérait que Joy et lui aillent faire du cheval dans les Nouveaux Territoires, rien que tous les deux, les sourcils d'Alice prenaient la forme d'accents circonflexes comme s'il avait proposé à sa femme de commettre quelque acte sexuel pervers en public avant les hors-d'œuvre.

Joy s'efforçait de la comprendre mais, comme elle l'avait confié à Edward en privé, c'était assez contrariant de devoir minimiser son bonheur pour préserver la bonne humeur de sa mère.

— J'ai une idée, dit-elle à sa mère peu après sa visite sans elle au Stanley Market tandis que celle-ci tripotait la nappe dont elle venait de faire l'acquisition en dissimulant à peine sa réprobation. Tu pourrais peut-être m'aider à trouver une *amah*.

— Quel genre d'*amah* ?

— Je ne sais pas, répondit Joy qui se sentait très lasse. Juste quelqu'un pour me donner un petit coup de main. Faire une partie de la lessive. Je ne m'étais pas rendu compte qu'Edward aurait besoin de tant de chemises avec cette humidité.

— Qui s'occupe de la cuisine ?

— Moi jusqu'à présent, fit Joy en s'excusant presque. Quand nous ne recevons pas, évidemment. J'aime bien préparer des petits plats pour Edward.

— Tu as besoin d'une *amah* pour la lessive et d'une autre plus qualifiée pour la cuisine, déclara Alice d'un ton ferme, son assurance raffermie par les déficiences manifestes de Joy sur le plan domestique. Cette dernière s'occupera des enfants quand tu en auras.

Elle ne parut pas remarquer le regard noir que Joy lui décocha.

— Voyons, reprit-elle en feuilletant son petit carnet d'adresses en cuir, il y a une *amah* blanchisseuse du nom de Mary à Causeway Bay qui cherche du travail. J'ai pris la liberté de noter son numéro la semaine dernière quand Bei-Lin s'est montrée absolument impossible. Je tenais à ce qu'elle sache qu'elle n'était pas irremplaçable, même s'il y a des siècles qu'elle est à mon service. Elle n'est plus la même depuis que ton père est décédé, tu sais. Elle est beaucoup plus maussade. Et je suis certaine que Judy Beresford m'a dit qu'elle connaissait une *amah* cuisinière dont la famille vivait à l'étranger. Je vais l'appeler pour savoir si elle est toujours disponible. Elle te conviendra très bien.

Elle marqua un temps d'arrêt en jetant un coup d'œil à Joy, les sourcils froncés d'un air dubitatif.

— À moins que tu trouves que je me mêle de ce qui ne me regarde pas.

— Pour les chemises, c'est une bonne nouvelle, commenta Edward alors qu'ils se mettaient à table pour dîner. Tu as beaucoup de qualités, ma chérie, mais la lessive n'est pas ton fort. Je commençais à me dire que j'allais être contraint de m'en occuper moi-même. Mais pour quelle raison aurions-nous besoin d'une autre domestique ? Ce n'est pas comme si nous avions des enfants.

Joy leva le nez de son assiette.

Edward croisa son regard. Puis il fixa un long moment la table devant lui.

— Comment se fait-il que tu ne boives pas de vin ? dit-il.

Debout dans le couloir, juste derrière la porte, Kate regardait sa mère et sa fille assises par terre, leurs deux têtes se touchant presque, en pleine conversation à propos d'une photographie sépia que Joy tenait dans ses mains calleuses. Penchée en avant, Sabine s'était exclamée que la vieille voiture blanche était « super *cool* » tandis que Joy riait de la peur qu'elle avait de circuler dans les rues déjà bondées de Hong-Kong.

— Je venais juste d'apprendre à conduire, dit-elle. C'est ton grand-père qui m'avait donné des leçons parce que les moniteurs étaient trop chers. Mais il avait passablement grincé des dents. Et il fallait toujours que nous fassions halte quelque part ensuite pour boire un cognac sec.

Kate était montée pour essayer de trouver Sabine. Le plus souvent, elle était à cheval ou enfermée avec un de ses grands-parents – en train de faire la lecture à son grand-père ou de bombarder sa grand-mère de questions à propos de la vie « autrefois », comme elle disait, même maintenant que la menace de Christopher et de Julia avait reflué jusqu'à Dublin. Au cours des derniers jours, Kate, quelque peu désemparée, s'était donc retrouvée à déambuler tristement dans la maison ou sur les terres en demandant d'un air plutôt pathétique à ceux qu'elle croisait s'ils avaient vu sa fille, reconnaissante de chaque instant que Sabine daignait lui accorder.

Or, elle s'ingéniait apparemment à passer le moins de temps possible en sa compagnie. Kate se disait qu'elle ne se sentait pas si rejetée que ça – Sabine l'évitait les trois quarts du temps depuis l'âge de treize ans –, mais elle n'en revenait pas de la passion naissante de sa fille pour tout ce qui touchait de près ou de loin à l'Irlande. Elle témoignait à ses grands-parents une affection sans complexes, s'était découvert un amour invraisemblable pour le petit cheval gris. Plus surprenant encore, elle avait renoncé à être « cool ». Elle n'en avait rien à faire que ses baskets soient maculées de boue. En outre, elle ne cherchait même pas à dissimuler son agacement lorsque sa mère tentait de donner un coup de main, en portant le plateau du déjeuner de son père par exemple ou en proposant de lui faire la lecture à sa place. « Elle est très possessive à son égard ces temps-ci, lui avait dit Mrs H d'un ton affectueux. On ne s'y serait pas attendu vu comme elle était en arrivant. »

Mrs H avait été l'unique voix du bon sens dans la maison, offrant à Kate l'accueil le plus chaleureux de tous (si tant est qu'on puisse parler d'accueil, avait pensé amèrement celle-ci) et la rassurant en lui disant que le bonheur de sa fille à Kilcarrion était relativement récent. Mais Kate voyait bien la manière dont Sabine s'adressait à Mrs H et, du coup, elle se sentait exclue, de trop.

Elles avaient eu un bref rapprochement lorsque Kate était allée rendre visite à sa fille dans sa chambre un soir et lui avait annoncé spontanément que Justin et elle avaient rompu. Elle estimait qu'elle se devait d'en informer Sabine et le lui avait dit gentiment, redoutant qu'elle n'interprétât la nouvelle comme un chamboulement de plus dans sa vie. Elle craignait aussi de se mettre à pleurer si elle se laissait aller à décrire la situation autrement qu'en termes concis et d'un ton dégagé. Mais Sabine s'était simplement figée, comme si elle s'y attendait depuis longtemps, après quoi elle lui avait déclaré, non sans satisfaction, que ce n'était pas vraiment une surprise.

— Ça ne te fait pas de peine alors ?

— Pourquoi est-ce que ça me ferait de la peine ? C'est un enfoiré.

Kate se retint de tressaillir en réaction à cette évaluation pour le moins catégorique. Elle avait oublié à quel point le vocabulaire de sa fille pouvait être délicat.

— Alors tu penses que j'ai eu raison ?

— Qu'est-ce que tu veux que ça me fasse ? C'est ta vie.

Sur ce Sabine s'était détournée, apparemment prête à se replonger dans sa lecture.

— Je m'y attendais à moitié de toute façon, marmonna-t-elle en fixant la page devant elle.

Kate était restée assise là, les yeux rivés sur le visage de sa fille.

— Écoute, ça ne tient jamais le coup bien longtemps avec toi, pas vrai ? Aucune de tes relations ne dure. Pas comme celle de mamie et grand-père.

Elle avait dit cela sans hausser le ton, mais ses paroles eurent un contrecoup brutal digne d'une arme à feu et Kate, blessée, avait quitté la pièce à reculons. Depuis lors, Sabine s'était montrée plus chaleureuse à son égard, comme si elle se rendait compte qu'elle avait été un peu trop dure avec elle, mais elle continuait à être plus à son aise avec à peu près tous les autres occupants de la maison.

Et ce matin-là, Kate l'avait cherchée en vain jusqu'à ce que le bureau au premier lui fournisse la réponse à cette énigme.

En les voyant assises toutes les deux, manifestement plus détendues ensemble qu'elles ne l'étaient l'une ou l'autre avec elle, Kate sentit une énorme boule monter dans sa gorge et éprouva le sentiment puéril d'être délibérément exclue. Elle se détourna, ferma la porte sans bruit derrière elle et redescendit les marches.

Si Sabine avait été consciente des larmes que sa mère versait en son absence, elle se serait peut-être sentie un peu coupable ou aurait éprouvé le besoin de la réconforter. Elle n'était pas méchante au fond. Mais elle avait seize ans, et de ce fait, elle avait d'autres préoccupations plus importantes, par exemple s'il convenait ou non de sortir avec Bobby McAndrew. Il avait appelé deux fois depuis le jour de la chasse – empressé, mais sans lui mettre le couteau sous la gorge, avait-elle constaté non sans approbation – pour lui proposer d'aller au pub, au cinéma, où elle voudrait. Joy qui avait pris la communication s'était bornée à tendre le combiné à une Sabine blêmissante en disant qu'un de ses « petits camarades » la demandait. Bobby, qui l'avait entendue, avait ri en disant : « C'est ton petit camarade Bobby au bout du fil », et cela avait rompu la glace si bien que Sabine se sentait déjà moins flippée à l'idée de sortir avec un Irlandais.

Maintenant qu'il ne restait plus que quelques jours avant le samedi en question, elle s'aperçut qu'elle hésitait de plus en plus. Elle n'aurait aucun mal à filer incognito de la maison, personne n'avait l'air de s'intéresser beaucoup à ce qu'elle faisait en ce moment, mais elle n'était plus trop sûre d'avoir envie de passer une soirée en compagnie de Bobby. Elle n'arrivait même plus à se souvenir si elle l'avait trouvé à son goût : son visage était devenu flou et indistinct dans son esprit. Elle se rappelait seulement qu'il n'avait pas les cheveux foncés ni le teint mat, ce qui était « son type », comme elle l'avait récemment découvert grâce à l'un des magazines de Mrs H. Et puis il voudrait probablement la peloter à la fin de la soirée, surtout s'ils allaient au cinéma, et même si elle l'aimait bien, elle n'avait pas encore déterminé si ce serait ou non une sorte d'infidélité. Parce que même si Thom n'avait pas encore manifesté la moindre envie de la peloter, elle ne voulait pas tirer un trait sur cette éventualité. Il était peut-être timide !

Annie ne l'aidait pas vraiment. Certes, elle avait écouté son histoire, mais à sa manière qui consistait tour à tour à regarder par la fenêtre, à se frotter fébrilement les mains, à allumer la télé une ou deux fois, puis à déambuler dans la pièce sans but comme si elle cherchait quelque chose qu'elle avait perdu. Si seulement elle pouvait se rappeler ce dont il s'agissait !

— Tu devrais y aller, dit-elle d'un ton vague. C'est bon pour toi de te faire des amis.

— Je n'ai pas besoin de nouveaux amis.

— Eh bien dans ce cas, ça te fera du bien de sortir de la maison. Tu passes beaucoup de temps avec ton grand-père.

— Et s'il veut qu'on soit plus qu'amis ?

— Eh bien alors, tu auras un petit ami.

À ce stade, Annie avait paru assez fatiguée. Elle avait dit à Sabine qu'elle ne savait pas trop, qu'elle était vraiment lessivée et pour finir, elle lui avait demandé si ça l'ennuierait de revenir un peu plus tard parce qu'elle allait peut-être faire une petite sieste. Ce qui, au grand dam de Sabine, était essentiellement la manière dont la plupart des conversations avec Annie se terminaient ces jours-ci. Sabine aurait bien voulu interroger sa mère et lui demander si elle ne lui achèterait pas une nouvelle fringue à se mettre sur le dos. Mais sa mère paniquerait d'une manière embarrassante à propos du « rancard » de sa fille, comme elle dirait, ou bien elle insisterait pour l'y conduire elle-même afin de pouvoir dire bonjour. À moins qu'elle ne se sente blessée et qu'elle sombre dans le silence sous prétexte que Sabine était en train de se bâtir une vie en Irlande sans elle. Elle savait que ça agaçait sa mère au plus haut point, le fait qu'elle se plaisait ici. Ce n'est pas de ma faute, avait-elle envie de lui crier quand elle la voyait se glisser furtivement dans la maison avec un visage long comme un jour sans pain, comme dirait Mrs H. C'est toi qui as mis nos vies sens dessus dessous. C'est toi qui m'as forcée à venir ici.

La rupture avec Justin lui avait plutôt fait plaisir, même si elle s'était bien gardée de le montrer à Kate. Seulement il était évident que c'était lui qui l'avait larguée, et non l'inverse, et d'une certaine manière, elle avait du coup encore plus de peine à respecter sa mère.

En définitive, elle en avait parlé à son grand-père. C'était assez facile de se confier à lui ces temps-ci, maintenant qu'il ne lui criait plus dessus tout le temps en lui ordonnant de parler plus fort et qu'il ne se fâchait plus contre elle pendant les repas. Il aimait bien qu'elle s'assoie près de lui et qu'elle bavarde. Elle s'en rendait compte parce que son expression se liquéfiait, comme du beurre fondu, et à l'occasion, quand elle lui tenait la main – en fait elle était douce, un peu comme du papier, et ne lui donnait pas du tout la chair de poule contrairement à ce qu'elle avait redouté –, il la serrait presque imperceptiblement quand elle se taisait, comme s'il comprenait.

— Je pense que tu le trouverais sympa, lui dit-elle, ses pieds en chaussettes calés près de lui sur le lit, parce qu'il aime bien chasser et c'est un bon cavalier. Il ne se cramponne pas à la crinière ou quoi que ce soit quand il saute. Tu connais même peut-être sa famille. Les McAndrew.

À cet instant, elle fut certaine de sentir une pression légèrement accrue.

— Mais ce n'est pas vraiment un rendez-vous sérieux. Enfin, disons que je n'ai pas l'intention de l'épouser et d'avoir des enfants avec lui. C'est juste que c'est bien pour moi de me faire des amis.

Un filet de salive translucide avait glissé au coin de sa bouche, telle une minuscule rivière dégringolant à flanc de montagne. Sabine prit le mouchoir sur la table de nuit et l'essuya avec douceur.

— Un jour, j'ai fait ça dans le métro, dit-elle en ricanant. J'étais sortie super tard la veille au soir, bien que maman ne soit pas au courant parce que je dormais chez ma copine. Je me suis endormie sur l'épaule du monsieur assis à côté de moi. Et quand je me suis réveillée, il y avait une petite tache humide sur son veston là où j'avais bavé. J'ai cru mourir.

Elle le regarda fixement.

— Enfin, j'étais vraiment gênée en tout cas. Ce n'est pas une mauvaise idée au fond. Si je décide que Bobby McAndrew ne me plaît pas, je pourrai toujours lui baver dessus au cinéma. Ça devrait le dégoûter pour de bon.

Sabine sauta au pied du lit en se rendant compte que le moment était presque venu pour l'infirmière de revenir après sa pause-déjeuner.

— Je te raconterai comment ça s'est passé, dit-elle d'un ton enjoué en déposant un baiser sur son front. Relax, Max !

Derrière elle, enfoui sous les couches de duvets, au milieu de ses sentinelles électroniques, son grand-père ferma la bouche.

Kate avait écrit quatre options sur des petits bouts de papier : rentrer à Londres sur-le-champ, rentrer à Londres dans une semaine, prendre une chambre dans un hôtel, nonobstant les frais, et « ne pas laisser ces salopards te miner ». Selon la méthode de Maggie, on était censé les rouler en boule, les jeter en l'air, en rattraper un, et le sort déciderait de la marche à suivre.

À moins que ce ne soit Freud, elle n'arrivait jamais à s'en souvenir ! Ce procédé ne manquait jamais de lui suggérer la moins bonne solution. Alors que toutes les cellules de son corps l'exhortaient à prendre le ferry pour Fishguard, ce fut le numéro trois qui l'emporta, ce que, raisonnablement, elle ne pouvait se permettre et ce qui avait le moins de chances de régler le problème.

Voilà ce à quoi une semaine dans la maison de ses parents l'avait réduite, songea-t-elle tristement, tout en marchant avec fureur dans les champs boueux le long de la rivière. Des ruses et des superstitions d'écolière ! Une rancœur sourde contre ses parents. L'incapacité d'ouvrir la bouche sans dire ce qu'il ne fallait justement pas dire. Quinze ans d'âge mental !

Elle aurait voulu que les choses se passent différemment. Elle avait imaginé un retour glorieux au bercail d'une Kate sereine, gracieuse, journaliste de talent, avec peut-être quelques livres à son actif, flanquée d'un compagnon séduisant, intelligent, et d'une fille charmante, épanouie, forte d'une assurance naturelle qui les aurait tous obligés à reconnaître qu'elle avait eu raison. Qu'il existait d'autres modes d'existence que la leur. C'est pour ça qu'ils sont gentils avec toi, avait-elle eu envie de crier à sa fille, parce que tu te plies à leurs contraintes. C'est facile pour eux de bien te traiter puisque tu te soumets à leur loi. C'est lorsqu'on fait ce que l'on veut que tout devient compliqué avec eux.

Mais la vie ne fonctionnait pas comme ça, bien évidemment. Elle était revenue, peut-être pas en brebis galeuse, tout au moins comme un être opprimé, stupide, à mettre au rancart. Elle était l'inadaptée, une fois de plus ; celle qui ne montait pas à cheval, qui avait des allures excentriques, une pauvre fille incapable de dénicher un boulot convenable et d'avoir une relation correcte. Un point de vue si répandu dans les parages qu'à présent, sa fille elle-même la voyait sous ce jour peu flatteur. Et faute d'avoir ce job convenablement rémunéré ou cet homme bien sous tous rapports auprès d'elle, elle ne pouvait même pas prendre sa voiture pour aller faire un tour, filer au pub ou aller voir un film comme le ferait n'importe quel adulte normalement constitué, si bien qu'elle se retrouvait à piétiner vainement des champs détrempés. C'était l'unique solution qui s'offrait à elle pour échapper aux horreurs de la maison familiale.

La campagne autour de Ballymalnaugh n'était même pas particulièrement attrayante. Ce n'était que rangées après rangées de champs vallonnés et monotones, leur vert soi-disant émeraude virant au brun sous le ciel continuellement gris, bordés de haies broussailleuses et ponctués de carrefours lugubres, battus par les vents. Elle n'avait pas le charme des collines des Sussex Downs, ni la beauté sauvage des Peaks. En revanche, songea-t-elle avec amertume, il y avait des moutons tout mouillés en abondance, des arbres squelettiques, dégoulinants. Et de la boue partout.

Bien évidemment, il s'était mis à pleuvoir. Pour la bonne raison que toute sa vie faisait partie de quelque énorme blague cosmique. Et comme de bien entendu, en stupide citadine qu'elle était, elle n'avait pas pensé à se munir d'un imperméable ou d'un parapluie. Tandis que l'eau s'insinuait avec détermination à l'arrière de son col, elle leva les yeux vers le ciel hostile qui s'obscurcissait à l'approche de la nuit et pensa avec regret à l'option numéro un. Va-t'en, pensa-t-elle. Retourne à Londres. Papa semble dans un état assez stationnaire : il pourrait très bien tenir encore des mois. On ne pouvait tout de même pas lui demander de mettre son existence entre parenthèses jusqu'à ce qu'il arrive quelque chose, si ? Mais il y avait Sabine : Kate avait la désagréable impression que si elle disparaissait à Londres, toute chance de ramener sa fille à la maison disparaîtrait avec elle.

Comme en écho à son humeur, la pluie redoubla d'intensité, changeant la bruine qui l'imprégnait doucement en des trombes d'eau opaques, presque solides. En s'élançant vers un taillis, Kate se rendit compte qu'elle voyait à peine autour d'elle, le paysage gris, hivernal, se faisant flou, indistinct. Pourquoi ne fabrique-t-on pas des essuie-glaces pour les lunettes ? pensa-t-elle avec agacement en grelottant dans sa veste en laine déjà presque trempée tout en se mettant à l'abri sous les arbres.

Ce fut alors qu'elle entendit le bruit : un grondement lourd, étouffé, irrégulier, ponctué de cliquetis lointains. Plissant les yeux, elle scruta entre les arbres dans la direction d'où venaient ces sons. Elle ne voyait pratiquement rien à travers ses verres embués, mais petit à petit, à travers le rideau de pluie, elle parvint à distinguer la forme d'un cheval qui venait vers elle dans les bois. Énorme et gris, poussant d'horribles hennissements, on aurait dit un destrier du Moyen Âge revenant de quelque effroyable bataille, auréolé des ondes de fumée produites par son propre corps. Kate battit en retraite derrière les arbres.

Mais la bête l'avait vue. Elle ralentit, s'approcha en baissant la tête pour confirmer sa présence. Alors, elle le vit à son tour. À califourchon sur l'animal, disparaissant à moitié sous un imperméable brun gigantesque et un chapeau à larges bords, c'était Thom. Il regarda à deux reprises dans sa direction, comme pour s'assurer qu'il s'agissait bien d'elle, puis s'arrêta.

— Est-ce que ça va ?

Kate dut lutter contre la paralysie que son apparition soudaine avait provoquée. Sa voix, quand elle voulut bien sortir, était claire, son ton raffiné, sans le moindre rapport avec ses sentiments véritables.

— Je n'ai rien qu'un parapluie, un changement de vêtements et d'existence ne pourraient régler.

Elle écarta ses cheveux de son visage.

— J'attends juste que ça se calme un peu pour rentrer.

— Tu es complètement trempée, on dirait.

Il changea de position sur sa selle.

— Tu veux monter ? Cette bête est douce comme un agneau. Tu seras de retour nettement plus vite.

Kate considéra le colossal cheval gris dont les sabots de la taille d'une assiette s'agitaient impatiemment trop près de ses pieds tandis qu'il secouait nerveusement sa grosse tête tant il était avide d'aller se mettre à l'abri. Ses yeux tournoyaient, montrant des éclairs blancs, et son souffle provoquait des nuages de vapeur chaude. À croire qu'il se prenait pour un dragon.

— Merci. Je crois que je préfère attendre.

Thom resta parfaitement immobile. Elle sentait son regard posé sur elle et s'estima désavantagée, tellement plus bas que lui. Elle essuya ses lunettes.

— Ça va aller, je t'assure.

— Tu ne peux pas rester ici. Cette pluie ne va pas s'arrêter. Il y en a pour un bout de temps. Tu risques d'attendre toute la nuit.

— Thom, s'il te plaît...

Mais déjà il s'était penché en balançant sa jambe par-dessus la selle et avait mis pied à terre. En tenant les rênes d'une main, il s'approcha d'elle en pataugeant dans la boue et ôta son chapeau.

— Tiens, prends ça au moins, dit-il.

Il frotta sa main mouillée sur ses cheveux noirs coupés court qui se dressèrent en petits pics lisses.

— Et ça.

Il avait enlevé son imperméable et le lui avait fourré dans les bras. Elle le prit sans dire un mot en regardant son chandail épais déjà émaillé des premières gouttes de pluie qui s'infiltraient à travers le dais clairsemé des arbres au-dessus d'eux. On ne pouvait pas savoir pour son bras, remarqua-t-elle, à moins de regarder sa main.

— Allez, mets-le, dit-il. Je vais te ramener à pied.

— Tu vas être trempé.

— Pas pour longtemps. Si tu restes ici avec ça sur le dos, dit-il en désignant d'un air dédaigneux sa veste pourtant assez chaude pour affronter les pires intempéries londoniennes, tu vas attraper une pneumonie. Allons, ne reste pas sous la pluie.

— J'ai… j'ai…, bredouilla-t-elle d'un ton hésitant.

— Tu as froid, tu es trempée. Viens. Plus vite tu te mets en mouvement, plus vite nous serons de retour.

Elle enfila l'imperméable. Taillé pour couvrir la selle en plus de son passager, il lui arrivait presque aux chevilles et bruissait autour de ses tibias. Il sourit en posant le chapeau sur sa tête.

— Pourquoi ne rentres-tu pas au trot ? fit-elle d'un ton suppliant. Comme ça, tu seras moins mouillé. Je ne crains plus rien avec tout ça sur le dos.

— Je te raccompagne, répondit-il fermement au point qu'elle résolut de ne plus insister.

Ils suivirent le cours d'un ruisseau, leur silence ponctué par les clapotis des sabots et le cliquetis métallique occasionnel de son mors contre ses dents. Au-delà de la haie, le brouillard s'était abattu de sorte qu'à l'endroit d'où l'on distinguait d'ordinaire les cheminées de Kilcarrion, il ne restait qu'un vide gris muet. Kate frissonna malgré elle.

— Y a-t-il une raison pour laquelle tu te balades à pied toute seule ?

Ils étaient forcés de parler très fort, de crier pour ainsi dire, pour se faire entendre au-delà des tambourinements de la pluie.

— Plutôt que d'être à cheval ?

Il rit.

— Tu comprends très bien ce que je veux dire.

Kate regarda fixement ses chaussures. Elle marchait laborieusement en glissant un peu dans la gadoue.

— Ce n'est pas très facile, confia-t-elle finalement. D'être de retour, je veux dire.

— Alors pourquoi es-tu revenue ?

Elle s'arrêta net et le dévisagea.

— Pourquoi es-tu revenu ? répéta-t-elle.

Thom, qui lui aussi fixait ses pieds, la considéra alors en plissant les yeux, puis détourna le regard.

— Oh ! C'est une longue histoire !

— On en a au moins pour une demi-heure. À moins qu'un taxi passe par là.

— D'accord. Toi d'abord.

— Eh bien, je suis revenue ici parce que mon père est mourant. Ou tout au moins, je le pense. Mais tu en sais probablement plus à ce sujet que moi.

Elle scruta son visage, mais il haussa les épaules, comme pour la contredire. Elle remarqua que son pull avait commencé à pendre à cause du poids de l'eau.

— Et puis je voulais voir Sabine. Mais il semble qu'il se soit produit quelque chose pendant son séjour ici et elle…

Kate releva la tête en s'efforçant d'enrayer le tremblement de sa voix.

— … eh bien, disons qu'elle n'a pas l'air d'avoir envie de rentrer.

Voilà. Elle l'avait reconnu. Elle jeta un bref coup d'œil à Thom, s'attendant à une réaction, un vague jugement de sa part, mais il continua à marcher en regardant ses pieds.

Kate soupira.

— J'avoue que je ne la blâme pas. Il y a eu… enfin, il y a eu pas mal de chamboulements à la maison. J'ai quitté l'homme avec lequel je vivais pour quelqu'un d'autre et puis il s'est révélé… enfin, différent de ce à quoi je m'attendais. De sorte que je me suis retrouvée toute seule.

Elle trébucha et releva les yeux vers lui en essayant de sourire.

— Cela ne te surprend probablement pas.

Thom marchait toujours. Elle hésita à nouveau, luttant contre une envie de pleurer grandissante.

— Tout de même, je pensais que ça lui ferait plaisir. Qu'elle aurait envie de revenir pour que nous soyons ensemble toutes les deux. Elle n'a jamais vraiment apprécié les hommes avec qui j'ai vécu. Et puis j'étais persuadée qu'elle détesterait cet endroit, avec toutes ces fichues règles, ces horaires de repas absurdes, et la chasse, toujours la chasse, encore la chasse. J'ai toujours voulu qu'elle grandisse à l'abri de tout cela, tu comprends. Sans cette rigidité. Ce formalisme. Sans ce rappel constant du bien et du mal. Je voulais juste qu'elle soit heureuse, qu'elle soit mon amie. Or…

Elle enleva ses lunettes et se passa un doigt sous les yeux, contente d'avoir un grand chapeau sur la tête pour pouvoir donner l'impression d'essuyer des gouttes de pluie.

— … elle se plaît manifestement ici. À vrai dire, elle a l'air de préférer vivre ici qu'avec moi. Alors si tu veux vraiment savoir pourquoi je me balade sous la pluie, c'est que je me sens un peu de trop. Je ne sais pas quoi faire de ma personne. Je ne sais pas ce que je vais faire de ma personne. Et je ne pense pas que quelqu'un ici sache quoi faire de moi.

Elle poussa un long soupir tremblotant.

— C'est pas la joie, pour tout te dire, conclut-elle en s'excusant presque.

Thom, qui avait passé un bras sur le cou incliné du cheval, semblait profondément abîmé dans ses pensées, ignorant les ruisselets d'eau qui coulaient de ses cheveux le long de sa mâchoire et dégoulinaient dans son col.

Ils continuèrent à marcher en silence jusqu'à ce qu'ils atteignent une barrière à cinq planches qu'il ouvrit avec sollicitude en écartant son cheval pour que Kate puisse passer.

— C'est bête, franchement, reprit-elle, avide de remplir le silence maintenant que le déluge s'était un peu calmé.

Elle n'aurait jamais pensé que la campagne pouvait être aussi calme.

— Me voilà à trente-cinq ans, toujours incapable d'y voir clair dans ma vie. On pourrait imaginer qu'à ce stade, j'aurais réglé le problème. C'est le cas de mon frère. De la plupart de mes amis. Il m'arrive de penser que je suis la seule personne à qui on n'a pas précisé les règles du jeu… celles qui t'expliquent comment faire pour grandir.

Elle se rendit compte qu'elle parlait d'une voix haut perchée et qu'elle s'était mise à bredouiller.

— Vas-tu dire quelque chose à la fin ? demanda-t-elle une fois qu'il eut refermé la barrière derrière eux.

Il se tourna vers elle. Ses yeux, soulignés par des cils noirs mouillés, étaient étonnamment bleus. À moins que ce ne fût tout le reste qui lui parût gris.

— Que veux-tu que je te dise ? répondit-il.

Cela ressemblait bizarrement à une vraie question.

À cinq cents mètres de là, dans le bureau à peine moins humide, Sabine et Joy feuilletaient des albums de photos. C'était Joy qui l'avait suggéré, ce qui avait surpris Sabine. Mais il est vrai que des tas de choses dans le comportement de sa grand-mère la déroutaient ces temps-ci : qu'elle ait accepté sans broncher son projet de sortir avec un garçon, qu'elle admette désormais que les chiens, apparemment ravis, dorment la nuit sur son lit, qu'elle eût envie de faire à peu près n'importe quoi plutôt que de rester auprès d'Edward.

Qu'elle adorait.

Sabine contemplait la photographie officielle du couple prise à l'occasion de leur sixième anniversaire de mariage. Joy était assise sur un tabouret, dans une robe foncée, boutonnée tout du long, avec un grand col à rayures et une jupe ample ; son sourire suggérait une hilarité contenue. Lui, en blanc comme toujours, se tenait derrière elle, une main sur son épaule, l'autre serrant la sienne avec une sorte de tendresse désinvolte. Son regard était rivé sur le sommet de son crâne et il semblait lui aussi se retenir de rire.

— C'était le photographe le plus épouvantable qui soit, commenta Joy avec douceur en essuyant une poussière invisible sur la page. Un charmant jeune Chinois qui employait les pires expressions en anglais. Les soldats avaient dû lui faire croire que cela voulait dire tout autre chose. Quand il vous demandait de vous rapprocher pour la photo, il utilisait un horrible mot d'argot, par exemple…

Joy jeta un coup d'œil à Sabine.

— Bref, ton grand-père et moi avions toutes les peines du monde à garder notre sérieux. Si je me souviens bien, nous avons pouffé de rire après coup.

Sabine scruta le cliché, lui redonnant vie dans son imagination sous la forme de deux amants hilares, de connivence dans leur allégresse, laissant libre cours à leur émotion commune une fois sortis du studio en clignant des yeux dans la clarté. On aurait dit qu'un bouclier invisible les entourait, comme si leur bonheur ne laissait aucune place pour quiconque dans l'univers qui était le leur. Je veux un homme qui me regarde comme ça, pensa Sabine. Je veux me sentir aimée.

— Vous arrivait-il de vous disputer, grand-père et toi ?

Joy replaça le papier de soie sur la page avec soin.

— Bien sûr qu'on se disputait. Enfin, pas vraiment, disons que nous n'étions pas toujours d'accord.

Elle releva les yeux et porta son attention sur la fenêtre.

— Je pense que les choses étaient un peu plus faciles

pour notre génération. Nos rôles étaient clairement définis. Il n'y avait pas toutes ces histoires, ces bagarres à propos des responsabilités de chacun, comme cela semble être le cas aujourd'hui.

— Et puis vous aviez des domestiques. Ça évitait les plaintes à propos de celui qui devait se taper la vaisselle.

— C'est vrai. Ça facilitait les choses.

— Mais il devait te mettre en colère quelquefois. Il y avait bien des moments où vous deviez vous bouffer le nez. Personne n'est parfait.

— Je ne lui ai jamais bouffé le nez, comme tu le dis si élégamment.

— Mais vous avez dû vous chamailler. Tout le monde se chamaille.

S'il vous plaît, mon Dieu, faites que ce ne soit pas seulement ma mère, pensa-t-elle intérieurement.

Joy pinça les lèvres comme si elle réfléchissait intensément à ce qu'elle allait dire.

— Il y a eu un jour, un jour où ton grand-père m'a mise hors de moi.

Sabine attendit de plus amples explications, mais rien ne vint.

Puis Joy soupira et continua :

— J'ai été très, très malheureuse après cela, et j'ai pensé : Pourquoi rester, mon Dieu ? Pourquoi supporterais-je ça ? C'est trop difficile. Et puis cette phrase absurde m'est venue à l'esprit… de la cérémonie du couronnement. Nous étions obnubilés par le couronnement lorsque nous étions jeunes, tu sais. Comme je l'ai compris à l'époque, il s'agissait de la nécessité de tenir le coup jusqu'au bout pour avoir sa récompense. Il était question de devoir. D'honneur. Je pensais à l'enthousiasme que tout le monde avait éprouvé à la pensée de cette jeune femme sacrifiant son intimité avec son séduisant mari pour remplir son devoir – pour régner sur son « royaume temporel », comme on disait. Et j'ai compris que ce n'était pas seulement nous-mêmes ou notre bonheur personnel qui était en cause. Il importait de ne pas laisser tomber les autres, de préserver leur rêve.

Elle regarda par la fenêtre, au loin, soudain prisonnière de ses souvenirs.

— Alors j'ai tenu bon. Et tous les gens qui auraient été cruellement déçus si cela n'avait pas été le cas… eh bien, je pense qu'en conséquence, ils ont été plus heureux.

Mais et toi ? avait envie de répliquer Sabine.

Tout à coup, sa grand-mère reprit son ton brusque.

— Doux Jésus ! Regarde-moi ce déluge ! s'écria-t-elle. Je ne m'étais pas aperçue qu'il pleuvait. Il faut que nous allions chercher les chevaux dans le champ du haut. Donne-moi un coup de main avant de sortir, veux-tu ?

11

Thomas Keneally avait quitté l'Irlande à l'âge de dix-neuf ans, sans argent ni emploi en perspective. Il comptait se rendre en Angleterre, à Lambourn où, comme le lui avaient assuré ses camarades lads, un homme aux mains lestes et au fessier d'acier tel que lui trouverait aisément à se faire embaucher comme cavalier dans les concours hippiques. Il laissait derrière lui une bonne place, au moins deux propositions de travail émanant d'entraîneurs irlandais renommés, et des parents éperdus qui, tout en reconnaissant que les fils adolescents grandissent et finissent par s'en aller, n'en avaient pas moins supposé que ce serait Kieron, l'aîné, qui les quitterait le premier. Le père Keneally avait vraiment espéré qu'il en serait ainsi : Kieron avait embouti sa voiture à deux reprises et, contrairement à Thom, jamais il ne donnait à sa mère une part de ses gages pour « la maison ». Ils se gardèrent de demander à Thom la raison de ce départ précipité, mais ils avaient été discrètement informés par sa tante Ellen, employée à la grande maison, que « cela avait peut-être quelque chose à voir avec la fille Ballantyne ». Pour cette raison, jusqu'au jour de sa mort quelque neuf ans plus tard, la mère de Thom en avait secrètement voulu à Kate Ballantyne bien que Thom n'eût jamais prononcé son nom en sa présence et qu'elle-même ne l'eût rencontrée que deux fois en tout et pour tout dans sa vie. Kate avait quitté Ballymalnaugh en butte aux soupçons quelques mois après le départ de Thom. Il y avait le bébé, bien sûr, mais Thom, bizarrement, avait pratiquement sauté à la gorge de sa mère quand elle lui avait demandé s'il y était pour quelque chose. Ce n'était pas le genre de garçon que l'on forçait à vous donner des réponses.

Comme on le lui avait prédit, Thom avait trouvé du travail facilement dans l'écurie d'une entraîneuse réputée, propriétaire de quarante chevaux. La jeune femme alliait la manie de flirter allègrement avec tout le monde – jusqu'à ses animaux –, l'énergie (et la stature) d'un cheval de trait, à un tempérament apte à provoquer des brûlures au troisième degré sur une peau nue. Elle aimait bien Thom : il était direct, bon avec les bêtes et surtout, il n'avait pas peur d'elle. Certaines rumeurs malveillantes circulèrent parmi les lads en place selon lesquelles elle l'appréciait pour d'autres raisons, mais Thom était si farouchement ambitieux et si zélé qu'il était difficile pour quiconque connaissait un tant soit peu le cavalier ou sa patronne de prendre ces accusations au sérieux.

Seulement, il ne s'était pas intégré à l'« équipe », comme on dit dans le jargon hippique.

Il n'accompagnait jamais ses collègues au pub le vendredi soir pour y dissoudre ses maigres gains dans la bière, pas plus qu'il ne racolait des filles du coin pour les longues soirées tapageuses passées à boire dans les caravanes collées les unes contre les autres, bondées et mal chauffées qui voulaient se faire passer pour un logement. Il ne traînait pas avec les autres, une tasse de café noir sucré entre les mains, à la fin de la matinée, pour se plaindre de la misérable paie et des heures de travail éreintantes qui constituaient le lot des apprentis jockeys. Il trimait dur, il étudiait des manuels, il montait à la moindre occasion et expédiait à ses parents le peu d'argent qu'il réussissait à économiser. C'était un comportement passablement débectant, comme il le reconnut lui-même par la suite.

Ce fut la raison pour laquelle, lorsque quatre ans plus tard un hongre de quatre ans du nom de *Jamais le dimanche* au tempérament revêche paniqua dans son box et se coucha brusquement, écrasant le bras de Thom à tel point qu'il ne tenait plus que grâce à deux tendons et un os fracassé, la seule personne qui eut vraiment de la peine pour lui ne fut autre que l'entraîneuse. Elle avait aussi de la peine pour elle-même : personne n'avait travaillé aussi dur que lui à son service depuis qu'elle était dans le métier. Outre les bookmakers qui avaient remarqué depuis belle lurette l'aptitude troublante mais agréablement prévisible qu'il avait d'arriver systématiquement en deuxième place. Les autres palefreniers, bien que compatissants – cela aurait pu leur arriver, après tout ! –, ressentirent une joie coupable tout en se répétant à mots couverts, comme pour se rassurer, que cela ne menait nulle part d'être le « chouchou ».

Thom passa l'essentiel de l'année qui suivit à l'hôpital, luttant d'abord contre une infection ayant résulté de son amputation, après quoi il lui avait fallu s'adapter à sa prothèse. Il mit du temps à s'y faire, incontestablement, en dépit de la bonne volonté de sa patronne qui, abandonnant pour une fois son entêtement coutumier – à tel point que Thom se demanda s'il n'avait pas mal interprété ses sentiments à son égard –, lui avait proposé de travailler à vie dans son écurie s'il le souhaitait.

La détermination de l'entraîneuse avait molli lorsque Thom s'était mis à boire. Elle s'était rétractée complètement le jour où Thom avait expédié sa Range Rover dans un fossé au petit matin en la mettant hors service – suite à douze pintes de bière australienne et un bref interlude fort désordonné avec une serveuse qui prétendait pouvoir tirer certaines conclusions à son sujet à partir de sa pointure. Après quoi il était rentré à pied, ignorant la plaie qui lui entaillait le crâne et le fait que le système d'alarme du véhicule accidenté annonçait l'aube nouvelle à la moitié de la population du Berkshire. Il dormait dans ses draps trempés de sang quand sa patronne avait fait irruption dans sa caravane pour le prier – sauf qu'elle ne le pria pas vraiment – de faire ses valises.

Il travailla ensuite dans diverses écuries, moins prisées où l'on ne se souciait guère de sa réputation grandissante de buveur et de coureur de jupons et où l'on s'était imaginé, à tort, pouvoir miser sur celle qu'il avait eue avant, même si son zèle et son efficacité allaient manifestement en s'amoindrissant. Il réussissait généralement à les décevoir en l'espace de six mois : il était toujours aussi doué avec les chevaux, mais entretenait des rapports difficiles avec les autres lads. D'un tempérament volcanique, il se montrait qui plus est souvent grossier avec les propriétaires. Le dernier palefrenier qui avait fait une plaisanterie à propos de sa prothèse s'était retrouvé suspendu la tête en bas à un crochet pour nettoyer la sellerie, avec un nettoie-sabot logé dans un endroit non identifié qui ne tarda pas à faire l'objet d'une légende locale.

Cette dégringolade parvint à son terme alors qu'il occupait sa dernière place. Thom s'était fait embaucher par un entraîneur irlandais comme lui, dont les méthodes et la compagnie avaient provoqué bien des grimaces réprobatrices dans les milieux hippiques qu'il fréquentait jadis. Désormais plus handicapé par sa réputation que par son bras, et bien déterminé à ignorer les exhortations de ses parents à rentrer au pays, il avait fini par accepter l'offre de JC Kermode avec ce qui avait passé pour de l'empressement.

JC était un ancien jockey sec et musclé, doté d'un esprit aiguisé comme les dents métalliques d'un peigne à cari et d'un bagout aussi visqueux que de l'huile à sabot. Thom ne mit guère de temps à se rendre compte que ces deux talents, indispensables chez un entraîneur, risquaient fort d'être moins admirables dès lors qu'ils s'alliaient à une aptitude à déformer la vérité digne d'un Uri Geller s'attaquant à une vieille cuiller. Le plus grand don de JC consistait non pas à élever des chevaux – ses antécédents en la matière étaient lamentables –, mais à persuader des propriétaires néophytes et crédules de lui confier la garde de leurs chevaux, puis d'en acheter d'autres en réussissant à extorquer des pensions de plus en plus salées sous couvert d'un « entraînement de routine spécial ». L'exemple par excellence n'était autre que Dean et Dolores, un couple de divorcés arrivistes originaires de Solihull. JC s'était trouvé assis à côté d'eux lors d'un vol en provenance de Dublin. Lorsque l'appareil s'était posé, il avait réussi à les convaincre qu'ils « vivraient l'expérience de leur vie » s'ils l'accompagnaient aux courses à Uttoxeter, et que, si cela leur plaisait, il avait exactement la pouliche qui leur convenait. Dean, directeur corpulent et revêche d'une fabrique d'ustensiles de cuisine, avait rarement vu qui que ce soit se donner autant de peine pour le persuader des agréments de sa compagnie. Quant à sa nouvelle épouse, Dolores, encore sous le choc après son expulsion de la haute société de Solihull, comme elle disait, à la suite de son divorce, elle avait été profondément touchée par le comportement charmeur de JC et l'éloge qu'il avait fait du flair évident de Dean pour les affaires. Avant même que les hôtesses de l'air les eussent priés d'attacher leur ceinture pour l'atterrissage, les deux tourtereaux s'imaginaient déjà dans l'enclos des gagnants à Ascot. Dans le cas de Dolores, après avoir adressé un sourire rayonnant aux caméras de télévision, et par conséquent à toutes ces salopes de Solihull qui avaient pris le parti de son ex-époux. Et JC était sur le point de vendre une pouliche de trois ans particulièrement problématique du nom de *Charlie's Darling*, dotée d'une encolure riquiqui et d'un coup de pied méchant et totalement imprévisible.

Si Dean et Dolores étaient la « vache à lait » de JC, comme il se plaisait à le répéter à Thom, ils furent aussi à l'origine de sa débâcle. Bien que séduits dans un premier temps par les champs de course et la vision d'eux-mêmes en propriétaires de chevaux – vision renforcée par la victoire totalement inattendue de *Charlie's Darling* dans la course de 15 h 30 à Doncaster –, outre la tendance qu'avait JC à emmener Thom avec lui – Dolores aimait bien Thom ! –, les énormes notes accumulées par leur équipage de quatre chevaux finirent par provoquer autre chose qu'une indigestion chez Dean après leurs « belles journées aux champs de course ». Il était certain que JC avait « une idée derrière la tête », confia-t-il à une Dolores incrédule. Dolores, dont la garde-robe de propriétaire équestre reflétait désormais précisément les « couleurs de leur jockey » lui répondit qu'il était ridicule. Mais lorsque Thom se lassa de flirter avec elle – ce qui lui donnait l'impression d'être un parfait imbécile, avait-il déclaré d'un ton borné à un JC exaspéré –, elle en vint elle aussi à mettre en doute la bienveillance de leur nouvel ami JC.

Ce fut alors que le vieil ami irlandais de JC, Kenny Hanlon, se pointa. Il avait entendu parler de l'aubaine financière dont son vieux copain jouissait grâce à la naïveté de certains propriétaires britanniques et avait résolu de s'approprier une part du gâteau. Plus connu pour sa société productrice de machines à sous, au demeurant passablement controversée, il se découvrit soudain une passion pour les centres hippiques. Après avoir jovialement salué JC, il se glissait dans le siège si récemment libéré par Thom et inondait de compliments une Dolores de moins en moins sûre d'elle, ignorant la rage muette de son compagnon à l'autre bout de la table – pour un homme nanti d'oreilles en feuilles de chou, disait-on, il s'y entendait drôlement pour gagner le cœur des femmes ! En l'espace de quelques semaines, il en était à chuchoter des allusions à la Iago dans son oreille à elle, percée d'innombrables trous : était-elle sûre que JC ne forçait pas un peu l'addition ? Il avait cette réputation, il fallait qu'elle le sache. Était-elle certaine qu'il leur vendait les meilleurs chevaux et non pas seulement les vieilles rosses ? Ils n'avaient pas remporté beaucoup de victoires récemment. Serait-elle intéressée par la possibilité de mettre ses chevaux en pension ailleurs ? Il connaissait un endroit parfait, et il lui garantissait que les factures pour le fourrage et le vétérinaire baisseraient d'un tiers. Et savait-elle comme elle était jolie en mauve ?

En se réveillant un beau matin, Thom et JC avaient trouvé un van sur le point d'embarquer les chevaux de course de Solihull pour les conduire dans un autre établissement à Newmarket. Il venait juste d'ouvrir, leur expliqua le chauffeur implacable tandis que JC devenait violet de rage. Un gars du nom de Kenny Hanlon. Dès cet instant, tout était allé de travers. JC avait crevé les pneus du van avec une fourche, et le conducteur avait appelé la police. Il y eut une succession de raids nocturnes entre les deux écuries, au cours desquels des selles, des tapis, et même un micro-ondes furent dérobés, soi-disant « en guise de paiements » de part et d'autre. Lorsque les autorités accusèrent Kenny Hanlon d'un supposé défaut de paiement d'impôts sur ses ressources provenant des machines à sous – une inculpation qui lui valut au bout du compte une condamnation à quatre ans d'emprisonnement – et de l'incendie soi-disant provoqué par des pyromanes qui avait réduit en cendres les écuries de JC –, Thom décida qu'il en avait assez de la scène hippique. Il arrêta de boire et rentra chez lui.

Il avait raconté cette histoire à Kate – en omettant l'anecdote des sentiments de sa mère à son égard, pendant leur interminable retour sous la pluie jusqu'à Kilcarrion. Un retour encore prolongé lorsque, peu avant d'arriver au portail, il lui avait proposé d'attendre un peu sous un abri de bus désert. Assis sur le banc pendant que le grand cheval gris somnolait tout en acceptant de temps à autre les pastilles à la menthe que Thom lui tendait, il avait achevé de lui résumer, en des termes moins passionnés que ceux de Kate plus tôt, les dernières seize années de sa vie.

Lorsqu'elle lui avait fait remarquer qu'il était étrange

qu'ils se retrouvent ainsi là tous les deux maintenant, il avait plongé son regard dans le sien un long moment au point qu'elle avait rougi et s'était sentie momentanément déboussolée. Mais il est vrai que la plupart de ses réactions vis-à-vis de Thom lui faisaient cet effet-là depuis son retour. De plus en plus souvent, lorsqu'elle tombait sur lui dans la maison ou sur les terres, elle perdait sa langue. Pis encore, à deux occasions au moins déjà, elle avait piqué un fard. Et puis avec cette manie qu'il avait de la regarder droit dans les yeux quand il lui parlait, elle n'arrivait plus à se concentrer sur ce qu'il disait. En outre, au cours des dernières nuits dans la chambre baptisée improprement italienne – à moins qu'ils ne fassent allusion à Venise, avait-elle pensé, en contemplant la dernière tache d'humidité qui y avait fait son apparition –, c'était le visage de Thom et non plus celui de Justin qui lui venait à l'esprit.

Avait-il toujours été aussi séduisant ? Ou bien l'érosion de la douleur physique et morale avait-elle jeté ces nouvelles ombres captivantes sur son visage ? Maggie l'avait souvent accusée d'avoir une attirance malsaine pour ce qu'elle appelait les « écorchés vifs de l'existence ». Avait-il toujours eu un tel don pour écouter ? La regardait-il aussi intensément jadis ? Elle n'aurait pas su le dire. Le Thom qu'elle avait connu à dix-neuf ans était un personnage très différent, moins sûr de lui. Et la Kate qu'elle était alors avait nettement plus d'assurance et manifestait davantage d'impulsivité et de détermination. Elle était tellement sûre d'être promise à un grand avenir !

Pauvre idiote, s'était-elle dit, un après-midi alors qu'elle était couchée sur son lit comme une adolescente à se poser ces questions stupides. Tu es parfaitement incapable d'exister où que ce soit sans imaginer quelque flirt. C'est précisément ce qui t'a causé tant d'ennuis la dernière fois. Et c'est exactement ce que Maggie lui reprochait.

Aussi avait-elle résolu d'éviter Thom. Elle s'était enfermée dans sa chambre pour travailler sur des projets d'articles en souffrance depuis longtemps. Elle avait emprunté la voiture de sa mère et s'en était allée explorer certains sites de la région, et puis surtout, elle avait évité la maison d'été, les champs, l'écurie, tous les endroits où elle pensait courir le moindre risque de se heurter à lui.

Il n'avait pas eu l'air de s'en apercevoir au début, et puis un matin, alors qu'elle traversait la cour à toutes jambes pour gagner la voiture, il avait brusquement surgi à côté d'elle, la faisant sursauter et lui avait demandé :

— Est-ce que tu m'évites ?

Elle l'avait nié, avait bredouillé « évidemment que non », qu'elle était occupée, qu'elle devait aller faire une course en ville, qu'elle avait plein de boulot. Il s'était borné à hocher la tête en levant un sourcil et elle avait su qu'il avait compris. Et elle en avait conclu, avec encore plus de détermination, qu'elle devait à tout prix rester à l'écart. Loin des ennuis.

Après quoi elle s'était empressée de répondre par l'affirmative quand il lui avait demandé si elle voulait dîner un soir avec lui.

La porte d'Annie était ouverte, ce qui n'avait rien d'anormal, mais Joy frappa à deux reprises avec une certaine prudence avant d'entrer. Elle ne savait pas trop à quoi s'attendre étant donné les événements récents. Comme personne ne répondait, elle poussa le battant et s'introduit dans la maison en s'arrêtant un bref instant sur le seuil pour donner à ses yeux le temps de s'accommoder à la pénombre. Le salon était sens dessus dessous comme si une tornade l'avait balayé, éparpillant livres et papiers entassés sur toutes les surfaces disponibles sur son passage. Les rideaux que l'on n'avait pas pris la peine d'ouvrir plongeaient la pièce dans l'obscurité, et les quelques rais de lumière qui réussissaient à s'infiltrer captaient les particules de poussière en suspension dans l'air que son arrivée avait agitées. On aurait dit une scène de crime où se terraient dans le silence d'indicibles secrets.

— Annie ? appela-t-elle en serrant la boîte de sablés contre sa poitrine.

Elle s'aventurait rarement au village ces temps-ci avec tout ce qu'il y avait à faire à la maison, surtout maintenant que Sabine l'aidait à trier tous ces vieux papiers. Et puis elle avait l'impression qu'en s'éloignant trop, elle tenterait le sort. Elle avait laissé sa petite-fille auprès d'Edward en train de passer en revue certains vieux souvenirs qu'il lui apportait jadis quand il revenait de voyage. Il avait l'air d'apprécier la compagnie de Sabine. La petite restait près de lui pendant qu'elle-même s'occupait de tout dehors. Cela simplifiait tellement les choses.

— Il y a quelqu'un ?

En guise de réponse, un bruissement lui parvint de la cuisine.

— Annie ?

— Bonjour, fit une voix masculine.

Une tête émergea de l'embrasure de la porte, celle d'un homme d'une quarantaine d'années aux traits aigus et à la coupe de cheveux soignée.

— Je n'ai trouvé personne, dit-il d'un ton d'excuse, alors je me suis décidé à préparer mon petit déjeuner moi-même. J'espère que ça ne vous dérange pas.

— Oh, répondit Joy, je suis sûre que ça ne pose pas de problèmes. Vous logez ici ?

— Anthony Fleming, dit-il en lui tendant brusquement la main.

Il portait un coupe-vent et le short le plus collant qu'elle avait jamais vu de sa vie. De couleurs vives, en espèce de nylon, il le moulait de toutes parts, soulignant les détails les plus précis de son anatomie d'une manière qui, si tant est qu'elle eût été du genre à rougir, aurait provoqué chez elle des nuances écarlates. Elle se contenta de ciller fortement des paupières et de détourner les yeux.

— Joy Ballantyne, dit-elle en lui tendant la main à son tour avec un peu moins de vigueur. J'habite en face. Annie est-elle là ?

— Je ne l'ai pas vue depuis hier soir, répondit l'homme qui s'était réinstallé devant son bol de céréales. Elle m'a ouvert, m'a trouvé un endroit pour mon vélo – je fais le tour de l'Irlande en bicyclette –, mais elle n'est pas descendue ce matin. J'en ai un peu assez, pour être honnête. Ça fait un temps infini que j'attends. Et des cornflakes avec du lait légèrement tourné ne correspondent pas vraiment à ma conception d'un bed & breakfast.

— Oh, fit Joy, sans trop savoir quoi répondre à cet homme. Je crains de ne pas pouvoir vous aider.

Un bref silence suivit.

— Annie… reprit-elle lentement… Annie a eu de la malchance ces derniers temps. D'ordinaire, elle est mieux organisée.

Elle se rendait compte que son explication était faible en regard du chaos et de la crasse qui régnaient autour d'elle.

— Peut-être bien, rétorqua Anthony Fleming en rinçant son bol sous le robinet avant d'ajuster ses chaussures de cycliste, mais on ne peut pas dire que ça me donne envie de revenir. J'avais une autre vision de l'hospitalité irlandaise. Ce n'est pas comme le dernier endroit où j'ai logé, à Enniscorthy. Le Cheval blanc. Ou la Maison blanche, je ne me souviens plus. Vous connaissez ?

Joy n'en avait jamais entendu parler, mais apparemment apaisé d'avoir pu faire part de son insatisfaction à quelqu'un, l'homme alla récupérer son vélo dans une des remises et s'en fut, non sans avoir courtoisement laissé à Joy le montant complet de sa note pour une nuit.

Après l'avoir regardé s'élancer sur la route, Joy retourna dans la cuisine et examina vraiment la pièce pour la première fois. Ce n'était pas beau à voir. Des assiettes s'empilaient dans l'évier, à demi submergées par une eau rance et graisseuse, un pain entamé reposait à l'envers sur une planche à découper en plastique. Un assortiment de conditionnements en carton ayant contenu des repas achetés tout prêts formait des tours bancales à plusieurs étages sur les surfaces qui n'étaient pas encombrées d'emballages de chocolat, de miettes rassies ou de cartons de lait périmés. Autant d'indices flagrants d'une vie en déconfiture.

Ce n'était pas vraiment une surprise. Mrs H lui avait

confié tristement que Patrick, le mari d'Annie, avait fini par en avoir assez d'une femme qui ne semblait même plus remarquer sa présence, qui ne voulait plus partager quoi que ce soit avec lui, ni lui parler, ni même se disputer avec lui, et il était parti. « C'est un brave homme, lui avait-elle dit, alors que Joy était restée plantée là, un peu gênée par ces confidences spontanées. Je ne peux pas lui en vouloir. Annie mettrait la patience d'un saint à l'épreuve à planer tout le temps comme si elle vivait dans un autre monde. Elle refuse de parler de Niamh et ne veut pas admettre que tout le problème est là. Elle est fermée comme une huître en présence de Patrick et la moitié du temps, elle ne daigne même pas m'adresser la parole. »

Cette manifestation de chagrin publique, tellement peu dans les habitudes de Mrs H, avait incité Joy à passer chez Annie. Elle était si mal depuis une semaine environ qu'elle ne voulait même plus laisser sa mère entrer, lui avait avoué Mrs H. Aussi, lorsque Joy avait proposé de lui rendre une petite visite en lui apportant une boîte de sablés, Mrs H avait accepté avec gratitude. « Elle ne s'attendra pas à vous voir, lui avait-elle dit. Elle vous ouvrira probablement la porte. »

Mais que vais-je bien pouvoir lui dire à propos de ça ? se demanda Joy en regardant autour d'elle.

Elle ne voulait pas s'en mêler ; ce n'était pas son genre. En règle générale, mieux valait laisser les gens régler leurs problèmes eux-mêmes si tel était leur souhait.

Mais cela dépassait les bornes…

— Annie ? cria-t-elle en sortant dans le jardin par la porte de derrière.

Le potager où Annie se flattait autrefois de produire

de superbes légumes paraissait désolé et infertile à présent. L'herbe avait envahi les plates-bandes où les vestiges brunis et frêles d'une vie végétale estivale traînaient lamentablement à terre.

Elle regagna la maison et ferma la porte derrière elle. La buanderie jadis pleine à craquer de rouleaux de papier toilette, d'essuie-tout, de sacs de pommes de terre, était glaciale et presque vide. Une fine pellicule de poussière tapissait la salle à manger.

— Annie ? cria-t-elle au pied de l'escalier. Êtes-vous là ?

La chambre de Niamh fut la dernière pièce où Joy pénétra. Tous ceux qui connaissaient Annie répugnaient à y entrer, non par superstition, à cause de la petite fille qui y avait vécu, mais parce que chacun était conscient de la profondeur du chagrin d'Annie et de sa fragilité. Quelqu'un qui avait perdu un enfant devait pouvoir faire son deuil comme il l'entendait, disait-on au village. C'était une telle tragédie, contrairement aux autres événements marquants de l'existence – les mariages, les baptêmes, les décès de conjoints –, personne n'était à même de vous suggérer le moyen de vous en sortir.

— Annie ? répéta-t-elle.

Elle était assise sur le lit soigneusement fait de l'enfant, le dos tourné à la porte, une poupée en plastique dans la main droite. Elle ne se retourna pas tout de suite quand Joy prononça son nom et continua à regarder fixement par la fenêtre vers les champs bruns au-delà, comme si elle n'avait rien entendu.

Joy attendit sur le seuil, passant en revue les jouets, les rideaux de couleurs vives, les affiches écornées, sans trop savoir si elle devait se hasarder à entrer dans la pièce. Elle avait déjà la sensation d'être une intruse.

— Est-ce que ça va ? demanda-t-elle d'un ton hésitant.

Annie bougea légèrement la tête vers la droite comme pour mieux examiner la poupée. Elle la souleva lentement et effleura son visage.

— Je me dis toujours qu'il faudrait que je fasse la poussière, dit-elle. C'est passablement en désordre ici.

Elle tourna la tête pour voir Joy, un étrange sourire morne sur les lèvres.

— Le ménage, hein ? On n'arrive jamais au bout.

Elle était pâle et paraissait fatiguée. Ses cheveux pendaient sur ses joues. Ses gestes étaient lents et précis, comme si le moindre mouvement l'épuisait. Elle était assise gauchement, enveloppée sous ses habituelles couches de vêtements, recroquevillée sur elle-même comme pour s'extraire encore davantage du monde extérieur. Joy qui ne l'avait pas revue depuis sa querelle avec Sabine, songea, le cœur lourd, aux ravages du chagrin, capables de transformer une jeune mère pétillante et pleine de vitalité en un automate aux allures de droguée. Edward lui vint alors à l'esprit et elle repoussa cette pensée.

— Je vous ai apporté des biscuits.

Cela paraissait ridicule, mais Annie n'avait pas du tout l'air surpris.

— Des sablés. Comme c'est gentil.

— Je me demandais comment vous alliez. On ne s'est pas beaucoup vues ces derniers temps.

Un long silence suivit durant lequel Annie examina le visage de la poupée très attentivement comme pour s'assurer qu'elle n'était pas abîmée.

— Je me demandais aussi si vous aviez besoin d'aide. Pour les courses, peut-être. Ou…

Elle ne voulait pas parler de nettoyage, de peur des implications.

— Ou simplement pour avoir un peu de compagnie. Sabine est toujours ravie de vous voir, vous savez. Je pourrais peut-être lui dire de venir.

Elle se souvint brusquement de l'argent qu'elle tenait.

— Oh, et Mr Fleming, qui a logé ici cette nuit, vous a laissé ça.

Elle tendit la main, puis, faute d'une réaction, s'avança et posa la somme sur la commode.

— Comment va Mr Ballantyne ? demanda brusquement Annie.

Joy prit une profonde inspiration.

— Ça va, merci. Un peu mieux.

— J'en suis ravie.

Annie reposa la poupée avec précaution sur le lit et se tourna de nouveau vers la fenêtre.

Joy ne savait pas si cela signifiait qu'elle devait s'en aller. Pour finir, elle s'avança et posa la boîte de sablés sur le lit. La pauvre fille était ailleurs. Joy ne pouvait pas faire grand-chose pour elle. Elle dirait à Mrs H qu'Annie avait besoin d'aide. Il vaudrait peut-être mieux la conduire chez ses parents quelque temps. Il lui fallait peut-être aussi – comment disait-on déjà maintenant ? – une psychothérapie.

Discrètement, ses pas étouffés par l'épaisse moquette, Joy fit volte-face pour s'en aller.

— Patrick m'a quittée, vous savez, entendit-elle.

Joy se retourna. Annie faisait toujours face à la fenêtre. Impossible de voir son expression.

— J'ai pensé que vous devriez le savoir, dit-elle.

Deux personnes avaient un rendez-vous galant ce samedi soir-là à Kilcarrion House, même si l'une et l'autre se seraient mises en peine de démontrer qu'il ne s'agissait pas du tout de cela. Sabine avait décidé qu'elle sortirait avec Bobby McAndrew ; elle avait accepté d'aller au cinéma avec lui, avait même contribué à choisir le film dans le journal local, après quoi elle avait passé plusieurs jours à s'inquiéter de savoir s'il n'allait pas la faire asseoir au dernier rang et glisser la main dans l'encolure de son pull. Elle n'était pas vraiment sûre, mais il lui semblait qu'elle s'était à nouveau désintéressée de lui.

— Je vais mettre mon col roulé noir pour éviter qu'il se fasse des idées, avait-elle expliqué à son grand-père, et mon jean pour qu'il ne s'imagine pas que je cherche à le séduire ou quoi que ce soit.

Le regard de son grand-père avait glissé sur elle. Derrière lui, tout l'attirail médical, enveloppé dans des housses en plastique, émettait des bips bips réguliers.

— Ne me regarde pas comme ça, lança-elle d'un ton de reproche. C'est une tenue parfaitement convenable de nos jours. Ce n'est pas parce que vous mettiez des costumes et tout ça pour sortir…

Il avait de nouveau détourné les yeux. Sabine l'avait gratifié d'un grand sourire et avait reposé sa main sur le dessus-de-lit.

— Et puis, si jamais c'est un snob, je veux me faire aussi moche que possible.

Mais Bobby McAndrew n'avait pas franchement eu

l'air d'un snob. Il portait un pantalon vert foncé, des bottes marron à grosses semelles et un pull en laine noire à col roulé, ce qui avait donné à Sabine une furieuse envie de rigoler. Peut-être avait-il eu peur qu'elle lui fasse des papouilles ! Il avait aussi sa propre voiture, ce qui était assez impressionnant. Ce n'était qu'une petite Vauxhall, mais elle avait une jolie couleur. Et Sabine, qui n'était jamais sortie avec un garçon qui conduisait jusqu'alors – en fait elle était rarement sortie avec des garçons, un point c'est tout –, apprécia la sensation de maturité que lui conférait le fait de se montrer en compagnie d'un garçon qui avait son permis de conduire. Elle avait aussi aimé le ton galant sur lequel il lui avait rappelé de mettre sa ceinture de sécurité. Quand sa mère le lui disait, ça l'enquiquinait. Elle s'était penchée pour mettre la radio et la voix d'une chanteuse célèbre avait envahi la voiture, gazouillant à propos d'un amour perdu et de nuits blanches. En l'écoutant, Sabine s'était rendu compte non sans émoi qu'il y avait plus d'un mois qu'elle n'avait pas entendu de musique pop. La voix de la fille, jadis l'une de ses préférées, lui paraissait presque étrangère. Un peu ridicule et complaisante. Elle s'était penchée à nouveau pour éteindre.

— Tu n'aimes pas la musique ? lui avait demandé Bobby en lui jetant un rapide coup d'œil.

Il sentait la crème après-rasage. Pas trop désagréable.

— Je ne suis pas vraiment d'humeur, avait-elle répondu avant de regarder avec désinvolture par la fenêtre, assez contente de sa réplique.

La séance avait lieu de bonne heure, le film était assez drôle pour qu'elle rie sans penser et Bobby avait évité de se ridiculiser ou de la ridiculiser en entreprenant de la peloter dans le noir. Elle avait passé une bonne moitié du film assise au bord de son siège, prête à d'éventuelles représailles. Si bien que lorsqu'il lui avait demandé si elle avait envie d'une pizza, elle avait répondu par l'affirmative. Personne ne lui avait précisé à quelle heure elle devait rentrer et, à Kilcarrion, il fallait tirer profit de ce genre d'occasions. Et puis force était de reconnaître que cela ne lui déplaisait pas de passer un peu plus de temps avec Bobby. C'était agréable de se retrouver avec quelqu'un de son âge. Même si elle avait oublié à quel point les adolescents pouvaient être casse-pied.

— Tu es végétarienne, vraiment ? demanda Bobby en passant en revue les ingrédients de la pizza qu'elle avait choisie sur le menu.

— Oui. Et alors ?

— Et tu chasses ?

Elle soupira. Jeta des coups d'œil autour d'elle dans le restaurant bondé. La serveuse l'avait regardée comme si elle était trop jeune pour être là.

— J'y suis allée une fois pour voir comment c'était. Mais nous n'avons rien attrapé, si ?

— Est-ce que tu portes des chaussures en cuir ?

Il se pencha comme pour jeter un coup d'œil sous la table.

— Oui, répondit-elle. Tant qu'on n'en fabriquera pas des convenables en caoutchouc, je n'ai pas vraiment le choix.

— Est-ce que tu manges des bonbons gélifiés aux fruits ? Tu sais qu'ils contiennent un truc qui vient de la vache ? La gélatine.

Sabine fit la grimace en priant pour qu'il change de sujet. Il n'avait pas cessé de jacasser depuis qu'ils étaient sortis du cinéma. Une sorte de conversation-bagarre, truffée de blagues, comme s'il s'efforçait de marquer des points. Au début, ça l'avait fait rire ; elle commençait à trouver cela épuisant.

— Est-ce que tu ne t'arrêtes jamais ? dit-elle en souriant pour que sa remarque paraisse moins mordante.

— De quoi faire ?

— Je ne mange pas de viande, c'est tout. On ne va pas en faire tout un plat.

— Bien, capitaine.

Il l'avait dévisagée de dessous ses cils, une lueur d'embarras passant sur son visage. À cet instant, la serveuse trop maquillée qui portait des chaussures compensées posa sans délicatesse un verre de coca sur la table devant lui.

— Alors comment va ton papy ? J'ai entendu dire qu'il était au bout du rouleau.

— Il va bien, répondit Sabine, se sentant bizarrement sur la défensive. Comment se fait-il que ma famille t'intéresse tant ?

— Je te l'ai déjà dit, la Londonienne. Ici tout le monde est au courant de tout.

— Vous fourrez votre nez partout.

— Non, c'est juste que nous sommes doués pour recueillir des informations. Le savoir, c'est la connaissance.

— Je croyais que c'était l'argent.

Il fit glisser son doigt autour de son assiette.

— En fait, si je t'ai demandé ça, c'est parce que je voulais savoir quand tu allais retourner en Angleterre.

Sabine se figea, sa fourchette à mi-chemin de sa bouche.

— C'est que, logiquement, ajouta-t-il, enfin si tu es là pour aider à prendre soin de ton grand-père et s'il…

enfin… j'ai entendu dire que tu n'allais pas tarder à repartir.

Qu'est-ce que ça peut te faire ? avait-elle envie de lui rétorquer. Mais cela lui parut trop direct.

— Il n'est pas mourant, si c'est ce que tu sous-entends.

— Alors tu vas rester encore un bout de temps. Si ta mère ne te force pas à rentrer avec elle évidemment.

— Ma mère n'a pas son mot à dire là-dedans, répondit Sabine d'un ton effronté en plantant sa fourchette dans un morceau de champignon. Je pourrais rester ici à vie si je le souhaitais.

— Londres ne te manque pas trop, alors ?

Sabine réfléchit un moment.

— En fait, non, pas vraiment, en dehors de quelques copains.

Ce fut plus facile ensuite avec Bobby. La manie du duel oratoire parut lui passer et Sabine eut davantage l'impression de parler à un de ses amis. Il continuait à la taquiner et à faire toutes sortes d'imitations ridicules. Il était un peu ce que Mrs H appellerait « un excité », mais il la regardait gentiment, et pendant le trajet du retour, elle décida que s'il essayait de glisser sa langue dans sa bouche, elle ne le taperait probablement pas. Enfin en tout cas, pas trop fort.

— Alors où est ton père ? demanda-t-il tout à coup.

Ils avaient chanté à l'unisson au son d'une cassette qui venait de s'arrêter pour passer sur l'autre face.

— Mon vrai père ? Je ne le vois jamais.

— Comment ? Jamais ?

— Non.

— Ta mère et lui sont-ils brouillés à mort ?

— Pas vraiment.

Sabine glissa son doigt sur la buée de la fenêtre pour y écrire ses initiales en lettres bouclées.

— Je ne crois pas qu'ils soient restés ensemble très longtemps avant ma naissance. Je pense aussi qu'il n'avait pas très envie d'être père et que ma mère ne tenait pas vraiment à ce qu'il s'implique. Et puis elle voulait vivre en Angleterre.

C'était la version officielle, celle que sa mère lui avait fournie au début de son adolescence lorsqu'elle avait été brièvement fascinée par ses origines.

— Et ça ne te dérange pas ? s'enquit-il d'un air incrédule.

— Pourquoi est-ce que ça me dérangerait ? Je ne l'ai jamais vu de ma vie. Si quelqu'un n'a pas envie d'être mon père, je ne vais tout de même pas lui courir après, si ?

— Sais-tu qui c'est ?

— Je ne connais pas son nom. Je crois que ma mère me l'a dit, mais j'ai oublié. Il me semble que c'était un artiste.

Elle ne faisait pas exprès d'être vague : l'identité de son père ne la préoccupait vraiment pas plus que ça. À Londres, il y avait quantité de gens de son âge qui n'avaient aucun contact avec leurs vrais pères. Les seules fois où ça l'avait embêtée, c'était lorsqu'elle était beaucoup plus jeune et qu'elle s'était demandé pourquoi sa famille n'était pas comme celles dont on parlait dans les livres. Elle avait pensé un peu plus à lui depuis qu'elle était en Irlande. C'était inévitable puisqu'elle savait qu'il habitait quelque part dans le coin. Mais comme elle l'avait dit, elle était bien trop fière pour courir après quelqu'un qui ne s'était jamais intéressé à elle. En outre, elle savait que ce genre de retrouvailles n'étaient pas toujours heureuses. Elle avait vu des émissions télévisées à ce sujet.

Mais elle s'abstint de lui dire le reste. Ce que sa mère lui avait confié un jour où elle était un peu éméchée. À savoir que son père et elle étaient sortis ensemble lorsqu'elle avait posé pour lui. L'autre garçon à qui elle l'avait raconté en avait fait tout un fromage ; il s'était mis à blablater à propos de photos de nus en sous-entendant que sa mère était peut-être une « femme facile ». Sabine ne pensait pas que Bobby en ferait autant, mais elle ne le connaissait pas suffisamment pour en être sûre.

Bobby garda le silence une minute tout en jetant des coups d'œil dans ses rétroviseurs alors qu'il s'apprêtait à bifurquer en direction de Ballymalnaugh. Selon la pendule du tableau de bord, il était près de 23 h 15. Elle espérait que personne n'allait lui faire des histoires à propos de son heure de retour.

— Les pères sont casse-pieds de toute façon, dit-il en regardant droit devant lui. Tu t'en tires probablement mieux sans. Le mien n'arrête pas de m'enquiquiner pour une chose ou une autre. Il fait tout le temps des histoires, tu comprends ?

Sabine hocha la tête comme si elle comprenait. Elle se rendait compte qu'il disait ça parce qu'il avait de la peine pour elle. Mais ça lui était égal.

L'autre rendez-vous ne se déroulait pas aussi bien. Pour être plus précis, il n'allait carrément pas avoir lieu. Après être restée plantée devant son reflet dans sa chambre pendant trois quarts d'heure, Kate avait décidé qu'elle ne pouvait pas aller dîner avec Thom. Il y avait le problème de Christopher pour commencer : il était supposé être de retour ce soir et, dès l'instant où il connaîtrait ses projets pour la soirée, il multiplierait les commentaires caustiques et déclarerait tout de go à sa femme qu'il fallait s'y attendre de sa part. Et puis il y avait sa mère, dont le comportement à son égard, déjà loin d'être chaleureux, ne ferait que se refroidir encore plus quand elle découvrirait qu'elle s'apprêtait à « s'abaisser au-dessous de sa condition ». Joy avait très mal pris la chose lorsque Kate était sortie avec Thom alors qu'ils étaient adolescents. Il y avait peu de chances qu'elle apprécie davantage aujourd'hui. De toute façon, cela ne se faisait probablement pas d'aller dîner dehors avec un homme quand son père était mourant. Elle était supposée monter la garde à son chevet, la mine affligée. Mais ce serait supplanter Sabine qui passait déjà l'essentiel de son temps là-haut et perdait patience chaque fois qu'elle proposait de l'aider. Kate devait s'avouer qu'elle était secrètement soulagée à l'idée que personne ne semblât vouloir qu'elle s'attarde auprès de lui. Ils ne s'étaient pour ainsi dire pas parlé depuis qu'elle avait quitté la maison, et il lui avait clairement signifié un jour qu'il ne fallait pas espérer un changement.

Ce rendez-vous était par conséquent malvenu à maints égards. Plus important, toutefois, il réaffirmerait les pires doutes qu'elle nourrissait à propos d'elle-même : qu'elle était incapable de fonctionner sans un homme, qu'elle semblait perpétuellement en quête de ce qui ne lui convenait pas, qu'elle se laissait ballotter telle une épave sur le grand océan turbulent de l'amour. Il est temps que tu te prennes en charge, se dit-elle en examinant sa peau qui avait commencé à se dessécher sous l'effet du froid. Le moment est venu pour toi d'apprendre à vivre seule. À faire passer ta fille en premier. À être une adulte responsable, quoi que cela veuille dire.

Que ferait Maggie à ma place ? se demanda-t-elle. Question qu'elle se posait souvent et qui avait provoqué la fin prématurée de sa relation avec Justin – non qu'il eût paru terriblement ravagé par cet événement. Elle aurait annulé, conclut-elle, en tâchant d'ignorer le serrement de cœur que ce verdict avait suscité. Cela ne faisait pas le moindre doute. Il n'y avait aucun moyen de considérer le problème sans aboutir à une annulation de la part de Maggie. Elle le savait ; elle avait essayé. Kate prit une profonde inspiration, enfila un chandail supplémentaire et s'en alla trouver Thom à l'écurie.

— Je ne peux pas venir.

Elle lui avait annoncé ça sur un ton un peu plus brutal que prévu.

Thom était en train de suspendre un filet à foin dans l'un des box, sous l'éclairage d'une ampoule nue vacillante. Derrière lui, le grand cheval gris qu'il montait le jour de pluie dans les bois promenait un museau curieux et caoutchouteux autour des vestiges d'un seau de fourrage.

Thom ne se retourna même pas.

— Pourquoi ?

— Parce que… c'est un peu compliqué. Il faut que je m'occupe de Sabine.

— Elle est sortie.

Il acheva de faire un nœud dans le filet, le tordit deux ou trois fois, puis, après avoir administré une petite tape sur la croupe du cheval, il s'extirpa du box et fit glisser les deux loquets derrière lui. Ses pas résonnaient dans l'écurie, sombre et presque vide maintenant.

Kate se figea, la bouche entrouverte.

— Tu ne savais pas ? Elle est sortie avec un des frères McAndrew. C'est un brave gosse. Tu n'as pas de soucis à te faire.

La douleur, la fureur et l'humiliation frappèrent Kate comme un accident de voiture, laminant d'un seul coup son assurance et son sang-froid. Sabine ne lui avait même pas parlé de ce garçon, pourtant toute la maisonnée était au courant qu'ils se voyaient ce soir. Pour qui devait-on la prendre ? Qu'avait-elle fait à sa fille pour qu'elle s'acharne à la blesser ainsi ?

Ça s'appelait perdre la face, dixit Maggie. Très important chez les Asiatiques. Sabine s'était arrangée pour que sa mère perde pour ainsi dire complètement la face.

Pis, elle avait mis son mensonge en évidence.

Thom gagna le box suivant. Malgré son embarras, elle fut contrainte de le suivre. Il ouvrit la porte, jeta un coup d'œil à l'intérieur, puis en tira un seau d'eau à moitié vide.

— Pour quelle autre raison ne peux-tu pas venir ? demanda-t-il en expédiant l'eau dans la rigole.

Kate le regarda en essayant de déterminer s'il y avait une nuance de colère dans sa voix. Apparemment pas.

— C'est juste trop compliqué, répéta-t-elle d'un ton bourru.

Thom prit le seau de sa bonne main, le remit dans le box. Après avoir refermé la porte derrière lui, il s'immobilisa une minute en s'adossant contre la barre métallique qui bordait le haut.

— Parce que… ?

Son regard était doux, presque amusé. Des brins de foin émaillaient ses cheveux noirs et courts comme le pelage d'un animal. L'envie de les frotter démangea Kate qui avait enfoncé ses mains dans ses poches. Ne m'oblige pas à faire ça, supplia Kate en silence. Ne me force pas à décliner les raisons.

— Thom…

— Écoute. Il n'y a pas de quoi en faire un plat. C'était juste l'idée de manger un morceau. J'ai eu l'impression que tu en avais assez et je sais que les gens de ta famille ne sont pas franchement faciles. Je voulais juste que tu aies un peu de répit. Mais ne te fais pas du souci pour si peu.

Il s'approcha du box suivant en la laissant derrière lui.

— Une autre fois, d'accord ? cria-t-il par-dessus son épaule. D'un ton joyeux.

Kate resta plantée là, accablée par sa propre stupidité. Elle avait mal interprété les choses une fois de plus : il s'était borné à lui proposer de passer quelques heures sympathiques en sa compagnie loin de sa famille. Pourquoi s'imaginait-elle toujours que le monde tournait autour d'elle, comme avait dit son frère ? Elle se mit à se balancer d'un pied sur l'autre, sentant que ses orteils s'engourdissaient tout en répugnant à retourner à la maison.

Allez, l'exhorta une voix intérieure.

Je te l'interdis, fit en écho la Maggie virtuelle.

— Thom ?

— Ouais ?

Il était dans la sellerie à présent et glissa la tête par l'entrebâillement quand elle s'approcha. Son visage n'exprimait rien d'autre que de la bonne volonté.

— En revanche, j'irais volontiers boire un verre.

Il marqua un temps d'arrêt, et elle eut à nouveau la sensation de perdre les pédales quand son regard se posa sur elle.

— D'accord.

— Alors tu veux bien venir ? Juste boire un verre ?

— Je te retrouve au Black Hen. Tu te rappelles où c'est ?

Il se moquait d'elle. C'était le seul pub du village.

— Vers… Il jeta un coup d'œil à sa montre. 19 h 30. À tout à l'heure.

Kate remonta la rue sombre qui menait au pub en tripotant ses lunettes au fond de sa poche, puis elle les chaussa à nouveau, les ôta tout aussi vite pour les fourrer une fois de plus dans sa poche. C'était une reprise moins stationnaire du numéro qu'elle avait fait une heure plus tôt devant sa coiffeuse pour essayer de dompter ses cheveux, se maquillant et se démaquillant tour à tour en se demandant si, d'une manière subtile, elle ne s'était pas fait prendre de vitesse. Thom avait vraiment eu l'air de se soucier comme d'une guigne qu'ils sortent ou non, ce qui signifiait à l'évidence qu'il ne s'agissait pas vraiment d'un rendez-vous galant. Mais tout de même, aux yeux des autres, ça ne pouvait pas passer : mère récemment séparée arrive au pays, alors que père sur son lit de mort. Sort avec homme séduisant dans les dix jours après son arrivée. Tout le monde supposerait forcément qu'il y avait anguille sous roche.

Même si elle savait qu'il n'en était rien, elle n'avait pas envie de se montrer avec ses horribles lunettes sur le pif.

Je les enlève, avait-elle décidé. Puisqu'il n'était pas question qu'ils sortent ensemble, il n'y avait pas de raison pour qu'elle ne soit pas à son avantage. Après sa débâcle avec Justin, son amour-propre avait besoin de tout le réconfort possible. Je les mets, se dit-elle en s'apercevant qu'elle venait de se heurter à une haie. Je les enlève, résolut-elle en atteignant la porte du pub. Après quoi elle poussa le mauvais battant pendant plusieurs minutes avant qu'un client bien intentionné qui s'apprêtait à sortir n'ouvre le bon de l'intérieur.

Kate avait l'ouïe très fine au point qu'elle perçut une accalmie relative, mais incontestable, parmi les conversations qui allaient bon train lorsqu'elle avait pénétré dans l'atmosphère chaleureuse et brumeuse du pub. Autre intérêt d'être bigleux, cela vous rendait remarquablement insensible à ce que les autres pensaient de vous. Incapable de discerner les expressions curieuses sur les visages de ceux qui l'entouraient, dont certains çà et là poussaient de petites exclamations en la reconnaissant, Kate s'avança dans le bar enfumé et douillet avec une assurance qui aurait fait envie à la plupart des femmes s'introduisant seules dans ce genre d'établissement. Au Black Hen, la concurrence était limitée, il fallait l'admettre.

Il y avait aussi certains désavantages, toutefois, notamment que l'on tendait à trébucher contre les marches non signalées, à se heurter aux consommateurs en train de transférer précairement leur tournée du comptoir à leur table et qu'il se révélait pour ainsi dire impossible dans la pénombre de localiser la personne que l'on cherchait. Un problème épineux se posait : devait-elle s'avouer vaincue et sortir ses lunettes de sa poche, partant reconnaître publiquement sa vanité, ou continuer sans se soucier du reste, les yeux plissés, en tâchant de négocier tant bien que mal les frontières floues entre les tables et les corps ?

— Pardonnez-moi, s'exclama-t-elle en se cramponnant au coude d'un homme après avoir expédié la moitié du contenu de sa pinte sur ses chaussures. Laissez-moi vous en offrir une autre, je vous en prie.

— Non, laissez-moi m'en charger, fit une voix, et à travers la faible clarté et le nuage de fumée, Kate discerna avec bonheur le contour du visage de Thom.

— Je suis là, dit-il en la dirigeant entre les tables vers la sienne. Assieds-toi, je vais te chercher à boire.

Kate s'efforçait toujours de déterminer si elle devait sortir ses lunettes de sa poche. Dans ce pub obscur, le combat qu'elle menait d'ordinaire pour voir autour d'elle était encore plus ardu. Mais ses lunettes étaient si moches. Elle était encore hantée par l'air moqueur de Sabine quand elle les avait vues sur son nez.

Thom posa un verre de vin blanc sur la table devant elle.

— Je ne te garantis pas qu'il soit bon, dit-il en portant son jus d'orange à ses lèvres. Ils n'ont qu'une seule marque ici, et la bouteille a un bouchon à vis. Si ça a le goût de vinaigre, j'irai te chercher autre chose.

— Qu'est-ce que tu bois ?

— Oh ça. Du jus d'orange.

Elle le regarda d'un air intrigué.

— Je n'ai pas bu d'alcool depuis mon époque hippique en fait. J'en suis arrivé à la conclusion que je fais partie de ces gens – comment les appelle-t-on déjà ? – qui ne peuvent pas boire un verre sans en boire dix.

— Des dépendants.

— Quelque chose comme ça.

— Tu ne me fais pas cette impression, remarqua-t-elle. Tu es d'une nature trop prudente.

Elle distingua vaguement son sourire.

— Ah, Kate Ballantyne ! Tu dis ça parce que tu ne m'as pas connu près de la moitié de ma vie.

Son vin avait effectivement un goût de vinaigre. Elle tirailla l'intérieur de ses joues, comme si elle avait mangé de la rhubarbe. Thom s'esclaffa et alla lui chercher une pinte de Guinness.

— Elle est censée avoir une autre saveur ici, dit-elle, éprouvant le besoin irrésistible de maintenir la conversation sur un mode neutre, mais comme je ne bois pas de Guinness à la maison, je ne peux pas juger.

La main de Thom reposait sur la table devant elle. Elle ne s'agitait pas, comme celle de Justin, sans arrêt en train de tripoter ses clés de voiture, son paquet de cigarettes, ou de tambouriner des rythmes irréguliers sur le bois. Elle était juste posée là, large, avec ses doigts robustes et sa peau sombre et burinée. Kate se demanda s'il avait la paume râpeuse à force de travailler dehors tout le temps et lutta contre l'envie de la toucher.

— Alors, as-tu réglé tes problèmes avec Sabine ?

Kate ressentit l'habituel serrement de cœur douloureux.

— Pas vraiment, dit-elle. Enfin, elle se fâche moins contre moi qu'à Londres, mais j'ai toujours l'impression de lui taper sur les nerfs. Comme si je n'avais rien à faire dans sa vie.

— Elle a l'air plus heureuse, dit-il.

Kate releva brusquement la tête.

— Par rapport à quand ?

— À quand elle est arrivée.

Kate se raidit.
— Je dis ça comme ça !
— Excuse-moi. Je crois bien que je suis à fleur de peau en ce moment.
Elle but une gorgée de Guinness. Elle avait un goût de fer, âpre, rassurant.
— Je te l'ai déjà dit. Je l'aime bien. Elle est géniale.
— Elle t'apprécie beaucoup aussi. Je crois qu'elle te dit plus de choses qu'à moi.
— Serais-tu encore en train de t'apitoyer sur ton sort ?
Elle sourit et se détendit pour la première fois. Elle s'aperçut que sous l'effet de la tension, ses épaules lui étaient pratiquement montées sous les oreilles.
— Je crois que je suis jalouse, c'est tout. De toi. De ma mère. De tous ceux qui arrivent à faire en sorte que Sabine soit paisible et heureuse. Ce dont je semble être incapable.
— Elle est en pleine adolescence. Ça se tassera.
Ils restèrent assis en silence un moment, plongés dans leurs pensées respectives et oublieux des conversations badines autour d'eux.
— Elle te ressemble, dit-il.
Elle releva les yeux en regrettant de ne pas pouvoir voir son expression.
— C'est bien toi, Kate ? Kate Ballantyne ?
Elle fit volte-face pour se retrouver nez à nez avec une jeune femme qui se penchait vers elle.
— Je suis Geraldine. Geraldine Leach. On faisait du cheval ensemble autrefois.
Kate entrevit l'image floue d'une fillette rondelette avec des tresses tellement serrées qu'elle avait des zébrures rouges au-dessus des oreilles. Rien d'autre.

À son grand dam, elle n'arrivait pas à distinguer son visage à cet instant.

— Bonjour…, dit-elle en tendant la main. Ravie de te voir.

— Moi de même. Tu es revenue pour de bon ou juste en visite ?

— Juste en visite.

— Tu habites à Londres, n'est-ce pas ? Oh, j'adorerais vivre à Londres. J'habite à Roscarney. C'est à cinq ou six kilomètres d'ici. Tu devrais passer me voir si tu as le temps.

— Merci, c'est gentil.

Kate s'efforça d'avoir l'air reconnaissante sans s'engager pour autant.

— C'est un peu le chaos chez nous. J'ai trois enfants maintenant. Et Ryan – c'est mon mari, il est là-bas –, est encore plus gamin qu'eux. Mais tu es la bienvenue. Ça serait sympa de rattraper le temps perdu. Je ne t'ai pas vue depuis… combien de temps ? Ça doit bien faire vingt ans. Seigneur… On se sent vieille, tu ne trouves pas ?

Kate sourit, pas très tentée de se sentir si vieille que ça.

— Tu n'as pas changé, en tout cas. Toujours cette magnifique tignasse rousse. J'aurais tué pour avoir tes cheveux quand j'étais plus jeune, tu sais ? En fait, je serais encore prête à le faire. Tu as vu tous les cheveux blancs que j'ai. Et toi, tu as des enfants ?

— Juste un, répondit Kate, consciente du silence de Thom.

— Ah ! Super. C'est quoi ? Un garçon ou une fille ?

— Une fille.

Geraldine n'avait pas du tout l'air de vouloir s'en aller.

— J'adorerais avoir une fille. Que dit-on déjà ? On garde un garçon jusqu'à son mariage, mais une fille, c'est pour la vie. Je te tuerais pour avoir ta fille. Cela dit, mes garçons seront avec moi au moins jusqu'à trente ans, vu le confort qu'ils ont à la maison. C'est de ma faute. Je n'ai pas su former leur père convenablement.

Elle se pencha un peu plus de sorte que Kate huma des effluves de son parfum.

— C'est un vrai casse-bonbon s'il n'obtient pas ce qu'il veut quand il veut. Je dis toujours qu'il est né du pied gauche, si tu vois ce que je veux dire. Pas étonnant qu'il travaille pour les contributions…

Le sourire de Kate commençait à se figer.

— Bon, je ne vais pas m'éterniser, ajouta Geraldine en jetant un coup d'œil à Thom. Je suis sûre que vous avez plein de trucs à vous raconter. Mais tâche de venir, d'accord. C'est au 15 de Black Common Drive. Je suis dans le bottin. Ça serait drôlement sympa.

— Merci, dit Kate alors que Geraldine s'en allait enfin. C'est très gentil.

Elle but une longue goulée de bière en s'efforçant de ne pas jeter un coup d'œil par-dessus son épaule pour s'assurer que Geraldine Leach avait regagné sa place au comptoir.

— Je peux m'en aller, si tu veux, fit Thom, grimaçant un sourire.

Elle leva les yeux vers lui.

— T'as pas intérêt !

Ils rirent de concert.

— Où en étions-nous ?

Kate plongea son regard dans son verre.

— Nous parlions de Sabine il me semble.

— Alors parlons de toi.

Il y avait quelque chose dans la manière dont il la regardait qui lui donnait l'impression d'être transparente.

— Je n'ai pas très envie. Je ne suis pas très intéressante en ce moment.

Thom s'abstint de commenter.

— Dès que j'aborde le sujet de ma vie avec les gens, j'ai la sensation de débiter la même vieille litanie de désastres. Je m'ennuie rien qu'en en parlant.

— Es-tu heureuse ?

— Heureuse ?

Quelle drôle de question ! Elle réfléchit une minute.

— Ça m'arrive, je suppose. Quand Sabine l'est. Quand je me sens… oh, je ne sais pas. Quand se sent-on heureux ? L'es-tu toi ?

— Plus que je ne l'ai été. Je dirais que je suis satisfait.

— Même en étant de retour ici ?

— Surtout pour ça.

Il lui sourit à nouveau. Elle s'en aperçut à cause de ses dents blanches.

— Crois-le ou non, cet endroit m'a sauvé.

— Ma mère, l'ange gardien !

Kate émit un rire amer.

— Elle est bien, ta mère. C'est juste que vous n'avez pas la même vision des choses.

— C'est facile à dire pour toi, dit-elle.

— Sabine s'en est sortie. Pourtant ta mère et elle étaient à couteaux tirés, au début.

Il y avait tant de choses qu'elle ignorait à propos de sa fille que cela l'accablait quelquefois. Elle regrettait la petite fille qui se précipitait jadis dans ses bras en rentrant de l'école et bafouillait tant elle était avide de lui raconter tout ce qu'elle avait fait et ce qu'elle avait vu. Elle sentait encore le poids de son corps blotti contre elle pendant qu'elles regardaient les émissions pour enfants à la télévision tout en commentant les événements de la journée.

— Pourrions-nous parler d'autre chose que de ma famille ? Je croyais que tu m'emmenais dehors pour me remonter le moral.

Qu'ils ne gâchent pas ça en plus, pensa-t-elle. Qu'ils ne s'immiscent pas dans toutes les facettes de mon existence. Elle s'aperçut qu'elle avait envie de l'avoir pour elle toute seule.

Il leva son verre bien haut comme s'il cherchait à déterminer s'il tiendrait le coup avec ce qui lui restait jusqu'à ce qu'elle ait fini sa Guinness.

— Bon. On ne peut pas parler de toi. Ni de ta famille. Que dirais-tu de la religion ? C'est un sujet qui échauffe toujours les sens. Ou de ce qui a changé à Ballymalnaugh depuis que tu es partie. Cela devrait faire l'affaire… Enfin, quelques minutes.

Elle rit, reconnaissante qu'il eût neutralisé son humeur sur le point de s'assombrir. Il y avait quelque chose chez Thom qui faisait invariablement paraître les choses sous un meilleur jour.

— Kate ?

Elle pivota sur son tabouret en direction d'un homme d'âge moyen incliné lourdement vers elle, une pinte à la main.

— Stephen Spillane. Je ne sais pas si vous vous souvenez de moi. Je travaillais à Kilcarrion autrefois. Comment ça va, Thom ?

— Ça va, merci, Stevie.

Kate plissa les yeux pour essayer de distinguer des traits dans l'énorme visage rougeaud devant elle.

— Je vous ai aperçue de là-bas, de l'autre côté du bar, et j'ai pensé : « On dirait bien la fille de Joy Ballantyne. » Mais je n'en étais pas sûr jusqu'à ce que je m'approche. Ça fait quoi… dix ans ?

— Presque dix-sept, intervint Thom.

— Presque dix-sept. Ça alors, et vous êtes de retour. Vous comptez rester longtemps ?

— Non, je…

— Est-ce bien la jeune Kate Ballantyne ?

Un autre homme que Kate ne reconnut pas était arrivé à sa hauteur.

— Il me semblait bien que je connaissais ce visage. Alors ça, pour une surprise ! Ça fait drôlement longtemps qu'on ne vous a pas vue par ici.

— Vous vous souvenez du curé, Kate. Le père Andrew.

Kate sourit et inclina la tête comme si c'était le cas.

— Même si on ne vous voyait pas souvent à la messe du dimanche.

— Les jeunes ont autre chose en tête de nos jours, mon père.

— Y'a pas que les jeunes, hein, Stevie ?

— Vous habitez à Londres ?

Stephen Spillane avait tiré une chaise près de la sienne. Il sentait le tabac à rouler et bizarrement aussi l'eau de Javel.

— Êtes-vous loin de Finsbury Park ? Vous vous souvenez de mon fils, Dylan ? Il vit là-bas. Je devrais vous donner son numéro de téléphone.

— Vous avez dû trouver des tas de changements ici depuis votre dernière visite, hein, Kate ?

— Je suis sûr que Dylan serait ravi de vous sortir un peu. Il a un penchant pour les jolies filles. Êtes-vous mariée ?

— Oh, regardez, voilà Jackie. Jackie, tu te souviens de Kate Ballantyne ? La fille d'Edward Ballantyne. Elle est venue d'Angleterre. Jackie, va nous chercher à boire, tu veux ?

Que ce soit parce qu'on l'interrompait à tout bout de champ ou parce qu'elle n'arrivait pas à discerner convenablement les visages de ses interlocuteurs – à moins que ce ne soit parce qu'elle avait envie d'être seule avec Thom –, Kate trouvait éreintant d'entretenir ce qui pouvait passer pour une conversation courtoise. Non, elle n'était pas là pour longtemps. Oui, c'était un plaisir de revenir. Oui, elle transmettrait à son père leurs vœux de prompt rétablissement. Oui, elle était certaine que cette bonne vieille chasse n'était plus la même depuis qu'il avait cessé d'être le grand maître. Et pis encore. Oui, ce serait charmant de dire bonjour à certaines de ces personnes assises de l'autre côté du bar, qu'elle n'avait pas vues depuis dix-sept ans. Qu'elles viennent à sa table. Bien sûr, ce serait super. Que pouvait-elle leur dire d'autre ?

— Sauf que nous devons y aller, Kate, lança brusquement Thom. Souviens-toi, ta mère voulait que tu rentres de bonne heure ce soir pour donner un coup de main.

Kate le regarda en fronçant les sourcils.

— Tu lui as promis d'être de retour à 20 h 30.

Elle finit par saisir.

— Ah oui, c'est vrai. J'avais oublié.

Elle considéra les visages indistincts, bienveillants, agglutinés autour d'elle.

— Je suis désolée. Nous pourrions peut-être nous rattraper la prochaine fois que je viens ? Ce serait un plaisir, dit-elle en les gratifiant d'un grand sourire.

Sentant qu'elle allait bientôt leur échapper, elle pouvait se permettre d'être gracieuse.

— Oh ! Quel dommage ! On vient juste de commencer.

— Elle est superbe, en tout cas, n'est-ce pas ? La vie dans la grande ville vous convient, ma fille.

— Mais Thom a manifestement d'autres projets en tête, hein ? Nous ne voudrions pas nous imposer.

Kate n'était pas miro au point de ne pas discerner le clin d'œil exagéré de Stephen Spillane.

— Qu'est-ce qu'on fait maintenant ? demanda-t-elle à voix basse tandis qu'il l'entraînait vers la porte.

— Tu m'attends dehors, dit-il. Je reviens dans deux secondes.

Quelques instants plus tard, il réapparut avec deux canettes de Guinness et deux de jus d'orange calées sous son bras artificiel. Elle était tout de même capable de faire la distinction entre ses deux bras. Il faisait doux et avec les manches de son pull-over retroussées, l'avant-bras en plastique brillait sous la lumière provenant des fenêtres du pub.

— Il se trouve que je connais un endroit génial pour boire un verre, où personne ne viendra nous déranger, dit-il.

La lampe électrique de la maison d'été n'était visible d'aucune fenêtre de la grande maison. Curieusement, les deux croisées du petit bâtiment, bien que de bonne taille, s'ouvraient sur la façade opposée, jetant ainsi leur lueur sur un lopin abandonné et sur les vestiges envahis par les mauvaises herbes d'une terrasse. Dans sa jeunesse, Kate s'était souvent demandé qui l'avait construite et si elle avait été conçue spécialement pour qu'aucun regard curieux n'y fît intrusion de la maison. À cet instant-là, elle se demandait plutôt si l'ampoule nue projetait des ombres dures sur son visage et si le bénéfice de s'écarter de son faisceau contrebalancerait le fait qu'en reculant ainsi, elle n'y verrait pour ainsi dire plus rien.

— C'est pas vraiment le Ritz, j'en ai peur, fit Thom en décapsulant une canette avant de la lui tendre.

— J'ai toujours trouvé que le Ritz manquait de vieux bidons de vernis et de désherbant, répondit-elle en s'asseyant sur la couverture de cheval qu'il avait étendue sur des caisses.

— Sans oublier la vie animale.

Il tendit la main pour attraper une toile d'araignée et dégager ainsi l'espace au-dessus de sa tête. Après s'être essuyé les mains sur son pantalon, il prit place sur une autre caisse, un peu à l'écart, et ouvrit sa canette de jus d'orange.

Elle fut consciente de la distance qui les séparait ainsi. Ils s'étaient tenus par le bras en sortant précipitamment du pub et elle avait ri hystériquement, comme une gamine, comblée par la délicieuse sensation de fuir. Elle se souvenait encore de l'impression étrange que lui avait fait son bras rigide sous le sien.

— Nous aurions pu rester au pub, fit-il en s'excusant presque, mais tu sais comment ils sont. Ils ne t'auraient pas lâchée de la soirée.

— J'avais un peu du mal à suivre, je t'avoue.

— J'ai pensé que ce serait plus facile de parler ailleurs.

— Nous aurions pu aller chez toi, répondit-elle sans réfléchir.

— Et si je te l'avais proposé, tu serais rentrée chez toi.

Kate surprit son sourire et s'aperçut que le sien s'effaçait lentement de son visage. Il avait raison. Elle aurait trouvé cela trop intime, trop risqué. Pourtant, que pouvait-on imaginer de plus intime que la situation dans laquelle ils se trouvaient ? Cachés tous les deux dans leur ancien repaire, vibrant de souvenirs, les poutres elles-mêmes imprégnées du parfum doux-amer des années passées.

Kate jeta des regards autour d'elle dans la vieille maison d'été abandonnée et se sentit tout à coup prise en faute, comme si on l'avait surprise dans un endroit où elle n'était pas censée aller. Elle pensa curieusement à Justin. Et puis à Geoff. Qu'est-ce que je fais assise là avec cet homme ? La Maggie virtuelle surgit devant elle, les lèvres pincées en une expression faussement désapprobatrice, agitant un doigt tout aussi irréel.

— Tu sais quoi ? Je devrais y aller, dit-elle faiblement.

Elle se félicita à cet instant de ne pas voir son visage distinctement.

Il posa sa canette et se leva. Du coup, cela lui parut encore plus difficile de bouger.

— Je devrais vraiment rentrer.

— De quoi as-tu peur ?

Un bref silence s'ensuivit. Elle essaya de trouver son visage, mais il s'était écarté de la lumière et elle ne distinguait plus rien hormis un reflet vif sur un pot de peinture retourné. En plissant les yeux vainement, elle l'entendit. Ses pas faisaient ployer les planches.

Elle était consciente d'une ombre monochrome s'approchant d'elle. Puis elle perçut les odeurs subtiles qui émanaient de lui, de savon, mêlé à l'odeur vague, naturelle, du cheval, quelque peu étouffées par les effluves plus récents de la fumée et de la bière.

Paralysée, elle inspira profondément en sentant la main de Thom plonger dans sa poche. Lentement, il en sortit ses lunettes, écarta les branches et les lui posa délicatement sur le nez. Elle sentit le bref contact de sa main artificielle contre sa joue.

Puis il s'accroupit de manière à ce que leurs visages soient à la même hauteur.

— De quoi as-tu peur ? répéta-t-il d'une voix douce.

Elle voyait tous ses cils.

— De toi.

— Non.

Elle le regarda en face et vit distinctement pour la première fois la manière dont ses yeux remontaient aux coins, dont ses lèvres se fermaient lorsqu'il expirait. Ainsi que la petite cicatrice pâle sous son sourcil.

Je ne veux pas te voir si clairement, pensa-t-elle. C'était plus facile quand tu étais flou.

— Non, répéta-t-il.

Il avait un air grave.

— Tu n'as aucune raison d'avoir peur de moi. Je ne te ferai jamais de mal.

Elle continua à le dévisager.

— Alors, c'est de moi que j'ai peur.

Il tendit le bras pour lui prendre la main. La sienne était sèche, burinée, mais douce. Elle se demanda distraitement quel effet faisait l'autre.

— Je gâche toujours tout, Thom. Je me trompe chaque fois. Ça sera la même chose avec toi.

— Non, fit-il encore une fois.

Il avait les yeux rivés sur elle. Elle eut l'impression de se liquéfier et dut se rappeler qu'il fallait continuer à respirer. Elle sentait qu'elle était au bord des larmes.

— Il ne faut pas que ça arrive, Thom. Tu ne me connais plus. Tu ne sais pas comment je suis. Je ne peux pas faire confiance à mes sentiments, tu comprends ? On ne peut pas compter sur moi. Je m'imagine amoureuse, et quelques mois plus tard, je m'aperçois que ce n'était pas le cas. Et tout le monde en souffre. Je souffre. Sabine aussi.

Elle était intensément consciente de la pression de sa main. Elle avait envie d'arracher la sienne à son étreinte. Elle voulait la bouger, être engloutie par elle, presser sa bouche contre elle, la sentir sur sa peau.

Le regard brûlant de Thom était toujours plongé dans le sien. Elle détourna les yeux vers la fenêtre et s'adressa à l'air ambiant.

— Ne saisis-tu pas ? Cela arrive uniquement parce que je suis ici, seule et en manque d'affection sous prétexte que je viens de rompre avec quelqu'un. Je sais exactement ce qui se passe. Je ne me suffis pas à moi-même, tu comprends. Je ne suis pas comme toi, ou comme Sabine, satisfaite d'être seule. J'ai besoin de proximité, d'attention. Et parce que je n'obtiens rien d'eux, je cherche l'équivalent auprès de toi.

Elle parlait trop vite à présent et sa voix prenait des intonations aiguës.

— Écoute, si j'étais un cheval, tu dirais que je suis un mauvais cheval. C'est ce que je suis. Un mauvais cheval. Pour l'amour du ciel, Thom ! Tu ne te souviens donc pas de ce que je t'ai fait endurer il y a dix-sept ans ? Ça t'est égal que je t'aie fait mal à ce point ?

Il baissa les yeux, examina sa main, puis reporta son attention sur son visage.

— Si tu étais un cheval, répondit-il, je dirais que tu as été entre de mauvaises mains.

Kate le regarda fixement. Il était si près qu'elle sentait la chaleur de son souffle sur sa peau.

— Ce serait un désastre, dit-elle, tandis que de grosses larmes coulaient le long de ses joues. Un désastre absolu.

Et puis, comme Thom prenait son visage mouillé entre ses deux mains mal assorties, elle se pencha et posa sa bouche sur la sienne.

12

Le Duc faisait face à l'angle de son box, la tête basse, la queue plaquée contre sa croupe, comme s'il s'attendait à une raclée. Les os saillants de ses hanches faisaient songer à des fragments de meubles rabotés. Sa robe qui brillait jadis, signe d'une santé florissante, était terne, rêche, pareille à un vieux tapis bon marché. Il y avait deux creux profonds au-dessus de ses yeux et ses paupières étaient à demi closes, tels des rideaux sur le point de se fermer.

Le vétérinaire, un homme grand et mince aux allures d'intellectuel, passa une main autour de son cou, le caressa, puis s'avança sur l'épaisse litière en direction de Joy qui attendait près de la porte.

— Je crains qu'il n'aille pas très bien, Mrs Ballantyne.

Joy cilla plusieurs fois des paupières et baissa les yeux, comme si elle digérait quelque chose qu'elle s'attendait néanmoins à entendre depuis longtemps.

— De quoi s'agit-il ?

— D'ostéoarthrose, essentiellement. En dépit des analgésiques que nous lui avons administrés.

Il fronça les sourcils.

— Le Bute n'agit plus. Pour tout vous dire, cela lui fait plus de mal que de bien. Il se peut qu'il souffre d'un ulcère, fréquent chez les chevaux qui tiennent le coup depuis un moment grâce à ce remède, mais il est aussi atteint de diarrhée. Il a perdu du poids, ce qui n'est pas bon signe chez un cheval de cet âge-là. Je vais faire analyser ces échantillons de sang, mais je suis prêt à parier qu'il manque de protéines dans le sang.

Il marqua une pause.

— Il est fatigué. Son cœur peine un peu et j'ai bien peur qu'il soit sur le déclin, le pauvre vieux.

Le visage de Joy était sévère, ses traits figés. Seul l'observateur le plus attentif aurait remarqué un faible tremblement, unique indice des émotions qu'elle réprimait.

— Est-ce de ma faute s'il a un ulcère ? demanda-t-elle. Lui ai-je donné trop de médicaments ?

— Vous n'y êtes pour rien. Comme je vous l'ai dit, c'est une réaction courante chez les chevaux forcés de prendre ce remède sur une longue durée. Cela explique en partie que certains établissements ne veulent plus l'utiliser. Dans le cas d'un cheval de cet âge-là, toutefois, il n'y avait pas grand-chose d'autre à faire. Et il a tenu bon longtemps. Quel âge a-t-il ? Vingt-sept ans ? Vingt-huit ?

— Peut-on lui donner autre chose ? Changer la posologie ?

Joy baissa devant elle ses mains serrées l'une contre l'autre en un geste de supplication.

Le vétérinaire s'accroupit pour remettre ses instruments dans sa sacoche qu'il ferma avec un claquement déterminé. Dehors le ciel était clair, irréprochable, aux antipodes de l'atmosphère sombre qui régnait à l'intérieur.

— Je suis désolé, Mrs Ballantyne. Il a bien profité de la vie, mais je ne pense pas que l'on puisse prolonger les choses bien longtemps. Pas si nous voulons être justes.

En prononçant cette ultime phrase, il lui jeta un coup d'œil à la dérobée. Il savait à quel point elle était attachée au Duc, mais ils retardaient depuis des mois l'inévitable.

Joy s'approcha de la tête de l'animal et lui tirailla doucement sur les oreilles en un geste à la fois affectueux et irréfléchi. Elle le regarda, repoussa sa frange, comme pour examiner son visage, puis lui gratta le nez. Le cheval avança son énorme tête dans sa direction et, les yeux mi-clos, posa son menton sur son épaule rembourrée de sorte que les genoux de Joy ployèrent légèrement sous son poids. Debout près de la porte du box, le vétérinaire attendait. Il connaissait suffisamment bien sa cliente pour ne pas la presser.

— Je veux que vous veniez demain, dit-elle pour finir d'une voix basse, mais ferme. Demain matin, si cela vous est possible.

Il hocha la tête.

— En attendant, je voudrais vous demander une faveur.

Il la regarda dans les yeux.

— Je veux que vous lui donniez quelque chose. Pour la douleur. Quelque chose qui ne lui fera pas mal à l'estomac.

Elle leva le menton d'un air quelque peu autoritaire.

— Vous avez sûrement ce qu'il faut.

Le vétérinaire piétinait sur place.

— Pour être honnête, Mrs Ballantyne, il n'y a pas grand-chose…

— N'importe quoi, le coupa-t-elle. Il doit bien y avoir quelque chose.

L'homme prit une profonde inspiration, puis expira lentement en gonflant les joues. Il regarda fixement le sol jonché de paille tout en réfléchissant.

— Il y a bien quelque chose, lâcha-t-il finalement.

Joy attendit, dans l'expectative.

— C'est un remède expérimental, que je ne prescris pas normalement à un cheval tel que le vôtre. Je ne suis certainement pas censé le faire. Mais cela lui évitera de souffrir, c'est certain. Des jambes et de l'estomac.

— Je veux que vous lui en donniez.

— Je ne devrais pas. Je pourrais être rayé du conseil de l'Ordre.

— Rien que pour un jour, insista-t-elle. Je vous paierai. Ce que vous voulez.

— Ce n'est vraiment pas nécessaire.

Il inclina la tête. Regarda dehors. Poussa un autre soupir.

— Si je le fais, je vous serais reconnaissant de ne pas en parler. À qui que ce soit.

Joy se retourna vers son cheval et murmura des mots doux. Son visage s'était adouci, comme si elle anticipait un soulagement pour elle-même.

— Vous l'apporterez aujourd'hui, dit-elle en évitant le regard du vétérinaire.

Elle flattait de nouveau le museau du Duc en le taquinant, passant ses grandes et vieilles mains le long de ses os.

Le vétérinaire secoua légèrement la tête.

— J'ai un autre rendez-vous ce matin. Je repasserai après.

Il se retourna.

— À propos, comment va Mr Ballantyne ?

— Ça va, merci, répondit-elle sans lever les yeux.

À plusieurs kilomètres de là, assise dans la Land Rover, Kate regardait à travers le pare-brise le phare de Hooch Head, un monolithe monochrome se détachant sur le bleu étincelant du port de Waterford. C'était la première fois que le ciel était dégagé depuis des semaines, et l'imposante vieille tour en pierres calcaires, tout comme les petites maisons alentour, se dressait, érodée et blanchie par la clarté fluide du soleil hivernal, parmi les vagues bordées d'écume qui tourbillonnaient inlassablement à ses pieds.

Les poumons encore encrassés par l'atmosphère polluée de la grande ville, elle inspira avec bonheur l'air salé charrié par les vents forts provenant du front de mer, tel un connaisseur savourant un vin fin, tout en écoutant les cris de nouveau-nés des mouettes et des guillemots suspendus par des courants imperceptibles au-dessus d'eux. Elle avait mis ses lunettes et, même à cette distance, les verres étaient occasionnellement aspergés de minuscules gouttes d'embruns qui étincelaient comme des éclats de diamant dans la lumière nue.

— Tu ne poses pas beaucoup de questions, hein ? dit-elle sans regarder Thom, silencieux à côté d'elle. À propos de ce qui m'est arrivé, je veux dire. De Justin, le dernier en date. Ou de Geoff.

Thom se tourna vers elle.

— Pourquoi dis-tu ça ? Tu voudrais que je t'interroge ?

Les nuages glissaient sur l'horizon lointain, poussés par des vents invisibles.

— Je pensais juste que tu aurais envie de savoir. C'est le cas de la plupart des hommes. Ils veulent connaître nos antécédents.

— Je sais tout ce que j'ai besoin de savoir.

Il fit de nouveau face à la mer en buvant une gorgée de café dans son gobelet en plastique.

— On pose trop de questions parfois.

— Mais tu ne m'en poses aucune ? Tu ne veux même pas savoir ce que je pense de tout ça. Si je trouve que c'est une bonne chose.

— Comme je dis, on pose parfois trop de questions.

Il sourit pour lui-même.

— Surtout avec quelqu'un comme toi, ajouta-t-il.

Ils étaient là depuis près d'une demi-heure, profitant paisiblement de la liberté lors de cette brève escapade loin de Kilcarrion. La moitié du temps, ils étaient restés dans les bras l'un de l'autre, échangeant des baisers paresseux, se regardant dans les yeux, ivres et avides l'un et l'autre d'aller plus loin. Cela n'aurait pas lieu aujourd'hui : c'était entendu. Mais peu importait. Il leur suffisait d'être ensemble, de s'étreindre, d'être seuls.

Plusieurs jours s'étaient écoulés depuis qu'ils avaient trouvé refuge à la maison d'été, et les sentiments de panique et de culpabilité que Kate avait éprouvés alors avaient été peu à peu éclipsés par le besoin intense d'être avec Thom, de voir son sourire, de l'avoir pour elle toute seule. Le lendemain matin, elle s'était réveillée épouvantée, les émotions de la veille effacées en un clin d'œil par la terreur qui l'avait saisie à l'idée de s'être à nouveau « engagée dans une histoire ». Elle était allée le trouver à l'écurie, inquiète pour lui, et lui avait déclaré tout net (sur un ton un tant soit peu hystérique) qu'elle avait commis une terrible erreur, qu'elle était désolée de l'avoir mené en bateau, qu'elle avait vraiment besoin d'être seule en ce moment. Thom avait hoché la tête en lui disant qu'il comprenait. Il était resté tout aussi impassible lorsqu'à trois autres reprises, elle lui avait sauté sur le paletot pour lui expliquer d'une voix tendue et éraillée pourquoi c'était impossible. Elle avait beaucoup réfléchi et s'était rendu compte qu'ils n'étaient pas du tout faits l'un pour l'autre, et puis elle l'aimait beaucoup trop pour lui gâcher la vie.

Après quoi, elle était montée dans sa chambre où elle avait pleuré à chaudes larmes, furieuse contre elle-même et totalement désespérée. Tant et si bien que le lendemain matin, lorsque Thom avait fait une apparition inattendue dans la salle du petit déjeuner pour informer Joy qu'il devait aller en ville acheter des fournitures au magasin de sellerie, elle lui avait demandé d'un ton désinvolte si cela l'ennuierait de l'emmener. Elle avait besoin de faire quelques courses. Dieu merci, Christopher, au flair digne d'un chien de meute qui ne manquait jamais de sentir le moindre écart de conduite de sa part, était parti la veille au soir. Sabine était en vadrouille et Joy n'avait rien remarqué de particulier. Il faut dire qu'elle ne remarquait pas grand-chose ces temps-ci, en dehors de la santé déclinante de son cheval et des innombrables tâches qui devenaient tout à coup urgentes dans la maison ou à l'écurie. Aussi avaient-ils pris la poudre d'escampette dans la Land Rover, jubilant secrètement comme des enfants faisant l'école buissonnière. Incapable désormais de réprimer le besoin de le toucher, Kate tendit le bras pour prendre sa main et retint de justesse un mouvement de recul lorsqu'elle entra en contact avec du plastique dur plutôt que de la chair tendre.

— On s'y habitue, dit-il, apparemment amusé. Au début, je me faisais bondir moi-même la nuit dans mon sommeil en me frottant le nez. Quand ce n'était pas autre chose.

Il lui avait jeté un coup d'œil oblique en disant cela, un sourire malicieux flottant sur ses lèvres.

Kate avait rougi sous l'effet de ce qui aurait pu être de la gêne, bien qu'elle ressentît incontestablement quelque chose de nettement plus agréable. Ils n'avaient plus échangé un mot pendant quelques minutes, rendus muets par ce que les paroles de Thom avaient provoqué.

— Parle-moi de toi alors.

Thom acheva son café et posa son gobelet au-dessus du tableau de bord, près d'une vieille paire de gants en laine, d'un rouleau de ficelle et d'un exemplaire jauni du *Racing Post*.

— Qu'est-ce que tu veux que je te dise ?

— Il y a bien dû y avoir quelqu'un. Ça fait plus de dix-sept ans, après tout.

Thom haussa les épaules.

— Je n'ai jamais été un saint. Mais il n'y a eu personne de spécial.

Kate n'en croyait pas ses oreilles.

— Pendant tout ce temps-là ?

Il y avait une vague nuance de peur dans sa voix, suscitée par le spectre moins séduisant d'une obsession malsaine chez Thom.

— Il y a bien dû y avoir quelqu'un. As-tu jamais eu envie de te marier ? De vivre avec une femme ?

— Il y a bien eu quelques filles qui me plaisaient assez.

Il lui fit face à nouveau et lui prit la main.

— Mais nous sommes différents toi et moi. J'ai de la peine à m'engager. Je préfère être seul plutôt qu'avec quelqu'un qui n'est pas...

Il laissa sa phrase en suspens.

Kate combla le vide en silence. Approprié ? Parfait ? L'idéal ? Cette ultime éventualité lui donna la chair de poule. Il était trop tôt pour qu'il se mette à tenir ce genre de propos. Elle n'était pas certaine d'avoir eu raison de s'impliquer jusque-là. Nous sommes différents. Je préfère être seul plutôt que... D'être comme elle ? Sous-entendait-il qu'elle manquait de discernement ?

Elle avala une gorgée de son café en composant plusieurs réponses qu'elle écarta aussitôt. Mais elle se garda de lui demander ce qu'il voulait dire. Comme il le lui avait clairement signifié, on posait parfois trop de questions.

Deux hommes, silhouettes minuscules pareilles à des insectes, s'affairaient autour d'un petit bateau, l'un pointant du doigt, l'autre gesticulant. Un troisième marchait péniblement le long de l'océan en ramassant des objets non identifiés.

— Est-ce que tu m'en as beaucoup voulu ? demanda-t-elle finalement.

— Au début, oui.

Ses yeux bleus reflétaient le ciel d'une limpidité inhabituelle. Ils restèrent fixés sur un point distant, peut-être perdus dans le passé.

— C'est difficile de rester fâché longtemps contre quelqu'un. Quelqu'un auquel on tient, en tout cas.

Kate se mordit la lèvre.

— Je suis désolée.

— Il n'y avait aucune raison. On était jeunes. On avait toutes les chances de foirer d'une manière ou d'une autre.

— Mais c'est moi qui ai foiré.

— C'est juste que tu t'y es prise avant moi.

— Tu es devenu drôlement zen.

Il sourit.

— Zen ? Est-ce comme ça qu'on dit ? Non…

Son sourire illumina peu à peu tout son visage.

— J'ai juste appris à ne pas me faire du mouron au sujet de choses auxquelles je ne peux rien changer.

Kate hésita. Ne put se retenir.

— Comme ton bras ?

— Ouais.

Il baissa les yeux sur sa main gauche qui reposait légèrement sur sa cuisse.

— Une entrée en matière plutôt efficace, je suppose. On ne peut pas discuter avec un bras amputé… Ou avec quoi que ce soit qui vous manque.

Ils sombrèrent à nouveau dans le silence en suivant des yeux les mouettes qui planaient en tournoyant au-dessus de la baie. Le petit bateau avait pris la mer et l'une des silhouettes faisait des signes d'adieu à ses deux compagnons qui s'y étaient hissés. L'embarcation rebondit par-dessus les premières vagues comme un saumon se démenant contre le courant.

Kate méditait sur l'interprétation à donner à l'ultime remarque de Thom. Il y avait des choses qu'elle voulait entendre de sa part tout en sachant pertinemment qu'elle ferait la sourde oreille, des choses à la fois nécessaires et impossibles à entendre. Toujours aussi contradictoire, intervint la Maggie virtuelle. Toujours obnubilée par l'amour et ses possibilités. Toujours pas capable de tenir sur tes deux pieds. Oh, fiche-moi la paix ! lui dit Kate.

— Il y a un truc qui m'a toujours tracassé, reprit-il en regardant ailleurs.

Kate dessinait le contour de sa main du bout du doigt. Elle interrompit son geste.

— Ça va te paraître bizarre. Mais ça m'a turlupiné un bon bout de temps… Je voulais te demander… Pourquoi lui ?

Elle ne s'attendait pas à ça. Elle cilla plusieurs fois des paupières.

— C'est vrai, tu le connaissais à peine. Je sais que vous n'êtes pas restés ensemble très longtemps, ou quoi que ce soit, mais je n'ai pas compris pourquoi tu lui avais fait don de… quelque chose d'aussi spécial. Je n'ai pas compris pourquoi… pourquoi pas moi ?

Pour la première fois, il paraissait troublé, décontenancé. Il ferma et rouvrit la bouche à plusieurs reprises comme s'il luttait avec des émotions inhabituelles.

— Je n'arrête pas de regarder Sabine, dit-il pour finir, et je suis frappé… par le fait qu'elle pourrait être ma fille.

Kate pensa à Alexander Fowler, au portrait d'anniversaire, à la détermination farouche et perverse qui se cachait derrière son geste lorsqu'elle avait délibérément dégrafé sa robe en velours à l'ancienne mode, aux sentiments de consternation et d'opportunisme qui s'étaient affrontés sur le visage de cet homme face à ce corps nu d'adolescente sous ses yeux. Il faisait chaud dans la pièce, se souvint-elle, une pièce imprégnée des odeurs de peinture et de térébenthine et jalonnée de portraits inachevés de gens qu'elle ne connaissait pas.

Elle se souvenait aussi de s'être rhabillée ensuite alors qu'il disparaissait dans la maison en quête de cigarettes, avec la conviction qu'ils se connaissaient mieux désormais.

— Si ça avait été toi, cela aurait voulu dire quelque chose, répondit-elle en pesant ses mots. Et je crois que je ne tenais pas vraiment à ce que ça ait un sens.

Cheval donné, telle était l'expression qu'il avait employée. Cela lui avait fait grincer des dents.

Thom la regarda fixement sans que son visage exprime quoi que ce soit, ne comprenant toujours pas. Derrière lui, une mouette solitaire tourbillonnait en poussant des cris.

— Si ça avait été toi, Thom, ajouta-t-elle en serrant sa main plus fort, tu m'aurais obligée à rester.

Assise près d'une des fenêtres au premier, Sabine regarda la Land Rover s'engager dans l'allée et déposer sa mère dans la cour de gravier devant la maison. Elle tenait un journal à la main et quelque chose de non identifiable dans un sac en papier brun. Rien qu'elle n'aurait pu se procurer en ville plus tard avec Mamie, nota Sabine. En outre, elle se passait la main dans les cheveux, un geste qui prouvait qu'on avait le béguin pour quelqu'un. Sabine l'avait lu dans un magazine. Il ne faisait aucun doute que si elle y regardait de plus près, les pupilles de sa mère seraient dilatées.

Elle s'écarta de la fenêtre en laissant retomber le lourd rideau pour se tourner vers le lit où dormait son grand-père. Trop occupée à faire du charme aux hommes pour passer du temps avec son propre père, pensa-t-elle amèrement. On pouvait compter sur les doigts d'une main le nombre de fois où elle était montée le voir. Grand-père n'avait même pas l'air de savoir que sa fille était là, ce qui prouvait à quel point elle s'intéressait. Cela dit, en dehors de l'infirmière, Sabine était bien la seule à s'investir maintenant. Sa grand-mère avait toujours des choses à faire. Ou bien elle était préoccupée par le Duc, qui, comme John-John le lui avait dit avec une apparente délectation, s'acheminait à grands pas vers la grande usine de nourriture pour chats dans le ciel.

Sabine s'assit avec légèreté au bord du lit en faisant bien attention de ne pas déranger son grand-père. Il semblait plus paisible lorsqu'il dormait ces temps-ci. Quand il était éveillé, il était souvent agité, et respirait à coups de hoquets rauques, laborieux, au point que la poitrine de Sabine se serrait et qu'elle se sentait angoissée. Elle lui prenait la main alors en s'efforçant de ne pas paniquer quand il la serrait sporadiquement comme s'il s'exerçait en vue du *rigor mortis*.

— Il est encore parti ? s'exclama Lynda, l'infirmière, en entrant dans la pièce à grands pas avec un pot d'eau fraîche. Eh bien, c'est ce qu'il y a de mieux pour lui.

Lynda – elle avait ajouté le « y » elle-même, avait-elle expliqué à Sabine – s'apprêtait à abandonner son métier d'infirmière à domicile pour se lancer dans l'aromathérapie dès la fin de cette mission. Elle n'avait jamais précisé à quel moment elle la considérerait comme terminée, mais elles savaient toutes les deux ce que cela signifiait.

— Il vient de s'endormir, répondit Sabine.

— Pourquoi n'allez-vous pas faire un tour ? Vous distraire un peu ? C'est ce que je ferais à votre place. Vous passez trop de temps ici.

Sabine attendit qu'elle ajoute que « ce n'était pas sain », autre formule chérie de Lynda. Peine perdue.

— Allez-y. Je vais regarder mon feuilleton pendant une demi-heure. Vous feriez bien de filer.

Sabine obtempéra. Elle disparut dans le bureau où elle se replongea dans l'examen de la feuille de papier qui résidait depuis un bout de temps dans sa poche. Il y avait deux jours qu'elle avait reçu la lettre de Geoff l'informant qu'il allait épouser cette Indienne, et elle ne savait toujours pas comment réagir. Au départ, elle avait supposé que sa mère avait reçu des informations analogues, mais rien dans son comportement depuis n'avait confirmé cette hypothèse. Au contraire elle était plutôt plus enjouée que d'habitude.

Ce n'était pas tant le fait que Geoff, tout comme Jim, ait trouvé une nouvelle famille qui la tracassait, mais ce que cela prouvait à propos de sa propre famille. Pourquoi Geoff n'avait-il jamais proposé à sa mère de l'épouser ? Ils étaient restés ensemble six ans, et il était le genre d'homme à s'engager. Il avait même mentionné, sans trop de conviction certes, l'idée d'être un « père de substitution ». Sa mère n'était pas le type de femme qu'on épousait, fut-elle forcée d'en conclure. Pas comme sa grand-mère qui avait réussi à se faire demander en mariage au bout d'une journée. Kate faisait partie de ces femmes qui se laissent utiliser, puis larguer encore et encore. Un tel manque d'amour-propre, c'était sans espoir ! Cette expression empressée qu'elle arborait constamment en présence des hommes, comme si elle leur était reconnaissante de bien vouloir lui jeter quelques miettes d'affection. Sabine considéra d'un œil fixe les phrases de la lettre qu'elle connaissait par cœur, ce souhait vaguement sincère « de ne pas te perdre de vue », et ses promesses d'« être toujours là pour toi ». Non qu'elle eût voulu que sa mère épousât Geoff. C'était le fait qu'il ne le lui eût jamais demandé qui l'incitait à en vouloir encore plus à sa mère. Elle avait l'impression que c'était un échec de plus.

Elle baissa les yeux sur les photographies que sa grand-mère et elle n'avaient pas encore eu le temps de trier : les clichés de Christopher et de Kate bébés – il avait déjà l'air arrogant à l'époque ! – encadrés de liserés gaufrés rouge bordeaux rehaussés de dorure, celles de Kate et du petit Chinois. Sabine aurait bien voulu en savoir plus sur cet enfant, mais Joy était trop occupée à ranger tout ça pour lui en parler, lui avait-elle dit la dernière fois qu'elles s'étaient assises là en reprenant son ton brusque et prosaïque. Elle avait une foule d'autres choses plus importantes à régler. Sabine n'avait qu'à en faire ce qu'elle voulait.

Il semble que ce soit le seul mec qui soit resté auprès de toi, pensa Sabine en tripotant la photo les représentant tous les deux, rayonnants sous leurs chapeaux. Quoi que tu aies eu, maman, tu l'as incontestablement perdu à un moment ou à un autre.

— Sabine ?

Sabine sursauta. Kate se tenait sur le seuil.

— Je me demandais si tu voulais déjeuner. Ta grand-mère a dit qu'elle n'avait pas faim et ton grand-père dort, alors j'ai pensé qu'on pourrait peut-être grignoter un morceau ensemble.

— J'espère que tu ne l'as pas réveillé, répondit Sabine en s'empressant de fourrer la lettre dans sa poche.

— Non, chérie. Il dort. C'est l'infirmière qui me l'a dit.

— Je suppose que tu n'as pas pensé à vérifier.

Kate se força à garder le sourire. Rien n'allait gâcher cette journée, ni le refus catégorique de sa mère lorsqu'elle lui avait proposé de préparer le repas – Mrs H était partie consulter un médecin à Wexford pour voir s'il pourrait lui donner quelques conseils à propos d'Annie –, ni l'agacement apparent de sa fille dès qu'elle s'avisait de vouloir rendre service. Elle oscilla d'un pied sur l'autre en avançant un peu dans la pièce.

— Je pensais faire juste une soupe. Et du pain et du beurre. Mrs H a eu la gentillesse de nous laisser une miche de pain.

— D'accord. Comme tu veux.

Sabine se replongea dans l'examen des photographies.

Mais Kate ne broncha pas.

— Qu'est-ce que tu fais ?

À ton avis ? pensa Sabine.

— Je trie de vieilles photos, répondit-elle d'un ton évasif. Mamie m'y a autorisée.

Le regard de Kate s'était posé sur le dessus de la boîte.

— C'est moi, ça ?

Elle s'approcha et s'accroupit en prenant le cliché d'elle-même en compagnie du petit Chinois.

— Mon Dieu, s'exclama-t-elle en ajustant ses lunettes sur son nez. Ça fait des années que je ne les avais pas vues.

Sabine garda le silence

— C'est Tung-Li, dit-elle. Le fils de mon *amah*. On jouait toujours ensemble jusqu'au jour où… – Elle s'interrompit. – Il était adorable. Extrêmement timide. Il a probablement été mon premier ami d'enfance. Nous n'avions que quelques mois de différence.

Sabine ne put s'empêcher de jeter un coup d'œil à la photo.

— Il y avait une piscine derrière l'immeuble où nous habitions. Quand personne n'autre n'était là, on allait y jouer aux dragons aquatiques. Ou bien on roulait sur le bord avec ma bicyclette rouge. On est tombés dans l'eau plusieurs fois, je me souviens. Mon *amah* était furieuse.

Elle rit.

— On avait un mal de chien à faire sécher quoi que ce soit pendant la saison des pluies. Il était très malvenu de plonger dans l'eau avec nos chaussures du dimanche.

— Quel âge avais-tu, là ?

Kate fronça les sourcils.

— Il me semble que j'avais quatre ans quand on s'est installés à l'endroit où il y avait cette piscine… Probablement cinq ou six !

— Qu'est-ce qu'il est devenu ?

Kate se rembrunit. Elle paraissait songeuse.

— Eh bien, j'ai dû… arrêter de jouer avec lui en quelque sorte.

— Pourquoi ?

— C'était comme ça à l'époque. Ta… ta grand-mère avait des idées très arrêtées sur ce qui se faisait et ce qui ne se faisait pas. Apparemment ce n'était pas convenable de jouer avec Tung-Li. Pas pour une fille comme moi.

— Même si vous aviez été amis pendant tout ce temps-là ?

— Oui.

Kate avait replongé dans le passé et son visage se ferma au souvenir de cette injustice.

Sabine continuait à examiner la photo.

— Ça m'étonne de la part de mamie, dit-elle.

Kate releva brusquement la tête. Elle ne put se retenir.

— Ah, vraiment !

— Elle a toujours été gentille avec moi.

— Eh bien, ma chérie, un jour, tu t'apercevras qu'elle n'est pas toujours la charmante vieille dame que tu crois. C'est un vrai chameau, parfois.

Sabine considéra sa mère, à la fois choquée par sa dureté inhabituelle et titillée par le besoin de la contredire.

— Tu trouves que c'est juste de séparer deux enfants à cause de la couleur de leur peau ? ajouta Kate.

— Non, répondit Sabine, consciente d'être acculée. Mais la situation était différente à l'époque, non ? Les gens ne voyaient pas les choses du même œil. C'est leur éducation qui voulait ça.

— Dans ce cas, tu aurais trouvé normal que je te force à manger de la viande parce que j'avais été élevée comme ça. Si j'avais refusé de manger de la viande ici, on m'aurait dit de me contenter de pommes de terre, un point c'est tout.

— Non, bien sûr que non.

— Dans ce cas, comment se fait-il que tout ce que ta grand-mère décide est acceptable, justifiable d'une manière ou d'une autre ? Alors que tout ce que je fais, moi, en dépit de mes bonnes intentions, tu me le reproches ?

Kate ne savait pas d'où cela venait, mais pour Dieu sait quelle raison, la vision de cette photo avait fait ressurgir ses rancœurs d'antan et l'avait mise hors d'elle. Elle en avait assez d'écoper de tous les maux de la terre, d'encaisser sans sourciller les vacheries de Sabine, d'être rongée par la culpabilité sous prétexte qu'elle gâchait la vie de tout le monde et de devoir continuer à aller de l'avant en dépit de ce fardeau, tout sourire, en opinant du bonnet.

— Quelquefois, Sabine, que tu le veuilles ou non, c'est ta mère qui se fait avoir. À l'occasion, juste de temps en temps, elle a raison.

Mais elle n'avait pas pris en compte l'obstination innée de sa fille. Ni le potentiel de suffisance d'une adolescente de seize ans.

— Je ne peux pas croire que tu t'imagines avoir raison tout le temps, riposta Sabine d'un ton rageur. Surtout vu la façon dont tu te comportes.

— Que veux-tu dire ?

— D'accord. Mamie t'a obligée à avoir d'autres amis quand vous viviez là-bas. Elle faisait sûrement ça pour ton bien. Les gens se seraient sans doute mis à jaser sur votre compte, étant donné l'attitude qui prévalait à l'époque.

Kate se mit à secouer la tête lentement, d'un air incrédule.

— Elle m'a longuement parlé de tout ça, tu sais, poursuivit Sabine. De toutes les règles de conduite en vigueur à l'époque. Des gens qu'on débinait s'ils ne s'y conformaient pas. Même si tu avais raison alors, ce n'est plus le cas maintenant, si ? Ce n'est pas comme s'il t'était arrivé de faire passer les autres d'abord. Bon sang, tu n'es même pas capable de tenir compagnie à ton père, alors que tu es venue ici soi-disant parce que tu le croyais mourant. Tu es bien trop occupée à flirter avec tous les mecs qui croisent ton chemin histoire d'ajouter une relation ratée de plus à ta liste.

— Sabine !

— Mais enfin, c'est vrai.

Sabine était consciente d'aller un peu loin, mais elle

était trop en colère pour s'en soucier. De quel droit sa mère jugeait-elle les autres, à la fin ?

— Tu consommes les hommes aussi vite que grand-père consomme des mouchoirs. Tu n'as pas l'air de te soucier de l'impression que ça donne. Tu aurais pu imiter tes parents et attendre de trouver la bonne personne. T'engager un peu. T'impliquer pour de bon. Tu vois, le grand amour, le vrai. Mais tu passes d'un mec à l'autre sans que ça te fasse ni chaud ni froid. C'est vrai ! Regarde Justin ! Combien de temps a-t-il duré, celui-là ? Et Geoff donc ? Il va se marier et tu n'en as rien à foutre !

Sur le point de se lancer dans une riposte tout aussi enflammée, Kate se figea tout à coup.

Il y eut un bref silence.

— Qu'est-ce que tu dis ?

— Geoff. Il va se marier.

Sabine inspira profondément, se rendant compte tout à coup que sa mère n'avait peut-être pas reçu de lettre après tout.

— Je pensais que tu étais au courant.

Kate regarda ses pieds et tendit la main vers une étagère pour ne pas perdre l'équilibre.

— Je l'ignorais, répondit-elle d'un ton prudent. Quand te l'a-t-il dit ?

Sabine sortit la lettre chiffonnée de la poche arrière de son pantalon et la tendit en silence à sa mère. Adossée contre un bureau à présent, Kate la lut sans dire un mot.

Oh mon Dieu ! pensa Sabine. Son regard s'était embué de larmes.

— Je pensais que tu étais au courant, répéta-t-elle.

— Non. Il est possible qu'il m'ait écrit à la maison.

Un long silence suivit. Dehors, quelqu'un fit tomber un seau, expédiant un écho retentissant d'un bout à l'autre de la cour, puis une voix d'homme cria à un cheval de rester tranquille. Kate ne sursauta même pas. Elle se redressa comme un somnambule et se dirigea à pas lents vers la porte.

— Bon, je vais préparer une soupe, dit-elle en écartant les cheveux de son visage. Et des tartines de pain beurrées.

Sabine resta assise par terre en se demandant si elle n'allait pas pleurer.

— Je suis désolée, maman, dit-elle.

Kate lui sourit. Un sourire lent et triste.

— Ce n'est pas de ta faute, ma chérie. Pas de ta faute.

Elles avaient déjeuné pour ainsi dire en silence. Contrairement à l'habitude, Sabine s'était pourtant efforcée d'entretenir la conversation, consumée par la culpabilité après la bombe qu'elle avait lâchée involontairement. Kate avait hoché la tête et souri, reconnaissante des rares tentatives déployées par sa fille pour épargner ses sentiments, mais elles avaient été soulagées toutes les deux quand le repas avait pris fin et qu'elles avaient pu se réfugier dans des lieux où leur récent entretien ne les hantait plus tel un rideau de pluie menaçant laissant présager de nouvelles averses. Dans le cas de Sabine, cela signifiait monter le petit cheval gris jusqu'à la ferme Manor ; on lui avait permis d'emprunter le parcours de cross-country qui se trouvait sur ses terres pour s'exercer au saut. Quant à Kate, pour la première fois depuis son arrivée à Kilcarrion, elle alla passer un moment digne de ce nom auprès de son père.

Il y avait une bonne heure qu'elle s'était installée dans le fauteuil près de son lit. Lynda apparaissait périodiquement pour vérifier les moniteurs, les cathéters et leur proposer du thé. Bien que l'on eût tout mis en œuvre pour égayer la chambre, immobile dans un silence presque complet, le regard rivé sur le visage jadis animé de cet homme qui la faisait sauter sur ses genoux quand elle était petite et l'avait réduite à l'état de boule de coton à force de la chatouiller, Kate s'était sentie accablée de tristesse à l'idée qu'elle n'avait pas été capable de se montrer à la hauteur de ses espérances. Et qu'il allait mourir sans qu'ils aient eu le temps de combler le fossé qui les séparait. J'essaie vraiment de faire les choses bien, lui dit-elle. Je m'efforce de tout faire fonctionner, de penser d'abord aux autres, mais maman et toi, vous n'êtes pas un modèle facile à imiter, je t'assure. J'aimerais que tu comprennes. Et je voudrais que tu le dises à Sabine.

Il ne réagit pas ; elle ne s'attendait pas à ce que ce fût le cas. Elle resta assise là, s'évertuant à lui communiquer ses pensées tout en feuilletant les livres que Sabine avait posés sur sa table de chevet.

Il faisait presque nuit lorsqu'elle alla trouver Thom pour lui demander de la retrouver à la maison d'été. Il avait scruté son visage avec attention, notant qu'elle évitait son regard, mais n'avait rien dit.

Lorsqu'il était arrivé en sifflotant après avoir traversé les jardins envahis de mauvaises herbes, il ne l'avait pas embrassée, se bornant à s'adosser au chambranle de la porte d'un air par trop décontracté, un sourire aux lèvres.

Elle avait pris place sur les caisses où il avait disposé

la couverture, les bras noués autour des genoux en un geste protecteur, telle une enfant, ses cheveux dissimulant à demi son visage.

— Il faut qu'on arrête tout.

Thom inclina la tête pour essayer de croiser son regard.

— Jusqu'à ce que tu changes de nouveau d'avis ? fit-il d'un ton léger, plein d'humour. Je te donne une demi-heure. Ça ira ?

Kate leva les yeux. Derrière ses lunettes, ses yeux étaient rougis, douloureux.

— Je ne vais pas changer d'avis. Je rentre chez moi.

— Je ne comprends pas.

— Je ne m'attends pas à ce que tu comprennes.

— Qu'est-ce que ça veut dire exactement ?

— C'est très clair. Je rentre à Londres.

— Pardon ?

C'était la première fois qu'il avait un ton courroucé. Kate lui jeta un rapide coup d'œil et lut la souffrance et l'incompréhension sur son visage.

— Écoute, Kate, je te connais. Tu changes d'avis comme de chemise. Une véritable girouette. Qu'est-ce qui t'arrive encore, bordel ?

Elle détourna le regard pour ne plus voir son expression.

— Je fais ça pour nous tous, répondit-elle d'une voix calme.

— Qu'est-ce que tu racontes ?

— Comme je te l'ai dit, c'est mieux pour tout le monde.

— Foutaises.

— Tu… tu ne comprends pas.

— Alors explique-moi.

Kate ferma hermétiquement les yeux en songeant qu'elle donnerait cher pour être n'importe où ailleurs.

— C'est à cause d'une nouvelle que j'ai apprise aujourd'hui. Quelque chose que Sabine m'a annoncé. Du coup, je me suis rendu compte que, quoi que je pense de toi, quoi que nous éprouvions pour le moment, je suis à nouveau en piste pour commettre les mêmes sempiternelles erreurs.

Elle s'essuya le nez sur le revers de sa manche.

— Je n'ai pas suffisamment réfléchi à tout ça, Thom. Je ne me suis pas demandé si cette histoire avait une chance d'aboutir quelque part. Je n'ai pas pensé aux gens qui souffriraient si ça ne marchait pas. Et ça ne manquera pas d'arriver, tu comprends. Nous n'avons rien en commun, toi et moi. Nous vivons dans deux pays différents. Nous ne nous connaissons plus vraiment même si nous sommes toujours attirés physiquement l'un par l'autre. Si bien qu'il est à peu près certain que je me débrouillerai pour tout faire foirer. Le problème, c'est que chaque fois que je déconne, ma fille me respecte un peu moins. Pire encore, je me respecte un peu moins moi-même.

Elle resta là en s'efforçant de ne pas renifler, le visage enfoui dans ses bras croisés maintenant, de sorte que sa voix était étouffée.

— Bref, j'ai réfléchi à tout ça aujourd'hui et j'ai décidé qu'il était préférable pour tout le monde que je rentre. Je vais prendre le ferry demain. Je ne manquerai pas à mon père. Il ne s'est même pas rendu compte de ma présence. Et ma mère a fait de son mieux pour m'ignorer depuis que je suis ici. Quant à Sabine…

Elle poussa un long soupir chevrotant.

— … je pense qu'elle devrait rester en Irlande. Elle

est bien plus heureuse ici qu'elle ne l'a jamais été à Londres. Tu l'as remarqué toi-même et tu ne la connais que depuis deux mois. Elle pourra revenir à la maison quand elle en aura envie, si elle en a envie. Au moment d'entamer ses études universitaires par exemple. Je ne vais pas la forcer à faire quoi que ce soit. Mais j'ai pensé qu'il fallait que je te dise tout ça.

Elle regardait fixement ses pieds entre ses bras croisés. Des bouts de paille y étaient collés depuis qu'elle avait parcouru l'écurie en tous sens pour tâcher de trouver sa mère un peu plus tôt.

— Alors c'est fini. On n'en parle plus ?

Elle releva la tête. Thom respirait bruyamment en se frottant la nuque avec sa bonne main.

— Ciao, Thom. Désolée de t'avoir mené en bateau, mais j'ai choisi ce qui convenait le mieux à tout le monde et il va falloir que tu laisses tomber.

Kate le dévisagea.

— Eh bien, ce ne sont que des conneries, Kate. Des conneries ! Je ne vais pas te laisser remettre ça. Tu n'imposes pas à toi toute seule ce qui se passe dans une relation et je t'interdis de croire que tu peux agir en mon nom.

Il arpentait le sol encombré, ignorant divers pots qu'il envoyait valser au passage. Sa rage faisait vibrer l'air.

— Pendant des jours, je t'ai écoutée décliner les bons et les mauvais côtés d'une histoire potentielle entre nous. Je te connais, et par conséquent je me suis dit que la meilleure chose à faire, c'était de rester impassible et de te laisser te défouler. Mais ce n'est pas parce que tu as décidé que quelque chose n'allait pas que c'est le cas, d'accord ? Parce que tu estimes t'être trop mouillée ne signifie pas forcément que tu peux couper l'herbe sous les pieds de tout le monde.

Il serra les mâchoires pour tenter d'apaiser sa respiration et s'assit lourdement sur un seau retourné.

— Écoute, Kate, ça fait très longtemps que je suis amoureux de toi. Très, très longtemps. Et je suis sorti avec des tas de filles depuis, des filles superbes avec un grand sourire et un grand cœur. Des filles plus charmantes que toi, que ça te plaise ou non. Et plus j'en fréquentais, plus je me rendais compte que s'il manque quelque chose à la base, si on ne sent pas ce… ce foutu truc, cette chose qui est *juste* sans l'ombre d'un doute, alors ça ne vaut pas la peine. D'accord ? Et puis tu reviens, ce auquel je ne m'attendais vraiment pas, et sur-le-champ, je comprends. Dès l'instant où je t'ai vue ici en train d'injurier les murs et de pleurer comme une adolescente, quelque chose là… – il se frappa la poitrine – quelque chose… a cédé. « Ah, c'était donc ça ! » Et j'ai compris.

Elle le dévisagea, bouleversée, la lippe pendante. Elle ne l'avait jamais vu en colère. Ni entendu dire autant de choses à la fois. Elle tressaillit presque quand il quitta son siège de fortune pour venir s'asseoir près d'elle sur les caisses.

— Écoute, même si tu ne le sais pas encore, Kate, moi, je sais. Je n'en ai rien à foutre des zigotos avec qui tu as vécu et ça m'est complètement égal que nous vivions dans deux pays différents. Ou que nous n'appréciions même pas les mêmes choses. Parce que ce ne sont que des détails, tu comprends ? Ce ne sont que des détails.

Il lui prit la main et la tint entre les siennes.

— Je sais que je ne suis pas parfait. J'ai trop l'habitude de vivre seul et je suis casse-pieds pour certains trucs… En plus, il me manque un foutu bras. Je sais que je ne suis plus l'homme que j'étais.

Elle secoua la tête, répugnant à ce qu'il en parle, à ce qu'il puisse suggérer que cela ait un impact quelconque.

Il lui rendit son regard et reprit d'un ton plus calme :

— Mais je vais te dire une chose, Kate, je vais te le dire. Si tu pars maintenant, tu as tort. Vraiment tort. Et cela prouvera que c'est toi qui es handicapée, et non moi !

Puis, au moment où elle s'y attendait le moins, il lui prit la main et pressa sa paume contre sa bouche. Il la maintint là, les yeux fermés, comme muselé par son propre geste.

Sans prêter la moindre attention aux larmes qui lui inondaient les joues, Kate tendit son autre main et lui caressait le côté du visage.

— Mais comment savoir, Thom ? demanda-t-elle. Comment puis-je savoir ?

— Parce que moi, je sais, dit-il en ouvrant les yeux. Et juste une fois, il va falloir que tu me fasses confiance.

Ils sortirent de la maison d'été ensemble pareils à des travailleurs harassés s'aventurant dehors après une grande tempête, sans se soucier pour une fois d'être vus. Thom annonça qu'il devait aller voir les chevaux et Kate dit qu'elle l'accompagnerait dans l'espoir de retrouver Sabine. Elle redoutait que sa fille soit anxieuse. Elle voulait qu'elle sache que l'histoire de Geoff ne la gênait pas, même si elle n'était pas encore prête à lui dire pourquoi.

Liam était assis sur un tas de foin devant la sellerie

en train de polir une bride avec un chiffon doux tout en sifflotant un air qui passait à la radio. Il leur décocha un regard entendu en les voyant approcher, mais s'abstint de tout commentaire.

— Les chevaux du champ d'en bas sont-ils rentrés ? demanda Thom en vérifiant les loquets inférieurs sur la porte d'un box.

— Ouais.

— Sabine est-elle de retour ?

— Elle vient de ramener le cheval gris à l'écurie. Nous l'avons déménagé dans le box du fond parce que le toit s'est remis à fuir dans celui du milieu.

Thom jura entre ses dents en jetant un coup d'œil aux tuiles manquantes.

— Il va falloir que je mette une autre bâche. Il ne nous reste plus de tuiles à caler là-dedans, si ?

— On les a toutes utilisées il y a des mois, répondit Liam. Vous avez été faire une balade ?

Il toisa Kate des pieds à la tête en prenant son temps de sorte qu'elle se sentit rougir et qu'elle eut des picotements sur la peau.

— Quelques problèmes de papiers à régler, fit Thom. Je croyais que tu m'avais dit que tous les chevaux étaient rentrés.

Liam se tourna vers lui, puis suivit son regard au-delà de la grange en direction des champs en contrebas.

— C'est le cas.

— Qui est là-bas alors ?

Liam plissa les yeux dans la clarté du soleil couchant couleur pêche, une main en visière.

— On dirait le Duc, souffla-t-il en fronçant les sourcils. Mais il boite depuis des mois. Ce cheval-là ne boite pas.

Thom garda le silence, le visage impassible.

Liam ajusta sa main pour tâcher de mieux voir.

— Et qui le monte ? Il y a quelqu'un sur son dos.

— Qu'est-ce qui se passe ? demanda Sabine qui approchait, sa selle dans les bras.

Elle jeta un bref regard à sa mère en se demandant ce qu'elle faisait dans l'écurie.

— Je ne vois pas, dit Kate. Je ne vois rien à cette distance.

— C'est Mrs Ballan…

Liam s'interrompit lorsque Thom posa une main sur son bras.

— Allons, dit-il d'un ton calme. Laissons-les.

— Comment ? demanda Sabine. C'est mamie qui monte ? Quel cheval ?

— Bon sang ! Ça fait des années qu'elle n'a pas monté, lança Liam d'une voix aiguë sous l'effet de la surprise.

— Allons, dit Thom en les orientant vers la maison. Rentrons.

Comme ils s'éloignaient, il jeta un dernier coup d'œil par-dessus son épaule vers les silhouettes lointaines et majestueuses de la vieille dame et de son cheval raide se détachant sur le soleil couchant, la tête fière de l'animal orgueilleusement dressée, ses oreilles oscillant au son de la voix de sa maîtresse alors qu'ils s'acheminaient lentement en direction des bois.

13

Joy s'enferma deux jours dans sa chambre après qu'on eut piqué le Duc. La première fois qu'elle se souvenait de l'avoir vue succomber à quoi que ce soit, en particulier au chagrin, déclara Mrs H. Ce matin-là, elle s'était levée à l'aube et avait passé les deux premières heures de la matinée dans le box du vieux cheval à le panser et à lui parler, si bien que lorsque le vétérinaire avait fini par arriver, il avait trouvé non pas une bête condamnée et triste, mais un animal apparemment plein d'entrain, sa vieille robe râpée brillant après tous ces préparatifs. Ensuite Joy était restée auprès de lui, impassible, une main sur sa tête, le menton du cheval reposant confortablement sur son épaule pendant que le vétérinaire lui administrait la substance meurtrière. Le Duc était si détendu dans cette position que lorsqu'il tomba, son poids faillit entraîner sa maîtresse sous lui. Thom qui attendait derrière elle à proximité réussit de justesse à l'écarter à temps. Ils étaient tous restés quelques minutes en silence à regarder le corps inerte, couché sur le sol tapissé d'une épaisse litière. Après avoir remercié poliment le vétérinaire, Joy était sortie ensuite de l'écurie d'un pas décidé pour regagner la maison, les bras tendus, raides, de part et d'autre de son corps, le menton levé. Elle ne s'était pas retournée.

Elle était bizarre pour ça, songea Mrs H. Vouloir que le vieux cheval s'en aille fièrement. Passer tant de temps à s'occuper de lui.

Elle n'en faisait pas tant pour son mari, pensa Sabine, sachant pertinemment que c'était ce que tout le monde se disait.

D'autant plus qu'au cours de la deuxième journée où Joy était restée cloîtrée dans sa chambre, refusant de s'alimenter et priant ses visiteurs, d'un ton cérémonieux, de « la laisser tranquille », la respiration d'Edward avait encore faibli. Tant et si bien que Lynda prit sur elle-même d'appeler le docteur de peur qu'autrement, son patient ne fût plus de ce monde quand son épouse daignerait réapparaître.

Blême, aux petits soins, Sabine avait tenu la main de son grand-père pendant que le docteur lui prenait le pouls, pressait son stéthoscope sur sa vieille poitrine osseuse et s'entretenait à mots couverts avec Lynda.

— C'est bon, fit-elle d'un ton agacé. Vous pouvez tout me dire. Je suis sa petite-fille.

— Où est Mrs Ballantyne ? demanda-t-il en l'ignorant.

— Elle ne veut pas sortir de sa chambre aujourd'hui. Il va falloir que vous vous adressiez à moi.

Le docteur et Lynda échangèrent un regard.

— Son cheval est mort, expliqua Lynda, un sourcil levé, et elle parut vaguement déçue quand le médecin hocha la tête comme s'il comprenait.

— Christopher est-il là ?

— Non.

— Votre mère est-elle toujours ici ? demanda-t-il à Sabine.

— Oui, mais elle n'a strictement rien à voir avec mon grand-père, répondit-elle en articulant bien, pesant ses mots comme si elle parlait à des demeurés.

— C'est ce genre de famille, commenta laconiquement Lynda.

Elle donnait son avis avec de moins en moins de vergogne.

— Écoutez, pourquoi ne me dites-vous pas de quoi il retourne ? Je parlerai à ma grand-mère quand elle refera surface.

Le médecin réfléchit un instant. Il regarda Sabine, les lèvres pincées en une fine ligne.

— Je ne pense pas qu'on puisse attendre si longtemps.

Quelques instants après, Kate, ragaillardie par l'assurance nouvelle des gens qui se sentent aimés, résolut de prendre les choses en main. Elle avait parcouru le couloir d'un pas décidé, frappé à coups secs à la porte de sa mère et, ignorant les protestations éraillées de Joy, s'était introduite dans la petite pièce spartiate pour lui faire savoir que le médecin avait besoin de lui parler de toute urgence.

— Je ne peux pas venir tout de suite, lui répondit sa mère sans la regarder.

Elle était couchée sur son lit étroit, le dos tourné à la porte, ses longues jambes minces dans un pantalon de velours usé repliées sous elle en position quasi fœtale.

— Dis-lui que je l'appellerai plus tard.

Kate, qui n'avait jamais vu sa mère aussi vulnérable – elle n'aurait jamais imaginé qu'elle puisse s'allonger pendant la journée auparavant –, s'efforça de garder un ton ferme. De paraître déterminée.

— J'ai bien peur qu'il veuille te parler tout de suite. Papa ne va vraiment pas bien.

Joy n'avait pas bougé.

Kate resta là une longue minute en attendant une réaction.

— Je suis désolée pour le Duc, maman, mais il va falloir que tu te lèves. On a besoin de toi en bas.

Elle entendit Sabine renifler tristement en descendant à pas feutrés en direction de sa chambre. Lorsqu'elle avait pris la mesure de la gravité de l'état de son grand-père, contre toute attente, elle avait fondu en larmes, sanglotant bruyamment – une crise de larmes puérile, impuissante, les poings serrés comme des balles contre ses yeux, des ruisselets de morve et de bave luttant pour s'acheminer le long de son menton. Le choc de ce déploiement d'émotions on ne peut plus inhabituel avait poussé Kate à agir. Il allait bien falloir que sa mère lui parle. C'était très bien de laisser toute la responsabilité à Sabine, mais dans des moments comme celui-là, elle ne devait pas oublier que sa petite-fille n'avait que seize ans.

— Maman…

— S'il te plaît, va-t'en, dit Joy en relevant légèrement la tête de sorte que Kate entrevit ses yeux rougis, ses cheveux gris désordonnés et aplatis. Je veux juste qu'on me laisse tranquille.

Kate entendit la porte de Sabine se refermer au bout du couloir. Elle baissa la voix.

— Tu sais, ce serait vraiment sympa si tu voulais bien m'écouter. Pour une fois.

Joy détourna les yeux en direction de la fenêtre.

— Écoute, maman, poursuivit-elle, quoi que tu penses de moi, je n'en reste pas moins la fille de papa. Et je suis là. Christopher, lui, n'est pas là. Ce n'est pas juste pour Sabine d'avoir à supporter tout cela toute seule. Quelqu'un doit décider s'il faut que papa aille à l'hôpital, et dans le cas contraire, ce que nous allons faire.

Elle gratta une tache sur la jambe de son pantalon.

— Bon. Si tu n'es pas descendue dans cinq minutes, c'est moi qui déciderai avec le médecin des dispositions à prendre.

En poussant un profond soupir, Kate sortit de la petite pièce et referma la porte résolument derrière elle.

Joy entra dans le salon au moment où le médecin finissait sa tasse de thé. Elle avait lissé ses cheveux en arrière et ses yeux étaient presque fermés tellement ils étaient gonflés.

— Navrée de vous avoir fait attendre, dit-elle.

Assise en face de lui dans un des fauteuils près du feu, Kate ne savait pas si elle devait rire ou pleurer.

— J'ai vraiment l'impression qu'elle préférerait faire à peu près n'importe quoi plutôt que de m'adresser la parole, raconta-t-elle plus tard à Thom dans la sellerie tout en tripotant distraitement une courroie en cuir dont elle ignorait l'usage.

Elle était affalée dans un vieux fauteuil, les jambes allongées près du chauffage électrique à trois résistances qui ne contribuait guère à dissiper le froid. L'air, cru et limpide dehors, se condensait en petits nuages de vapeur lorsqu'elle ouvrait la bouche.

— Enfin, lors d'une épreuve comme celle-là, on est censés se serrer les coudes, non ? Même dans une famille comme la nôtre. Pourtant, elle fonce dans tous les sens en s'affairant de plus en plus, à l'écart de papa bien sûr, tout en refusant de me parler de ce qu'il convient de faire à son sujet. Christopher est coincé à Genève par une conférence et Sabine est trop jeune pour prendre ce genre de décision de sorte qu'on ne peut pas vraiment dire qu'elle ait des tonnes d'interlocuteurs en dehors de moi, hein ?

Thom nettoyait une bride avec un bout d'éponge mouillé, défaisant habilement les boucles avec sa bonne main.

— Suis-je vraiment si inutile ? Est-ce à ce point inconcevable que je puisse l'aider ?

Il secoua la tête.

— Ce n'est pas toi qui es en cause. C'est elle.

— Que veux-tu dire ?

— Il est plus facile pour elle de pleurer son cheval que son mari. Elle est toute nouée, ta mère, à force de tout garder pour elle. À mon avis, elle ne sait pas très bien comment faire face à la situation.

Kate réfléchit une minute.

— Je ne suis pas d'accord. Elle n'a jamais eu aucun mal à piquer une colère. Je pense plutôt que c'est à cause de moi. Elle ne veut pas que j'aie le sentiment de pouvoir lui être utile de quelque manière que ce soit.

Elle se leva et se planta face à la porte.

— Elle n'a jamais été fière de moi. Selon elle, je n'ai jamais fait qu'accumuler les erreurs. Et elle ne veut pas que ça change.

— Tu es franchement dure avec elle.

— C'est elle qui est dure avec moi. Voyons, Thom,

qui a décrété que je ne pouvais pas vivre à la maison quand je suis tombée enceinte de Sabine ? Hein ? Sais-tu le mal que ça m'a fait ? Je n'avais que dix-huit ans, pour l'amour du ciel !

Elle entreprit de faire les cent pas dans la petite pièce en passant la main sur les selles suspendues tout le long d'un mur.

— Je croyais que tu ne voulais pas rester.

— C'est vrai. Mais j'aurais peut-être envisagé les choses autrement s'ils n'avaient pas été aussi infernaux avec moi.

Thom leva la bride à la lumière à la recherche de fragments de crasse incrustée, puis la reposa sur ses genoux.

— Ça s'est passé il y a longtemps. Il faut évoluer. Nous avons tous évolué.

Kate se tourna vers lui, la bouche figée par une moue obstinée que sa grand-mère Alice aurait trouvée étonnamment similaire à celle de sa fille Joy, si tant est qu'elle eût pu la voir.

— Je ne peux pas évoluer, Thom, pas tant qu'elle n'arrêtera pas de juger tout ce que je fais. Pas tant qu'elle ne m'acceptera pas telle que je suis !

Elle avait croisé les bras et le foudroyait du regard, ses cheveux lui retombant en désordre sur la figure.

Il posa la bride, se leva et la prit dans ses bras de sorte que son corps, inévitablement, se détendit, s'alanguissant contre le sien.

— Oublie tout ça, dit-il.

— Je ne peux pas.

— Pour le moment. Nous allons faire ce qu'il faut pour t'obliger à ne plus y penser.

Sa voix était douce, tendre. Kate leva un doigt pour

effleurer ses lèvres. Celle du bas était légèrement boursouflée à cause du froid.

— Que me proposes-tu ? murmura-t-elle. Tu sais bien que la maison est remplie de gens.

Il sourit, une lueur espiègle dans le regard.

— Il est temps que tu viennes faire un tour à cheval, tu ne crois pas ?

Kate le dévisagea, puis s'écarta vivement de lui.

— Oh que non ! protesta-t-elle. Tu as peut-être réussi à avoir Sabine, mais moi, tu ne m'auras pas. J'ai passé les vingt dernières années à remercier le Seigneur de ne plus avoir à monter sur un fichu canasson. C'est hors de question.

Thom s'approcha d'elle à pas lents. Il souriait toujours.

— Nous pourrions parcourir des kilomètres. C'est une journée magnifique.

— Hors de question, je te dis. Hors de question.

— On pourrait juste aller au pas jusqu'à la forêt. Où personne ne peut nous voir.

Kate secoua la tête, les lèvres fermement pressées l'une contre l'autre comme quelqu'un qui cherche à parer à un baiser indésirable.

— Je ne monte pas à cheval, Thom. Les chevaux me font peur. Je serais parfaitement heureuse de ne plus jamais monter de ma vie.

Sa bonne main glissa derrière son cou, l'attirant doucement vers lui. Il sentait le savon et l'odeur douce et surannée du foin.

— Tu n'as pas besoin de tenir les rênes toi-même. Tu n'as qu'à monter avec moi. Je te tiendrai par la taille tout du long.

Grisée par sa proximité, Kate avait un peu le tournis.

Elle noua les bras autour de son col, avide de se fondre en lui et de le sentir se fondre en elle. Elle ferma les yeux et pencha la tête de côté, sentant la chaleur de son souffle sur la peau nue de son cou.

— Je veux être seul avec toi, murmura-t-il, et les vibrations de sa voix firent se hérisser délicieusement les poils sur sa nuque.

Elle s'écarta d'un bond en entendant la porte de l'écurie se refermer avec fracas.

Des pas approchèrent, puis Liam apparut sur le seuil, son visage mince, buriné, obscur, se profilant dans la clarté du dehors. Il resta planté là, une couverture sous le bras, son regard passant tour à tour de Thom qui s'était rassis et nettoyait à nouveau la sellerie à Kate, adossée nonchalamment à l'une des selles.

— Magnifique journée, dit-il.

Il s'adressait à Thom, mais son regard était rivé sur Kate.

— J'ai pensé que ce n'était peut-être pas la peine de mettre des couvertures au poulain bai pour le moment. Il n'est pas si maigrichon qu'on le croyait.

Thom hocha la tête.

— Bonne idée. On devrait probablement le sortir un peu maintenant que le temps s'améliore, dit-il.

Puis il leva les yeux d'un air interrogateur après un très bref coup d'œil à Kate.

— Alors tu comptes rester là toute la journée, Liam ?

Sabine descendit dans la cour de l'écurie, les mains enfoncées dans les poches de son jean, le menton enfoui sous son col roulé de sorte que seuls ses yeux et son nez, rosis et légèrement boursouflés, émergeaient. Son grand-père était mourant, voilà en essence ce que le docteur avait dit, même s'il avait déguisé la réalité à grand renfort de « problématiques » et de « pronostics ». Son grand-père allait mourir, sa grand-mère était toute bizarre depuis que son cheval était mort, Annie n'avait pas répondu à ses coups de fil depuis des siècles. Tout allait mal. La seule famille à proprement parler qu'elle ait jamais eue se désintégrait.

Sabine s'assit sur le banc en bois près du paddock, Bertie à ses pieds, et s'essuya le nez avec sa manche. Elle devait lutter de plus en plus contre un soupçon qui la hantait, aussi ridicule qu'il fût : que tout cela avait quelque chose à voir avec elle. Les deux « familles » qu'elle avait eues à Londres, à savoir Jim et Geoff, avaient sombré. À présent, sa famille irlandaise, dont les membres étaient tous parfaitement en forme et normaux à son arrivée – enfin, peut-être pas tout à fait normaux, reconnut-elle –, se désagrégeait à son tour, se fragmentant irrémédiablement et se dissipant autour d'elle. Plus rien n'était comme au moment de sa venue. Rien. Et si elle n'était pas en cause d'une manière ou d'une autre, alors que se passait-il ?

Elle poussa un long soupir tremblotant si bien que Bertie leva vers elle un regard interrogateur avant de reposer son museau sur ses pattes. Bobby lui avait assuré que sa théorie était ridicule lorsqu'elle la lui avait expliquée au téléphone. « Les gens âgés meurent, les chevaux aussi, lui avait-il dit. C'est inévitable. C'est juste que tu n'as pas été confrontée à ça jusqu'à présent. » Il avait été gentil, s'était abstenu de plaisanter à ce sujet, comme s'il comprenait qu'elle avait vraiment besoin de parler à quelqu'un. Elle se serait bien confiée à Thom, pensa-t-elle avec amertume, mais il n'était jamais là ces jours-ci. Il y avait des siècles qu'il ne lui avait pas proposé de l'emmener faire du cheval et quand ils n'étaient rien que tous les deux dans la cour, il était plaisant, sans plus, blaguant avec elle comme s'il s'adressait à John-John ou à une autre connaissance quelconque.

Sabine se leva, soudain saisie par le froid. Elle se frotta les coudes et s'approcha des box en passant la tête au-dessus de chaque porte pour voir qui était là et qui était sorti. Elle avait envisagé de parler à sa mère. Elles ne s'entendaient pas trop mal ces derniers temps, depuis l'histoire de la lettre de Geoff. Même si elle se montrait compatissante, cependant, toute conversation avec elle à propos de Kilcarrion serait trop difficile, obscurcie, forcément, par l'incapacité de Kate à s'entendre avec Joy et compliquée par le fait qu'elles savaient toutes les deux que, contrairement à elle, sa mère voulait quitter l'Irlande le plus vite possible.

Car tout le problème était là : même si son grand-père mourait, Sabine ne voulait pas partir. Elle s'était habituée à Kilcarrion, à ses rythmes, à son fonctionnement, au fait que tout y était prévisible, ou presque. Elle aimait les chevaux. La maison. Les gens. Elle s'imaginait mal passant des heures à traîner sans but dans la résidence de Keir Hardie où les seules préoccupations de chacun étaient de savoir qui portait quoi et qui s'était entiché de qui. Si elle essayait de leur parler de chevaux ou de chasse, ils se moqueraient d'elle et la traiteraient de snob. Ils lui feraient sentir qu'elle était différente, d'autant plus qu'elle avait déjà la sensation de l'être. Inexplicablement, la maison de Londres n'était plus…

la maison. Quand elle l'avouerait à sa mère, pensa-t-elle, se sentant coupable, cela lui briserait le cœur.

Elle poussa la porte de l'écurie, trottina sans bruit à l'intérieur et noua les bras autour du cheval gris qui l'ignora, le museau dans son filet à foin. Au bout de quelques minutes, elle ressortit, referma la porte avec soin derrière elle et se dirigea vers la sellerie. Une petite promenade chasserait les gros nuages noirs de son esprit. C'est ce que disait toujours sa grand-mère.

Liam était seul dans la pièce, en train de brosser une couverture de cheval avec une brosse plus couverte de poils que le tissu qu'il s'efforçait de nettoyer.

— J'ai envie de sortir le gris, dit-elle en tendant la main vers une bride.

— Belle journée pour une balade, répondit Liam, un rictus aux lèvres. Enfin, c'est toujours une bonne journée pour monter.

— Ouaip ! fit Sabine en réprimant un sourire.

Elle estimait qu'il ne fallait pas trop l'encourager.

— Vous y allez toute seule ?

— Oui ? Et alors ?

— Rien.

— Que voulez-vous dire ?

Liam haussa les épaules.

— J'pensais que vous préféreriez avoir de la compagnie. Que vous aimeriez aller vous promener avec Thom.

Sabine se démenait pour prendre une selle sur le râtelier, bien déterminée à ne pas rougir.

— Je ne sais pas où il est. Et il n'y a personne dans les parages aujourd'hui. Enfin, pas grand monde.

— Vous serez peut-être surprise.

Sabine tourna son regard vers lui.

— Thom a pris la direction de la forêt à mon avis. Sur le grand cheval.

Il jeta la brosse dans une boîte par terre et secoua la couverture.

— Je n'arrive pas à me souvenir s'il était avec quelqu'un ou pas.

Il prit la couverture suivante sur la pile, un sourire étrange flottant sur ses lèvres.

— Amusez-vous bien, lança-t-il.

Sabine le regarda en fronçant les sourcils, puis gagna la cour, ses rênes traînant dans son sillage. Liam était vraiment bizarre quelquefois.

Le Bois profond du sanglier, comme on l'appelait dans la région, n'était pas si profond et l'on n'y avait jamais vu de sanglier. Il s'étendait sur cinq cents mètres de large environ en bordure d'une petite rivière qui longeait deux grandes propriétés et offrait en saison des possibilités de pêche à la truite, ainsi qu'un refuge aux adolescents du pays qui venaient s'y perdre, en été, à l'abri des regards de leurs aînés. En revanche, il était d'une bonne longueur, suivant les méandres du cours d'eau sur près de deux kilomètres, de sorte que ceux qui éprouvaient le besoin de se convaincre qu'ils étaient loin de la civilisation pouvaient aisément y parvenir, protégés par le quasi-silence des arbres et des taillis tout autour d'eux.

Ce fut à mi-chemin de la rivière que Thom tira sur les rênes du grand hunter bai, passa sa jambe droite par-dessus la selle et sauta avec légèreté à terre sur le sol tendre, tapissé de tourbe. Après avoir glissé les rênes sur son bras gauche, il se redressa pour aider Kate à descendre. Elle glissa le long de l'épaule du cheval avec nettement moins de grâce, marcha à pas lents vers une vieille souche couchée et s'assit prudemment sur sa surface couverte de mousse.

— Je ne vais pas pouvoir faire un mouvement demain, dit-elle, se frottant le bas du dos en grimaçant.

— C'est le surlendemain que c'est vraiment l'enfer.

— Tu n'es pas obligé de prendre un ton aussi réjoui pour me dire ça.

Thom caressa les naseaux du cheval, puis l'entraîna vers un autre arbre. Il détacha la grande longe autour du cou de l'animal et la fixa à son mors avant de l'attacher à une branche à l'aide d'un nœud coulant. Ensuite il s'avança vers la souche à pas lents et s'assit à côté de Kate, repoussant ses cheveux avant de lui déposer un baiser sur le nez.

— Alors, c'était si dur que ça ?

Elle sourit tristement en baissant les yeux comme si elle voyait déjà les meurtrissures naissantes à travers ses vêtements.

— Je n'aurais pas fait ça pour qui que ce soit d'autre.

— J'espère bien. Si nous nous étions assis un tant soit peu plus près l'un de l'autre, nous aurions enfreint les lois de la décence publique.

— Oh ! Je n'ai pas eu l'impression que ça te gênait tellement.

Ils se rapprochèrent et s'embrassèrent un long moment, Kate inhalant les parfums humides, mystérieux, du sous-bois, les arômes musqués des feuilles pourrissantes et la senteur déjà forte de la végétation naissante qui se mêlaient aux odeurs plus subtiles de l'homme à côté d'elle. Elle se rendit compte tout à coup qu'elle était parfaitement heureuse.

— Je t'aime, tu sais, dit-il quand ils s'écartèrent finalement l'un de l'autre.

— Je sais. Moi aussi je t'aime.

Cela ne lui avait pas demandé le moindre effort. Pas d'introspection. Ni de traumatisme.

La clarté rayonnante du soleil jetait ses rais grêles à travers le dais verdoyant au-dessus d'eux, illuminant le sol comme des projecteurs mobiles et vacillants. Une petite brise faisait bruisser le feuillage, telle une main invisible. Ils s'embrassèrent à nouveau et les mains de Thom enfouies dans ses cheveux la forcèrent doucement à s'allonger sur le large lit du tronc d'arbre jusqu'à ce qu'elle sente son poids sur elle. Le désir la rendit faible et elle se cramponna à lui tout en s'efforçant de le rapprocher davantage d'elle, encore et encore.

Le temps ralentit, puis s'arrêta, se dissolvant dans la sensation de son corps contre le sien, de leurs souffles mêlés, du contact de ses lèvres sur sa peau.

— Oh Thom, murmura-t-elle au creux de son oreille, j'ai envie de toi.

Elle sentit sa joue râpeuse contre la sienne et son immobilité lorsqu'il se figea tout à coup. Puis il se redressa en s'aidant de sa bonne main, le regard plongé dans le sien.

— Moi aussi, j'ai envie de toi, souffla-t-il avant de se pencher pour lui déposer un petit baiser, comme une bénédiction, sur la joue.

Elle tendit les bras pour l'attirer à elle, sentant qu'une trop grande distance les séparait. Mais à mi-chemin, il s'immobilisa, maintenant par la force le fossé entre leurs deux corps.

— Non, dit-il.

— Comment ?

Elle plissa les yeux quand un rayon de lumière perça la frondaison au-dessus d'eux, l'empêchant temporairement de voir son visage. Oh mon Dieu ! pensa-t-elle, c'est à cause de mes lunettes. Je n'aurais pas dû mettre mes lunettes.

— Je ne veux pas qu'on fasse ça ici. Comme ça.

Il se mit debout, respirant avec peine.

— Je ne veux pas que ce soit… sordide.

— Comment cela pourrait-il être sordide ?

Kate qui se démenait à son tour pour se redresser dut se faire violence pour réprimer l'impatience dans sa voix.

— « Sordide » n'est peut-être pas le mot qui convient.

Il lui prit la main, la retourna.

— Je veux que ce soit parfait, tu comprends. Je ne sais pas… J'ai attendu si longtemps… Tu comptes tellement pour moi.

Kate regardait fixement sa main, consciente de la chaleur qui se dissipait lentement en elle. Remplacée par une forme de tendresse différente. Une autre force.

— Ça ne sera pas parfait, Thom.

Il lui jeta un rapide coup d'œil, deux iris bleus bordés de noir.

— Tu aurais tort de t'attendre à ce que ce soit parfait. Si tu en fais trop de cas, nous nous décevrons l'un l'autre. Crois-moi.

Je sais de quoi je parle, ajouta-t-elle en son for intérieur.

Il baissa les yeux et se replongea dans l'examen de sa main.

— Ce n'est pas parce qu'on attend ce moment depuis longtemps qu'il faut y accorder plus d'importance qu'il n'en a, poursuivit-elle. Nous risquons de ne pas être très à l'aise au départ. C'est vrai. Nous allons devoir nous habituer l'un à l'autre.

Inconsciemment, elle jeta un coup d'œil à son bras.

— Nous avons changé tous les deux, Thom. Nous allons devoir repartir à zéro. Je suis sûre que ce sera parfait… à long terme. Et je pense que ce qui compte, c'est que nous commencions quelque part.

Elle sourit en regardant autour d'elle.

— Même si ce n'est pas ici. Ni avant plusieurs jours. Parce que, pour tout te dire, je ne crois pas que je vais pouvoir bouger les jambes pendant un moment.

L'atmosphère se détendit. Il la regarda en poussant un petit soupir, riant à demi. Puis il porta sa main à ses lèvres et, les yeux toujours fixés intensément sur elle, planta délicatement ses dents dans le creux de son poignet. Au contact de sa bouche sur sa peau, l'épine dorsale de Kate se changea en métal en fusion, et sa vision se brouilla, même derrière ses lunettes. Elle déglutit avec difficulté.

— Tu as raison, dit-il contre son poignet, son regard toujours plongé dans le sien. Nous ne devrions pas en faire le but suprême.

Il lâcha prise et reposa sa main sur ses genoux. Sourit.

— Mais tu te trompes aussi. Ça sera parfait, je le sais.

Sabine résolut de tourner bride pour reprendre le

chemin de la maison. Elle avança la jambe gauche avec une aisance nouvellement acquise et relâcha les boucles de la sangle pour que son cheval puisse se détendre aussi un peu. Elle l'avait mené bon train cet après-midi, déterminée à concentrer toute son attention sur les sensations que lui procurait son corps robuste bondissant sur la tourbe, le sentiment fabuleux, totalement accaparant, qui l'envahissait lorsqu'il se soulevait et s'étirait au-dessus des obstacles, avide d'occulter les complications qui se profilaient à l'horizon.

Elle ne rentrerait pas à Londres. Il allait falloir qu'elle le dise à sa mère. Elle irait la voir, et lui téléphonerait chaque semaine, mais elle allait vivre ici. Où sa grand-mère avait besoin d'elle. Où elle se sentait plus heureuse. Peut-être s'abstiendrait-elle de lui préciser ça, pensa-t-elle en allongeant les rênes de sorte que le cheval gris baissa la tête avec gratitude. Ça semblait un peu trop cruel. Même pour sa mère.

Le soleil déclinant brillait d'une lueur rouge, jetant un éclat muet sur les champs déserts et teintant de nuances roses ceux du haut, encore tachetés de gel. Derrière elle, épuisée, Bertie trottait mollement à une distance respectable des sabots du cheval, ses griffes cliquetant légèrement sur le macadam. Elle pourrait toujours retourner à Londres un week-end sur deux si sa mère y tenait. Sabine savait qu'elle n'aimait pas être seule. Mais c'était en partie de sa faute après tout. C'était elle qui l'avait envoyée en Irlande. Et Sabine n'y pouvait rien si elle s'entendait tellement mieux avec ses grands-parents qu'avec elle.

— Ils me laisseront peut-être te garder, dit-elle au petit hongre gris dont les oreilles pointèrent aussitôt en avant. Un cheval de plus ou de moins, ça ne devrait pas faire une grande différence, si ?

Ce n'était pas une décision tout à fait égoïste. Si elle restait à Kilcarrion, elle pourrait aider sa grand-mère à prendre soin de son grand-père. Elle était toujours occupée à faire autre chose, et ils économiseraient de l'argent s'ils se séparaient de Lynda. En outre, Mrs H risquait d'avoir à passer davantage de temps avec Annie si cette dernière avait besoin d'un soutien psychologique. Il faudrait quelqu'un pour préparer le déjeuner. Tant que Mrs H faisait le pain, Sabine se disait qu'elle devait pouvoir s'en sortir. En attendant, elle pourrait monter à cheval tous les jours. Et contribuer à remonter un peu le moral de tout le monde. Surveiller Christopher et Julia en plus. Peut-être même continuer à voir Bobby. Elle était certaine de vouloir être amie avec lui, même si elle n'était pas sûre pour le reste.

Elle venait de contourner l'angle de l'église Saint-Pierre quand le petit hongre s'arrêta brusquement en relevant la tête, les oreilles pointées en avant. Il dilata les naseaux, comme s'il sentait quelque chose, et émit un long hennissement de bienvenue. Bertie passa devant lui et leva également les yeux.

Arrachée à sa rêverie, Sabine jeta des coups d'œil autour d'elle pour voir ce qui avait alerté le cheval. En suivant la ligne de vision des deux bêtes, elle repéra au loin le grand cheval de l'écurie qui s'acheminait lentement le long d'une haie en bordure du grand champ. Il était face à elle de sorte qu'au début, à cette distance, elle crut juste distinguer la silhouette de Thom et se demanda si elle devait crier pour attirer son attention. Puis l'animal se tourna légèrement vers la gauche et Sabine se rendit compte qu'il y avait deux cavaliers.

Thom devant et derrière lui, sa mère ! Elle discernait ses cheveux roux qui faisaient tache sur les tons brun mornes des sillons labourés. Elle tenait Thom par la taille et sa tête reposait sur son épaule.

Sabine cligna plusieurs fois des paupières, incapable de croire au début ce qu'elle avait sous les yeux. Lorsqu'elle en eut la confirmation, elle se figea, consternée par les innombrables ramifications d'une telle réalité.

Sa mère était terrifiée par les chevaux. Il ne pouvait y avoir qu'une seule raison pour laquelle elle était montée sur cette bête.

Elle se souvint tout à coup de ce que Liam lui avait dit.

Elle attendit qu'ils soient passés, ignorant les piétinements impatients de sa monture, son regard devenant peu à peu aussi glacial que ses membres inertes. Dès qu'elle fut sûre d'être hors de leur vue, elle laissa son cheval prendre le chemin de l'écurie au pas.

Kate était dans son bain, des bulles de savon jusque sous le menton. Ses doigts de pied émergeaient de l'eau fumante, pareils à des petites saucisses roses alignées sous la robinetterie incrustée de tartre. Elle commençait déjà à avoir des douleurs ici et là – c'était inévitable –, mais une impression de détente et de relâchement si agréable avait envahi son corps qu'elle n'en avait plus que faire. Thom l'aimait. Il l'aimait vraiment. Le reste n'avait pas la moindre importance.

En fermant les yeux, elle pensa à ce qu'elle avait ressenti, son souffle sur sa peau, ses bras autour d'elle, l'effet qu'il lui avait fait sur le cheval, la sensation délicatement érotique de son corps pressé contre le sien dans le silence ponctué par les mouvements étouffés des sabots du cheval sous eux. Elle songea à l'instant où, après leur conversation sur la vieille souche, il avait ôté son chandail à sa demande, et avait ouvert sa chemise pour lui montrer le mécanisme de son bras. Il avait été un peu mal à l'aise au début, elle l'avait senti, et puis, peut-être pour dissimuler son embarras, il s'était détendu et lui avait expliqué avec une attitude proche du défi comment cela fonctionnait en relevant les yeux pour évaluer ses réactions à chaque révélation. Cela ne change rien de toute façon, avait-elle eu envie de lui dire, mais il fallait qu'elle sache. C'était une partie de son être qu'elle ne pouvait imaginer et, maintenant qu'ils avaient franchi une barrière cruciale, elle avait besoin de tout savoir.

La main était en silicone, lui avait-il expliqué. Elle avait une certaine capacité de préhension, au demeurant limitée. On aurait pu lui mettre une sorte de griffe à la place qui lui aurait donné davantage de flexibilité, « mais j'aurais eu l'impression d'être le capitaine Crochet. Je n'aurais jamais pu *oublier* en voyant ce truc-là faire saillie comme ça ». La main se prolongeait par un poignet recouvert de plastique, suivi d'un court faisceau de câbles métalliques et d'un tube quasi cylindrique qui se fixait autour des épaules grâce à un harnachement ajusté.

— Est-ce que tu n'aurais pas pu avoir un de ces bras électroniques high-tech ? lui avait-elle demandé en effleurant sa prothèse. Qui réagissent aux nerfs ou quelque chose comme ça ? N'ont-ils pas un aspect plus réaliste ?

— Pas si je voulais continuer à faire mon boulot,

avait-il répondu. Cette bonne vieille prothèse supporte parfaitement l'humidité et la poussière. Elle comporte peu d'éléments susceptibles de se bloquer. De plus, je m'en sors très bien avec ma main droite la plupart du temps.

Bon nombre de gens qui perdaient un bras ne prenaient même pas la peine de se faire appareiller, lui avait-il confié. Trop compliqué, et puis ils étaient mal à l'aise au début. Lui avait persévéré parce qu'il n'aimait pas qu'on le regarde. Et les gens *regardaient* ; ils ne pouvaient pas s'en empêcher !

À cet instant, elle avait pris sa main en silicone dans les siennes et y avait déposé un baiser. Thom l'avait attirée plus près de lui et lui avait embrassé les cheveux en retour. Elle n'y avait plus pensé après ça. C'était le fait de ne pas savoir ce qu'il y avait sous ce pull-over qui avait rendu la chose captivante. Elle ne songea plus qu'à ce que la vie pourrait être avec Thom ; comment ce serait de se réveiller chaque matin face à ces yeux bleus iridescents, de se blottir nonchalamment contre cette poitrine solide, durcie par l'effort. « Comment sait-on ? » avait-elle un jour demandé à sa mère à l'époque où elles arrivaient encore à parler de choses comme l'amour. « On le sait, c'est tout », lui avait-elle répondu d'un ton presque prosaïque. Une réponse que Kate avait trouvée des plus insatisfaisantes sur le moment. Mais elle avait peut-être raison au fond, se dit-elle d'un air songeur. Peut-être, peut-être que cette fois-ci… Cette histoire avec Thom ne lui faisait pas le même effet que les autres. Elle ne ressemblait en rien aux sentiments anxieux, presque suffocants, qu'elle avait cru éprouver pour Justin, ni à l'amour réservé, reconnaissant, que Geoff lui avait inspiré. Il y avait un élément passionnel cette fois-ci, incontestablement, assorti d'une impression de solidité, d'immuabilité, comme si elle ne pouvait rien y changer, même si elle essayait. Inévitable. En souriant intérieurement, elle plia les genoux et plongea la tête sous l'eau, se laissant envahir par sa chaleur.

Parce qu'elle passait tellement de temps seule chez elle, elle avait perdu l'habitude de fermer à clé la porte de la salle de bains. C'était inutile puisqu'il n'y avait aucun risque que quelqu'un y fasse irruption. Aussi fut-elle choquée lorsqu'en ouvrant les yeux, elle trouva Sabine debout devant elle.

— Sabine ? bredouilla-t-elle en essuyant la mousse sur son visage. Est-ce que ça va ? Que veux-tu ?

— Tu n'as pas pu t'en empêcher, hein ? cracha Sabine, les mains sur les hanches, les traits déformés par la fureur. Es-tu vraiment infoutue de te passer de mec ne serait-ce que cinq minutes ?

Kate se redressa péniblement tout en luttant contre l'envie de couvrir sa nudité sous le regard acerbe de sa fille.

— Comment… ?

— Tu me dégoûtes ! Tu sais quoi ? Je te trouve ignoble ! Tu n'es qu'une sale pute !

— Attends une minute…

Kate attrapa à tâtons la serviette de bain posée à l'autre bout de la baignoire en expédiant un mini raz-de-marée sur le carrelage de la salle de bains.

— Attends…

— Tu me faisais carrément de la peine ! Tu sais ça ?

Sabine secouait la tête à présent. Ses cheveux, tout aplatis par la bombe, se hérissaient bizarrement.

— J'étais désolée pour toi au sujet de Geoff ! J'avais vraiment honte de t'en avoir parlé. Et pendant tout ce temps-là, tu... – elle se débattit pour trouver les mots justes – tu te tapais Thom. Tu t'es jetée dans ses bras. Bon sang, tu me files la nausée !

— Je n'ai pas couché avec Thom.

Kate se leva en s'agrippant au radiateur pour s'extraire de la baignoire.

— Je n'ai couché avec personne.

— Je t'ai vue ! Je t'ai vue à cheval avec lui. De mes propres yeux !

Kate était sidérée, accablée par la haine pure qu'elle lisait sur le visage de sa fille.

— Sabine, ce n'est pas ce que tu crois...

— Quoi ? Tu oses prétendre que tu n'as pas une histoire avec lui ?

Kate soupira.

— Je n'ai pas dit ça.

— Dans ce cas, ne me mens pas. N'essaie pas de te défiler. Bon sang, maman, quand je suis arrivée ici, je t'ai vraiment plainte, tu sais ça ? Je t'ai plainte d'avoir eu à grandir ici. Je les trouvais impossibles.

Elle pleurait à présent, de brefs sanglots saccadés, les yeux hermétiquement clos pour tenter d'interrompre le flot des larmes.

— Et maintenant... maintenant, je regrette juste de ne pas avoir été élevée par eux plutôt que par toi. Des gens qui s'aiment vraiment, même s'ils ne le montrent pas toujours. Des gens qui se soutiennent mutuellement. Et qui ne sautent pas dans le lit du premier venu. Pourquoi est-ce que tu n'es pas comme eux, hein ? Pourquoi faut-il que tu sois une telle... traînée ?

Cet ultime mot fendit l'air vaporeux entre elles comme une lame affilée.

— Je n'ai pas couché avec lui, dit Kate tranquillement

en serrant sa serviette autour d'elle, les joues inondées de larmes à son tour.

Mais Sabine était partie.

Elle avait fui la maison sans trop savoir ce qu'elle allait faire ensuite, l'esprit embrouillé par une multitude de pensées contradictoires, pareilles aux éclats d'un miroir se reflétant les uns les autres dans la plus grande confusion. Elle avait mis le cap presque instinctivement sur l'écurie, convaincue que la compagnie simple et sans complication des chevaux et des chiens était plus sûre que celle de la variété humaine présente à l'intérieur de la maison. Comment avait-elle osé ? pensa-t-elle, les bras noués autour du cou impassible du cheval gris, ses joues humides contre son pelage. Comment sa mère avait-elle pu jeter son dévolu sur Thom. Thom ! Le seul être qui l'eût véritablement comprise depuis son arrivée ? N'avait-elle donc aucun contrôle sur elle-même ? Pourquoi fallait-il qu'elle gâche tout ?

Sabine relâcha son étreinte et se laissa tomber sur le sol dans le coin de la stalle en s'efforçant de se souvenir de ce que sa mère avait dit précisément. Elle avait prétendu qu'elle n'avait pas couché avec lui, mais il était évident que cela n'allait pas tarder. En fermant les yeux, Sabine la revoyait clairement, pressée contre le dos de Thom tandis qu'il guidait lentement le cheval vers la maison. Même à cette distance, elle avait pu discerner son expression : suffisante, contente d'elle ! Jouissant pleinement de leur intimité. Elle faisait la même tronche quand elle regardait Justin en pensant que Sabine ne la voyait pas. Sabine se frotta les yeux dans l'écurie de plus en plus sombre en essayant de chasser de son esprit cette vision d'eux. Pourquoi avait-il fallu qu'elle se retrouve avec une mère pareille ? Jadis, elle se sentait proche d'elle. Elle avait compris que Geoff n'était pas facile à vivre et que sa mère faisait de son mieux pour maintenir un semblant d'ambiance familiale, même si ce n'était pas du genre conventionnel. Elle ne savait plus qui elle était à présent. Kate avait changé depuis Justin. Elle ne s'imposait plus de limites. Cela mettait Sabine hors d'elle tout en lui donnant l'impression qu'elle ne tenait plus sur ses deux pattes, comme si elle marchait sur des sables mouvants.

Elle se leva et plongea les mains dans le seau d'eau du cheval avant de les poser, tout humides et presque bleuies par le froid, sur son visage pour tenter d'apaiser ses pensées fiévreuses. L'eau glacée lui fit du bien. Alors qu'elle se tenait là, les paumes pressées contre ses joues, elle entendit Thom en train de réprimander gentiment l'occupant du box voisin. Puis le son étouffé d'une tape sur une croupe musclée lui parvint. Il y eut un cliquetis métallique suivi du cognement sourd d'un cheval reculant maladroitement contre le mur. Pendant plusieurs minutes, Sabine resta parfaitement immobile. Comme si elle réfléchissait.

Sauf qu'elle ne réfléchissait pas.

Elle repoussa ses cheveux, s'essuya les yeux à la hâte et desserra le col de sa chemise. Après quoi, elle enleva son pull-over en se démenant pour dégager sa tête et l'étendit avec soin sur la porte du box. Puis elle sortit du box et gagna sans bruit celui d'à côté en refermant la porte derrière elle.

Le dos criblé de brins de paille, Thom faisait face au mur. Il jeta un bref coup d'œil par-dessus son épaule, l'éclairage jaune de l'ampoule au-dessus de lui illuminant momentanément son visage.

— Salut, fit-il en remontant le filet sur son anneau avant de faire un nœud pour l'arrimer. Tu viens me donner un coup de main ?

Sabine s'adossa au mur, les yeux fixés sur lui.

— J'ai retiré une pierre de la taille d'un œuf dans le sabot de ce pauvre diable, dit-il en continuant à tirailler sur le filet. Il fallait le voir pour le croire. Pas étonnant qu'il boitillait hier.

Sabine glissait contre le mur, se rapprochant de lui centimètre par centimètre.

— C'est de ma faute. Je n'avais rien remarqué, marmonna-t-il en tordant le filet une dernière fois. Difficile d'imaginer qu'on puisse faire une erreur pareille après vingt ans de métier ! Alors, où étais-tu passée ?

Il finit par se tourner vers elle et dut se mettre de côté et reculer légèrement parce qu'elle était plus près qu'il ne le pensait.

— Je suis allée faire un tour avec le cheval gris, répondit-elle en levant un genou et en le pliant sous elle. Nulle part en particulier.

— Vous vous entendez vraiment bien tous les deux maintenant, fit Thom en souriant. Il t'aime bien. Et toi aussi tu l'aimes bien.

Sabine leva les yeux vers lui de dessous ses cils.

— Et toi ?

— Oh, il est un peu petit pour moi. Mais c'est mon genre de bête. Un petit gars courageux, franc du collier. On sait à quoi s'en tenir avec lui.

— Je ne parlais pas du cheval.

Thom s'immobilisa, la tête penchée de côté.

— Est-ce qu'on s'entend, toi et moi ?

Sa voix avait des accents graves, mélodieux. L'écurie

devint tout à coup très tranquille, le quasi-silence magnifiant la mastication bruyante d'un cheval.

— Bien sûr qu'on s'entend bien.

Il fronça les sourcils en s'efforçant de déterminer où elle voulait en venir.

Sabine le dévisageait.

— Alors tu m'aimes bien ?

— Évidemment que je t'aime bien. Dès le jour où je t'ai rencontrée, je t'ai trouvée sympathique.

Sabine fit un pas vers lui. Son cœur battait si fort qu'il devait l'entendre à coup sûr.

— Je t'ai tout de suite apprécié moi aussi, murmura-t-elle. Je t'apprécie toujours autant.

Elle fit glisser le bout de sa langue sur ses lèvres pour les humecter.

Les sourcils toujours froncés, Thom se détourna pour prendre le balai posé contre la mangeoire dans le coin. Il interrompit soudain son geste. Puis se frotta la nuque comme s'il réfléchissait à quelque chose. Pour finir, il fit volte-face et se pencha pour attraper le seau d'eau presque vide.

Le seau retomba par terre avec fracas, ce qui fit sursauter le cheval.

Sabine se tenait à moins d'un mètre de lui, sa chemise ouverte jusqu'à la ceinture.

Elle ne portait rien en dessous.

— Sabine…

Il s'avança comme pour la couvrir, mais elle le devança. Elle fit un pas de plus vers lui, posa sa main droite sur son torse et cala son corps frêle contre le sien en exerçant une pression à peine perceptible.

Puis elle s'empara de sa main droite à lui et, après

avoir baissé les yeux un bref instant, la plaça avec lenteur, résolument, sur son sein gauche nu.

— Ah, fit-elle, les yeux écarquillés, perdus dans les siens.

Thom à son tour ouvrit grand les yeux, le souffle coupé sous l'effet du choc.

— Sabine… dit-il à nouveau, mais elle tendit l'autre main pour attirer sa tête vers elle et posa ses lèvres sur les siennes.

Il y eut un bref silence. Terrible. Puis Thom se dégagea, recula en titubant tout en secouant la tête.

— Sabine. Non, non, je suis désolé. Je suis désolé, mais…

Il se tourna vers la porte et s'y cramponna. Puis il prit le seau avec sa main en silicone, tandis que de l'autre, il s'essuyait les yeux, le visage, comme pour chasser une vision. Une lumière s'alluma en vacillant dans la sellerie, son faisceau fluorescent se reflétant sur les pavés de la cour. Dehors, Bertie aboya.

— Sabine. C'est impossible. Tu es charmante, vraiment, mais…

Sabine s'était mise à trembler. Elle se tenait devant lui dans la quasi-obscurité et tirait maladroitement sa chemise autour d'elle, la lèvre inférieure frémissante. Elle paraissait fragile, et terriblement jeune.

Thom, dont l'inquiétude se lisait sur le visage, fit un pas dans sa direction.

— Oh mon Dieu, Sabine, viens ici…

Mais elle se fraya un chemin à côté de lui et, avec un sanglot étouffé, s'enfuit dans la nuit.

Kate trouva sa mère dans le bureau. Un nœud de cheveux gris chaotique à peine visible au-dessus de son dos capitonné de vert, raide comme un piquet. Elle était assise à la table où Edward s'asseyait jadis et passait en revue le contenu d'une boîte remplie de papiers. Elle en déposait certains sur une pile bien nette devant elle, mais jetait l'essentiel dans la corbeille à papiers métallique à ses pieds. Elle ne prenait pas le temps de méditer longuement sur chaque document, se bornant à y jeter un rapide coup d'œil avant de prendre une décision sans appel. Soit devant elle, soit dans la corbeille.

À sa gauche se trouvait la boîte de photographies que Kate avait vu Sabine feuilleter deux jours plus tôt. Elles s'apprêtaient apparemment elles aussi à faire l'objet d'un tri systématique et impitoyable.

Kate, qui avait gravi l'escalier presque en courant, reprit son souffle avant de frapper à la porte bien qu'elle eût déjà franchi le seuil.

Joy se retourna sur son siège. Elle avait l'air un peu surprise de voir sa fille là et jeta un coup d'œil derrière elle, comme si elle s'attendait à ce qu'il y eût quelqu'un d'autre.

— Eh bien, tu seras contente d'apprendre que tu as eu ce que tu voulais, lança Kate d'un ton grave et mesuré.

Elle s'avança dans la pièce en faisant glisser son doigt le long d'une étagère.

Joy fronça les sourcils.

— Honnêtement, maman, je sais que tu ne m'approuves guère, mais le fait que cela ne t'ait pris que… Voyons ? Deux mois et demi ? Eh bien, ça m'impressionne. Même de ta part.

Joy pivota complètement sur elle-même.

— Je suis désolée. Je ne comprends pas.

— Sabine. Il ne t'a fallu que quelques semaines. Mais elle me méprise autant que toi maintenant, c'est indéniable.

La mère et la fille se dévisagèrent longuement dans la vieille pièce poussiéreuse. C'était le contact le plus prolongé qu'elles aient eu depuis l'arrivée de Kate.

Joy finit par se lever. Ses mouvements étaient plus lents que dans le souvenir de Kate. Ils semblaient lui coûter davantage.

— Katherine, quoi qu'il se soit produit entre Sabine et toi, je n'y suis pour rien.

Elle tournoya sur elle-même pour faire face à sa fille, une main toujours cramponnée au dossier du fauteuil.

— Je ne sais pas du tout de quoi tu parles. À présent, si tu veux bien m'excuser, j'ai des choses à faire en bas.

— Oh ben ça pour une surprise, c'est une surprise !

Joy releva brusquement la tête.

— Il y a toujours quelque chose à faire en bas, n'est-ce pas ? Toujours quelque chose de mieux à faire que de parler avec moi, ta propre fille.

— Je te trouve un peu excitée, ma petite.

Joy s'obstinait à ne pas regarder sa fille qui lui bloquait pourtant le chemin.

— Je ne suis pas excitée le moins du monde, maman. Je suis parfaitement calme. Je pense juste que le moment est venu pour nous d'avoir une petite conversation. J'en ai *assez*, ajouta-t-elle, incapable de réprimer les nuances stridentes qui faisaient vibrer sa voix, plus qu'assez que tu m'ignores royalement comme si j'étais une… boule puante. Je veux te parler et tout de suite.

Joy regarda la porte, puis, autour d'elle, le sol pour ainsi dire libéré des boîtes qui y étaient restées entassées des années. Il y avait des carrés sombres sur les vieux tapis, empreintes poussiéreuses des endroits où elles étaient amoncelées.

— Eh bien, tâchons de faire vite. Je n'aime pas laisser ton père trop longtemps tout seul.

Kate sentit la fureur lui monter à la gorge, comme de la bile.

— Qu'as-tu dit à Sabine à mon sujet ?

— Je te demande pardon ?

— Que lui as-tu raconté ? Tout allait bien quand elle a quitté Londres. Très bien même. Et maintenant elle méprise tout ce que je fais. Tout ce que je suis. Et tu sais quoi, maman ? Certaines des horreurs qu'elle m'assène, on les croirait sorties tout droit de ta bouche.

Joy resta plantée là, raide comme la justice, s'armant manifestement de courage.

— Je n'ai pas la moindre idée de ce dont tu parles. Je n'ai jamais rien dit à Sabine à ton sujet.

Kate rit. Un rire creux, sans humour.

— Oh, tu n'as peut-être rien dit de spécifique, mais je te connais, maman ! Je sais comment tu es. Ce que tu tais peut être tout aussi virulent que ce que tu dis. Et crois-moi, il s'est passé quelque chose. Parce que ma fille te considère comme un modèle absolu de l'amour avec un grand A. Et tout ce que je fais est nul !

— Je n'y suis pour rien.

Les traits de Joy s'étaient figés.

— Et je n'ai vraiment pas le temps de parler de ça. Franchement.

Mais il n'y avait plus moyen d'arrêter Kate.

— Je vais te dire une chose. Je suis désolée de ne pas avoir pu être comme papa et toi, d'accord ? Je suis désolée de ne pas m'être mariée en blanc. De ne pas avoir épousé mon ami d'enfance. Mais les temps changent, que tu le veuilles ou non, et la grande majorité des gens de mon âge sont comme moi.

Joy se cramponna encore plus fort à sa chaise.

— Je suis incapable d'être comme toi, d'accord ? Je ne serai jamais à la hauteur de papa, de toi et de votre foutue histoire d'amour apte à éclipser d'un seul coup toutes les histoires d'amour du monde, OK ? Ça ne veut pas dire que je sois quelqu'un de mauvais. Ni que tu puisses juger le moindre de mes mouvements.

— Je ne t'ai jamais jugée.

— Ben voyons ! Allons, maman. Tu m'as reproché absolument tout ce que j'ai fait dans ma vie. Tu m'as jugée à cause de Sabine, de Jim. Tu m'as clairement fait comprendre que tu n'approuvais pas Geoff, bien qu'il fût médecin, pour l'amour du ciel !

— Je ne t'ai pas jugée. Je voulais juste que tu sois heureuse.

— Et puis quoi encore ! À d'autres ! Tu ne pouvais même pas me laisser avoir les amis que je voulais quand j'étais enfant. Regarde !

Elle tendit le bras et s'empara d'une photographie de Tung-Li et d'elle-même sur la pile.

— Tu te souviens de lui ? Je parie que non.

Joy jeta un coup d'œil au cliché et détourna les yeux.

— Je me souviens parfaitement de lui. Merci.

— Oui. Tung-Li. Mon meilleur ami. Mon meilleur ami avec lequel je n'avais pas le droit de jouer parce que tu estimais qu'une fille de ma classe ne devait pas jouer avec le fils de son *amah*.

Joy eut soudain un air très las. Elle recula, se heurtant au fauteuil.

— Ce n'est pas ça, Katherine. Tu n'as pas compris.

— Ah bon ? Il me semble pourtant me rappeler que tu étais assez claire à l'époque. « Ça ne se fait pas », telle est la formule que tu employais. Tu t'en souviens ? Parce que moi, je n'ai pas oublié. Pour te dire à quel point ça m'a fait mal. Ça ne se fait pas !

— Ce n'était pas du tout ça, répondit Joy d'une voix calme.

— Il n'était pas assez bien pour moi. De même que rien de ce que j'ai entrepris n'est assez bien pour toi. La manière dont j'ai mené ma vie, les gens dont je suis tombée amoureuse, la façon dont j'ai élevé ma fille. Pas même les amis que je choisissais. À l'âge de six ans, bon sang ! Ça ne se faisait pas.

— Tu n'as pas compris.

— Comment ça ? Qu'est-ce que je n'ai pas compris, bordel ? J'avais six ans !

— Je te l'ai dit. Ce n'est pas ce que tu crois.

— Alors explique-moi !

— Bon d'accord ! D'accord !

Joy prit une profonde inspiration. Ferma les yeux.

— La raison pour laquelle je ne pouvais pas te laisser jouer avec Tung-Li…

Elle inspira à nouveau. Un des chiens grattait et geignait derrière la porte pour qu'on le laisse entrer.

— La raison pour laquelle je ne pouvais pas te laisser jouer avec Tung-Li. C'est… je ne pouvais pas le supporter. C'était trop dur.

Elle ouvrit les yeux et regarda Kate droit dans les yeux. Les siens brillaient, pleins de larmes.

— Parce que c'était ton frère.

14

Joy Ballantyne avait de si fortes nausées matinales, comme sa mère le raconta plus tard à ses amies, que son époux avait mis deux cuisinières à la porte l'une après l'autre, persuadé qu'elles essayaient de l'empoisonner. Dans le cas de la première, Alice l'avait pris personnellement puisqu'elle s'était donné beaucoup de mal pour leur permettre d'embaucher cette excellente *amah*. Une tâche qui l'avait contrainte à se mettre au moins une des familles Jardine à dos. Mais elle avait été forcée de reconnaître elle-même que les vomissements fréquents de Joy et son incapacité à bouger de son canapé durant des semaines n'étaient pas le propre d'une grossesse saine.

À partir de la sixième semaine, en effet, date à laquelle Joy avait informé Edward qu'il allait être père, elle s'était sentie de plus en plus mal, son teint pâlissant, prenant de singulières nuances jaune-grisâtre, ses cheveux d'ordinaire souples devenant ternes et plats en dépit des efforts déployés par sa mère pour les coiffer. Elle avait de la peine à se mouvoir, se plaignait de vertiges, répugnait à parler et trouvait presque impossible d'être sociable, d'autant plus que ses vomissements violents se produisaient souvent sans avertissement. Le fait de vivre dans cet immeuble rempli de gens n'arrangeait pas les choses, remarqua Alice. « Toutes ces cuisinières en train de faire frire de l'ail et Dieu sait quoi d'autre au milieu de la journée. Ces intestins de porc qu'on pend pour les faire sécher. Cette pâte de navets frite. Et cet horrible fruit qui sent la pourriture. »

— Merci, maman.

Joy s'était penchée pour se soulager dans la cuvette.

Depuis qu'elle avait découvert qu'elle allait être grand-mère, Alice était de très bonne humeur – étant donné son inconfort physique, Joy n'avait pas pu garder le secret bien longtemps –, et elle avait embrassé son rôle de matriarche avec une satisfaction presque indécente au 14 Sunny Garden Towers. Elle avait remplacé la dernière cuisinière renvoyée par une fille de Guangdong, du nom de Wai-Yip, plutôt plus jeune que la plupart des *amahs* cuisinières, mais réputée apte à apprêter des plats anglais, et puis, comme Alice l'avait souligné, une femme plus jeune avait des chances d'avoir davantage d'énergie pour les enfants. « Parce que je vais te dire une chose, Joy, ils ne se bornent pas à t'abîmer le corps, ils t'éreintent ! Il te faudra quelqu'un pour te décharger. » Elle avait également embauché une *amah* blanchisseuse, Mary, originaire de Causeway Bay, et s'arrangeait pour qu'elle montre à Edward à la moindre occasion ses chemises admirablement amidonnées.

En attendant, Joy versait des larmes amères et silencieuses, maudissant cet intrus qui grandissait en elle, déprimée par les nausées incessantes, frustrée par son impuissance. Elle en voulait surtout à ce parasite de s'interposer dans sa relation avec Edward. Elle ne pouvait plus accompagner son mari dans les réceptions, à cause de sa pitoyable apparence, qui, elle le savait, le décevait même s'il n'en disait rien. Cet usurpateur les avait séparés en faisant d'elle non plus seulement une épouse, mais une future mère qui devait être dorlotée et protégée par la communauté féminine, les docteurs, à laquelle on interdisait de monter à cheval, de faire du tennis et de s'adonner aux autres activités physiques qu'ils avaient tant de plaisir à partager. Edward la voyait déjà différemment ; elle s'en rendait compte. C'était manifeste dans la manière circonspecte dont il s'approchait d'elle en rentrant du travail pour lui déposer un petit baiser sur la joue au lieu de la serrer avec fougue contre lui comme il le faisait avant. Cela se voyait aussi dans la manière dont il la surveillait du coin de l'œil lorsqu'elle se traînait de pièce en pièce en s'efforçant de donner le change, tandis que sa mère remarquait d'un ton allègre « qu'elle n'avait jamais vu quelqu'un avec un teint aussi terreux ». Les choses avaient encore empiré au bout de dix semaines lorsque, à l'évidence frustré par le manque de proximité physique entre eux – elle se livrait généralement à lui quatre ou cinq fois par semaine après tout ! –, il s'était penché vers son côté du lit et avait entrepris de la caresser doucement, son visage planant au-dessus du sien en prévision d'un baiser.

Joy qui dormait à moitié s'était réveillée pour de bon, prise de panique. Elle ne lui avait pas dit le pire, à savoir que maintenant l'odeur même de sa peau lui donnait la nausée. Lorsqu'il se bornait à l'embrasser sur la joue, elle parvenait à dissimuler ce qu'elle ressentait sous un sourire forcé. À présent, le contact rythmique de sa main lui donnait mal au cœur, sa bouche sur la sienne provoquait des sueurs froides. Oh mon Dieu, s'il vous plaît, pas ça ! pria-t-elle en silence lorsqu'il se hissa sur elle, et elle ferma hermétiquement les yeux pour tâcher de bloquer les horribles sensations qui montaient inexorablement en elle. Quand elle sut qu'elle ne pouvait plus se retenir, elle le repoussa brusquement et courut à la salle de bains où elle vomit longuement et bruyamment.

Cela n'avait été que le début : il n'avait pas voulu entendre ses explications larmoyantes, s'était retiré sans mot dire dans la chambre d'amis, la souffrance émanant de lui en ondes presque palpables. En outre, il avait refusé d'en parler le lendemain matin, même lorsque les domestiques avaient quitté la pièce. Et puis deux soirs plus tard, alors qu'elle était restée éveillée un long moment à se demander pourquoi il rentrait si tard des chantiers navals, il avait marmonné deux mots : « Wan Chai. » La terreur avait envahi Joy.

Après cela, elle ne lui avait plus jamais demandé où il disparaissait trois ou quatre soirs par semaine. Bien qu'hébétée de fatigue, elle restait allongée dans son lit, les yeux grands ouverts, jusqu'à ce qu'elle entende la porte d'entrée s'ouvrir puis son mari, généralement éméché, gagner en trébuchant la chambre d'amis où il s'était installé quasiment en permanence. Sauf les nuits où il était vraiment ivre, auquel cas il oubliait qu'ils ne partageaient plus le même lit et elle était forcée de le quitter elle-même, écœurée par les odeurs d'alcool. Le matin, ils ne parlaient pas : c'était le moment où Joy se sentait le plus mal et elle ne savait pas trop quoi dire. Quant à Edward, il souffrait des contrecoups de la bombance de la veille et il était apparemment toujours pressé d'aller travailler. Elle ne pouvait se confier à personne. Elle ne voulait surtout pas qu'Alice ait la satisfaction – et ce serait immanquablement le cas – de voir Edward et elle réduits au type de misère polarisée si manifeste parmi les couples de leur entourage. Stella se trouvant en Angleterre, elle n'avait plus personne auprès d'elle qu'elle considérât vraiment comme une amie. Edward avait été son ami ; elle n'avait jamais imaginé qu'elle aurait besoin de quelqu'un d'autre.

Aussi perdit-elle du poids à un moment où, ainsi que le lui fit remarquer le médecin de la Marine, elle était censée engraisser, tout en sombrant progressivement dans la mélancolie si bien qu'Edward préférait sortir plutôt que de rester à la maison et de contempler sa mine réprobatrice.

Finalement, vers la seizième semaine, elle s'était aperçue un beau matin que ses nausées avaient presque disparu, qu'elle pouvait penser à de la nourriture sans gémir et qu'elle avait assez envie d'aller se promener, maintenant qu'elle était délivrée de l'angoisse de rencontrer des odeurs nauséabondes sur son passage. En voyant son reflet dans la glace, elle se rendit compte que ses joues avaient repris des couleurs et son regard un peu d'éclat. « Eh bien voilà, s'exclama sa mère avec une pointe de déception dans la voix, tu commences à t'épanouir. Tu pourrais peut-être faire un petit effort vestimentaire à présent. Et tâcher d'avoir l'air un peu plus gai pour tout le monde. »

Or il n'y avait qu'une seule personne pour laquelle Joy avait envie d'avoir l'air gai. Ce soir-là, quand Edward rentra à la maison, elle était non seulement éveillée, mais portait la robe qu'il préférait. Elle avait mis un peu du parfum qu'il lui avait acheté pour Noël. Légèrement anxieuse, mais redoutant encore plus ce qui risquait de se passer si elle s'en abstenait, elle avait couru pour l'accueillir dès qu'il avait ouvert la porte et avait posé ses lèvres en silence sur les siennes en lui enserrant étroitement la taille. « Je t'en prie, ne sors pas ce soir, avait-elle chuchoté. Reste avec moi. » Il avait scruté son visage et son regard lui avait paru terriblement triste et soulagé à la fois. Il l'avait étreinte avec fougue au point qu'elle avait cru étouffer un bref instant, et ils étaient restés enlacés ainsi sans parler jusqu'à ce que la tension des dernières semaines se fût dissipée.

— Eh bien, vous avez tous les deux une mine plus joyeuse ce matin, commenta Alice quand elle les trouva en train de s'attaquer à leur petit déjeuner en arrivant le lendemain matin.

Son visage s'était refermé à nouveau à l'instant où elle avait compris pourquoi.

Christopher Graham Ballantyne naquit quelque cinq mois et demi plus tard à l'hôpital naval après un accouchement rapide et sans complications, ce qui, comme Edward le fit remarquer sur le ton de la plaisanterie, tenait moins à la détermination de l'enfant à voir le jour qu'à celle de sa mère à remonter à cheval. C'était un gros bébé placide, adoré par ses deux parents qui n'en étaient pas moins contents d'avoir « récupéré » le corps de Joy et bien déterminés à ne pas laisser son arrivée empiéter trop radicalement sur leur vie sociale ou leurs promenades équestres. Alice n'en prit pas ombrage, bien au contraire. Les parents ne devaient pas passer trop de temps avec leurs enfants. Cela lui permettait en outre de se consacrer au bébé, de le dorloter, de le vêtir d'habits de couleurs claires magnifiquement taillés, avec des boutons couverts de soie. Elle l'exhibait dans son immense landau Silver Cross importé, avide de faire étalage de sa supériorité physique et de ses remarquables traits de personnalité devant les autres détentrices de landaus de la colonie. Joy considérait l'adoration de sa mère pour son fils avec un mélange de satisfaction toute maternelle et un tant soit peu de perplexité. Alice semblait nettement plus apte à exprimer un amour inconditionnel à cet enfant qu'elle ne l'avait jamais fait avec elle. Joy n'avait pas le souvenir de cajoleries interminables, de babillages incessants et de cette attention de tous les instants dont Christopher bénéficiait comme si cela coulait de source. « Ne t'inquiète pas pour ça, lui disait Edward, ravi d'avoir l'essentiel de l'attention de sa femme pour lui. Ils sont heureux tous les deux, non ? »

Pendant les deux années qui suivirent, ce fut le bonheur pour eux tous : Edward supervisant les travaux d'ingénierie aux chantiers navals, Alice jouant son rôle de nourrice officieuse, et Joy, bien qu'aimant son fils à la folie, de nouveau au côté de son mari et résolue à ne plus jamais laisser une pareille distance s'insinuer entre eux. Edward était encore plus aimant, plus attentif qu'auparavant, si tant est que ce fût possible, sans doute soulagé que Joy ne se fût pas métamorphosée en une mère anxieuse, agitée, obnubilée par son enfant, comme il l'avait redouté. Peu lui importait de ne pas partir en mer, comme certains officiers qui avaient des fourmis dans les jambes quand ils restaient postés trop longtemps au même endroit. Il était heureux d'être avec sa famille. Avec sa femme. Il ne parlait jamais de la période Wan Chai, comme Joy l'appelait secrètement, et elle ne le pressa jamais de lui expliquer ce qu'il faisait là-bas. En tout état de cause, elle en savait désormais suffisamment sur ce quartier de la ville pour nourrir des soupçons dont elle se serait bien passée. Ne réveillez pas le chat qui dort. Telle était l'expression qu'elle utilisait. Ils étaient tous heureux, bien plus qu'elle n'avait osé l'espérer étant donné les événements qui avaient précédé la naissance de Christopher.

Ce fut la raison pour laquelle son cœur chavira quand elle se réveilla un matin avec la sensation familière et oppressante de la nausée.

— Eh bien, vos soupçons étaient fondés, Mrs Ballantyne, lui annonça le médecin de la Marine en se lavant les mains dans le petit lavabo ovale. Vous en êtes à sept semaines environ, je dirais. Votre deuxième enfant, n'est-ce pas ? Félicitations.

Il avait semblé passablement choqué lorsque Joy avait éclaté en sanglots bruyants et irrépressibles. Elle était restée assise là, le visage dans ses mains, refusant de croire que le pire était arrivé.

— Je suis désolé, lui avait-il dit en posant une main sur son épaule. Je pensais que c'était prévu. Nous avions bien parlé de… méthodes après la naissance de votre fils, après tout.

— Il n'aimait pas ça, répondit Joy en s'essuyant la figure. Il disait que ça gâchait tout pour lui.

Elle s'était remise à pleurer de plus belle.

— On pensait faire assez attention.

Au bout de plusieurs minutes, le docteur était devenu un peu moins compréhensif. Il s'était assis à son bureau et avait appuyé sur le bouton de l'interphone pour informer sa secrétaire d'un ton plein de sous-entendus qu'il serait prêt « d'un instant à l'autre » pour le patient suivant.

— Je suis désolée, avait bredouillé Joy en fouillant dans son sac en quête d'un mouchoir inexistant. Ça va aller. Je vous assure.

— Un bébé est une bénédiction, Mrs Ballantyne, lui avait-il alors déclaré, le regard perçant derrière ses verres en demi-lune. Des tas de femmes seraient ravies de compter un nouveau membre au sein de leur famille. Et les nausées sont un signe fiable de bonne santé chez le bébé, comme vous le savez.

Joy s'était levée pour partir, muselée par la remontrance subtile qu'elle avait perçue dans sa voix. Je le sais bien, s'était-elle dit, mais nous ne voulions pas d'un autre enfant. Nous n'étions même pas certains de vouloir le premier.

— Tu seras peut-être moins malade cette fois-ci, avait souligné Alice, enchantée à la perspective d'un nouveau petit-enfant.

Elle semblait assimiler la fertilité de sa fille à une hausse de son statut personnel. Cela avait au moins l'avantage de lui procurer un rôle, ce qui lui avait fait défaut depuis que Joy était grande.

— C'est le cas chez de nombreuses femmes, avait-elle ajouté.

Mais déjà importunée par les effluves sournois émanant de la colonie, le cœur au bord des lèvres à la vue du camion des éboueurs rempli de carcasses, des étals odorants des marchands ambulants, des gaz d'échappement visibles dans les rues encombrées, Joy savait pertinemment à quoi s'en tenir. Et sentait venir la paralysie du petit animal impuissant pris dans les phares d'une voiture, s'attendant au pire impact.

Ce fut pire que la première fois. Rapidement clouée au lit, elle ne pouvait strictement rien manger hormis du riz bouilli qu'on lui donnait par petites cuillerées toutes les deux heures pour tâcher de parer aux vomissements. Elle rendait quand elle avait faim. Elle rendait quand elle avait mangé. Elle vomissait dès qu'elle bougeait, et souvent aussi quand elle ne faisait rien à part rester couchée sous le ventilateur vrombissant en priant Dieu, comme cela lui arrivait fréquemment, pour qu'un gros camion lui passe dessus et mette fin à ses souffrances. Elle ne pouvait guère que murmurer des paroles de réconfort au petit Christopher quand il se cramponnait à son corps allongé – comment lui expliquer que l'odeur de ses cheveux lui donnait la nausée ? – et fut bientôt si mal en point qu'elle en oublia de s'inquiéter de ce qu'Edward pensait. Elle ne demandait qu'à mourir. La mort ne pouvait être qu'un soulagement, vu ce qu'elle ressentait.

Cette fois-ci, Alice elle-même était inquiète : elle convoquait régulièrement le docteur qui prescrivait des remèdes que Joy refusait de prendre et s'alarma de la perte de poids rapide de sa fille. « Si elle se déshydrate davantage, lui avait dit le médecin, nous serons contraints de la placer sous perfusion. » Son attitude suggérait néanmoins que, si sa situation était incontestablement désagréable, il allait falloir que Joy serre les dents. Tout cela faisait partie des attributions de la femme. « Pourquoi ne vous maquillez-vous pas un peu ? lança-t-il au moment de prendre congé en essuyant son front luisant de sueur avec un mouchoir plié. Et cessez de prendre cet air triste. »

Compatissant dans un premier temps – il s'asseyait près d'elle et lui caressait les cheveux, lui rappelant d'un ton peu convaincu que bientôt, elle serait de nouveau sur pied –, Edward se lassa vite de son rôle d'infirmier improvisé. Tout en s'efforçant d'être patient et compréhensif, il ne pouvait dissimuler le fait qu'à son avis, elle s'en faisait une montagne. « Elle est plutôt coriace d'ordinaire, l'entendit-elle confier à l'un de ses collègues alors qu'ils étaient assis sur le balcon et se débattaient avec les moustiques. Je ne comprends pas pourquoi elle n'arrête pas de se lamenter. » Il n'essaya pas une seule fois de lui faire l'amour, se bornant à déménager ses affaires dans la chambre d'amis sans faire d'histoires. Du coup, elle avait pleuré de plus belle.

Cela n'arrangeait pas les choses lorsque d'autres jeunes mères de la colonie venaient la voir pour lui raconter leurs propres expériences. Certaines, inévitablement, avaient passé l'épreuve haut la main et déclaraient d'un ton enjoué qu'« elles n'avaient pas été malades du tout », comme si cette information était censée la rassurer. D'autres, de la pire espèce, lui affirmaient qu'elles comprenaient ce qu'elle ressentait alors qu'elle savait pertinemment que ce n'était pas le cas. Elles lui suggéraient différents remèdes grâce auxquels, lui assuraient-elles, elle serait sur pied en un rien de temps : du thé léger, du gingembre broyé, de la banane écrasée, remèdes que Joy essaya consciencieusement les uns après les autres et qu'elle régurgita avec tout autant d'enthousiasme.

Les jours se succédaient comme dans un brouillard, se fondant dans la saison des pluies, les journées humides, stagnantes, suivies d'interminables nuits de sueur. Joy trouvait plus facile de faire croire à son fils que maman allait bien, ou à son mari qu'elle serait bientôt remise – elle se le répétait, tel un mantra, dans l'espoir que cela l'empêcherait de filer à Wan Chai. Physiquement affaiblie, en proie à une dépression noire, elle cessa de compter les jours en vue d'un retour prochain à la normalité et se borna à rester allongée dans la pénombre, écoutant tristement sa propre respiration tout en s'efforçant de ne pas vomir l'eau que Wai-Yip lui apportait, rafraîchie, heure après heure.

Vers la seizième semaine, comme aucune amélioration ne s'était manifestée, le médecin avait estimé qu'il serait préférable pour tout le monde qu'elle fût hospitalisée. Elle était déshydratée pour de bon maintenant, dit-il, et cela représentait un risque pour Bébé. Ils étaient tous très inquiets pour Bébé, auquel on faisait toujours référence en ces termes. À ce stade, Joy ne se souciait plus de savoir si Bébé vivrait ou non. Elle n'en avait rien à faire non plus d'avoir la vie sauve elle-même. Elle se soumit docilement quand sa mère lui enjoignit de se laisser transporter sans protester à l'hôpital.

— Je prendrai soin de Christopher, lui avait-elle dit, les sourcils froncés par l'anxiété. Occupe-toi d'aller mieux, c'est tout.

Joy, pour laquelle la plupart des choses se déroulaient dans une sorte de flou nauséeux, remarqua néanmoins l'air angoissé de sa mère et essaya de lui presser la main en réponse.

— Ne te fais aucun souci, avait insisté Alice. Wai-Yip et moi nous chargeons de tout.

Joy avait juste fermé les yeux alors qu'on la hissait dans l'ambulance, soulagée de ne plus avoir à penser.

Elle était restée près d'un mois à l'hôpital jusqu'à ce que les nausées s'atténuent suffisamment, lui laissant manger au moins les aliments les plus insipides et marcher, sans aide, jusqu'au bout de la salle des femmes. On l'avait maintenue près de deux semaines sous perfusion, ce qui lui avait permis de se sentir mieux presque tout de suite, comme elle avait été forcée de le reconnaître. La perspective de manger, intimement liée à la possibilité de vomissements aussi inattendus qu'explosifs, n'en restait pas moins risquée. Certains jours, c'était quelque chose d'aussi inoffensif que du pain sec qui les provoquait. D'autres jours, les meilleurs, elle arrivait à engloutir un morceau de poisson bouilli en toute quiétude. Les aliments blancs, disaient les médecins, et plus ils étaient fades, mieux c'était ! Aussi Alice, qui lui rendait visite chaque jour (bien que, au grand dam de l'une et de l'autre, on lui eût interdit d'amener Christopher, considéré comme « trop fatigant pour sa mère »), lui apportait-elle des scones tout frais, des bananes et même des meringues, tout ce que Wai-Yip et elle pouvaient dénicher comme « aliments blancs ».

— Wai-Yip est tout à fait bien, je dois dire, déclara-t-elle à Joy en s'asseyant près de son lit, vêtue d'un élégant tailleur bleu agrémenté d'un petit nœud, tout en grignotant un scone. Elle ne parle pas beaucoup, mais elle travaille avec zèle, bien que je lui trouve mauvaise mine, franchement. Ces filles du continent n'ont pas la même attitude que celles de Hong-Kong, tu sais. Elles sont nettement moins imbues d'elles-mêmes. Quant à Bei-Lin, je lui ai clairement laissé entendre que j'allais la remplacer d'ici peu par une fille de Guangdong. Et tu verras si je ne le fais pas.

Jamais sa mère et elle n'avaient été aussi proches, songea Joy après coup. Sous le fardeau des responsabilités tant envers sa fille que son petit-fils, Alice prenait ses devoirs très au sérieux sans pour autant lui infliger un sentiment de culpabilité. Le fait que Joy fût malade, en butte à des « problèmes féminins », lui garantissait une sorte de validité. Cela leur prouvait à l'une et à l'autre qu'Alice était indispensable et que sa fille, aussi maladroite et excentrique fût-elle, avait finalement bien tourné. N'était-elle pas en train de souffrir pour donner un autre enfant à son mari ?

En attendant, Joy avait baissé les bras. Lors de son

séjour à l'hôpital, accablée par la fatigue et les soins incessants et un tant soit peu despotiques dispensés par le personnel médical, elle s'était peu à peu laissée aller à la passivité, acceptant les traitements et les règlements sans fondement qu'on lui imposait, reconnaissante à sa mère de son aide, esclave de la routine hospitalière. Elle voulait juste que quelqu'un d'autre s'occupe de tout. Ainsi elle pouvait rester couchée dans des draps blancs bien frais sous le ventilateur à écouter les pas étouffés des infirmières sur le linoléum, le bruissement de leurs blouses amidonnées et le faible murmure de voix à l'autre bout de la salle, loin des fracas, de la sueur et des odeurs de la vraie vie. Bien que l'absence de son fils provoquât en elle une souffrance sourde, cette douleur était atténuée par le soulagement de ne plus avoir à supporter ses constantes requêtes et ses besoins sur le plan affectif.

Idem pour son mari.

Mais quand, au bout d'un mois, elle se sentit un peu plus elle-même, Joy éprouva le désir grandissant de retrouver sa famille. Sa mère lui avait amené Christopher à deux reprises, les jours où on les autorisait à aller s'asseoir dans les luxuriants jardins de l'hôpital, et le cœur de Joy se serra quand Alice dut le lui arracher des bras, hurlant et suppliant, au moment de partir. Plus important, elle s'inquiétait des rares visites que lui faisait Edward.

Les deux dernières fois où il était venu, il s'était montré maladroit à son égard sans même prendre la peine de l'embrasser sur la joue. Il avait fait les cent pas autour de son lit en jetant des coups d'œil par la fenêtre, comme s'il s'attendait à une catastrophe quelconque, tant et si bien que Joy avait fini par le prier de s'asseoir. Il n'aimait pas les hôpitaux, avait-il marmonné. Cela le rendait mal à l'aise. Il voulait parler de la salle des femmes, elle en était sûre, et elle comprenait parce qu'elle-même ne se sentait pas bien dans ces univers exclusivement féminins. Mais il lui avait répondu d'un ton courroucé quand elle lui avait demandé si ça allait et lui avait déclaré qu'il aimerait bien qu'elle cessât de faire des histoires, de sorte qu'après son départ, Joy avait inondé son oreiller de larmes.

— Est-ce que… Edward… sort-il beaucoup ces temps-ci ? avait-elle demandé à sa mère un peu plus tard.

Alice passait souvent la nuit à l'appartement de peur que Wai-Yip ne fût pas capable de consoler le petit Christopher comme il convenait.

— Est-ce qu'il sort ? Pas vraiment. Oh, il est allé à une réception chez le commandant la semaine dernière. Et aux courses à Happy Valley jeudi. C'est ça que tu veux savoir ?

— Oui, c'est ça, répondit Joy en se laissant retomber sur ses oreillers sous l'effet d'un soulagement à peine dissimulé. La réception du commandant. Je voulais juste m'assurer qu'il n'avait pas oublié.

Edward ne sortait pour ainsi dire pas, lui avait assuré Alice. Elle lui avait d'ailleurs recommandé de se distraire un peu, « de profiter de sa petite liberté » – ce qui était un peu fort, pensa Joy, venant d'une femme qui avait un jour tapé son mari sur la tête avec un fouet de cuisine parce qu'il était rentré à l'aube. Mais Edward prenait son repas du soir, préparé par Wai-Yip, avant de passer dans la chambre de son fils pour lui souhaiter bonne nuit, puis il disparaissait pour travailler dans son bureau, même s'il lui arrivait de temps en temps de se rendre à Happy Valley ou de faire une promenade nocturne autour du Peak.

— Il est temps que je rentre à la maison, dit Joy.

— Il faut surtout que tu prennes soin de Bébé, répondit Alice en se repoudrant. Inutile de hâter les choses alors que nous nous en sortons tous très bien sans toi.

Elle fut finalement autorisée à regagner son domicile au bout de la trente-deuxième semaine après avoir promis de se reposer, d'éviter toute fatigue et de boire au minimum un litre d'eau par jour, tout au moins jusqu'à la fin de la saison des pluies. Edward, en chemise à manches courtes, vint la chercher avec la Morris 10 et l'accueillit avec une étreinte affectueuse, de sorte que Joy se détendit aussitôt, persuadée qu'à partir de maintenant les choses allaient s'arranger. Après une brève période de réserve, Christopher se cramponna aux jambes de sa mère récemment gainées de bas et manifesta sa désapprobation face à tant de bouleversements en se réveillant trois ou quatre fois par nuit au cours de la première semaine après son retour. Quant à Alice, elle paraissait tiraillée entre le soulagement et la déception maintenant que sa fille n'était plus une invalide et pouvait par conséquent se passer de son aide. « Je continuerai à venir de temps en temps les deux premières semaines, annonça-t-elle quand Joy ouvrit la porte de son appartement, se sentant comme une étrangère chez elle. Tu auras sans doute besoin d'un coup de main. Et Christopher doit conserver sa routine. Nous avons un bon petit train-train, lui et moi. »

Joy considéra les parquets immaculés et le mobilier en teck autour d'elle en s'efforçant de se convaincre qu'elle était dans son domaine. Elle avait l'impression de se retrouver dans un endroit qu'elle avait connu il y a longtemps et non dans un lieu où elle avait sa place. Quand Wai-Yip leur apporta un plateau de boissons fraîches, elle lui adressa un bref hochement de tête, puis repartit. Elle aussi s'est habituée à mon absence, pensa Joy. Elle essaie probablement de se souvenir qui je suis. Elle s'approcha de la cheminée où trônait le cheval bleu sur papier blanc, désormais agrémenté d'une marie-louise claire à l'intérieur d'un cadre doré ouvragé. Elle le contempla un instant, puis se tourna vers Edward qui l'observait, s'efforçant apparemment lui-même de s'accoutumer à la vision de sa femme à la maison.

— Ça fait du bien d'être de retour, dit-elle.

— Tu nous as manqué, répondit-il, le regard plongé dans le sien. Tu m'as manqué.

Soudain indifférente aux sourcils levés de sa mère, Joy s'élança vers son mari à l'autre bout de la pièce et blottit son visage contre sa poitrine, consciente de sa solidité, se souvenant de l'odeur qu'elle adorait. Il l'enlaça et baissa la tête de manière à ce que sa joue repose sur ses cheveux.

Alice détourna ostensiblement les yeux jusqu'au moment où Christopher revint dans la pièce en courant et essaya désespérément de se glisser dans l'espace limité entre ses parents, ses bras potelés tendus tandis qu'il glapissait : « Portez-moi, portez-moi. »

Comme lors de sa dernière grossesse, Joy et Edward redevinrent intimes une fois les nausées matinales passées. Il fit preuve d'une attention inhabituelle, lui apportant des fleurs, des boîtes de chocolats suisses achetées à des officiers sur des navires de passage et se montra très affectueux à son égard au point qu'Alice s'énervait ouvertement et protestait : « Reposez-la, voulez-vous !

Ce n'est pas bon pour Christopher d'assister à ce genre de spectacle. » Il reprit aussi l'habitude de la suivre de pièce en pièce si bien qu'à l'occasion, Joy, poursuivie par les deux membres masculins de sa famille, en venait à s'enfermer dans la salle de bains. S'il avait perdu un peu de son sens de l'humour en cours de route et manifestait une plus grande vigilance, Joy mit cela sur le compte de problèmes aux chantiers navals. Elle savait qu'il subissait de nombreuses pressions pour la bonne raison que ses collègues de la Marine le lui disaient lorsqu'ils venaient dîner. Ce vieux casse-pieds d'Edward, disaient-ils. Il prenait les choses trop au sérieux. Pas drôle du tout ces temps-ci !

Katherine Alexandra Ballantyne naquit avec une semaine d'avance dans l'hôpital où Joy avait passé presque tous les mois d'été, à la faveur d'un accouchement qui fut, selon le docteur, d'une brièveté presque indécente. « Rapide dès la starting-gate, celle-là », plaisanta-t-il à l'adresse d'Edward qui, ayant finalement été admis dans la salle, contemplait sa nouvelle fille d'un air émerveillé. Le médecin fréquentait lui aussi les champs de courses et les deux hommes s'étaient croisés à l'occasion aux soirées de Happy Valley.

Joy était adossée à ses oreillers, son allégresse alliée à un profond soulagement à l'idée que le cauchemar de sa grossesse était fini.

— Comment te sens-tu, ma chérie ? demanda Edward en se penchant pour lui déposer un baiser sur le front.

— Un peu fatiguée, mais je suis impatiente de rentrer à la maison, répondit-elle en souriant faiblement. N'oublie pas de dire au vieux Foghill de préparer mon cheval.

Il avait souri d'un air approbateur.

Mais Joy eut moins l'occasion de monter cette fois-ci, tout au moins les premiers mois. Comme Alice le remarquait fréquemment, Katherine était un « bébé difficile », lente à se calmer, sujette aux coliques et apte à se réveiller plusieurs fois dans la nuit. Elle réussit à épuiser en un rien de temps les forces conjuguées de sa mère, d'Alice et de Wai-Yip, mettant en pièces avec l'efficacité d'une râpe à fromage les théories et panacées « traditionnelles » suggérées par ces deux dernières.

Edward, bizarrement, était le plus patient de tous avec elle. Il prenait souvent la situation en main pendant toute une heure en rentrant du travail, renonçant à son gin-tonic habituel pour l'emmener faire une petite promenade tranquille autour du Peak – qui aurait été tranquille tout au moins si Katherine avait bien voulu cesser de hurler ! Il était tendre avec elle quand Joy était trop fatiguée pour éprouver autre chose que de l'exaspération, et la petite, pour sa part, semblait avoir un comportement plus clément en sa présence, ses yeux laiteux clignant pour lui en signe de reconnaissance instinctive.

— C'est-y pas la fille à son papa ! disait Alice, franchement ravie de se consacrer entièrement au petit Christopher. Tu étais exactement pareille.

Elle disait cela comme s'il y avait quelque chose de malsain là-dedans.

— Peu m'importe de qui elle est la fille tant qu'elle arrête de pleurer, geignait Joy.

Elle n'avait pas eu une nuit de sommeil complète depuis près de deux mois. Wai-Yip était censée être responsable de Katherine la nuit, mais les cris de l'enfant réveillaient Joy, provoquant Dieu sait quelle réaction instinctive, et ils avaient à l'évidence éreinté la jeune domestique parce qu'en se levant, Joy la trouvait souvent endormie et parfaitement inconsciente de la situation sur le petit lit.

Joy se disait qu'elle n'avait jamais été aussi fatiguée de sa vie. Ses yeux bordés de rouge la picotaient en permanence, comme à cause d'un choix fâcheux de fard, et elle voyait souvent flou. À certains moments, elle était tellement harassée qu'elle hallucinait, pensant qu'elle avait pris soin de Katherine alors que ce n'était pas le cas, de sorte que Christopher venait la réveiller pour lui annoncer d'un air grave que « Bébé pleurait encore ». Elle feignait de prendre les choses à la légère devant Edward, désespérée de retrouver leur intimité d'avant l'époque « Katherine », et comme les médecins les avaient autorisés à consommer à nouveau leur mariage, elle avait veillé à ne pas le repousser une seule fois en dépit de sa fatigue.

— Je serai davantage moi-même lorsqu'elle commencera à dormir, disait-elle d'un ton d'excuse, consciente qu'elle devait être à peu près aussi excitante qu'une vieille couverture.

— Tu es très bien. J'ai juste envie d'être proche de toi, disait-il, allongé sur elle, et elle avait presque la larme à l'œil à force de gratitude.

Cette fois-ci, il avait accepté de recourir aux « méthodes » des médecins.

Elle avait été tellement consumée par les exigences de sa famille qu'elle avait à peine remarqué à quel point sa jeune *amah* paraissait éreintée. À deux reprises, elle l'avait trouvée endormie en pleine journée, une situation que sa mère trouvait proprement scandaleuse bien que

Joy, qui vivait elle-même dans un état de torpeur permanent, se sentît d'humeur plus compatissante et refusât de la punir. « Elle nous a suffisamment rendu service lorsque j'étais à l'hôpital, dit-elle à Alice alors que Wai-Yip allait chercher le déjeuner à la cuisine en traînant les pieds. Elle a été très bien dans l'ensemble. »

Elle fit sauter Katherine sur ses genoux pour tâcher de parer à une autre crise de larmes. À trois mois, lui avait dit le médecin, elle devrait être moins sujette aux coliques, mais Joy avait beau être attentive aux moindres indices, sa fille continuait apparemment à être prédisposée aux pleurs au point que c'en était alarmant.

Alice, qui feuilletait un magazine, leva les yeux lorsque Wai-Yip posa les deux assiettes sur la table avant de s'en retourner après une petite révérence.

— Cette fille ne me dit rien qui vaille, marmonna-t-elle, la bouche pincée en une ligne mesquine. Je crois qu'elle te possède. Il n'y a rien de pire qu'une domestique malhonnête.

Incapable de se contenir plus longtemps, Katherine poussa un hurlement perçant et Joy entreprit de la faire rebondir de plus belle, redoutant qu'elle ne réveillât Christopher qui venait d'entamer sa sieste.

— Que veux-tu dire ? demanda-t-elle.

— Tu ne l'as donc pas regardée récemment ? Le poids qu'elle a pris ! Elle était mince comme une liane quand elle est arrivée ici. Je suis sûre qu'elle boulotte toutes tes provisions.

Joy refusait de se faire du souci pour quelques bols de nouilles. Quand on avait la chance d'avoir un bon personnel, cela valait la peine de fermer les yeux sur leurs faiblesses. Rares étaient les domestiques qui n'essayaient pas de faire de la récupération d'une manière ou d'une autre. Leonora Pargiter, du deuxième étage, lui avait raconté récemment que lorsqu'elle s'absentait, son *amah* louait son mixeur électrique flambant neuf. Elle avait empoché une fortune, apparemment.

— Je ne vais rien lui dire pour cette fois. Elle mourait probablement de faim en Chine, dit-elle en posant Katherine contre son épaule et en lui tapotant le dos avec tant d'enthousiasme que les yeux du bébé devinrent globuleux. C'est probablement la première fois de sa vie qu'elle peut se nourrir convenablement.

Joy se sentit moins charitable lorsque un mois plus tard, alors que sa mère et elle, assises sur le balcon, profitaient d'un bref instant où les deux enfants dormaient, Wai-Yip s'approcha d'elle et lui annonça, des larmes dans la voix, qu'elle devait rentrer en Chine.

— Comment ? Pour combien de temps ? s'exclama Joy, horrifiée à la pensée de la perdre.

Katherine commençait juste à s'attacher à elle et les deux derniers soirs, Joy avait pu sortir avec Edward en abandonnant sa fille dans les bras de Wai-Yip.

— Je ne sais pas, madame, répondit la jeune fille en baissant les yeux.

Deux larmes tombèrent sans bruit sur le parquet.

— J'en étais sûre ! Ne t'avais-je pas dit qu'elle profitait de toi ? s'exclama Alice en sirotant son sherry.

— Wai-Yip ? Est-ce que ça va ?

Joy regarda la silhouette voûtée devant elle, se sentant soudain coupable de ne pas avoir pris sa fatigue suffisamment au sérieux.

— Êtes-vous malade ?

— Non, madame.

— Évidemment qu'elle n'est pas malade. Tu l'as tellement bien payée qu'elle peut se permettre de prendre des vacances. Elle va probablement s'offrir une de ces nouvelles croisières.

— Wai-Yip, que se passe-t-il, pour l'amour du ciel ?

— Je ne peux pas vous le dire, madame. Je dois partir, rentrer chez moi, dit-elle en évitant son regard.

Alice avait détourné son attention de la fenêtre et regardait durement la jeune servante, ses yeux perçants l'étudiant minutieusement. Elle remua un peu sur son siège comme si elle s'efforçait de la considérer sous divers angles.

— Tu t'es mise dans une position intéressante, annonça-t-elle. Regarde-la ! Elle est enceinte !

Elle avait déclamé cela sur un ton triomphant.

— Pas étonnant qu'elle ait grossi. Elle s'est fait engrosser. Oh malheureuse enfant ! Il va falloir que tu partes, cela ne fait aucun doute.

À ce stade, Wai-Yip avait commencé à sangloter, les épaules affaissées autour d'une forme qui s'était considérablement épaissie, comme Joy était bien forcée de l'admettre à présent, bien qu'elle fût largement dissimulée sous d'amples vêtements en coton.

— Est-ce vrai, Wai-Yip ? demanda-t-elle d'une voix douce, mais inquisitrice.

— Je suis désolée, madame.

Les épaules de la jeune domestique tremblaient. Elle garda le visage enfoui dans ses mains usées par le labeur.

— Vous n'avez pas à vous excuser, dit-elle. C'est vous qui allez devoir affronter la situation. Je présume que vous n'êtes pas mariée ?

Wai-Yip lui jeta un bref coup d'œil, comme si elle n'avait pas compris la question sur le moment, puis elle secoua la tête.

— Évidemment qu'elle n'est pas mariée. Elle a probablement accordé ses faveurs à un soldat américain. Elles sont toutes après un passeport pour les États-Unis, maintenant.

— Que comptez-vous faire ?

— S'il vous plaît, madame. Je veux retourner à mon travail. Je travaille très dur.

— Et que va-t-elle faire du bébé ?

Alice qui avait croisé les bras sur sa poitrine renifla d'un air dédaigneux.

— Je ne sais pas, madame… Peut-être ma mère…

Sur ce, elle se remit à pleurer.

Joy songea à l'éventualité d'un autre bébé dans la maison. Cela ne plairait pas à Edward, à n'en point douter. Il avait hâte de retrouver un peu de normalité dans leurs vies, ce qui voulait dire qu'ils soient tous les deux, et aussi peu dérangés que possible. Mais elle avait de la peine pour Wai-Yip, qui n'était qu'une enfant – Joy se rendit compte, non sans honte, qu'elle ne s'était jamais préoccupée de lui demander son âge. Et il était vrai qu'elle se donnait beaucoup de mal.

— Si tu la laisses ramener un bébé à la maison, tu ne t'en sortiras plus, déclara Alice.

— Il va falloir que je parle avec mon mari, Wai-Yip. Vous comprenez.

La fille hocha la tête, puis l'inclina et s'éclipsa. Elles l'entendirent encore sangloter dans le couloir.

— Tu le regretteras, lança Alice.

Selon la légende chinoise, il y avait jadis dix soleils dans le ciel. Leur chaleur conjuguée brûlait la Terre. Un archer du nom de Hou Yi réussit à abattre neuf des dix soleils, aussi le roi de la Terre lui fit-il don d'une potion magique destinée à le rendre éternel. Ignorant les pouvoirs magiques de ce breuvage, Chang Er, la très belle épouse de l'archer, la but et s'éleva alors dans le ciel de la nuit jusqu'à ce qu'elle atteignît la lune.

La Dame Lune manquait beaucoup à son époux, l'archer. Il demanda donc au souverain de la Terre de l'aider à la rejoindre. Le roi l'autorisa à s'envoler jusqu'au soleil, mais désormais, il ne pourrait plus aller jusqu'à la lune hormis lorsqu'elle serait pleine et ronde.

Comme la grossesse, pensa Joy distraitement. Devenir une grosse lune ronde nous mène toutes à notre perte.

C'était la nuit du Festival de la Lune. Pour fêter l'événement, dans toute la colonie, les familles chinoises descendaient dans la rue et déambulaient lentement, par petits groupes, munies de lampions aux couleurs vives et d'offrandes, échangeant des biscuits et des gâteaux à l'image de l'astre de bon augure. Joy assista à la scène de son balcon, fascinée, comme elle l'était chaque année, par la vision de milliers de minuscules lumières mouvantes s'acheminant vers le port noir comme de l'encre en vue du spectacle de feux d'artifice. Dans le ciel clair, les étoiles reflétaient ce ballet, deux groupes de constellations distinctes se faisant des clins d'œil entre la terre et le firmament. Alice, qui n'avait jamais manifesté le moindre intérêt pour les diverses célébrations chinoises – ne pas célébrer la nouvelle année en même temps que tout le monde était apparemment une preuve supplémentaire de la « perversité » de ces gens-là –, n'en avait pas moins donné à Christopher un petit lampion en papier en forme de lune. Il avait couru de pièce en pièce, demandant que l'on éteigne toutes les lampes pour que sa lanterne brille, fragile petit signal lumineux dans l'obscurité.

Lorsque Edward était rentré à la maison, il était d'une humeur particulièrement guillerette. Au lieu de se borner à embrasser Joy, il l'avait soulevée dans ses bras et fait valser dans le couloir. Christopher avait ri en le suppliant de le prendre dans ses bras aussi et Alice avait annoncé, les lèvres pincées, qu'il était grand temps qu'elle s'en aille. Edward avait rapporté une boîte en aluminium rouge richement décorée contenant des biscuits en forme de lune qu'un des ingénieurs chinois lui avait donnée et il était pressé de parler à Joy de projets envisagés aux chantiers navals qui, s'ils se réalisaient, avaient toutes les chances de s'assortir d'une promotion.

— Resterons-nous ici ? demanda Joy en s'efforçant de dissimuler son anxiété alors qu'ils se mettaient à table.

— Bien sûr. Il n'est pas question d'un changement de poste, mais du coup, nous bénéficierons sans doute de meilleures conditions de logement. Nous aurons peut-être une maison agréable plutôt qu'un appartement. Cela ne te plairait-il pas, chérie ? Une maison ? Avec un petit jardin, qui sait ? Ce serait merveilleux pour les enfants.

— Je suppose, dit Joy qui en était venue à apprécier la vie en appartement.

— Nous ne sommes pas obligés de bouger, tu sais. Je pensais juste que tu serais contente d'avoir un peu plus d'espace maintenant que nous avons deux petits.

Cela se défendait, pensa-t-elle. Sa mère n'arrêtait pas de lui répéter que la vie serait nettement plus facile si l'on pouvait pousser le landau de Katherine au bout du jardin et l'oublier un moment.

Joy sourit.

— Cette affaire de promotion me paraît magnifique, dit-elle. Petit rusé !

Edward tendit le bras au-dessus de la table et prit sa main dans la sienne en la serrant affectueusement.

— Les choses vont aller de mieux en mieux pour nous, chérie. Tu verras.

Elle l'avait regardé, avait contemplé ses cheveux roux et lisses inclinés vers elle pendant qu'il mangeait, engloutissant son repas d'une manière irrévocablement masculine, et une tendresse bouleversante, semblable à ce qu'elle ressentait pour ses enfants, l'avait envahie. Il était si attentif, si plein d'égards. Elle était consciente d'avoir de la chance, surtout lorsqu'on songeait à ce que certaines épouses devaient endurer. Et maintenant qu'il avait accepté les méthodes que le médecin leur avait suggérées, ils n'auraient plus besoin d'avoir d'autres enfants. Ils pouvaient continuer comme maintenant, devenir de plus en plus proches, de plus en plus heureux…

Joy se rendit compte qu'elle rêvassait. Elle se redressa et s'attaqua au dîner. C'était un ragoût de poulet. Pas à la hauteur de ce dont Wai-Yip était capable, pensa-t-elle en mastiquant d'un air songeur, mais cela n'avait probablement rien d'étonnant.

— Tu ne devineras jamais ce que nous avons découvert aujourd'hui, dit-elle en portant sa fourchette à ses lèvres. Wai-Yip attend un enfant. Cette nouvelle m'a totalement prise au dépourvu, je dois dire. Je ne savais même pas qu'elle avait un petit ami.

Edward releva brusquement la tête. Une lueur d'effarement passa dans ses yeux bleus, puis son regard entreprit une analyse microscopique du visage de sa femme.

Dans un appartement voisin, quelqu'un laissa tomber un objet métallique sur le parquet, provoquant dans le couloir des échos fracassants dignes de cymbales. Il ne sembla même pas s'en apercevoir.

La fourchette de Joy s'immobilisa. Elle se pencha en avant et le dévisagea, étudiant cette expression qu'elle ne lui connaissait pas. Ses joues d'ordinaire colorées avaient légèrement pâli.

— Tu étais au courant ?

Edward lui rendit son regard, clignant consciencieusement des yeux plusieurs fois, après quoi, contre toute attente, il fixa son attention ailleurs. Il parut hésiter à dire quelque chose, mais à la place, il prit une autre fourchetée de poulet et la porta à sa bouche.

Il y eut un bref silence.

Joy continuait à le dévisager.

— Edward, s'il te plaît, et soudain la peur fit vibrer sa voix.

Il sembla se ressaisir légèrement. Il avala sa bouchée sans effort visible, puis porta sa serviette à sa bouche et s'essuya les lèvres lentement, méthodiquement.

— Ta mère avait raison à son sujet. On ne peut pas compter sur elle. Il va falloir que nous nous en séparions.

Il marqua une pause.

— Je lui donnerai son congé après le week-end.

Il évita le regard de Joy en parlant et garda les yeux résolument fixés sur son assiette.

De l'autre côté de la table, paralysée par la réaction de son mari, Joy s'était mise à trembler, un frémissement délicat qui se fit de plus en plus violent. Elle tremblait toujours lorsque Edward se leva et lui annonça, d'une voix étranglée, en évitant toujours de croiser son regard, qu'il allait dans son bureau.

Joy passa cette soirée-là dans la chambre d'amis sans que son époux le lui reprochât. Elle trembla jusqu'à ce qu'elle eût tiré le drap blanc brodé sur sa tête, puis, couchée toute recroquevillée sous le grand ventilateur, à demi éclairée par la lueur bleue de la pleine lune qui s'infiltrait à travers les persiennes, elle pleura. Des sanglots déchirants l'ébranlaient par saccades des pieds à la tête comme des secousses sismiques. Dans la pièce voisine, incapable de dormir, Edward était entré dans sa chambre vers 3 heures du matin, chuchotant des excuses ferventes, et il avait essayé de la prendre dans ses bras. Mais elle était devenue féroce et l'avait chassé à coups de poings, lui expédiant de grandes volées sur la tête, les épaules, toutes les parties de lui qu'elle pouvait atteindre jusqu'à ce qu'il batte en retraite derrière la porte en sanglotant lui-même.

Après quoi, jusqu'à l'aube, elle était restée inerte dans son lit.

En repensant au passé.

En pensant.

Sa mère avait deviné, bien évidemment. Elle avait compris dès que Wai-Yip avait ramené le bébé à l'appartement. Ce n'était pas difficile : s'il présentait certains des traits émoussés propres aux nouveau-nés, Tung-Li avait un nez curieusement aquilin et des cheveux teintés de roux. À sa décharge, force était de reconnaître qu'elle s'abstint d'en parler à sa fille, saisissant peut-être à demi-mot, quand celle-ci lui annonça sans s'étendre que la jeune domestique les accompagnerait à la nouvelle maison, que toute proclamation rédhibitoire relative au fait que les hommes étaient tous les mêmes, ou que les Chinoises étaient prêtes à mettre le grappin sur n'importe qui, serait très malvenu. Attentive à l'attitude dangereusement rigide de Joy, et nonobstant ses terribles réserves, elle se garda également de tout commentaire sur le fait que les voisins ne manqueraient pas de jaser. Qu'allaient penser les gens ? Joy n'avait pas l'air de s'en soucier.

Trois longues nuits après le dîner du Festival de la Lune, Joy avait informé Edward de ses projets. Elle l'avait rejoint pour le petit déjeuner, impeccablement coiffée, vêtue d'un pantalon blanc et d'une chemise bleue à manches courtes bien amidonnée, et avait servi le thé sans le regarder dans les yeux une seule fois.

— J'ai dit à Wai-Yip qu'elle ne devait pas retourner en Chine, déclara-t-elle d'une voix basse et pondérée.

C'était la première fois qu'elle lui en parlait.

Edward avait levé les yeux, un morceau de toast à mi-chemin de sa bouche.

— Comment ?

— J'ai parlé à plusieurs personnes. Si elle va en Chine, elle sera déshéritée. Ainsi que l'enfant. Elle ne trouvera pas de travail et le bébé sera mis au ban de la société parce que… bref, à cause de son apparence. Les choses étant ce qu'elles sont, avec les communistes et tout ça, ils risquent de mourir de faim.

Edward n'avait pas bronché.

— J'ai décidé… j'estime que c'est notre responsabilité. Ta responsabilité. Et je refuse d'avoir le malheur de cet enfant sur la conscience. Il faudra que tu fasses en sorte que la nouvelle maison soit assez grande… pour que nous n'ayons pas à le voir. Tu devrais pouvoir te débrouiller.

Un long silence suivit. Edward s'était levé de table, et il avait fait le tour de sa chaise. Puis il s'était agenouillé et avait pressé son visage dans la main de Joy qu'il avait prise sur ses genoux.

— Je pensais… je pensais que tu allais partir, dit-il, et sa voix se brisa.

Joy ne répondit rien, mais sa mâchoire tremblait tandis qu'elle fixait la fenêtre. Elle sentait les larmes chaudes d'Edward sur sa peau.

— Oh mon Dieu, Joy. Je t'aime tellement. Je suis tellement désolé. C'est juste que je me sentais si seul. J'ai…

Joy tourna brusquement la tête vers lui. Elle dégagea sa main de la sienne.

— Je ne veux pas en parler, dit-elle. Plus jamais.

15

Sabine était assise sur la caisse retournée dans la maison d'été, une couverture mangée par les mites sur les épaules, sa chemise serrée sur sa poitrine ; elle grelottait de froid. Il y avait près d'une demi-heure qu'elle était là. Elle avait entendu, au-delà de ses pleurs, les appels pressants de Thom depuis l'écurie. Elle avait regardé le crépuscule se changer en nuit, étouffant tout dans le noir, et elle était restée assise en sanglotant sans bruit dans son havre poussiéreux, paralysée par le choc et le chagrin au point qu'elle n'arrivait pas à rapprocher les boutons et les boutonnières de sa chemise toute froissée.

Ne sachant pas où aller, elle avait juste obéi au besoin impérieux de fuir Thom, d'échapper au goût amer de l'humiliation. Au début, elle avait pris la direction des champs du bas, puis perdue dans sa détresse, elle avait marché jusqu'au village en empruntant le chemin détourné avant de se décider finalement à se réfugier dans la maison d'été. Elle était coincée à présent : si elle rentrait à la maison, elle serait obligée de tout raconter à sa mère. Si elle restait là, elle allait geler sur place étant donné qu'elle avait laissé son pull-over sur la porte du box. Une chose était certaine : elle allait devoir quitter Kilcarrion – il était hors de question qu'elle reste un jour de plus après ce qu'elle avait fait.

Elle s'essuya le nez du revers de la main en fondant de nouveau en larmes morveuses au souvenir de l'instant où elle avait posé la main de Thom sur son sein. Et de l'horreur peinte sur son visage. Qu'avait-il pensé d'elle ? Elle était aussi garce que sa mère. Rien qu'une putain. Qu'est-ce qui avait pu la pousser à agir ainsi ? Elle avait tout gâché. Une autre pensée cherchait à s'insinuer dans son esprit : était-elle si repoussante que ça ? Cela lui aurait déplu à ce point de lui rendre son baiser ?

Elle n'avait pas allumé la lampe de peur d'attirer l'attention, mais elle arrivait juste à distinguer les aiguilles de sa montre : il était presque 17 h 30. Des claquements de portes et des cliquetis de seaux lui parvenaient de l'écurie ; on donnait aux chevaux leur repas du soir. Sa grand-mère devait s'affairer quelque part à brosser les chiens ou à consulter Mrs H sur la meilleure manière de réorganiser le congélateur. Dans la maison, Lynda devait compter les minutes qui restaient avant qu'elle puisse monter dans sa petite voiture rouge brillante et rentrer chez elle. Elle était probablement en train de regarder un de ses feuilletons. Ils ponctuaient ses journées si bien que son grand-père recevait ses différents remèdes selon l'horaire des programmes télévisés.

En pensant à son grand-père, Sabine s'essuya les yeux avec davantage de vigueur. Il se demandait probablement où elle était passée ; elle l'avait à peine vu aujourd'hui. Il devait se dire qu'elle était devenue comme sa mère : insensible, sans égards pour les autres. Égoïste. Mais elle ne pouvait pas retourner à la maison. Elle n'avait pas d'endroit où aller, aucun endroit en tout cas où elle pourrait compter sur quelqu'un. Elle resta là à donner des coups de pied dans un tas de vieux pots de fleurs sans se soucier de savoir s'ils se cassaient ou se fendaient, à peine capable de les discerner à cause de ses yeux gonflés. Soudain elle releva la tête, tel un chien de chasse flairant l'air.

Annie. Pourquoi ne pas aller chez Annie ? Elle comprendrait. Et si c'était une journée où elle n'était pas dans son assiette, elle pourrait toujours lui demander la permission d'appeler pour que Bobby vienne la chercher. Elle n'était pas obligée de lui raconter toute l'histoire.

Elle écarta la couverture et, après s'être assurée qu'il n'y avait personne aux abords, elle se glissa jusqu'au portail de derrière en s'efforçant de ne pas laisser les hoquets et les frissons qui suivaient inévitablement ses crises de larmes ralentir sa cadence.

Pour Dieu sait quelle raison, les trois lampadaires qui bordaient la rue principale de Ballymalnaugh étaient éteints ce soir. Sabine se félicita que la nuit soit claire alors qu'elle remontait précipitamment la route, se tenant les côtes. Elle n'entendait rien d'autre que le bruit de ses pas sur le macadam. La seule source de lumière provenait des fenêtres des maisons qu'elle dépassait, là où on n'avait pas encore tiré les rideaux. Des petits tableaux de vie familiale défilaient ainsi sous ses yeux : un jeune couple prostré sur un canapé devant leur téléviseur, leurs enfants en bas âge jouant par terre ; une vieille dame solitaire lisant le journal ; une table prête pour le thé tandis qu'une télévision que personne ne regardait jetait une aurore boréale d'ombres mouvantes dans l'angle de la pièce. En passant rapidement, Sabine entrevit tout ça et se sentit plus seule que jamais. Je n'aurai jamais une vraie famille, pensa-t-elle en se remettant du même coup à pleurer. Je serai toujours spectatrice, à l'écart.

Elle ralentit l'allure en approchant de la maison d'Annie. Elle s'essuya les yeux en tâchant de reprendre son souffle pour ne pas avoir une mine trop effrayante. Elle ne voulait pas qu'Annie croie que quelqu'un était mort. Elle avait fait assez de ravages pour la journée.

Il y avait de la lumière au rez-de-chaussée, mais les rideaux étaient fermés, comme les dernières fois où elle était passée devant à cheval. Elle hésita avant de s'engager dans l'allée, reboutonnant finalement son chemisier jusqu'en haut, et se demandant un instant si elle devait entrer ou non, après ce que Mrs H lui avait dit à propos de l'aide psychologique dont Annie avait besoin.

Alors qu'elle hésitait à nouveau sur les marches du perron, la porte s'ouvrit brusquement de l'intérieur, jetant un rayon de lumière orangée intense dans le jardin. Un homme grand et mince aux cheveux noirs et vêtu d'un short de cycliste fluo se profilait dans la clarté. Il fit mine de la contourner, mais, dès qu'il l'eut repérée, il s'immobilisa et la saisit à bras-le-corps.

— Dieu merci, haleta-t-il. Il faut une ambulance.

Sabine se figea.

— Une ambulance, répéta-t-il. Avez-vous un portable ?

Elle le dévisagea d'un air hébété.

Il secoua la tête avec agacement.

— Écoutez, je suis juste un client. Anthony Fleming. Je suis revenu ce soir, même si je savais que c'était une erreur, devrais-je ajouter, et j'ai trouvé Mrs Connolly… enfin, elle a besoin d'une ambulance. D'urgence. Avez-vous un téléphone ? Celui d'ici a l'air d'être coupé.

Le cœur de Sabine chavira. Elle se faufila à côté de lui et entra dans la maison brillamment éclairée. Elle savait qu'Annie était déprimée, mais elle n'avait pas imaginé qu'elle pourrait… Sabine frissonna. Elle eut la vision soudaine d'une camarade de classe qui s'était tranché les veines dans les toilettes deux ans après avoir été malmenée par les autres. Le sang avait giclé jusqu'au plafond, lui avait dit une des filles de troisième.

— Est-elle… est-elle… ?

Sa voix se brisa.

— Eh bien, je ne suis pas un expert, mais j'ai l'impression qu'il n'y en a plus pour longtemps, répondit l'homme. Il n'y a pas une minute à perdre. Où peut-on trouver un téléphone ?

Ignorant ses protestations, Sabine se rua dans la maison, à peine consciente du chaos qui régnait dans le salon, de l'odeur de poussière et de nourriture avariée qui l'assaillit. Il fallait qu'elle voie Annie. Elle continua à avancer d'une démarche déterminée, la poitrine palpitant d'angoisse tandis qu'elle s'efforçait d'ignorer les bruits terrifiants qui provenaient de la cuisine. Personne ne lui avait parlé de bruits. Quand les gens se suicidaient dans les films, ils faisaient toujours ça en silence.

Mais il n'y avait pas de sang, pas sur le plafond en tout cas, juste une sorte d'eau décolorée sur le linoléum bleu pâle de la cuisine, et Annie assise au milieu, se cramponnant des deux mains à la porte d'un placard comme si elle essayait de se hisser par-dessus.

— Annie ?

— Oh mon Dieu…

Annie émit un long gémissement rauque. Elle avait l'air de se concentrer sur quelque chose que Sabine ne pouvait pas voir. Elle avait l'air de faire des efforts terribles. Elle ne donnait pas du tout l'impression d'être mourante.

— Elle n'est pas mourante, annonça Sabine à l'homme qui avait réapparu derrière elle.

— Bien sûr que non, fit-il d'un ton impatient en battant des mains comme s'il voulait les sécher. Elle est en train d'accoucher. Mais je suis agent de prêts, moi, pas médecin. Je vous l'ai dit, on a besoin d'une *ambulance*.

Sabine regarda fixement Annie, chancelant presque alors qu'elle s'évertuait à prendre la mesure de ce qu'il venait de dire.

— Restez près d'elle, lança-t-elle en bondissant vers la porte. Je vais chercher de l'aide.

Sur ce, les tempes bourdonnantes, elle prit ses jambes à son cou en direction de Kilcarrion.

Kate s'appuya lourdement contre le bureau, les yeux rivés sur la photographie sépia qu'elle tenait toujours à la main. Sur son propre sourire tout en dents, rayonnant, insouciant. Sur le visage lunaire de Tung-Li lui rendant son regard, sa gêne manifeste face à l'appareil désormais teintée d'un plus grand symbolisme. Ses traits inhabituels – ils l'étaient incontestablement, maintenant que Kate les observait attentivement – s'expliquaient enfin.

— Pourquoi ne me l'as-tu jamais dit ? bredouilla-t-elle finalement d'une voix faible.

Joy, assise près d'elle dans le fauteuil, la tête penchée, releva le visage avec prudence.

— Il n'y avait rien à dire. Qu'aurais-je pu te raconter ?

— Je n'en sais rien. Quelque chose. Quelque chose qui m'aurait peut-être permis de comprendre… Oh, je ne sais pas.

Elle secoua la tête.

— Oh mon Dieu, maman… tout ce temps…

Il faisait nuit à présent ; les deux appliques jetaient des ombres claires-obscures sinistres sur les murs, soulignant dans les rangées d'étagères désormais presque vides les quelques dernières boîtes encore à trier. Une vieille carte de l'Asie du Sud-Est s'était décrochée et se dressait dans son cadre au pied d'un mur, avec son verre cassé.

— Qu'est-il advenu de lui ? demanda Kate sans parvenir à détacher son regard de la photo. De lui et de sa mère ?

— Ils ne sont jamais retournés en Chine. Lorsque nous sommes venus en Irlande, j'ai trouvé une bonne place pour Wai-Yip auprès d'une famille anglaise dans les Nouveaux Territoires. Je crois qu'elle était beaucoup plus heureuse là-bas, en réalité. Elle était plus près de sa famille. Et puis les choses étaient… – elle prit une grande inspiration – … plus simples.

Kate examina à nouveau le cliché, puis le reposa délicatement sur la pile dans la boîte en laissant le bout de ses doigts s'y attarder quelques instants. Elle marqua un temps d'arrêt, comme si elle hésitait à le retourner, mais le laissa tel quel.

— Je n'arrive pas à le croire, dit-elle, presque comme si elle se parlait à elle-même. Je ne peux pas imaginer que papa… Je pensais que vous étiez sans failles. J'étais persuadée que vous filiez le parfait amour tous les deux.

— Personne n'est parfait, Katherine.

Les deux femmes restèrent un moment silencieuses, à angle droit l'une de l'autre, attentives aux bruits d'activités lointaines dans l'écurie. Pour une fois, pensa Kate, cela n'avait pas l'air d'inciter sa mère à s'agiter.

— Pourquoi es-tu restée ? demanda-t-elle. C'étaient les années 60, n'est-ce pas ? Les gens auraient compris. On aurait compris.

Joy fronça les sourcils en portant la main à ses cheveux.

— J'y ai bien pensé. Mais c'était encore très mal vu à l'époque. Et puis en dépit de tout, j'étais convaincue de faire ce qu'il fallait. Je me disais qu'ainsi, vous grandiriez au sein d'une vraie famille. Sans avoir à supporter les commérages de gens qui vous montreraient du doigt, parleraient derrière votre dos… Nous avions bâti une vie ensemble, ton père et moi. Je suppose que nous aimions les mêmes choses…

Elle se tourna vers Kate et son expression s'adoucit.

— Nous t'aimions beaucoup tous les deux, tu sais. Ton bonheur était tout pour nous. Et, bien que ton père m'eût terriblement blessée – elle esquissa une grimace et Kate se rendit compte avec effroi que cette trahison était encore un point terriblement sensible –, en définitive, je me suis dit que mes propres sentiments n'étaient pas ce qui comptait le plus.

Un long silence suivit tandis qu'assise dans cette pièce froide et inhospitalière, Kate s'efforçait d'infléchir des convictions qu'elle nourrissait depuis si longtemps de manière à les réconcilier avec ce qu'elle venait d'apprendre. Un bref instant, elle fut la proie d'une colère irrationnelle, comme si ce secret était à l'origine de tous les problèmes qu'il avait pu y avoir entre sa mère et elle.

— Christopher est-il au courant ?

— Bien sûr que non. Et je ne veux pas qu'il le sache. Je ne voulais pas que vous le sachiez ni l'un ni l'autre.

Joy avait retrouvé momentanément sa brusquerie coutumière.

— Tu ne dois rien lui dire. Ni à lui, ni à Sabine. On raconte beaucoup trop de sottises de nos jours à propos des vérités qu'il faudrait à tout prix révéler.

Son ton bien que belliqueux recelait autre chose. Voisin des sanglots.

Kate resta debout à regarder sa mère quelques instants, prenant peu à peu conscience de l'histoire d'amour à côté de laquelle elle était passée. Puis elle s'avança vers elle et, pour la première fois depuis qu'elle était enfant, elle l'enlaça, la serra doucement dans ses bras, lui laissant le temps de céder à son étreinte et de se départir de sa raideur habituelle. Elle sentait le cheval, et le chien, quelque chose de doux, la lavande. Au bout de quelques instants, Joy tapota distraitement son épaule en retour, comme si elle rassurait un animal.

— Toutes ces années, dit Kate contre sa veste matelassée, la voix brisée, toutes ces années, et… je n'ai jamais été à la hauteur.

— Je suis désolée, chérie, je ne voulais pas que tu éprouves ça.

— Ce n'est pas ce que je veux dire. Toutes ces années sans que je sache que tu souffrais. J'ignorais ce que tu avais enduré.

Joy recula et essuya ses larmes en redressant les épaules.

— N'exagère pas tout de même, dit-elle d'un ton ferme. Ton père est un homme bon. Je n'ai pas enduré tant de choses, comme tu dis. Il m'aimait, à sa manière.

Lorsqu'elle regarda Kate, une lueur défensive, presque défiante, brillait dans son regard.

— C'est juste que…

— Qu'il ne pouvait pas se contenir ?

Joy se détourna, s'approcha de la fenêtre.

Kate jeta un coup d'œil vers la pièce voisine où son père dormait dans une torpeur propre aux médicaments et sentit monter en elle une fureur froide à l'encontre de l'homme qui avait trahi la seule personne qu'elle avait jamais imaginé capable d'aimer inconditionnellement.

— Et tu ne lui as jamais fait payer, marmonna-t-elle amèrement.

Joy suivit le regard de sa fille, puis elle lui prit la main. La sienne était rêche, burinée par des années d'activités acharnées.

— Tu ne dois pas lui en parler. Il ne faut pas l'ennuyer. Ton père a payé, Kate, dit-elle d'un ton ferme, teinté de mélancolie. Nous avons payé tous les deux.

Il n'y avait personne dans la cuisine, ni dans le salon, aussi Sabine, presque prise de vertige sous l'effet de l'adrénaline qui coulait dans ses veines, passa-t-elle en revue le reste des pièces de la maison en claquant les portes, appelant Mrs H à tue-tête tandis que les chiens aboyaient et grattaient le sol dans son sillage. « Où sont-ils donc tous, pour l'amour du ciel ? » hurla-t-elle en ouvrant, puis refermant à la volée les portes du cellier et de la remise à chaussures. La maison semblait inerte. On aurait dit qu'elle était sur le qui-vive. Personne non plus dans l'arrière-cuisine ni dans la salle du petit déjeuner, où le silence amplifié par les bruits de sa brève entrée fit écho autour des meubles.

La poitrine oppressée à force de se démener, Sabine monta l'escalier quatre à quatre, se prenant les pieds dans le tapis usé jusqu'à la corde de sorte qu'elle dérapa et dut se rattraper à deux reprises à la rampe pour ne pas tomber. Pendant tout ce temps, la vision d'Annie la hanta, Annie pliée en deux par la douleur, l'air hagard, comme toujours, mais concentré aussi cette fois-ci. Comme sous l'effet d'un instinct primordial.

Oh mon Dieu, où est Mrs H ? Annie avait besoin de sa mère. Ça au moins, c'était clair. Elle avait certainement besoin de quelqu'un d'autre que cet Anthony Machin-truc-chouette. Sabine s'arrêta un bref instant sur le palier, cherchant des yeux l'aspirateur ou quelque autre indice du passage récent de Mrs H. Puis elle eut une idée.

Lynda.

Pourquoi n'avait-elle pas pensé à Lynda ?

Elle saurait quoi faire. Elle pourrait s'occuper de tout. Sabine ouvrit en grand la porte de la chambre de son grand-père, la bouche déjà ouverte, prête à communiquer son message urgent. Mais elle ne rencontra que le regard morne de l'écran de la télévision allumée sans le son, et une rangée bien ordonnée de gobelets en plastique et de flacons de remèdes. Rappel muet que l'infirmière était déjà rentrée chez elle. Le profil squelettique de son grand-père émergeait de l'entassement de couvertures et d'oreillers. Il resta impassible malgré le tapage, profondément abîmé dans un sommeil chimique.

Elle ne prit même pas la peine de fermer la porte. En lâchant un juron, sanglotant d'exaspération, elle courut dans le couloir, ouvrant toutes les portes d'une poussée, appelant tour à tour Mrs H, sa mère, sa grand-mère – n'importe qui ! – luttant à chaque pas contre une panique croissante au souvenir de la scène qu'elle avait laissée derrière elle. Si l'homme était parti ? Il avait eu l'air d'en crever d'envie. Et si tout le monde était sorti ? Elle appellerait une ambulance, mais elle n'avait pas la moindre idée de ce qu'il fallait faire en attendant. Sans compter qu'une partie de son être répugnait à être à nouveau confrontée à ces cris, à ce sang. Toute seule !

Elles étaient dans le bureau. Sabine ouvrit la porte avec fracas, ne s'attendant pas à trouver qui que ce soit dans la pièce, et s'immobilisa, pantelante, face aux deux femmes dans les bras l'une de l'autre.

Elle se figea l'espace d'une seconde en s'efforçant d'assimiler cette vision irréelle. Toujours consciente des événements de la soirée, elle détourna les yeux de sa mère. Puis elle se souvint.

— Où est Mrs H ?

Joy s'était délivrée de l'étreinte de sa fille et tapotait ses cheveux en bataille.

— Elle est allée en ville. Voir quelqu'un au sujet d'Annie, je crois.

Elle paraissait presque gênée d'avoir été surprise dans une situation aussi intime.

— Il faut que je lui parle.

— Elle ne reviendra pas ici ce soir. Elle est partie de bonne heure. Je crois que Mack est passé la chercher.

Les deux femmes dévisageaient Sabine qui s'était mise à sautiller nerveusement d'une jambe sur l'autre.

— Que se passe-t-il, pour l'amour du ciel ?

— Il faut aller la chercher. Annie… elle… je crois qu'elle va avoir un bébé.

Le silence qui suivit fut infiniment bref.

— Comment ?

— Un bébé ? En es-tu sûre ?

Derrière la porte, l'un des chiens, affecté par l'excitation ambiante, aboyait.

— Annie ne peut pas avoir d'enfants, dit Joy, sceptique.

— Sabine ? En es-tu sûre ?

— Venez. Je n'invente rien, répondit Sabine en tirant sur la manche de sa grand-mère. Elle est chez elle. Avec un de leurs clients. Il y a une sorte de liquide par terre. Le type a dit qu'il était agent de prêts, mais qu'à son avis, il n'y en a plus pour longtemps. Il faut faire venir une ambulance, mais le téléphone d'Annie est coupé.

Joy et Kate échangèrent rapidement un regard.

— Il est tout seul, ajouta Sabine, réduite pour ainsi dire aux larmes par leurs mines effarées. Annie a besoin d'aide. Il faut que vous veniez tout de suite.

Joy plaqua une main sur son visage en réfléchissant, puis elle se dirigea vers la porte à grandes enjambées, poussant les deux autres devant elle.

— Kate, cours là-bas avec Sabine. Je vais téléphoner pour demander une ambulance et puis je prendrai ce qu'il faut ici. Oh, mon Dieu ! J'essayerai aussi de joindre Mack. Je suis sûre qu'on a le numéro de son portable quelque part. Je vais dire à Thom de s'en occuper.

— Conduis-moi, dit Kate en emboîtant le pas à sa fille qui dévalait déjà l'escalier en se heurtant contre les chiens au passage. Oh, la pauvre ! souffla-t-elle en tapotant l'épaule de Sabine. Heureusement que tu l'as trouvée.

Anthony Fleming était en train d'exécuter une petite danse sur le perron devant chez Annie, une sorte de gigue bizarre accompagnée d'un balancement joyeux des bras. Un danseur folklorique, désynchronisé, obéissant à quelque air qui lui trottait dans la tête. C'était tout au moins l'impression que ça faisait de loin. Quand Sabine et Kate arrivèrent près de lui, en sueur et tout essoufflées après leur sprint, il s'avéra qu'il s'agissait en fait d'une oscillation nerveuse du corps, un appel à l'aide maladroit, désespéré. Il s'agrippa aux revers de Kate dès qu'elle eut gravi les marches quatre à quatre.

— Vous êtes médecin ? demanda-t-il, blême, l'air angoissé.

— Il arrive, lui répondit-elle. Où est-elle ?

— Oh mon Dieu, oh mon Dieu, fit Anthony Fleming en se tordant les mains.

— Où est-elle ?

Sans plus se soucier de lui ou de Sabine, Kate se fraya un chemin dans le salon et gagna la cuisine. Elle s'agenouilla à la hâte près d'Annie qui s'agrippait à présent aux pieds d'un tabouret de cuisine en se balançant d'avant en arrière tout en poussant des cris graves et funèbres au point que Sabine sentit les poils de sa nuque se hérisser.

— Tout va bien, Annie, tout va bien maintenant, ne cessait de répéter Kate en la tenant contre elle tout en lui caressant les cheveux. Vous vous débrouillez très bien. Ça va très bien se passer.

Sabine promenait des regards éperdus dans la cuisine, de la longue jupe d'Annie, trempée, abandonnée dans un coin de l'évier, à un bout de tissu rose taché qui pouvait être une culotte. Il y avait du sang clair, mêlé d'eau, partout. Cela lui rappela la fois où son grand-père avait plongé la tête la première dans le ragoût de légumes.

— Je n'y connais rien question bébés, répétait sans relâche Anthony Fleming tandis que ses mains luttaient l'une contre l'autre. Je m'occupe uniquement de prêts bancaires. Je suis juste revenu parce qu'il y avait un endroit sûr pour ranger ma bicyclette.

Sabine ne pouvait pas lui répondre. Elle fixait intensément Annie, qui, perdue dans un monde qui n'appartenait qu'à elle, se cramponnait maintenant à Kate, ses traits se tordant chaque fois qu'elle poussait un autre beuglement. Après avoir jeté un coup d'œil derrière elle au visage épouvanté de sa fille, Kate s'efforça de sourire.

— Ce n'est rien, ma chérie. Je t'assure. Ça paraît pire que ça ne l'est en réalité. Pourquoi ne vas-tu pas dehors attendre l'ambulance ?

— Je vais y aller, intervint Anthony Fleming qui filait déjà en direction de la porte. Je vais attendre l'ambulance. J'attends dehors.

Kate décocha un regard agacé à son dos tourné. Elle consultait sans arrêt sa montre pour évaluer le laps de temps entre les plaintes angoissées d'Annie.

— Bon. Bon… Euh, Sabine, va chercher des serviettes de bain, tu veux ? Et puis une paire de ciseaux. Fais bouillir de l'eau et stérilise les ciseaux. D'accord ?

— Tu ne vas pas l'opérer, tout de même ?

Pétrifiée à la porte de la cuisine, Sabine sentit sa poitrine se comprimer sous l'effet de la terreur. Elle doutait d'être capable de supporter davantage la vue du sang.

— Non, chérie, c'est pour le cordon. Juste au cas où le bébé arriverait avant l'ambulance. Allez, vas-y, on n'a pas beaucoup de temps.

Kate se retourna vers Annie, lui caressant les cheveux tout en lui murmurant des paroles d'encouragement sans se préoccuper du fait qu'elle était elle-même couverte du liquide sanguinolent qui inondait le sol là où elle soutenait la jeune femme.

— Il faut que je pousse, dit Annie, les cheveux collés en vrilles trempées de sueur autour du visage.

C'étaient les premiers mots que Sabine l'entendait prononcer.

— Oh mon Dieu, il faut que je pousse.

— Sabine. Vas-y. Maintenant.

Sabine fit volte-face en se demandant où elle allait bien pouvoir trouver une paire de ciseaux. Chez Annie, les choses ne se trouvaient jamais à l'endroit où elles étaient censées être. À cet instant, elle se retrouva nez à nez avec Joy chargée d'une pile de serviettes.

— L'ambulance devrait arriver d'un instant à l'autre, dit-elle. Thom essaie de joindre Mrs H. Où sont-elles ?

— Est-ce que tu as pris une paire de ciseaux ?

— Oui, oui…

Joy suivit la direction d'où venait le long mugissement qui, cette fois-ci, s'intensifia en quelque chose d'inhumain, plus près d'un hurlement.

— On a tout ce qu'il faut. Elles sont dans la cuisine, c'est ça ?

Le cri, quand il se fit à nouveau entendre, était trop horrible. Sabine fut parcourue de frissons comme lorsque les chiens de meute hurlaient dans la nuit. On aurait dit qu'Annie était sur le point de rendre l'âme. Son visage était tout plissé.

Les traits de Joy s'adoucirent quand elle vit la peur se peindre sur le visage de sa petite-fille. Elle tendit la main pour la réconforter.

— Ce n'est rien, Sabine. Je t'assure. C'est juste que la naissance est une affaire un peu brutale.

— Est-ce qu'elle va mourir ? Je ne veux pas qu'Annie meure.

Joy lui sourit en lui pressant le bras avant de se tourner vers la cuisine.

— Évidemment que non. Dès que le bébé sera né, elle ne se souviendra plus de rien.

Tapie derrière la porte, Sabine la suivit des yeux tandis qu'elle allait s'accroupir près de Kate, lui tendant des serviettes et l'aidant à disposer les membres d'Annie sur le sol. Elle caressa les jambes de la jeune femme tout en lui murmurant des paroles réconfortantes. Kate marmonna quelque chose à propos de « transition », et sa mère et elle échangèrent un bref coup d'œil. Leurs expressions témoignaient d'une compréhension mutuelle teintée d'inquiétude, comme les prémices d'une joie imminente, comme si elles savaient toutes les deux quelque chose qu'elles ne pouvaient pas encore admettre. En les observant, Sabine fut à nouveau au bord des larmes parce qu'elle se sentait non pas exclue, mais curieusement rassurée.

— Bon, Annie, dit Kate, aux pieds de la jeune femme à présent, préparez-vous à pousser. Dites-nous quand vous sentez la prochaine contraction venir.

Annie regardait fixement ses pieds, les yeux écarquillés, le menton sur la poitrine ; elle poussa un long rugissement, les dents serrées au départ, puis la bouche grande ouverte si bien que Sabine, qui guignait sur le côté du chambranle de la porte, s'aperçut qu'inconsciemment elle avait elle aussi ouvert grand la bouche.

Joy faisait la grimace tout en s'efforçant de tenir le torse d'Annie. Elle était toute rouge. Kate remonta les genoux d'Annie et lui essuya le visage avec une serviette fraîche. Elle pleurait à moitié à présent.

— Vous y êtes presque, Annie. Je vois la tête. Ça y est presque.

Annie ouvrit les yeux un bref instant pour regarder Kate. Son regard était las, totalement dérouté.

— Prenez de grandes inspirations, Annie. Cramponnez-vous. C'est bientôt fini.

— Où est Patrick ? demanda Annie, les yeux embués de larmes.

— Il arrive, déclara Joy d'un ton ferme, son visage tout proche de celui d'Annie tandis qu'elle la soutenait sous les aisselles. Il sera là d'un instant à l'autre, vos parents aussi, et l'ambulance. Ne vous inquiétez de rien. Concentrez-vous sur ce merveilleux enfant.

— Je veux voir Patrick, insista Annie en se mettant à pleurer.

Ses sanglots s'étranglèrent quand une autre contraction l'ébranla de la tête aux pieds, et ses pleurs se changèrent en un énorme rugissement. Elle s'agrippa aux bras qui la soutenaient si farouchement que Sabine vit sa grand-mère faire de nouveau la grimace. Kate était toujours par terre devant elle, poussant des deux mains les chevilles d'Annie de manière à lui tenir les genoux pliés, sans cesser de lui prodiguer des paroles d'encouragement.

— Ça vient, Annie. Allez, poussez. Ça y est presque. Je vois la tête.

Elle parlait d'une voix stridente sous l'effet de l'excitation et levait vers Annie un visage illuminé d'un grand sourire.

Annie se laissa retomber contre Joy, à bout de forces.

— Je n'y arriverai pas, dit-elle.

— Bien sûr que si. Vous y êtes presque, firent les deux femmes à l'unisson.

— Respirez, Annie, dit Kate. Respirez régulièrement pendant une minute.

Elle regarda sa mère en ajoutant à voix basse :

— C'est bien ça qu'il faut faire, n'est-ce pas, maman ?

Joy hocha la tête et elles échangèrent à nouveau un demi-sourire.

— Bon, poussez encore une fois, dit Kate.

Annie se mit alors à hurler, un long braillement chevrotant, étranglé. Joy, qui faisait toujours la grimace à cause de la vigueur avec laquelle Annie lui serrait les bras, se mit aussi à hurler. Sabine s'aperçut qu'elle pleurait maintenant, et à l'instant où elle se disait qu'elle ne supporterait pas ça un instant de plus, il y eut un bref glissement humide, un cri de joie, puis sa mère prit entre ses mains cette chose, cette chose qui agitait deux bras violets en l'air, tel un supporter de football. Joy embrassait Annie, et riait, tandis que Kate enveloppait tendrement la chose dans une serviette et la posait sur la poitrine d'Annie. Pendant tout ce temps-là, Sabine n'avait pas quitté des yeux le visage d'Annie, empreint de joie, de douleur, de soulagement mêlés, indifférente au sang et au reste, indifférente au bruit, indifférente à Anthony Fleming qui se tenait sur le seuil et toussotait dans sa main en priant tout le monde de l'excuser, mais l'ambulance était là.

Puis, comme si elle se souvenait brusquement de la présence de sa fille, Kate leva les yeux et lui tendit la main, et Sabine s'approcha, s'agenouilla près d'elle, en regardant ce petit être maculé de sang, enveloppé dans une serviette de plage, qui sentait la sueur et le fer. En baissant les yeux, elle entrevit les mares de sang, les serviettes souillées, la culotte, son pantalon tout sale, mais elle ne voyait vraiment que ces deux yeux noirs laiteux qui lui rendaient son regard, sur un mode ancestral qui laissait supposer une connaissance de tous les secrets du monde. Une minuscule bouche aux commissures incurvées formait des mots silencieux, lui disant tout ce qu'elle avait jamais su sur le sens de la vie. Elle se rendit compte, dans un éclair de lucidité, qu'elle n'avait jamais rien vu d'aussi beau de sa vie.

— C'est une petite fille, dit Kate, les yeux embués de larmes en pressant les épaules de Sabine.

— Elle est tellement parfaite, bredouilla Sabine en tendant une main hésitante.

— Mon bébé, dit Annie en la contemplant d'un air incrédule. Mon bébé.

Soudain, elle se mit à pleurer, de grands sanglots déchirants, interminables, qui ravageaient tout son corps, accablée sous le poids du chagrin réprimé. Kate dut lui reprendre l'enfant un bref instant pour la protéger de l'angoisse de sa mère. Joy se pencha et serra la tête d'Annie contre sa poitrine en pleurant elle aussi : « Je sais, je sais. » Quand les larmes d'Annie finalement se tarirent, Joy chuchota si bas que Sabine perçut à peine ce qu'elle disait au milieu des exclamations des gens qui entraient : « Tout va bien maintenant, Annie. Tout va bien. C'est fini. »

Alors Kate, les mains tremblantes, aida Sabine à se relever. Étroitement enlacées, elles sortirent silencieusement en cillant des yeux dans la nuit où les ambulanciers, sous le gyrophare bleu tourbillonnant, s'empressaient de décharger la civière tandis que la radio du véhicule grésillait des consignes.

16

Il ne lui restait plus beaucoup de réelles surprises dans la vie, avait déclaré Mrs H, mais la naissance de sa petite-fille en avait certainement été une ! Elle le répéta maintes fois à une foule de gens, mais cela n'empêchait pas ses yeux de se remplir de larmes de gratitude chaque fois qu'elle le disait, et personne ne lui en voulut de l'avoir redit si souvent aux mêmes personnes. La venue de la petite Roisin Connolly était une bonne nouvelle, et des nouvelles aussi bonnes peuvent allègrement supporter le poids de la répétition.

Le soir de la naissance, Patrick était revenu auprès d'Annie, très ébranlé, mais enchanté par l'arrivée du nouveau bébé, profondément soulagé aussi d'être enfin en mesure de s'expliquer le comportement de plus en plus singulier de sa femme au cours des derniers mois. D'après les médecins, Annie, qui n'avait jamais pu admettre la mort de sa fillette, avait été temporairement déséquilibrée par le choc de sa nouvelle grossesse. Le seul moyen pour elle d'y faire face avait été de l'ignorer tout en prenant ses distances par rapport à son entourage. Apparemment, ce n'était pas une réaction exceptionnelle. Quoi qu'il en soit, Mrs H avait paru assez gênée de ne pas s'être rendu compte que sa propre fille était enceinte et elle s'en était voulu de la naissance mouvementée de Roisin. Mais Mack, Thom et tout le monde lui avaient dit que c'était ridicule de sa part, et plus tard, Annie lui avait fait remarquer que si elle était parvenue à cacher la vérité à son mari, sa mère aurait difficilement pu le savoir. Mrs H en fut vaguement apaisée, mais désormais on la vit souvent scruter les tours de taille des jeunes femmes de son entourage, tant elle était avide d'être la première à deviner toute grossesse. Elle en offensa même plus d'une en posant la question à mauvais escient.

Annie passa plusieurs semaines à l'hôpital pour tenir compagnie à Roisin, venue au monde avec un peu plus d'un mois d'avance et placée quelque temps en couveuse, mais aussi pour se donner le temps de s'adapter à son rôle de mère sous l'œil vigilant du personnel médical. Après une période initiale de deuil différé pour Niamh – tout le monde s'accordait à dire que les deux petites filles se ressemblaient douloureusement –, elle se remit étonnamment vite sans souffrir de la dépression postnatale qui, d'après les mises en garde des médecins, se produisait souvent dans des cas comme celui-ci. Elle était suivie par un médecin, bien que, de l'avis de sa mère, en la voyant avec son nouveau bébé, le bras de son mari autour de sa taille, on n'eût pas vraiment l'impression qu'elle eût besoin d'aide. Annie parlait même de Niamh maintenant, soulignant à quel point les habitudes alimentaires ou nocturnes de Roisin étaient similaires aux siennes et combien la forme de ses minuscules ongles pareils à des coquillages ou la couleur de ses cheveux se distinguaient de celles de Niamh. Elle en arrivait même à reprocher à ses parents de larmoyer lorsqu'elle parlait ainsi en leur disant que si elle tenait à se souvenir qu'elle avait eu deux filles, il n'était pas question que Roisin grandisse dans l'ombre de sa sœur disparue.

Sabine lui rendit visite plusieurs fois à l'hôpital, prenant le minuscule bébé dans ses bras, s'émerveillant de la rapidité avec laquelle elle s'était départie de ses traits écrasés et rougeâtres pour devenir un petit être alerte, rose et fleurant bon. Elle ne voulait toutefois pas avoir de bébé elle-même, déclara-t-elle à Annie. Pas tant qu'on ne se sera pas arrangé pour que ce soit les hommes qui les fassent. Annie – qui, comme Joy l'avait prédit, paraissait avoir oublié la douleur et tout le sang ! – avait ri de sa remarque. Elle riait souvent ces temps-ci, le regard brillant d'espièglerie quand elle taquinait Sabine à propos de Bobby McAndrew, brillant de joie quand sa petite fille faisait quelque chose d'apparemment remarquable, comme agiter sa main en étoile de mer en l'air ou éternuer. Secrètement, Sabine trouvait Roisin un peu amorphe, mais elle se garda bien de le dire. Annie lui avait demandé d'être sa marraine, et elle se rendait bien compte qu'une marraine ne tenait pas ce genre de propos.

Patrick passait pratiquement tout son temps à l'hôpital « à empoisonner tout le monde », disaient les infirmières en souriant, contemplant sa fille des heures durant, un doux rayon de satisfaction illuminant son gros visage. Ses mains, qu'il tendait jadis à tout moment pour réconforter sa femme, étaient désormais le plus souvent entrelacées aux siennes. Il n'avait pas travaillé depuis des semaines, commentait Mrs H, mais on ne pouvait pas tout avoir, ajoutait-elle.

En arrivant à la maison le soir de la naissance de Roisin, il avait remercié Sabine, Joy et Kate en pleurant à chaudes larmes au point que Sabine avait été un peu gênée pour lui. Mais Kate elle-même en pleurs l'avait serré dans ses bras en répétant inlassablement qu'elle était « tellement heureuse ». À croire que c'était elle qui venait d'avoir un bébé ! Un enfant est le plus beau cadeau que l'on puisse recevoir, lui avait dit Joy, elle aussi très émue. Un jour, elle comprendrait. En son for intérieur, Sabine avait pensé qu'elle comprenait peut-être déjà. Elle n'avait jamais vu de sa vie quelque chose qui ressemblât de près ou de loin à l'expression d'Annie à l'instant où son regard s'était posé sur le nouveau-né. Rien qu'en y repensant, elle avait la larme à l'œil, bien qu'il fût hors de question qu'elle l'admette ouvertement. Il se passait déjà suffisamment de choses émouvantes ces jours-ci.

Thom ne parla jamais à Kate de la vaine tentative de Sabine pour le séduire. Ou peut-être le fit-il, et sa mère résolut-elle d'éluder la question. Quoi qu'il en soit, Sabine s'en félicitait, même si elle était un peu décontenancée à l'idée de ne pas savoir envers qui elle devait éprouver de la reconnaissance.

La première fois qu'elle avait revu Thom, c'était le soir de la naissance de Roisin. Il était arrivé en courant quelques instants après que Sabine et Kate eurent émergé de la maison. Elles se tenaient près de l'ambulance sans trop savoir ce qu'il convenait de faire ensuite. Il avait fait un dérapage contrôlé devant elles pour interrompre sa course et son regard était passé rapidement de l'une à l'autre. « Tout va bien », avait-il demandé, une main sur chacune d'elles. « Annie ? Et vous ? Ça va ? » Il avait intensément regardé Sabine à la fin de sa phrase, et elle avait hoché la tête, trop émue par l'arrivée bouleversante du bébé pour se sentir encore humiliée.

Soudain, toute cette histoire lui avait paru remonter à des siècles, comme le scénario d'un rêve. À croire que c'était arrivé à quelqu'un d'autre. Elle avait attendu, crispée, qu'il embrasse sa mère, la prenne dans ses bras, quelque chose comme ça, mais il n'avait rien fait de tel. Ils avaient juste échangé un regard, puis Kate lui avait suggéré calmement d'entrer et d'aller voir Annie. Après qu'il fut parti, elle avait entraîné Sabine vers la maison en disant : « Je ne sais pas ce qu'il en est pour toi, ma chérie, mais je boirais bien quelque chose. »

Sabine avait revu Thom le lendemain. Il avait attendu qu'elle vienne à l'écurie pour lui demander si elle avait envie d'aller faire une balade à cheval. Rien qu'eux deux. En jetant un coup d'œil vers le box du cheval gris, elle s'était aperçue qu'il était déjà brossé et sellé, comme si elle n'avait pas le choix. Elle s'était sentie mal à l'aise à cet instant, même s'il était évident, au son de sa voix, qu'il n'allait pas lui faire des avances ou quoi que ce soit. Elle redoutait davantage qu'il fasse allusion à ce qui s'était produit la veille au soir.

Mais il avait fait comme si de rien n'était. Il avait parlé des chevaux, d'Annie, du nouveau bébé. De la stupéfaction de tout le monde. Il l'avait emmenée faire une longue promenade au hasard dans la campagne. Il l'avait encouragée à sauter plusieurs fossés qu'elle n'aurait jamais franchis toute seule et avait ri aux éclats lorsqu'elle avait catégoriquement refusé de tenter un nouveau Wexford. Certes, lui dit-elle en réprimant son hilarité, elle avait réussi une fois. Mais quand on voyait les choses avec sang-froid, c'était différent. Il avait hoché la tête et reconnu qu'elle n'avait pas tort. Comme si elle avait dit quelque chose de beaucoup plus sage qu'elle se l'était imaginé.

On ne pouvait pas vraiment dire qu'il s'était passé quelque chose d'important entre eux pendant la balade, mais au retour, elle s'était sentie nettement plus détendue, comme si Thom lui avait été restitué – en tant qu'individu auquel elle pouvait se confier, au moins ! En outre, pensa-t-elle après l'avoir étudié attentivement à la dérobée, elle ne le trouvait pas tellement à son goût en définitive, surtout depuis que sa mère lui avait dit qu'il avait failli être son père. Elle le voyait forcément sous un jour différent maintenant.

Ce fut moins simple pour sa mère, bien entendu. Le lendemain de la naissance de Roisin, Kate était encore toute retournée et tremblante. Elle avait déclaré qu'elle était incapable d'avaler quoi que ce soit et dérivait dans des rêveries qui lui emplissaient les yeux de larmes. Elle avait aussi, avec une certaine gêne tout de même, serré sa mère dans ses bras à la table du petit déjeuner. Ce que Sabine avait trouvé un peu « too much », bien que Mrs H se fût extasiée après coup en disant que c'était « si charmant » qu'elles s'entendent toutes bien de nouveau, surtout après tant de temps. Il faut dire que Mrs H trouva absolument tout « charmant » pendant des semaines après cela, y compris le fait que Lynda ait chopé une contredanse à New Ross, comme elle le leur avait annoncé ! Sabine, qui s'était sentie franchement gênée a posteriori au souvenir de la terreur qu'elle avait éprouvée à la naissance de Roisin et de la manière dont elles s'étaient toutes agrippées les unes aux autres, avait décidé désormais d'être très cool pour tout. Ce n'était qu'un bébé après tout, déclara-t-elle quand elles menaçaient de ressasser encore une fois toute l'histoire. Elle avait trouvé agaçant que sa mère et sa grand-mère échangent des coups d'œil et des petits sourires en coin quand elle protestait ainsi, comme si elles avaient toujours été complices et savaient pertinemment pourquoi elle réagissait ainsi.

Quoi qu'il en soit, Kate avait fait une chose bien. Elle était montée la voir plusieurs jours plus tard, alors qu'elle se changeait, et après s'être assise sur son lit, lui avait demandé sans détour si elle ne préférerait pas rester en Irlande plutôt que de rentrer en Angleterre. Sabine, qui enfilait son gros chandail bleu, lui avait répondu à travers la laine – se félicitant secrètement de ne pas voir le visage de sa mère à ce moment-là – qu'elle aimait bien l'Irlande et qu'elle pensait pouvoir passer ses prochains examens ici aussi bien qu'ailleurs. Bizarrement, sa mère n'avait pas pleuré : elle avait même paru contente et lui avait dit que si tel était son souhait, c'est ce qu'elles feraient. Elle était partie aussitôt après. Pas d'introspection, ni de radotages à n'en plus finir à propos du fait qu'elle voulait être son amie et qu'elles soient heureuses toutes les deux, bla-bla-bla. Directe. Terre à terre. En émergeant de son pull-over, Sabine avait été sidérée de s'apercevoir qu'elle avait quitté la pièce.

Et puis quelques jours plus tard, alors qu'elles étaient seules dans le salon, Kate lui avait demandé ce qu'elle penserait de vendre la maison de Hackney pour venir s'installer ici près de Mamie. En permanence. Tu veux dire que tu veux être près de Thom, pensa Sabine, mais elle était trop étonnée que son avis puisse compter pour faire preuve de méchanceté.

— J'ai pensé qu'on pourrait acheter une des maisons du bout de la rue, poursuivit sa mère qui paraissait plus gaie qu'elle ne l'avait vue depuis des lustres. Pas trop loin. Avec juste deux chambres. Il nous restera largement de quoi vivre avec la vente de la maison de Londres. Et puis il n'y a pas de raison que je ne trouve pas de travail ici. Ce serait sympa de chercher quelque chose ensemble.

Brusquement sur le qui-vive, Sabine avait eu envie de lui demander si Thom viendrait vivre avec elles, mais Kate la devança.

— Thom restera où il est pour le moment. J'estime qu'il y a eu suffisamment de bouleversements dans cette famille pour le moment. Mais il passera pas mal de temps avec nous, si tu es d'accord.

— Il ne veut pas que tu t'installes chez lui ? C'est ça ? riposta Sabine sans parvenir à réprimer la pointe de dérision dans sa voix.

L'histoire ne cessait de se répéter.

— Je ne lui ai pas posé la question, chérie, répondit calmement Kate. Je me suis dit qu'il était temps qu'on s'amuse un peu toutes les deux. Rien que toi et moi.

Après quoi, elle avait ajouté :

— Et nous savons toutes les deux où le trouver, non ?

Joy avait bien réagi à propos de Thom et sa mère. Sabine lui en avait parlé d'un ton circonspect, s'attendant à une réprobation bourrue. Mais sa grand-mère, qui curieusement semblait déjà au courant, n'avait même pas levé le nez de sa revue hippique pour dire que Thom était un homme bien et qu'elle était sûre qu'il savait ce qu'il faisait.

Elle n'en avait pas dit autant de Kate, comme Sabine s'en rendit compte par la suite, mais selon la formule de Mrs H, on ne peut pas tout avoir.

En attendant, Bobby avait fait une plaisanterie nulle lorsqu'elle lui avait annoncé qu'elle restait, quelque chose au sujet du fait qu'elle ne voulait pas le laisser tranquille. Mais après qu'elle eut réussi à le faire taire cinq minutes, il daigna tout de même ajouter que ce serait « le pied » pour elle de rencontrer le « reste de la bande ». Il lui parla aussi d'un bal de chasseurs où ils pourraient aller ensemble dans deux semaines et où, lui assura-t-il, ils s'amuseraient comme des dingues. Il avait l'air plutôt content, à vrai dire. Elle se garda de lui avouer qu'elle avait commencé à en pincer pour son frère aîné.

Edward Ballantyne mourut trois semaines jour pour jour après la naissance de Roisin Connolly, passant discrètement et efficacement de vie à trépas entre les informations de midi et le premier feuilleton de Lynda. Ce n'était pas grave, assura-t-elle un peu plus tard à Mrs H. Elle prenait soin d'enregistrer tous les épisodes chez elle au cas où ce genre d'incident surviendrait. Mrs H fut assez peu aimable avec elle après ce coup-là.

Sabine, qui était allée monter à cheval avec Bobby à Manor Farm, avait été inconsolable à son retour, se reprochant d'avoir laissé son grand-père tout seul au moment de sa mort, bien qu'elle-même fût contrainte d'admettre qu'il se réveillait à peine ces derniers temps. Joy lui avait permis d'entrer dans la chambre. Elle s'était assise près d'elle à côté du lit et l'avait tenue dans ses bras jusqu'à ce qu'elle cesse de pleurer. Force était de reconnaître qu'il paraissait nettement plus paisible maintenant, comme sa grand-mère le lui avait affirmé. Tout au moins ce qui restait de lui. On aurait dit que la petite essence de son être qui ne l'avait pas encore quitté s'en était allée à la dérive, ne laissant que son vieux visage placide, creusé, et ces mains presque froides posées sur le duvet rouge écarlate comme les vestiges d'une autre vie. Sabine avait pensé brièvement à la main de Thom quand elle l'avait effleurée la première fois. Mais la main de Thom, bien qu'elle fût une chose inerte, n'en était pas moins animée par son goût de la vie. Celles de son grand-père, en revanche, étaient des pièces de musée poussiéreuses et fripées, dont n'émanaient plus que les échos distants des temps passés.

— Tu n'aurais pas dû la faire asseoir à côté de lui, dit Kate qui avait attendu dans le couloir, le visage blême, lugubre, lorsqu'elles émergèrent de la chambre. Elle va faire des cauchemars.

— Pas du tout, protesta Joy, qui était étonnamment maîtresse d'elle-même. C'est son grand-père. Elle a le droit de lui dire au revoir. Ça te ferait du bien d'en faire autant.

Mais Kate, une main sur la figure, avait disparu dans sa chambre pour n'en ressortir que plusieurs heures plus tard.

Christopher et Julia étaient arrivés ce soir-là. Julia tout de noir vêtue et si effondrée que Joy avait dû la consoler à plusieurs reprises.

— Je ne peux pas supporter ça, sanglota-t-elle sur l'épaule de la vieille dame. Je ne peux pas affronter la mort.

Comme si quiconque y arrivait, commenta Mrs H d'un ton hargneux. Julia se mit aussi en peine de répéter inlassablement à sa belle-mère qu'elle comprenait son chagrin. Cela faisait moins d'un an qu'elle avait perdu Mam'selle, après tout.

Quant à Christopher, pâle, cadavérique, il s'était

borné à déambuler comme à son habitude en parlant comme s'il avait la bouche pleine de bouchons en liège. Il avait frotté maladroitement le dos de Kate lorsqu'elle était descendue et lui avait dit qu'il espérait que les choses ne deviendraient pas « difficiles ». Sabine savait qu'il parlait des meubles munis d'étiquettes, mais Kate lui avait répondu simplement qu'elle laisserait « maman se charger de tout ». C'était sa maison, après tout. Ses biens. Ce n'était pas comme s'ils avaient de graves difficultés financières, l'un ou l'autre. Christopher avait hoché la tête en la laissant à peu près tranquille après cela, ce qui semblait leur convenir à tous les deux.

Joy était absorbée dans les préparatifs de l'enterrement, refusant l'aide de quiconque, mais d'une manière moins brusque et rigide que lorsque son époux était mourant. Bien qu'elle fût toujours d'une froide efficacité, elle s'était adoucie, comme si l'on avait émoussé tous les angles de sa personne, et elle semblait souvent songeuse.

— Elle perdra les pédales plus tard, renifla Julia tristement en regardant sa belle-mère s'éloigner alors qu'ils étaient tous assis dans le salon après le dîner. Le deuil à retardement, elle n'y échappera pas. Ça ne m'avait pas vraiment frappée pour Mam'selle jusqu'à ce qu'on l'enterre.

Mais si le chagrin finit par l'accabler, Joy n'en laissa rien paraître. Lynda, tout particulièrement, semblait presque offensée par l'absence d'hystérie chez les Ballantyne. « J'ai des tranquillisants au cas où, disait-elle à tous ceux qu'elle croisait dans la maison alors qu'elle s'apprêtait à partir. Il suffit de me demander. » Julia finit par en prendre un. Elle n'en avait pas vraiment besoin, confia-t-elle ensuite à Kate. Elle pensait juste que ça faisait bon effet. Elle ne voulait pas que Lynda raconte dans tout Wexford que les Ballantyne manquaient de cœur.

En dépit des impressions contraires de Julia, Sabine fut assez bouleversée par le chagrin de sa mère après le décès de son grand-père. Rien à voir avec sa tristesse habituelle, agaçante, ostentatoire, qui se manifestait par des torrents de larmes, des tiraillements de cheveux, du mascara partout. Cela aurait mis Sabine hors d'elle. D'une certaine manière, elle estimait qu'elle avait davantage de raisons d'être triste que sa mère. Elle était juste très, très silencieuse, et pâle, si bien que lorsque Sabine l'aperçut près de la maison d'été dans les bras d'un Thom compatissant, sa première réaction fut non pas la colère, ni même l'irritation, mais le soulagement à l'idée que quelqu'un puisse faire quelque chose pour elle. Elle trouvait toujours les contacts physiques avec sa mère inexplicablement difficiles et se libérait de son étreinte dès qu'elle pouvait le faire sans la blesser.

Son accablement l'affectait cependant. Elle-même avait pleuré comme une madeleine pendant deux jours, après quoi, secrètement, elle s'était sentie mieux. Kate avait un drôle d'air, elle semblait frustrée comme si elle luttait contre des choses qu'elle ne pouvait pas communiquer.

— Comment se fait-il que tu sois si triste à propos de grand-père ? lui demanda finalement Sabine alors qu'elles étaient dans le bureau en train de ranger en silence les deux dernières caisses, une tasse de thé refroidie à côté de chacune d'elles.

La pièce, désormais réduite à quelques rayonnages squelettiques et à un papier peint inégalement passé, allait être refaite et transformée en chambre. Dans la mesure où c'était l'une des rares pièces de la maison qui n'était pas infestée par l'humidité, avait déclaré Christopher, il fallait l'utiliser efficacement, peut-être pour y loger des clients dans le cadre d'un Bed & Breakfast. Il allait y avoir une place sur le marché, après tout, maintenant qu'Annie et Patrick avaient résolu de fermer boutique. (« Ne vous inquiétez pas, avait répondu Mrs H à la réaction effarée de Sabine. Elle aura vite fait de les faire fuir ! ») Aussi sa mère et elle avaient-elles pris conjointement en charge les dernières caisses entassées dans le bureau. Après avoir sélectionné ses photos préférées, Sabine était en train de trier les quelques vestiges de correspondance avec l'espoir secret de trouver une lettre vraiment scabreuse. Kate avait décidé que les photos, désormais en ordre chronologique, seraient rangées dans un album en cuir en guise de cadeau pour Joy. La plupart d'entre elles en tout cas.

— Je ne dis pas ça méchamment, je t'assure, mais on ne peut pas dire que tu parlais souvent de lui de son vivant.

Elle jeta un coup d'œil en coulisse à sa mère, consciente que ses paroles étaient plus dures une fois exprimées que dans sa pensée.

Kate remit le couvercle sur une grosse boîte brune et marqua un bref temps d'arrêt en essuyant la poussière sur son nez.

— Il y a certaines choses… commença-t-elle, mais sa phrase resta en suspens. Je… je suppose que j'aurais voulu que papa et moi, nous nous comprenions mieux. On a perdu tellement de temps… et il est trop tard maintenant. Ça me met un peu en colère et ça me rend triste.

Sabine s'appuya sur le bureau en tripotant un vieux stylo, sans trop savoir comment réagir.

Kate se tourna vers elle.

— Je regrette que nous n'ayons pas eu la chance d'être plus amis. Nous avons cessé d'être proches quand j'étais à peine plus vieille que toi.

— Pourquoi ?

— Oh, toujours la même rengaine. Il n'approuvait pas la manière dont je menais ma vie. Encore moins après ta naissance. Non qu'il ne t'aimait pas, s'empressa-t-elle d'ajouter.

Sabine haussa les épaules.

— Je le sais.

Elle nourrissait secrètement la conviction qu'à la fin, son grand-père l'avait aimée plus que quiconque.

Elles restèrent un moment silencieuses, Sabine passant en revue de vieux documents jaunis en prenant la peine de lire uniquement ceux qui étaient manuscrits. Il y avait tout un tas de cartes postales, adressées à Kate et à Christopher. Elle reconnut l'écriture austère et angulaire de son grand-père. Il leur indiquait le nom des différents bateaux sur lesquels il avait navigué et précisait les conditions météorologiques des endroits qu'il avait visités. Il semblait qu'il fût parti quelque temps après la naissance de Kate, mais elle ne trouva aucune missive adressée à sa grand-mère.

Kate regardait fixement par la fenêtre, apparemment perdue dans ses pensées.

— Je me suis souvenue à quel point il était adorable avec moi quand j'étais enfant, dit-elle, brisant le silence de sorte que Sabine releva brusquement la tête. Il m'emmenait dans des tas d'endroits : à son travail aux chantiers navals, dans le tram de Peak, sur les petites îles autour de Hong-Kong pour que Christopher et moi puissions partir en exploration. C'était un bon père, tu sais.

Sabine la regarda, consciente du ton légèrement défensif de sa mère.

— C'est vrai, il était pas mal, pour un vieux schnock !

Elle essaya de refréner le tremblement de sa voix. Elle avait encore du mal à parler de lui.

— Je crois que j'aurais bien aimé qu'il soit fier de moi, reprit Kate tristement. C'est dur de penser qu'on a tout raté aux yeux de ceux qu'on aime.

Elle jeta un coup d'œil à sa fille, un sourire flottant sur ses lèvres.

— Même à mon âge, crois-le ou non.

Sabine considéra sa mère un moment. Puis elle lui tendit la main.

— Je n'ai jamais pensé que tu ratais tout, dit-elle d'une voix basse, précipitée, comme si elle trahissait un secret. Je sais que je ne suis pas très gentille avec toi quelquefois, mais je te trouve plutôt bien comme mère. En gros. Je veux dire, je sais que tu m'aimes et tout ça. Et c'est important.

Elle rougit.

— Et puis je parie que grand-père était vachement fier de toi, ajouta-t-elle. J'en suis même sûre. C'est juste qu'il ne le montrait pas. Ils n'ont jamais su manifester leurs émotions, tes parents. Pas comme toi et moi. Franchement.

Elle pressa le bras de sa mère.

— J'en suis sûre, je te dis.

Elles entendirent la voix stridente de Julia en train d'aider Mrs H à réaménager le salon pour l'enterrement. Il y eut un bruit de raclement de meuble, puis une pause. Julia venait apparemment d'éclater à nouveau en sanglots.

Kate regarda la main de sa fille, puis leva les yeux et lui sourit lentement.

— Tu as probablement raison, dit-elle.

Le jour où Edward Ballantyne fut enterré, il pleuvait si fort que les routes aux abords du cimetière étaient inondées, obligeant les membres du cortège funèbre à patauger dans l'eau jusqu'aux chevilles pour pouvoir approcher de la fosse, qui, à leur grand soulagement, se trouvait légèrement en hauteur. Il avait plu sans arrêt pendant deux jours ; le ciel avait la couleur de la cendre, l'herbe celle de la boue et les gerbes de fleurs disparaissaient derrière la buée sous leurs emballages en cellophane. Plusieurs anciens du village réfugiés dans la nef de la petite église s'étaient plaints de l'incivilité du temps, marmonnant toutes sortes de choses à propos de présages et de symboles, mais Joy avait souri curieusement pour elle-même, ignorant ses souliers trempés en affirmant à ceux qui l'interrogeaient au sujet des intempéries que le temps était approprié aux circonstances. Elle suggéra d'ailleurs à Sabine non sans pragmatisme d'aller mettre ses bottes en caoutchouc si elle le souhaitait de sorte que sa petite-fille, en larmes pour le premier enterrement de sa vie, avait paru choquée et avait demandé à sa mère si Joy divaguait. « Souviens-toi ce que tu m'as dit. À propos des émotions », chuchota Kate, et Sabine, après réflexion, avait paru vaguement satisfaite.

Il y avait beaucoup de monde pour Edward. Étonnant, à vrai dire, commenta Mrs H de dessous son parapluie, étant donné la grossièreté dont il avait fait preuve à l'égard de la plupart des gens du village à un moment donné ou à un autre. Mais Thom, bras dessus bras dessous avec Kate, avait murmuré que les gens savaient à quoi s'en tenir. C'était une question de respect, ajouta-t-il à l'adresse de Kate, assez surprise elle-même du nombre de bancs occupés dans l'église. Rares étaient ceux qui n'admiraient pas ce que sa famille et lui avaient fait pour la chasse ; les autres étaient venus pour Joy. « C'est aussi une affaire de classe. Ils savent reconnaître les gens de bien », lui avait-il chuchoté en lui pressant le bras.

Ils savent surtout reconnaître une bonne veillée, avait bougonné Mrs H qui, sur les instructions de Joy, avait acheté deux gros gigots, un demi-saumon et assez de boissons alcoolisées, selon Christopher, pour faire couler un petit navire. Elle avait remarqué l'humeur déjà moins sombre des villageois derrière eux, la vague encore distante mais croissante des bavardages, alors que, leur devoir accompli, ils prévoyaient une bonne réception à Kilcarrion House.

Kate se serra plus près de Thom sous le parapluie, mal à l'aise dans son manteau noir tout neuf et reconnaissante à la pluie qui lui éclaboussait le visage d'effacer les traces de ses larmes. Elle n'avait pas pu continuer à en vouloir à son père ; sa mère avait fait en sorte qu'il en soit ainsi. « Il était humain, lui avait-elle déclaré avec fermeté, ses vieilles mains agrippant celles de sa fille lorsqu'elle avait fulminé contre le vieil homme le soir de sa mort. Tout comme toi. » Ce n'était pas à Kate de lui en vouloir.

Cela signifiait néanmoins que le chagrin et le regret étaient les seules options qu'il lui restait après le départ de son père. Outre une culpabilité latente, sachant que si elle s'était donné un peu plus de mal, elle aurait peut-être pu établir une ligne de communication fragile sur le fossé béant qui avait si longtemps séparé ses deux familles. « Sabine s'en est chargée pour toi, lui avait assuré Thom. Tu devrais t'en réjouir. » Seulement il était trop tôt pour se réjouir de quoi que ce soit.

D'une voix morne, presque couverte par le sifflement persistant de la pluie, le vicaire avait parlé de poussière et de cendres, et quelque part derrière eux, Julia, soutenue par Christopher, s'était mise à sangloter bruyamment jusqu'à ce qu'on l'emmenât à l'écart après qu'elle eut bredouillé une profusion d'excuses. Tout le monde l'avait entendue geindre qu'elle ne supportait pas ça durant la moitié du trajet du retour à Kilcarrion.

Le reste de l'assistance y vit le signe que le moment était venu de se disperser et tous quittèrent les abords de la fosse, seuls ou deux par deux, sous une pléiade de parapluies foncés ou de couleurs outrageusement criardes. Annie et Patrick s'attardèrent un moment à proximité, la petite Roisin, invisible, blottie contre la poitrine de sa mère, Patrick dominant son épouse de toute sa taille, pareil à un ours protecteur. Pour finir, ils s'avancèrent.

— Dites-moi ce que je peux faire pour vous, dit Annie à Joy alors que le prêtre, après un ultime hochement de tête et un vague effleurement du bras, regagnait l'abri de l'église à grandes enjambées, ses jupes trempées de pluie volant autour de lui. Je suis sérieuse, Mrs Ballantyne. Vous en avez suffisamment fait pour moi.

— C'est très gentil à vous, Annie, répondit Joy tandis que la pluie dégoulinait en torrents le long des sillons de son parapluie. Je n'y manquerai pas.

— Elle n'en fera rien, entendit-on Annie marmonner affectueusement dès qu'ils s'éloignèrent à pas lents. Une vraie tête de mule, cette Mrs Ballantyne !

Il ne restait plus que Thom, Kate, Sabine et Joy, silhouette élancée et austère se tenant calmement près de la tombe, dans un tailleur noir qui avait dû sortir pour la dernière fois de sa housse à la fin des années 50.

Thom se tourna vers le couple qui venait de les quitter, décidant à l'évidence que sa place était avec eux. Avant de les suivre, il poussa gentiment Kate vers sa mère. Mais à la vue de son dos noir et rigide, celle-ci se mit à pleurer et Sabine fit signe à Thom de l'emmener avec lui. Si Joy était bouleversée, la dernière chose dont elle avait besoin, c'était d'une Kate pleurant sur son épaule.

Ignorant la boue qui montait lentement à l'assaut de ses chaussures, le regard dans le vague, Joy se tenait toujours près du monticule de terre noire recouvert de ses pesants tributs floraux. Elle s'était attendue à pleurer et avait redouté de se donner en spectacle devant tous ces gens bouche bée. Elle savait qu'elle les avait probablement déçus en s'en abstenant. Mais le fait était qu'elle se sentait plutôt mieux, comme si le vent avait soufflé au loin un gros nuage.

Désolé, mon cher, dit-elle silencieusement, dès qu'elle prit conscience de son soulagement. Tu sais bien que je ne parle pas de toi. Il était plus facile de s'adresser à Edward maintenant qu'il n'était plus là, comme si le fait de ne plus le voir, dans sa douleur et son impuissance, rappel physique de leur existence d'antan, l'avait libérée, lui permettant de l'aimer à nouveau inconditionnellement. Elle savait qu'elle s'était adoucie, que Julia,

Mrs H et tous les autres l'entouraient avec infiniment de précautions, persuadés que c'était sans doute le calme avant la tempête, qu'ils prédisaient que ce serait peut-être ce soir, à la veillée, qu'elle se retirerait, écrasée de chagrin. Elle confia en silence à Edward qu'elle le ferait peut-être, juste pour les contenter. Elle voulait qu'il s'en aille en beauté, certes, mais elle n'avait pas la moindre envie de passer trop de temps à jouer les hôtesses et à se préoccuper du bien-être de quasi-étrangers. Elle n'aimait toujours pas les réceptions, encore aujourd'hui.

Edward le comprendrait.

Elle cilla des paupières, soudain consciente qu'elle avait laissé son parapluie plonger en avant et que la pluie lui dégoulinait dans le dos. Elle leva les yeux au ciel en se demandant distraitement si la zone de gris plus clair affecterait le reste, puis se tourna et trouva Sabine à côté d'elle. La petite la dévisageait d'un air inquiet, les yeux gonflés, et glissa résolument son jeune bras sous le sien comme pour les réconforter toutes les deux.

— Est-ce que ça va ? demanda-t-elle.

— Ça va, Sabine.

Joy regarda fixement le cercueil. Elle avait l'impression que cela n'avait strictement rien à voir avec Edward.

— Tu es triste ?

Joy sourit, réfléchit une minute.

— Non, ma chérie. Pas énormément. Pas pour lui en tout cas.

Elle prit une profonde inspiration.

— Je pense que ton grand-père était prêt à partir. C'était un homme actif et je crois qu'il n'aimait pas beaucoup rester assis à ne rien faire. Je n'aurais pas souhaité qu'il vive plus longtemps, tu sais.

— Est-ce qu'il ne va pas te manquer ?

Joy marqua un temps d'arrêt.

— Bien sûr qu'il va me manquer. Mais nous avons vécu des moments très heureux ensemble, ton grand-père et moi. Et j'en garderai à jamais le souvenir.

Sabine parut satisfaite.

— Et puis je suppose que tu n'as plus à te faire du souci pour lui, dit-elle.

— Non, nous n'avons plus à nous soucier de lui.

Le ciel était incontestablement en train de se dégager. La pluie tombait moins dru, comme si elle n'était plus convaincue de son droit invincible de se changer en déluge et envisageait déjà sa prochaine destination. Elles firent volte-face toutes les deux et commencèrent à descendre la colline.

— J'ai quelque chose pour toi, déclara tout à coup Sabine en plongeant la main dans sa poche. Je l'ai trouvé dans la dernière boîte qu'on a rangée dans le bureau. J'ai pensé qu'il fallait que je te le donne aujourd'hui. Enfin, je n'y connais rien en religion et tout ça, mais Mrs H dit que certaines lectures peuvent être un réconfort dans… enfin… dans des moments comme celui-là.

Elle tendit à sa grand-mère un bout de papier, écrit à la main et défraîchi par le temps. Elle se rapprocha d'elle sous le parapluie pour éviter qu'il soit mouillé, mais deux mots furent néanmoins éclaboussés, expédiant de minuscules vrilles de l'antique encre bleue vers les bords de la feuille.

…que, forte de l'assistance de Sa grâce divine
vous puissiez gouverner et préserver
les Peuples commis à votre charge

dans la richesse, la paix et la sainteté ;
et après un long et glorieux règne
à la tête d'un royaume temporel
avec sagesse, équité et piété,
vous puissez enfin prendre place au royaume éternel
par ce même Jésus-Christ notre Seigneur. Amen.

— C'est ton écriture, alors j'ai pensé que ça avait peut-être de l'importance pour toi. C'est bien ? Enfin, je veux dire, c'est un truc religieux, non ? Je sais que tu n'es pas exactement une grenouille de bénitier, mais je me suis dit que ça conviendrait peut-être pour grand-père.

Joy resta là à fixer le petit bout de papier tandis qu'il s'amollissait et s'assombrissait peu à peu sous les gouttes de pluie, et elle sentit une grosse boule lui monter dans la gorge.

— C'est ton écriture, répéta Sabine, sur un ton légèrement défensif.

— Oui, c'est mon écriture. Et c'est un peu religieux, dit Joy, la voix brisée. Oui, c'est bien. De fait, c'est… c'est très… tout à fait approprié. Merci beaucoup.

Sabine sourit d'un air approbateur, la tristesse s'effaçant peu à peu de son jeune visage comme les nuages se dissipaient dans le ciel.

— Bon. Comme je te l'ai dit, je suis généralement assez nulle pour ce genre de choses, dit-elle.

Puis, bras dessus bras dessous, un peu vacillantes tandis qu'elles tâchaient de se frayer un chemin sur le sol irrégulier, la vieille dame et sa petite-fille regagnèrent la maison en pataugeant dans la boue.

REMERCIEMENTS

Ce livre n'aurait jamais vu le jour sans la mémoire limpide de ma grand-mère, Betty McKee. Mes personnages ont pris vie grâce à l'extraordinaire histoire d'amour qu'elle a vécue avec mon grand-père, Eric, aujourd'hui décédé, et à ses souvenirs vibrants dans lesquels j'ai effrontément puisé. Je voudrais également remercier Stephen Rabson du département des archives de P & O qui m'a aidée à peindre un tableau réaliste de la vie à bord des paquebots dans les années 50, ainsi que Pieter Van der Merwe et Nicholas J. Evans, du musée national de la Marine, à Londres, qui m'ont éclairée sur l'histoire navale. Merci aussi à Brian Sanders pour ses souvenirs du canal de Suez et à Joan Price sans laquelle je ne saurais toujours pas ce que c'est qu'un Wexford !

Je souhaite témoigner toute ma gratitude à J. Frank d'AP Watt grâce auquel je suis finalement publiée, pour ses encouragements, ses conseils et les merveilleux déjeuners qui ont émaillé la (longue, longue) ligne droite qui a précédé cette parution. Ainsi qu'à Carolyn Mays et à l'équipe d'Hodder dont les talents d'alchimiste sont indéniables, et à Vicky Cubitt pour son enthousiasme apparemment sans bornes. J'aimerais bien savoir ce que vous prenez pour être comme ça !

Je suis profondément reconnaissante à Anya Waddington et à Penelope Dunn pour leurs conseils et leurs contacts. Je les remercie aussi infiniment de n'avoir jamais sourcillé quand je leur disais que j'avais encore écrit autre chose auquel « j'aimerais qu'elles jettent un coup d'œil ». Mes remerciements aussi à David Lister et Mike McCarthy, de l'*Independent*, et à Ken Wiwa pour leur générosité et leurs encouragements durant ces diverses aventures littéraires. Bonne chance avec les nouveaux, les gars !

Merci à mes parents, Jim Moyes et Lizzie Sanders, qui, s'ils ne m'ont pas transmis génétiquement le don de l'écriture, m'ont certainement appris à persévérer coûte que coûte, et surtout à mon mari, Charles, pour avoir joué son rôle de nounou sans se plaindre, pour ses critiques fondées et sa foi en moi. À lui et à tous ceux que j'ai barbés avec mes sempiternelles idées de livres, merci du fond du cœur.

Composition réalisée par Chesteroc Ltd.

Achevé d'imprimer en septembre 2007 au Danemark par
NØRHAVEN PAPERBACK A/S
8800 Viborg
Dépôt légal 1re publication : juillet 2007
Edition 2 – septembre 2007
Numéro d'éditeur : 94094
LIBRAIRIE GÉNÉRALE FRANÇAISE
31, rue de Fleurus – 75278 Paris cedex 06

31/0880/0